풍산자 일등급유형

엄선된 기출문제는 자신감으로

명쾌한 해설은 실력으로 쌓이는

〈풍산자 일등급유형〉입니다.

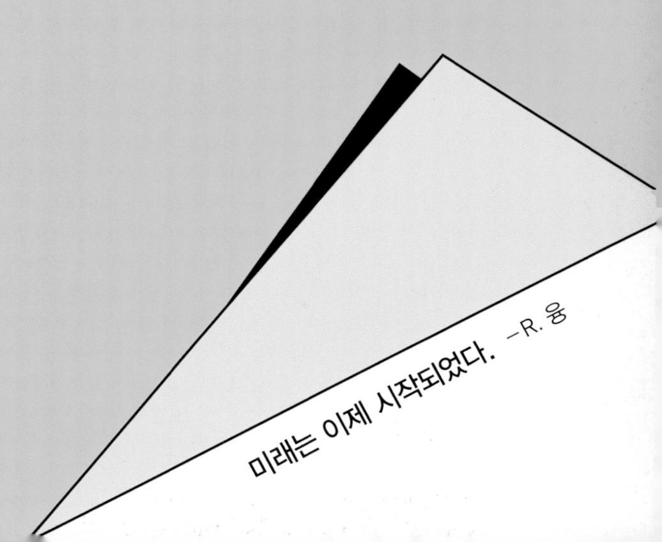

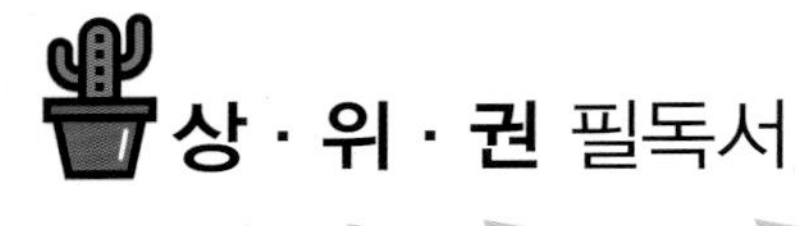

풍산자 일등급유형

풍산자의 일등급 도전 로드맵

필수 개념과 유형으로 **상위권 실력 입문**

상 수준의 문제로 **상위권 실력 완성**

최고난도 문제로 **최상위권 정복**

미니 모의고사로 **상위권 실력 점검**

출제율 높은 필수 문제 엄선

최신 학교 시험, 평가원, 교육청 기출 문제 철저 분석, 출제율 높은 문제 엄선

상위권 문제 단계별 공략

필수 기출 – 일등급 완성 – 도전 문제의 단계별 공략으로 1등급 실력 완성

일등급 사고력, 창의력 강화

실전에서 만나는 일등급 문제 해결을 위한 사고력, 창의력 강화 문제 다수 수록

풍산자
일등급
유형

확률과 통계

구성과 특징

1 일등급 실력 완성을 위한 집중 학습

학교 시험과 수능에서 일등급 실력을 완성하기 위한 문항 대비 집중서로 중상위 수준의 다양한 문제 풀이를 통해 중위권 학생들은 상위권 실력으로 향상될 수 있고, 상위권 학생들은 상위권 실력을 유지할 수 있도록 구성하였습니다.

2 다양한 유형의 문항으로 학교시험 & 학력평가 대비

학교 시험과 수능/모의고사/학력평가를 분석하여 출제 빈도가 높고 반드시 알아야 할 유형, 다양한 문제 해결력이 필요한 유형을 체계적으로 수록하여 학교 시험과 수능을 동시에 대비할 수 있습니다. 또한 최신 기출 문제를 연습하고 실전에 대비할 수 있도록 신경향 문제를 수록하였습니다.

3 점진적 학습이 가능한 단계별 문제 구성

실전 개념이 문제에 어떻게 활용되는지를 정리하였고, 중 수준, 상 수준, 최상위 수준의 문제를 단계별로 수록하여 문제를 풀면서 일등급 실력에 도달할 수 있도록 구성하였습니다.

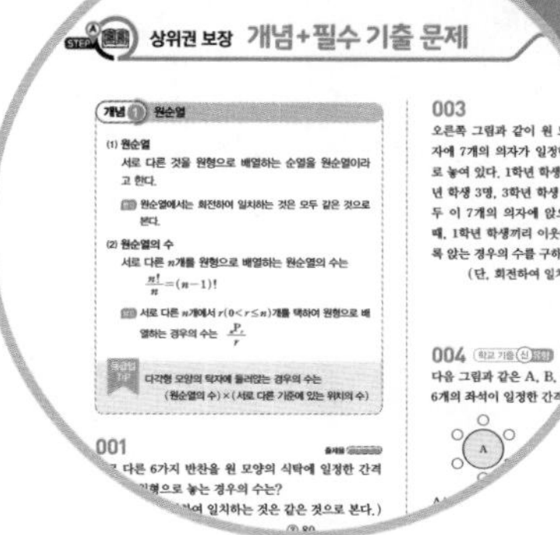

STEP A | 상위권 보장 개념+필수 기출 문제

- 학교 시험/평가원/교육청 기출 문제를 체계적으로 분석하여 실전 개념을 정리하였고, 출제 가능성이 높은 유형으로 구성하였습니다.
- 등급업 TIP 실전에 자주 이용되는 개념, 공식, 비법 등을 제시하였습니다.
- STEP A, STEP B에서는 실제 시험에 출제되는 문제를 수록하여 실전 감각을 기를 수 있습니다.

  평가원 기출, **교육청 기출** 평가원/ 교육청 기출 문제 중에서 중요한 유형의 문제입니다.

  학교 기출 신 유형 최신 학교 시험 기출 문제 중에서 새로운 유형의 문제로 정답과 풀이에서 접근 방법을 확인할 수 있습니다.

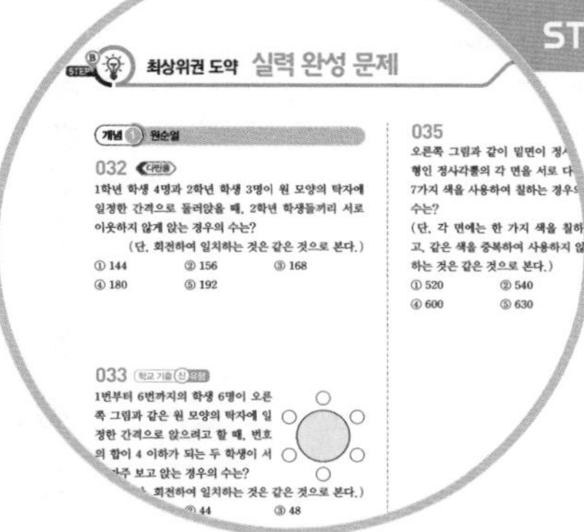

STEP B | 최상위권 도약 실력 완성 문제

- 개념별로 상 수준의 문제를 구성하여 탄탄한 상위권 실력을 완성할 수 있도록 하였습니다.

  다빈출 출제 비중이 높은 유형의 문제입니다.

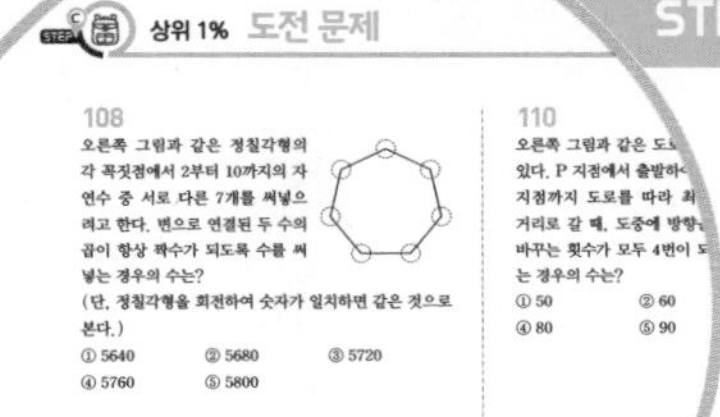

STEP C | 상위 1% 도전 문제

- 대단원별 최고난도 문항으로 일등급 대비와 최상위 실력을 기를 수 있도록 하였습니다.

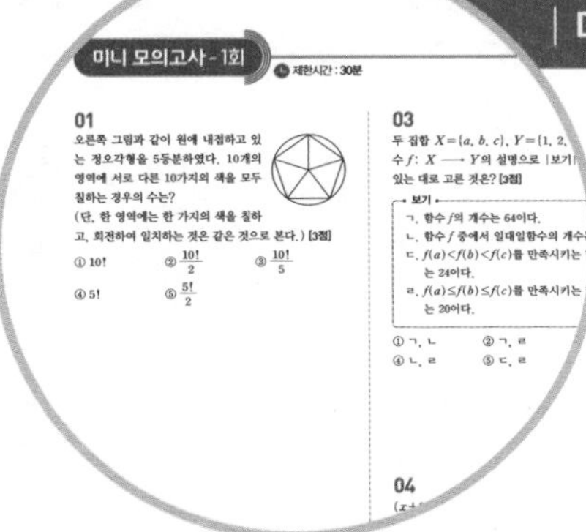

| 미니 모의고사

- 대단원별로 실력을 점검할 수 있는 문항을 엄선하여 구성하였습니다.

차례

I | 경우의 수

II | 확률

풍산자가 제안하는 상위권으로의 지름길

일등급유형 ▶▶

어제는 역사이고
내일은 미래이며,
그리고 오늘은 선물입니다.
그렇기에 우리는
현재(present)를 선물(present)이라고 말합니다.

명석한 두뇌도 뛰어난 체력도 타고난 재능도 끝없는 노력을 이길 순 없다.
아무것도 변하지 않을지라도 내가 변하면 모든 것이 변한다.

풍산자 일등급유형과 함께 까다로운 문제를 정복해 볼까요?

_계산 실수와 개념의 잘못된 적용을 유도하는 문제

_개념은 단순한데 사고의 전환이 필요한 신경향 문제

_익숙한 문제인데 풀이 방법은 다른 접근이 필요한 문제

_여러 가지 개념의 응용을 해야 하는데 적용에 실패하는 문제

_문제 해결을 위한 조건과 추론 과정에서 변형과 해석을 요구하는 문제

경우의 수

상위권 보장 개념+필수 기출 문제

개념 1 원순열

(1) **원순열**

서로 다른 것을 원형으로 배열하는 순열을 원순열이라고 한다.

참고 원순열에서는 회전하여 일치하는 것은 모두 같은 것으로 본다.

(2) **원순열의 수**

서로 다른 n개를 원형으로 배열하는 원순열의 수는

$$\frac{n!}{n}=(n-1)!$$

참고 서로 다른 n개에서 $r(0<r\leq n)$개를 택하여 원형으로 배열하는 경우의 수는 $\frac{{}_{n}\mathrm{P}_{r}}{r}$

등급업 TIP 다각형 모양의 탁자에 둘러앉는 경우의 수는
(원순열의 수)×(서로 다른 기준에 있는 위치의 수)

001

출제율

서로 다른 6가지 반찬을 원 모양의 식탁에 일정한 간격을 두고 원형으로 놓는 경우의 수는?

(단, 회전하여 일치하는 것은 같은 것으로 본다.)

① 40 ② 60 ③ 80
④ 100 ⑤ 120

002

출제율

부모를 포함한 5명의 가족이 원 모양의 탁자에 일정한 간격을 두고 둘러앉을 때, 부모가 이웃하여 앉는 경우의 수는? (단, 회전하여 일치하는 것은 같은 것으로 본다.)

① 6 ② 12 ③ 18
④ 24 ⑤ 30

003

출제율

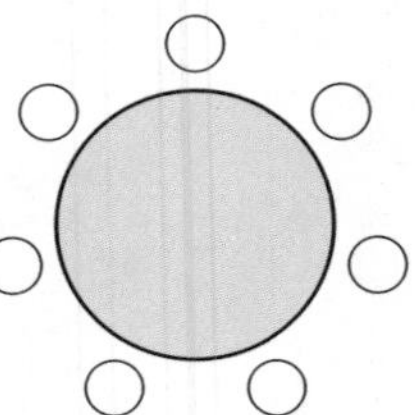

오른쪽 그림과 같이 원 모양의 탁자에 7개의 의자가 일정한 간격으로 놓여 있다. 1학년 학생 2명, 2학년 학생 3명, 3학년 학생 2명이 모두 이 7개의 의자에 앉으려고 할 때, 1학년 학생끼리 이웃하고 2학년 학생끼리 이웃하도록 앉는 경우의 수를 구하여라.

(단, 회전하여 일치하는 것은 같은 것으로 본다.)

004 학교 기출 신 유형

출제율

다음 그림과 같은 A, B, C 세 가지 모양의 탁자에 각각 6개의 좌석이 일정한 간격으로 놓여 있다.

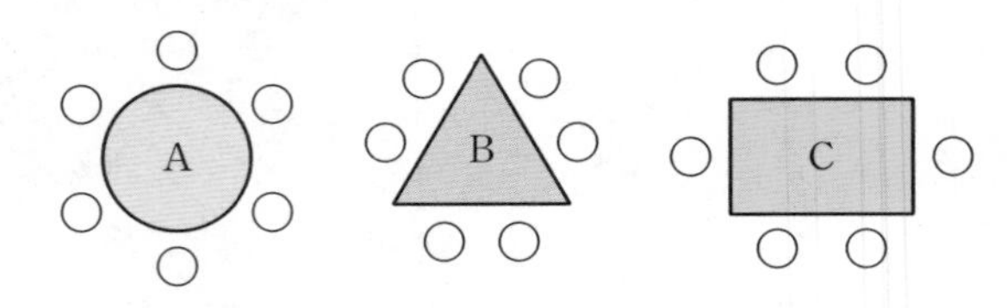

A는 원 모양의 탁자, B는 정삼각형 모양의 탁자, C는 직사각형 모양의 탁자일 때, 각각의 탁자에 6명이 둘러앉는 경우의 수가 가장 큰 탁자를 구하여라.

(단, 회전하여 일치하는 것은 같은 것으로 본다.)

005 평가원 기출

출제율

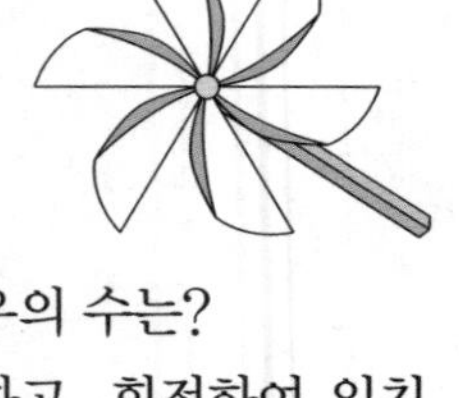

빨간색과 파란색을 포함한 서로 다른 6가지의 색을 모두 사용하여, 날개가 6개인 바람개비의 각 날개에 색칠하려고 한다. 빨간색과 파란색을 서로 맞은편의 날개에 칠하는 경우의 수는?

(단, 각 날개에는 한 가지 색만 칠하고, 회전하여 일치하는 것은 같은 것으로 본다.)

① 12 ② 18 ③ 24
④ 30 ⑤ 36

개념 2 중복순열

(1) 중복순열

서로 다른 n개에서 중복을 허락하여 r개를 택하는 순열을 중복순열이라 하고, 이것을 기호로 ${}_n\Pi_r$와 같이 나타낸다.

(2) 중복순열의 수

서로 다른 n개에서 r개를 택하는 중복순열의 수는

$${}_n\Pi_r = \underbrace{n \times n \times n \times \cdots \times n}_{r\text{개}} = n^r$$

참고 ${}_nP_r$에서는 $0 \le r \le n$이어야 하지만 ${}_n\Pi_r$에서는 $r > n$인 경우도 있다.

중복순열의 수를 구할 때 ${}_n\Pi_r$에서 n에는 고정된 물건의 개수 또는 중복되어 나오는 개수를, r에는 움직이는 물건의 개수 또는 중복되어 나오지 않는 개수를 대입한다고 생각하면 간편하다.

006

출제율

서로 다른 종류의 음료수 4개를 3명의 학생 A, B, C에게 남김없이 나누어 주는 경우의 수는?

(단, 음료수를 받지 못하는 학생이 있을 수 있다.)

① 63 ② 72 ③ 81
④ 90 ⑤ 99

007

출제율

두 집합 $X=\{1, 2, 3, 4\}$, $Y=\{a, b, c\}$에 대하여 X에서 Y로의 함수의 개수는?

① 72 ② 75 ③ 78
④ 81 ⑤ 84

008

출제율

5개의 숫자 1, 2, 3, 4, 5에서 중복을 허락하여 4개를 택해 일렬로 나열하여 만들 수 있는 네 자리의 자연수 중에서 2의 배수인 자연수의 개수는?

① 230 ② 240 ③ 250
④ 260 ⑤ 270

009

출제율

3개의 숫자 1, 2, 3에서 중복을 허락하여 4개를 택해 일렬로 나열하여 만들 수 있는 네 자리의 자연수 중에서 2300보다 작은 자연수의 개수를 구하여라.

010

출제율

모스 부호 '•'과 '−'를 사용하여 신호를 만들려고 한다. 90개 이상의 서로 다른 신호를 만들려면 이 부호를 최소한 몇 번까지 사용해야 되는가?

① 4번 ② 5번 ③ 6번
④ 7번 ⑤ 8번

개념 3 같은 것이 있는 순열

n개 중에서 서로 같은 것이 각각 p개, q개, …, r개씩 있을 때, n개를 일렬로 나열하는 순열의 수는

$$\frac{n!}{p!q!\cdots r!} \text{ (단, } p+q+\cdots+r=n\text{)}$$

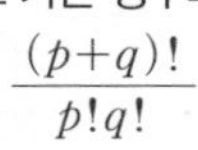 도로망에서 최단 거리로 가는 경우의 수
오른쪽 그림과 같은 도로망에서 A지점에서 출발하여 B지점까지 최단 거리로 가는 경우의 수는

$$\frac{(p+q)!}{p!q!}$$

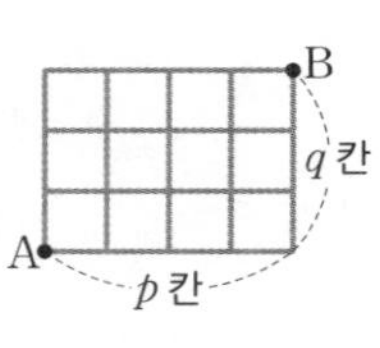

등급업 TIP 서로 다른 n개의 문자를 일렬로 나열할 때 r개의 문자의 순서가 정해진 경우는 순서가 정해진 r개를 같은 것으로 생각하여 n개를 일렬로 나열한다.

➡ $\frac{n!}{r!}$ (단, $0<r\le n$)

011
출제율

banana에 있는 6개의 문자를 일렬로 나열하는 경우의 수는?

① 52 ② 56 ③ 60
④ 64 ⑤ 68

012
출제율

express에 있는 7개의 문자를 일렬로 나열할 때, x와 r가 이웃하지 않도록 나열하는 경우의 수는?

① 810 ② 840 ③ 870
④ 900 ⑤ 930

013
출제율

0, 2, 2, 3, 3, 3의 숫자가 각각 하나씩 적혀 있는 6장의 카드를 모두 사용하여 만들 수 있는 여섯 자리의 정수 중에서 짝수의 개수는?

① 22 ② 24 ③ 26
④ 28 ⑤ 30

014
출제율

dream에 있는 5개의 문자를 일렬로 나열할 때, a, r, d를 이 순서대로 나열하는 경우의 수는?

① 10 ② 20 ③ 30
④ 40 ⑤ 50

015
출제율

7개의 숫자 1, 2, 2, 3, 3, 3, 8을 일렬로 나열할 때, 홀수와 짝수를 교대로 나열하는 경우의 수는?

① 10 ② 12 ③ 14
④ 16 ⑤ 18

016

출제율

1부터 7까지의 자연수가 각각 하나씩 적혀 있는 7장의 카드가 있다. 이 카드를 모두 한 번씩 사용하여 일렬로 나열할 때, 1이 적혀 있는 카드는 5가 적혀 있는 카드보다 왼쪽에 나열하고, 짝수가 적혀 있는 카드는 작은 수부터 크기 순서대로 왼쪽부터 나열하는 경우의 수를 구하여라.

017 학교 기출 신유형

출제율

건물의 한 층에 10계단의 층계가 있다. 한 층을 7걸음에 올라가는 경우의 수는?
(단, 한 걸음에 1계단 또는 2계단밖에 올라갈 수 없다.)

① 30 ② 35 ③ 40
④ 45 ⑤ 50

018

출제율

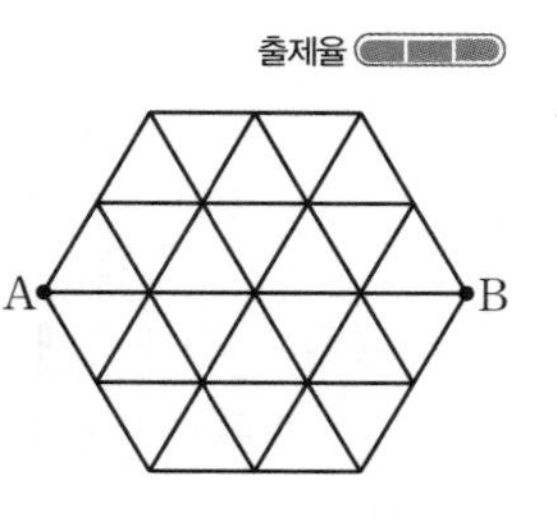

한 변의 길이가 1인 정삼각형 24개가 오른쪽 그림과 같이 연결되어 정육각형을 이루고 있다. 점 P를 A 지점에서 출발시켜 정삼각형의 변을 따라 1초에 길이가 1만큼씩 세 방향 →, ↗, ↘ 중 한 방향으로 움직여서 B 지점에 도착시키려고 한다. 점 P를 A 지점에서 출발시켜 7초 이내에 B 지점에 도착시키는 경우의 수를 구하여라.

019

출제율

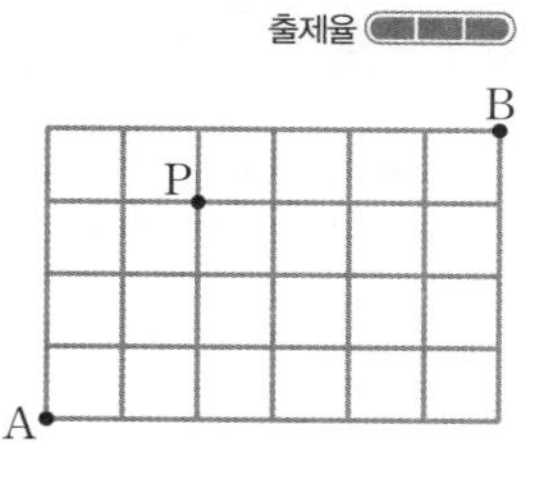

오른쪽 그림과 같이 직사각형 모양으로 연결된 도로망이 있다. 이 도로망을 따라 A 지점에서 출발하여 P 지점을 지나 B 지점까지 최단 거리로 가는 경우의 수는?

① 42 ② 44 ③ 46
④ 48 ⑤ 50

020

출제율

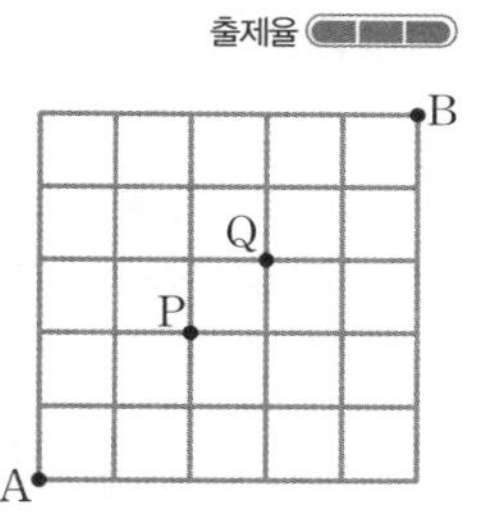

오른쪽 그림과 같은 도로망이 있다. A 지점에서 출발하여 B 지점까지 최단 거리로 가는 방법 중에서 P 지점은 지나고, Q 지점은 지나지 않고 가는 경우의 수는?

① 12 ② 24
③ 36 ④ 48
⑤ 60

021 평가원 기출

출제율

다음 그림과 같이 마름모 모양으로 연결된 도로망이 있다. 이 도로망을 따라 A 지점에서 출발하여 C 지점을 지나지 않고, D 지점도 지나지 않으면서 B 지점까지 최단 거리로 가는 경우의 수는?

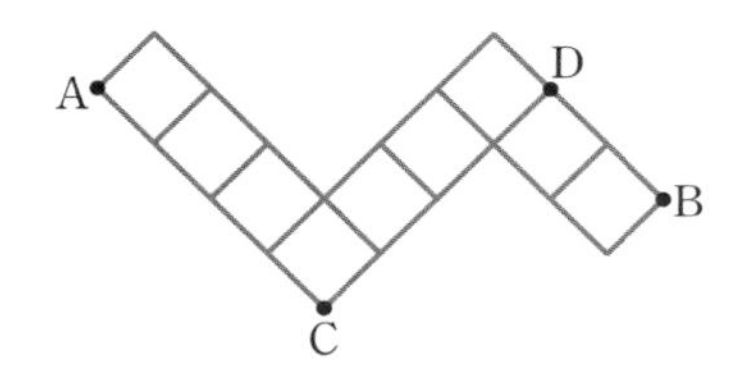

① 26 ② 24 ③ 22
④ 20 ⑤ 18

개념 4 중복조합

(1) 중복조합

서로 다른 n개에서 중복을 허락하여 r개를 택하는 조합을 중복조합이라 하고, 이것을 기호로 ${}_{n}\mathrm{H}_{r}$와 같이 나타낸다.

(2) 중복조합의 수

서로 다른 n개에서 r개를 택하는 중복조합의 수는

$${}_{n}\mathrm{H}_{r}={}_{n+r-1}\mathrm{C}_{r}$$

참고 ${}_{n}\mathrm{C}_{r}$에서는 $0\le r\le n$이어야 하지만 ${}_{n}\mathrm{H}_{r}$에서는 $r>n$인 경우도 있다.

(3) 방정식에서 정수해의 개수

방정식 $x_1+x_2+x_3+\cdots+x_m=n$(m, n은 자연수)에 대하여

① 음이 아닌 정수해의 개수는

$${}_{m}\mathrm{H}_{n}={}_{m+n-1}\mathrm{C}_{n}$$

② 양의 정수해의 개수는

$${}_{m}\mathrm{H}_{n-m}={}_{n-1}\mathrm{C}_{n-m} \text{ (단, } m\le n\text{)}$$

등급업 TIP

방정식 $x+y+z=n$의 양의 정수해의 개수는 x, y, z를 한 번씩 택했다고 보면 3개에서 $(n-3)$개를 택하는 중복조합의 수와 같다.

022

출제율

딸기우유, 커피우유, 바나나우유 중에서 8개를 선택하려고 한다. 딸기우유, 커피우유, 바나나우유를 각각 적어도 한 개 이상씩 선택하는 경우의 수는?
(단, 딸기우유, 커피우유, 바나나우유는 각각 8개 이상씩 있다.)

① 12 ② 15 ③ 18
④ 21 ⑤ 24

023

출제율

$4\le a\le b\le c\le 8$을 만족시키는 자연수 a, b, c의 순서쌍 (a, b, c)의 개수는?

① 25 ② 30 ③ 35
④ 40 ⑤ 45

024

출제율

집합 $\{1, 2, 3, 4\}$에서 집합 $\{1, 2, 3, 4, 5\}$로의 함수 f 중에서 $x_1<x_2$이면 $f(x_1)\le f(x_2)$를 만족시키는 함수 f의 개수는?

① 68 ② 70 ③ 72
④ 74 ⑤ 76

025

출제율

같은 종류의 사탕 5개, 같은 종류의 껌 3개, 같은 종류의 초콜릿 2개를 3명에게 남김없이 나누어 주는 경우의 수는? (단, 1개도 받지 못하는 사람이 있을 수 있다.)

① 1180 ② 1200 ③ 1220
④ 1240 ⑤ 1260

026 학교 기출 신유형

출제율

주스, 커피, 콜라 중에서 n개를 선택하는 경우의 수가 28일 때, 주스, 커피, 콜라를 적어도 하나씩 포함하여 n개를 선택하는 경우의 수는?

(단, $n>3$이고, 각 음료수는 같은 종류로 있다.)

① 10 ② 12 ③ 14
④ 16 ⑤ 18

027

출제율

$(x+y+z)^4(a+b)^4$의 전개식에서 서로 다른 항의 개수는?

① 75 ② 80 ③ 85
④ 90 ⑤ 95

028 평가원 기출

출제율

숫자 1, 2, 3, 4에서 중복을 허락하여 5개를 택할 때, 숫자 4가 한 개 이하가 되는 경우의 수는?

① 45 ② 42 ③ 39
④ 36 ⑤ 33

029

출제율

방정식 $x+y+z=15$를 만족시키는 음이 아닌 정수 x, y, z의 모든 순서쌍 (x, y, z)의 개수를 m, 양의 정수 x, y, z의 모든 순서쌍 (x, y, z)의 개수를 n이라고 할 때, $m+n$의 값을 구하여라.

030

출제율

$a+b+c+3d=12$를 만족시키는 양의 정수 a, b, c, d의 모든 순서쌍 (a, b, c, d)의 개수는?

① 27 ② 30 ③ 33
④ 36 ⑤ 39

031

출제율

음이 아닌 정수 a, b, c, d, e 중에서 0의 개수는 2일 때, $a+b+c+d+e=8$을 만족시키는 모든 순서쌍 (a, b, c, d, e)의 개수는?

① 210 ② 230 ③ 250
④ 270 ⑤ 290

최상위권 도약 실력 완성 문제

개념 1 원순열

032 다빈출

1학년 학생 4명과 2학년 학생 3명이 원 모양의 탁자에 일정한 간격으로 둘러앉을 때, 2학년 학생들끼리 서로 이웃하지 않게 앉는 경우의 수는?

(단, 회전하여 일치하는 것은 같은 것으로 본다.)

① 144 ② 156 ③ 168
④ 180 ⑤ 192

033 학교 기출 신유형

1번부터 6번까지의 학생 6명이 오른쪽 그림과 같은 원 모양의 탁자에 일정한 간격으로 앉으려고 할 때, 번호의 합이 4 이하가 되는 두 학생이 서로 마주 보고 앉는 경우의 수는?

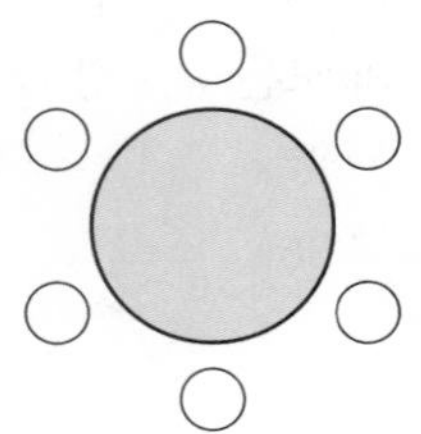

(단, 회전하여 일치하는 것은 같은 것으로 본다.)

① 42 ② 44 ③ 48
④ 50 ⑤ 54

034

오른쪽 그림과 같이 정팔각형 모양의 탁자에 할머니, 할아버지를 포함하여 8명의 가족이 둘러앉으려고 한다. 할머니와 할아버지 사이에 3명 또는 4명의 가족이 앉는 경우의 수는?

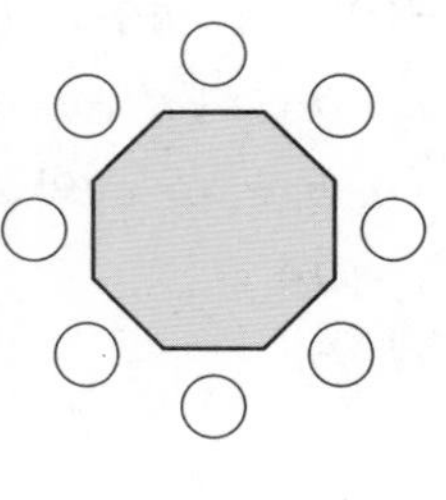

(단, 회전하여 일치하는 것은 같은 것으로 본다.)

① $6!$ ② $2\times6!$ ③ $3\times6!$
④ $4\times6!$ ⑤ $5\times6!$

035

오른쪽 그림과 같이 밑면이 정사각형인 정사각뿔의 각 면을 서로 다른 7가지 색을 사용하여 칠하는 경우의 수는?

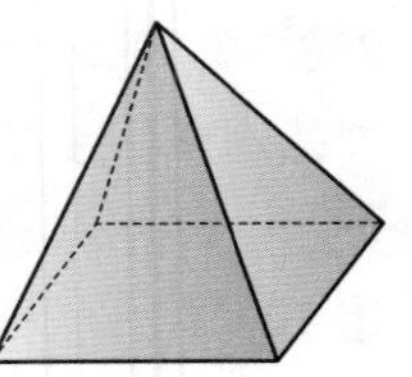

(단, 각 면에는 한 가지 색을 칠하고, 같은 색을 중복하여 사용하지 않으며 회전하여 일치하는 것은 같은 것으로 본다.)

① 520 ② 540 ③ 560
④ 600 ⑤ 630

036 학교 기출 신유형

1부터 7까지의 자연수가 각각 하나씩 적혀 있는 7개의 공 중에서 임의로 5개의 공을 골라 일정한 간격을 두고 원형으로 배열할 때, 짝수가 적혀 있는 공끼리는 서로 이웃하지 않는 경우의 수는?

① 210 ② 212 ③ 214
④ 216 ⑤ 220

037

오른쪽 그림과 같이 9개의 작은 정사각형으로 이루어진 큰 정사각형이 있다. 서로 다른 10가지 색을 사용하여 9개의 작은 정사각형에 색을 칠하려고 한다. 같은 색을 중복하여 사용하지 않을 때, 서로 다르게 칠하는 경우의 수는 $7! \times a$이다. a의 값은?

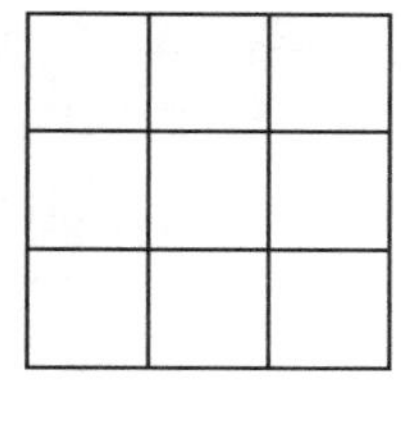

(단, 한 영역에는 한 가지 색만 칠하고, 회전하여 일치하는 것은 같은 것으로 본다.)

① 100　② 120　③ 140　④ 160　⑤ 180

038 교육청 기출

오른쪽 그림과 같이 남학생 4명, 여학생 2명이 9개의 자리가 있는 원 모양의 탁자에 다음 조건에 따라 일정한 간격으로 앉으려고 할 때, 앉을 수 있는 모든 경우의 수를 구하여라.

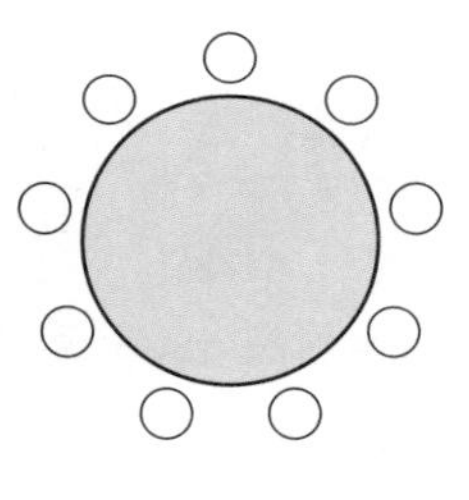

(단, 회전하여 일치하는 것은 같은 것으로 본다.)

> (가) 남학생, 여학생 모두 같은 성별끼리 2명씩 조를 만든다.
> (나) 서로 다른 두 개의 조 사이에 반드시 한 자리를 비워 둔다.

개념 ② 중복순열

039

6개의 숫자 0, 1, 2, 3, 4, 5에서 중복을 허락하여 4개를 택해 일렬로 나열하여 네 자리의 자연수를 만들 때, 홀수의 개수는?

① 480　② 500　③ 520　④ 540　⑤ 560

040 다빈출

3개의 숫자 2, 4, 6에서 중복을 허락하여 4개를 택해 일렬로 나열하여 네 자리의 자연수를 만들 때, 2와 4가 모두 포함되어 있는 자연수의 개수는?

① 48　② 50　③ 52　④ 54　⑤ 56

041

5개의 숫자 1, 2, 3, 4, 5에서 중복을 허락하여 4개를 택해 일렬로 나열하여 만들 수 있는 네 자리의 자연수 중 백의 자리의 수와 일의 자리의 수의 합이 짝수인 것의 개수는?

① 320　② 325　③ 330　④ 335　⑤ 340

042 학교 기출 신유형

4명의 학생이 1층에서 엘리베이터를 타고 위층으로 출발하였다. 이들은 2층부터 6층까지 어느 한 층에서 내리며, 6층에서 엘리베이터에 남은 학생이 있다면 남은 학생 모두가 내린다. 이때 내리는 모든 경우의 수를 구하여라.
(단, 1층에서는 내릴 수 없고, 어느 한 층에서 모두 내릴 수도 있다.)

043

집합 $\{1, 2, 3, 4, 5\}$의 서로소인 두 부분집합 A, B의 순서쌍 (A, B)의 개수는?

① 3 ② 9 ③ 27
④ 81 ⑤ 243

044 학교 기출 신유형

한 개의 주사위를 4번 던져서 나온 눈의 수를 차례대로 a, b, c, d라고 하자. 세 수 a, b, c의 최솟값이 d의 값보다 클 때, 네 수 a, b, c, d의 모든 순서쌍 (a, b, c, d)의 개수를 구하여라.

045

서로 다른 과일 4개를 남김없이 서로 다른 바구니 3개에 넣으려고 할 때, 넣은 과일의 개수가 1인 바구니가 있도록 넣는 경우의 수를 구하여라.
(단, 과일을 하나도 넣지 않은 바구니가 있을 수 있다.)

046

집합 $X=\{1, 2, 3, 4, 5\}$에서 집합 $Y=\{5, 6, 7, 8, 9\}$로의 함수 f 중에서 다음 조건을 만족시키는 함수 f의 개수는?

(가) $f(3)=7$
(나) $x<3$이면 $f(x)\le f(3)$이다.
(다) $x>3$이면 $f(x)\ge f(3)$이다.

① 63 ② 72 ③ 81
④ 90 ⑤ 99

047

4개의 숫자 1, 2, 3, 4와 2개의 특수문자 #, &를 일렬로 나열하여 다음 조건을 만족시키도록 암호를 만들려고 한다.

(가) 숫자는 중복하여 사용할 수 있고 특수문자는 중복하여 사용할 수 없다.
(나) 숫자의 개수와 특수문자의 개수의 합이 4이다.
(다) 특수문자가 1개 이상 포함되어 있다.

예를 들어, 1#23, 122&은 조건을 만족시키는 암호이고, 1234, 1#2#, 11&22는 조건을 만족시키지 않는 암호이다. 만들 수 있는 서로 다른 암호의 개수를 구하여라.
(단, 나열된 순서가 같지 않은 암호는 서로 다른 암호로 생각한다.)

개념 3 같은 것이 있는 순열

048 다빈출

7개의 문자 a, a, b, b, c, d, e를 일렬로 나열할 때, 같은 문자끼리 이웃하지 않도록 나열하는 경우의 수를 구하여라.

049

4개의 문자 a, b, c, d 중에서 중복을 허락하여 5개를 택해 일렬로 나열할 때, 문자 a가 세 번 나오는 경우의 수는?

① 70 ② 80 ③ 90
④ 100 ⑤ 110

050 학교 기출 신유형

다음 조건을 만족시키는 네 자연수 a, b, c, d로 이루어진 모든 순서쌍 (a, b, c, d)의 개수는?

> (가) $a+b+c+d=8$
> (나) $a\times b\times c\times d$는 3의 배수이다.

① 16 ② 18 ③ 20
④ 22 ⑤ 24

051

두 집합 $X=\{a, b, c, d\}$, $Y=\{1, 2, 3\}$에 대하여 X에서 Y로의 함수 f 중에서 $f(a)+f(b)+f(c)+f(d)=6$을 만족시키는 함수 f의 개수는?

① 10 ② 14 ③ 18
④ 22 ⑤ 26

052

6개의 숫자 0, 1, 2, 2, 3, 4를 모두 한 번씩 사용하여 일렬로 나열할 때, 4의 배수인 여섯 자리의 자연수의 개수는?

① 96 ② 98 ③ 100
④ 102 ⑤ 104

053

0부터 9까지의 자연수 중에서 서로 다른 두 개의 숫자를 선택한 후 이 두 숫자를 사용하여 현관문의 비밀번호를 설정하려고 한다. 현관문의 비밀번호는 네 자리의 수일 때, 만들 수 있는 비밀번호의 개수는?
(단, 두 개의 숫자를 모두 사용하여 비밀번호를 설정한다.)

① 600 ② 610 ③ 620
④ 630 ⑤ 640

054

상자에 크기와 모양이 같은 60개의 구슬이 있다. A, B 두 사람이 가위바위보를 해서 다음과 같은 규칙에 따라 구슬을 꺼내어 가진다고 한다.

> (가) 이긴 사람은 7개, 진 사람은 3개의 구슬을 가진다.
> (나) 비기면 두 사람이 각각 5개씩 구슬을 가진다.

A, B 두 사람이 가위바위보를 6번 하여 구슬을 각각 30개씩 나누어 가지게 되는 경우의 수를 구하여라.

055 학교 기출 신유형

오른쪽 그림과 같은 도로망이 있다. A 지점에서 출발하여 P 지점을 지나 B 지점까지 최단 거리로 가는 경우의 수는?

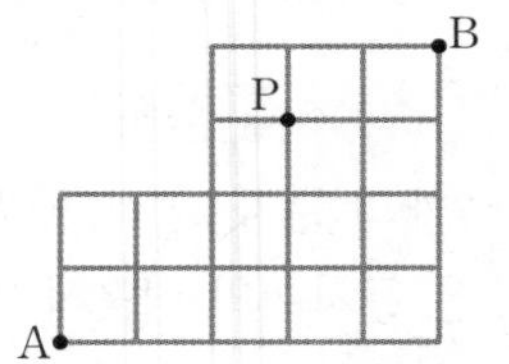

① 36 ② 40
③ 44 ④ 48
⑤ 52

056 다빈출

오른쪽 그림과 같은 도로망이 있다. 호수는 지날 수 없다고 할 때, A 지점에서 출발하여 B 지점까지 최단 거리로 가는 경우의 수는?

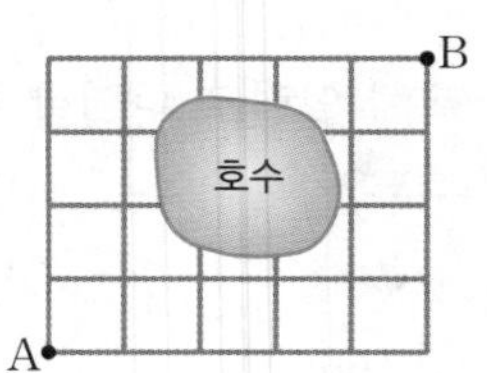

① 24 ② 26
③ 28 ④ 30
⑤ 32

057

오른쪽 그림과 같이 정사각형으로 이루어진 도로망이 있다. 상희는 A 지점에서 출발하여 B 지점으로, 민수는 B 지점에서 출발하여 A 지점으로 최단 거리로 이동하려고 한다. 상희와 민수가 동시에 각각 A, B 지점에서 출발하여 같은 속도로 이동할 때, 두 사람이 서로 만나지 않고 각각 B, A 지점에 도착하는 경우의 수를 구하여라.

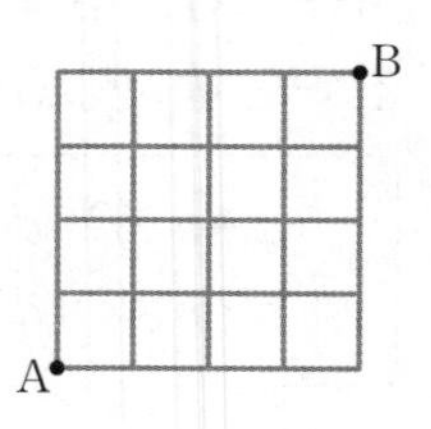

058 평가원 기출

직사각형 모양의 잔디밭에 산책로가 만들어져 있다. 이 산책로는 다음 그림과 같이 반지름의 길이가 같은 원 8개가 서로 외접하고 있는 형태이다.

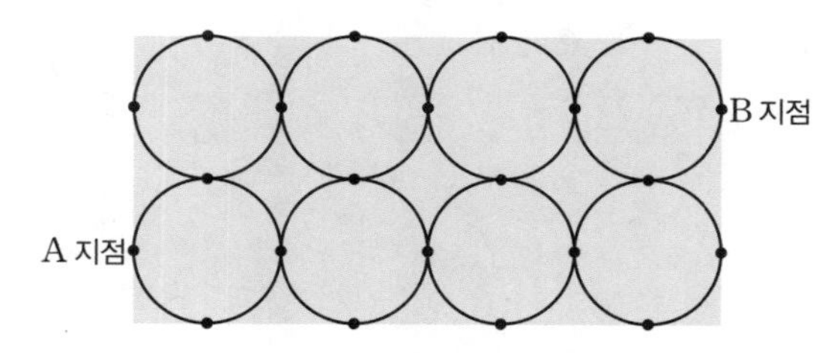

A 지점에서 출발하여 산책로를 따라 최단 거리로 B 지점에 도착하는 경우의 수를 구하여라.
(단, 원 위에 표시된 점은 원과 직사각형 또는 원과 원의 접점을 나타낸다.)

059

오른쪽 그림과 같이 크기가 같은 정육면체 18개를 쌓아 직육면체를 만들었다. 정육면체의 모서리를 따라 꼭짓점 A에서 꼭짓점 B까지 최단 거리로 갈 때, 모서리 CD를 지나지 않는 경우의 수는? (단, 점 C, D는 모서리 CD에 포함되지 않는다고 생각한다.)

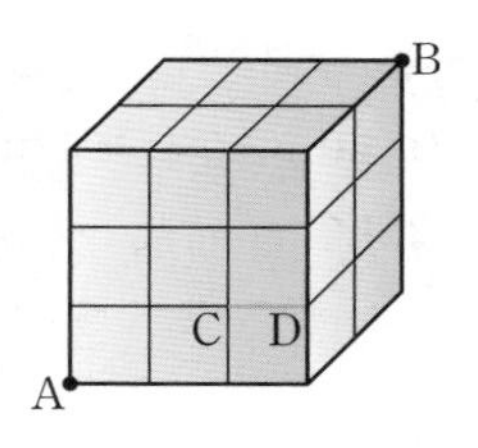

① 526 ② 530 ③ 534
④ 538 ⑤ 542

개념 4 중복조합

060

같은 종류의 복숭아 7개, 같은 종류의 참외 9개, 같은 종류의 자두 10개가 있는 가게에서 과일을 사려고 한다. 적어도 1개의 자두를 포함하여 10개의 과일을 선택하는 경우의 수는?

① 52 ② 56 ③ 60
④ 64 ⑤ 68

061

같은 종류의 사탕 4개와 같은 종류의 구슬 6개를 서로 다른 두 주머니에 넣는 경우의 수는?
(단, 비어 있는 주머니는 없다.)

① 29 ② 31 ③ 33
④ 35 ⑤ 37

062

서로 다른 종류의 주스 4개와 같은 종류의 커피 8개를 같은 종류의 상자 4개에 남김없이 나누어 넣으려고 한다. 각 상자에 주스와 커피가 각각 1개 이상씩 들어가도록 나누어 넣는 경우의 수를 구하여라.

063

두 집합 $X=\{a, b, c, d\}$, $Y=\{1, 2, 3, 4, 5\}$에 대하여 X에서 Y로의 함수 f 중에서

$$f(a)\le f(b)<f(c)\le f(d)$$

를 만족시키는 함수 f의 개수는?

① 33 ② 35 ③ 37
④ 39 ⑤ 41

064 학교 기출 신 유형

집합 $X=\{1, 2, 3, 4\}$에 대하여 다음 조건을 만족시키는 함수 $f: X \longrightarrow X$의 개수를 구하여라.

> (가) $f(1)<f(2)$
> (나) X의 임의의 두 원소 a, b에 대하여 $a<b$이면 $f(a)\le f(b)$이다.

065

검은 공 6개와 흰 공 8개를 일렬로 나열할 때, 색깔의 변화가 4번 생기도록 14개의 공을 나열하는 경우의 수는?

① 160 ② 165 ③ 170
④ 175 ⑤ 180

066

부등식 $x+y+z\le 6$을 만족시키는 자연수 x, y, z의 모든 순서쌍 (x, y, z)의 개수는?

① 12 ② 16 ③ 20
④ 24 ⑤ 28

067 다빈출

$x\ge -1$, $y\ge 1$, $z\ge 2$인 정수 x, y, z에 대하여 방정식 $x+y+z=10$을 만족시키는 모든 순서쌍 (x, y, z)의 개수는?

① 40 ② 45 ③ 50
④ 55 ⑤ 60

068

다음 조건을 만족시키는 자연수 a, b, c의 모든 순서쌍 (a, b, c)의 개수는?

> (가) $a\times b\times c$는 홀수이다.
> (나) $a\le b\le c\le 10$

① 25 ② 30 ③ 35
④ 40 ⑤ 45

069

다음 조건을 만족시키는 음이 아닌 정수 x, y, z의 모든 순서쌍 (x, y, z)의 개수를 구하여라.

> (가) $x+y+z=7$
> (나) $0<x+y<7$

070 학교 기출 신유형

다음 조건을 만족시키는 정수 x, y, z의 모든 순서쌍 (x, y, z)의 개수는?

> (가) $|x|+|y|+|z|=10$
> (나) $xy\ne 0$
> (다) $|z|=z$

① 180 ② 195 ③ 210
④ 225 ⑤ 240

071 교육청 기출

다음은 4 이상의 자연수 n에 대하여 등식

$$a\times b\times c\times d=2^n\times 3^n$$

을 만족시키는 2 이상의 자연수 a, b, c, d의 순서쌍 (a, b, c, d) 중에서 $a+b+c+d$가 짝수가 되도록 하는 모든 순서쌍의 개수를 구하는 과정이다.

> $a=2^{x_1}\times 3^{y_1}$, $b=2^{x_2}\times 3^{y_2}$, $c=2^{x_3}\times 3^{y_3}$, $d=2^{x_4}\times 3^{y_4}$ 이라고 하면
>
> $$x_1+x_2+x_3+x_4=n,\ y_1+y_2+y_3+y_4=n$$
>
> (단, $i=1, 2, 3, 4$에 대하여 x_i, y_i는 음이 아닌 정수이다.)
>
> 이때 $a+b+c+d$가 짝수이므로 a, b, c, d가 모두 짝수이거나 a, b, c, d 중에서 2개만 짝수이다.
>
> (i) a, b, c, d가 모두 짝수인 경우
> x_1, x_2, x_3, x_4가 모두 자연수이고 y_1, y_2, y_3, y_4는 음이 아닌 정수이므로 순서쌍 $(x_1, x_2, x_3, x_4, y_1, y_2, y_3, y_4)$의 개수는
> $${}_4\mathrm{H}_{\boxed{(가)}}\times{}_4\mathrm{H}_n \quad \cdots\cdots ㉠$$
>
> (ii) a, b, c, d 중에서 2개만 짝수인 경우
> x_1, x_2, x_3, x_4 중에서 자연수가 2개이고 0이 2개이므로 순서쌍 (x_1, x_2, x_3, x_4)의 개수는
> $${}_4\mathrm{C}_2\times\boxed{(나)}$$
> 이다. 이때 a, b, c, d 중 홀수인 두 수는 1이 될 수 없으므로 순서쌍 (y_1, y_2, y_3, y_4)의 개수는
> $${}_4\mathrm{H}_{\boxed{(다)}}$$
> 이다. 따라서 순서쌍 $(x_1, x_2, x_3, x_4, y_1, y_2, y_3, y_4)$의 개수는
> $${}_4\mathrm{C}_2\times\boxed{(나)}\times{}_4\mathrm{H}_{\boxed{(다)}} \quad \cdots\cdots ㉡$$
>
> (i), (ii)에 의하여 구하는 경우의 수는 ㉠+㉡이다.

위의 (가), (나), (다)에 알맞은 식을 각각 $f(n)$, $g(n)$, $h(n)$이라고 할 때, $f(6)+g(7)+h(8)$의 값은?

① 13 ② 14 ③ 15
④ 16 ⑤ 17

상위권 보장 개념+필수 기출 문제

개념 1 이항정리

(1) **이항정리**

n이 자연수일 때, 다항식 $(a+b)^n$을 전개하면

$$(a+b)^n = {}_nC_0a^n + {}_nC_1a^{n-1}b^1 + {}_nC_2a^{n-2}b^2 + \cdots + {}_nC_ra^{n-r}b^r + \cdots + {}_nC_nb^n$$

이고, 이것을 이항정리라고 한다.

이때 ${}_nC_ra^{n-r}b^r$을 $(a+b)^n$의 전개식의 일반항이라고 한다.

(2) **이항계수**

다항식 $(a+b)^n$의 전개식에서 각 항의 계수, 즉 ${}_nC_0$, ${}_nC_1$, $\cdots$, ${}_nC_r$, $\cdots$, ${}_nC_n$을 이항계수라고 한다.

참고 $(a+b)^n$의 전개식에서 ${}_nC_r = {}_nC_{n-r}$이므로 $a^{n-r}b^r$의 계수와 a^rb^{n-r}의 계수는 같다.

등급업 TIP $(a+b)(c+d)^n$의 전개식에서 특정 항의 계수는 $a(c+d)^n + b(c+d)^n$으로 바꾸어 구한다.

072

출제율

다항식 $(1+2x)^6$의 전개식에서 x^5의 계수는?

① 186 ② 188 ③ 190
④ 192 ⑤ 194

073

출제율

$\left(x+\frac{1}{2x}\right)^4$ 의 전개식에서 x^2의 계수는?

① 1 ② 2 ③ 3
④ 4 ⑤ 5

074

출제율

$\left(ax+\frac{1}{x}\right)^5$ 의 전개식에서 x의 계수가 80일 때, 실수 a의 값은?

① 2 ② 4 ③ 6
④ 8 ⑤ 10

075 학교 기출 신유형

출제율

$\left(x-\frac{1}{\sqrt{x}}\right)^6\left(x+\frac{1}{\sqrt{x}}\right)^6$의 전개식에서 x^3의 계수는?

① -10 ② -15 ③ -20
④ -25 ⑤ -30

076

출제율

$(x+2)^5(x+3)$의 전개식에서 x^3의 계수는?

① 160 ② 170 ③ 180
④ 190 ⑤ 200

개념 2 이항계수의 성질

(1) 이항계수의 성질

n이 자연수일 때

① ${}_{n}C_{0}+{}_{n}C_{1}+{}_{n}C_{2}+\cdots+{}_{n}C_{n}=2^{n}$

② ${}_{n}C_{0}-{}_{n}C_{1}+{}_{n}C_{2}-\cdots+(-1)^{n}{}_{n}C_{n}=0$

③ ${}_{n}C_{0}+{}_{n}C_{2}+{}_{n}C_{4}+{}_{n}C_{6}+\cdots=2^{n-1}$

${}_{n}C_{1}+{}_{n}C_{3}+{}_{n}C_{5}+{}_{n}C_{7}+\cdots=2^{n-1}$

(2) 파스칼의 삼각형

n이 자연수일 때, $(a+b)^{n}$의 전개식에서 이항계수를 다음과 같이 배열한 것을 파스칼의 삼각형이라고 한다.

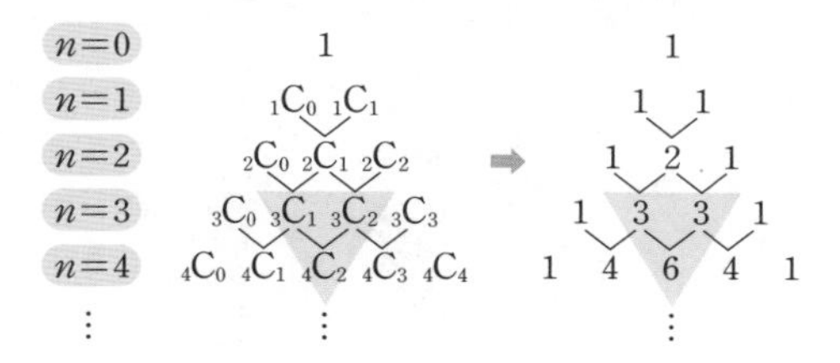

파스칼의 삼각형에서 각 단계의 이웃하는 두 수의 합은 그 다음 단계의 두 수의 중앙에 있는 이항계수와 같다.

${}_{n-1}C_{r-1}$ ${}_{n-1}C_{r}$ → ${}_{n}C_{r}$

➡ ${}_{n}C_{r}={}_{n-1}C_{r-1}+{}_{n-1}C_{r}$ (단, $r=1, 2, 3, \cdots, n-1$)

077

출제율

${}_{20}C_{1}+{}_{20}C_{3}+{}_{20}C_{5}+\cdots+{}_{20}C_{19}$의 값은?

① 2^{19} ② 2^{20} ③ 2^{21} ④ 2^{22} ⑤ 2^{23}

078

출제율

${}_{10}C_{0}+5\times{}_{10}C_{1}+5^{2}\times{}_{10}C_{2}+\cdots+5^{10}\times{}_{10}C_{10}=a\times3^{10}$일 때, a의 값은?

① 2^{10} ② 3^{10} ③ 3^{15} ④ 3^{18} ⑤ 6^{10}

079

출제율

${}_{n}C_{0}+{}_{n}C_{1}\times3+{}_{n}C_{2}\times3^{2}+\cdots+{}_{n}C_{n}\times3^{n}=2^{10}$을 만족시키는 자연수 n의 값은?

① 3 ② 4 ③ 5 ④ 6 ⑤ 7

080

출제율

${}_{4}C_{1}+{}_{5}C_{2}+{}_{6}C_{3}+{}_{7}C_{4}+{}_{8}C_{5}+{}_{9}C_{6}$의 값은?

① 209 ② 210 ③ 251 ④ 252 ⑤ 330

081 학교 기출 신유형

출제율

다음 그림과 같은 파스칼의 삼각형에서 색칠한 부분의 모든 수의 합을 구하여라.

1

${}_{1}C_{0}$ ${}_{1}C_{1}$

${}_{2}C_{0}$ ${}_{2}C_{1}$ ${}_{2}C_{2}$

${}_{3}C_{0}$ ${}_{3}C_{1}$ ${}_{3}C_{2}$ ${}_{3}C_{3}$

⋮

${}_{8}C_{0}$ ${}_{8}C_{1}$ ${}_{8}C_{2}$ $\cdots$ ${}_{8}C_{7}$ ${}_{8}C_{8}$

최상위권 도약 실력 완성 문제

개념 1 이항정리

082

$\left(ax^2+\frac{1}{x^2}\right)^6$ 의 전개식에서 상수항이 160일 때, 실수 a의 값은?

① 2 ② 4 ③ 6
④ 8 ⑤ 10

083

다항식 $(x+a)^5$의 전개식에서 x^3의 계수가 40일 때, x^2의 계수를 구하여라. (단, a는 양수이다.)

084 다빈출

다항식 $(x+a)^8$의 전개식에서 x^2의 계수와 x^3의 계수가 같을 때, 상수 a의 값은? (단, $a\neq0$)

① 2 ② 6 ③ 10
④ 14 ⑤ 18

085

두 다항식 $(x+2)^5$, $(ax+1)^6$의 전개식에서 x^2의 계수가 서로 같을 때, a^2의 값은? (단, a는 상수이다.)

① $\frac{10}{3}$ ② 4 ③ $\frac{14}{3}$
④ $\frac{16}{3}$ ⑤ 6

086 학교 기출 신유형 수학I 융합

다항식 $(2x+a)^6$의 전개식에서 x, x^2, x^4의 계수가 이 순서대로 등비수열을 이룰 때, 상수 a의 값은?

(단, $a\neq0$)

① $\frac{1}{2}$ ② $\frac{3}{5}$ ③ $\frac{7}{10}$
④ $\frac{4}{5}$ ⑤ $\frac{9}{10}$

087

$(x^2+2)\left(x+\frac{1}{x}\right)^6$의 전개식에서 상수항은?

① 35　② 40　③ 45　④ 50　⑤ 55

088 다빈출

다항식 $(x+3)^3(1+2x)^4$의 전개식에서 x의 계수는?

① 237　② 240　③ 243　④ 246　⑤ 249

089

다항식 $(x+1)+(x+1)^2+(x+1)^3+\cdots+(x+1)^6$의 전개식에서 x^4의 계수는?

① 19　② 21　③ 23　④ 25　⑤ 27

090

다항식 $(x+2)^{10}$의 전개식에서 x^n의 계수가 x^{n+1}의 계수보다 작게 되는 자연수 n의 최댓값은?

① 1　② 2　③ 3　④ 4　⑤ 5

091 수학Ⅰ 융합

$\left(x^2+\frac{1}{x}\right)^{n+1}$의 전개식에서 $\frac{1}{x^{n-5}}$의 계수를 a_n이라고 할 때, $\sum_{n=1}^{19}\frac{1}{a_n}$의 값은?

① $\frac{13}{10}$　② $\frac{3}{2}$　③ $\frac{17}{10}$　④ $\frac{19}{10}$　⑤ $\frac{21}{10}$

092 평가원 기출

다음은 x에 대한 다항식 $(x+a^2)^n$과 $(x^2-2a)(x+a)^n$의 전개식에서 x^{n-1}의 계수가 같게 되는 두 자연수 a와 $n(n\geq4)$의 값을 구하는 과정의 일부이다.

> $(x+a^2)^n$의 전개식에서 x^{n-1}의 계수는 a^2n이다.
> $(x^2-2a)(x+a)^n=x^2(x+a)^n-2a(x+a)^n$에서
> $x^2(x+a)^n$을 전개하면 x^{n-1}의 계수는 $\boxed{(가)}\times a^3$이고,
> $2a(x+a)^n$을 전개하면 x^{n-1}의 계수는 $2a^2n$이다.
> 따라서 $(x^2-2a)(x+a)^n$의 전개식에서 x^{n-1}의 계수는
> $$\boxed{(가)}\times a^3-2a^2n$$
> 이다. 그러므로
> $$a^2n=\boxed{(가)}\times a^3-2a^2n$$
> 이고, 이 식을 정리하여 a를 n에 관한 식으로 나타내면
> $$a=\frac{18}{\boxed{(나)}}$$
> 이다. 여기서 a는 자연수이고 n은 4 이상의 자연수이므로
> $$n=\boxed{(다)}$$
> 이다.

위의 (가), (나)에 알맞은 식을 각각 $f(n)$, $g(n)$이라 하고, (다)에 알맞은 수를 k라고 할 때, $f(k)+g(k)$의 값은?

① 10 ② 16 ③ 22
④ 28 ⑤ 34

개념 2 이항계수의 성질

093 다빈출

${}_{2n}C_0+{}_{2n}C_2+{}_{2n}C_4+\cdots+{}_{2n}C_{2n}=512$를 만족시키는 자연수 n의 값은?

① 5 ② 6 ③ 7
④ 8 ⑤ 9

094

$N={}_9C_2+{}_9C_4+{}_9C_6+{}_9C_8$일 때, N의 양의 약수의 개수는?

① 4 ② 6 ③ 8
④ 10 ⑤ 12

095

$9^2\times{}_4C_1+9^3\times{}_4C_2+9^4\times{}_4C_3+9^5\times{}_4C_4$의 값은?

① 89991 ② 90000 ③ 90009
④ 90018 ⑤ 90027

정답과 풀이 018쪽

096

자연수 n에 대하여 $f(n)$을

$$f(n)={}_{2n+1}C_{n+1}+{}_{2n+1}C_{n+2}+{}_{2n+1}C_{n+3}+\cdots+{}_{2n+1}C_{2n+1}$$

이라고 하자. $f(m)=256$을 만족시키는 자연수 m의 값을 구하여라.

097

$S=3\times{}_{10}C_1+3^3\times{}_{10}C_3+3^5\times{}_{10}C_5+3^7\times{}_{10}C_7+3^9\times{}_{10}C_9$
이라고 하면 S는 2^n 으로 나누어떨어진다. 자연수 n의 최댓값은?

① 7 ② 8 ③ 9
④ 10 ⑤ 11

098

어느 동호회 회원 12명 중에서 $2n$명의 회원을 택하는 경우의 수를 $f(n)$이라고 할 때,
$f(1)+f(2)+f(3)+f(4)+f(5)+f(6)$의 값은?
(단, n은 6 이하의 자연수이고, 회원을 택하는 순서는 고려하지 않는다.)

① 2044 ② 2045 ③ 2046
④ 2047 ⑤ 2048

099 학교 기출 신유형

집합 $A=\{x\,|\,x$는 20 이하의 자연수$\}$의 부분집합 중 두 원소 1, 2를 모두 포함하고 원소의 개수가 짝수인 부분집합의 개수는?

① 2^{16} ② 2^{17} ③ 2^{18}
④ 2^{19} ⑤ 2^{20}

100

서로 다른 15개의 음료수 중에서 8개 이상의 음료수를 택하는 경우의 수는?
(단, 음료수를 택하는 순서는 고려하지 않는다.)

① 2^{12} ② 2^{13} ③ 2^{14}
④ 2^{15} ⑤ 2^{16}

101 평가원 기출

빨간색, 파란색, 노란색 색연필이 있다. 각 색의 색연필을 적어도 하나씩 포함하여 15개 이하의 색연필을 선택하는 방법의 수를 구하여라.
(단, 각 색의 색연필은 15개 이상씩 있고, 같은 색의 색연필은 서로 구별이 되지 않는다.)

102

101^8의 백의 자리, 십의 자리, 일의 자리의 숫자를 각각 a, b, c라고 할 때, $a+b+c$의 값은?

① 1 ② 3 ③ 5
④ 7 ⑤ 9

103

11^{10}을 50으로 나누었을 때의 나머지는?

① 1 ② 11 ③ 21
④ 31 ⑤ 41

104

오늘부터 12^7째 되는 날이 일요일일 때, $(1+12)^7$째 되는 날은 무슨 요일인가?

① 일요일 ② 월요일 ③ 화요일
④ 수요일 ⑤ 목요일

105 수학Ⅰ 융합

자연수 n에 대하여

$$f(n)=\sum_{k=1}^{n}({}_{2k}C_2+{}_{2k}C_4+{}_{2k}C_6+\cdots+{}_{2k}C_{2k})$$

일 때, $f(5)$의 값은?

① 662 ② 667 ③ 672
④ 677 ⑤ 682

106 평가원 기출

50 이하의 자연수 n 중에서 ${}_nC_1+{}_nC_2+{}_nC_3+\cdots+{}_nC_n$의 값이 3의 배수가 되도록 하는 n의 개수를 구하여라.

107

$\dfrac{(1+x)^3}{x}+\dfrac{(1+x)^4}{x^2}+\dfrac{(1+x)^5}{x^3}+\cdots+\dfrac{(1+x)^{10}}{x^8}$의 전개식에서 상수항은?

① 160 ② 164 ③ 168
④ 172 ⑤ 176

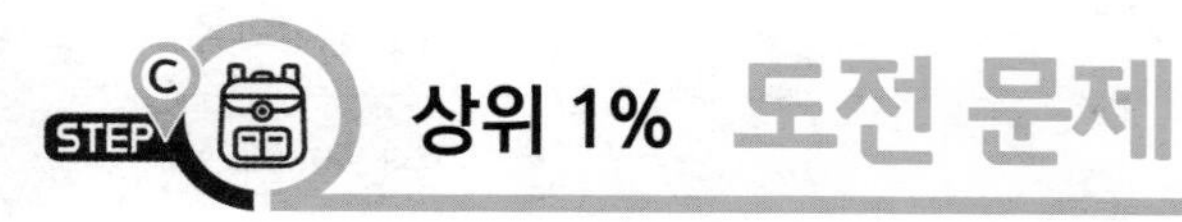

상위 1% 도전 문제

108

오른쪽 그림과 같은 정칠각형의 각 꼭짓점에서 2부터 10까지의 자연수 중 서로 다른 7개를 써넣으려고 한다. 변으로 연결된 두 수의 곱이 항상 짝수가 되도록 수를 써넣는 경우의 수는?

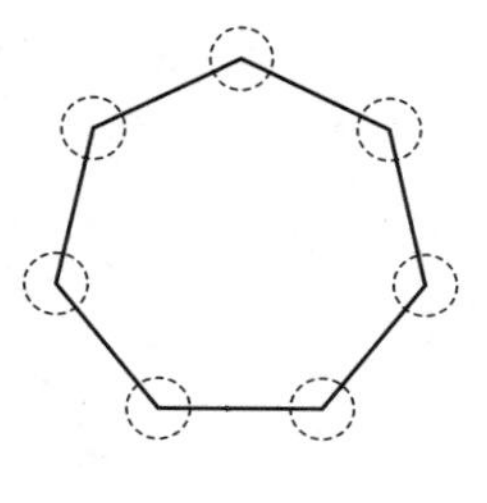

(단, 정칠각형을 회전하여 숫자가 일치하면 같은 것으로 본다.)

① 5640　② 5680　③ 5720　④ 5760　⑤ 5800

109

집합 $X=\{1, 2, 3, 4, 5\}$에서 X로의 함수 f에 대하여 다음 조건을 만족시키는 함수 f의 개수는?

> (가) $f(2)+f(3)$은 6의 약수이다.
> (나) $x\le 2$이면 $f(x)\le f(2)$이다.
> (다) $x>2$이면 $f(x)\ge f(3)$이다.

① 85　② 87　③ 89　④ 91　⑤ 93

110

오른쪽 그림과 같은 도로망이 있다. P 지점에서 출발하여 Q 지점까지 도로를 따라 최단 거리로 갈 때, 도중에 방향을 바꾸는 횟수가 모두 4번이 되는 경우의 수는?

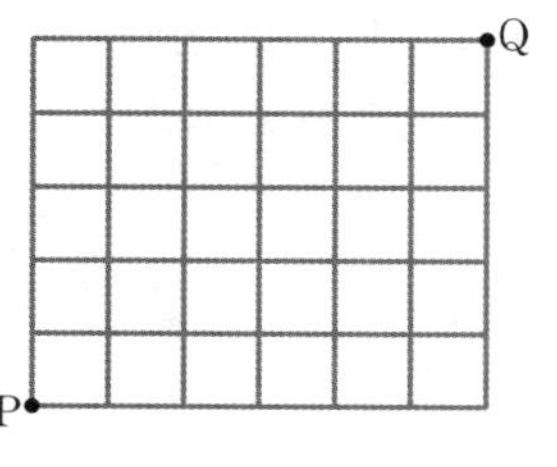

① 50　② 60　③ 70　④ 80　⑤ 90

111

다항식 $f(x)=a_1x+a_2x^2+a_3x^3+\cdots+a_{10}x^{10}$에 대하여 $f(x+1)=x+x^2+x^3+\cdots+x^{10}$일 때, 다음 중 a_8+a_9의 값과 같은 것은? (단, a_1, a_2, $\cdots$, a_{10}은 상수이다.)

① ${}_8\mathrm{C}_2$ ② ${}_8\mathrm{C}_3$ ③ ${}_8\mathrm{C}_4$
④ ${}_9\mathrm{C}_2$ ⑤ ${}_9\mathrm{C}_3$

112

$(1-x^2)^{12}=(1+x)^{12}(1-x)^{12}$을 이용하여

$$({}_{12}\mathrm{C}_0)^2-({}_{12}\mathrm{C}_1)^2+({}_{12}\mathrm{C}_2)^2-\cdots-({}_{12}\mathrm{C}_{11})^2+({}_{12}\mathrm{C}_{12})^2$$

을 간단히 하면?

① ${}_{12}\mathrm{C}_2$ ② ${}_{12}\mathrm{C}_4$ ③ ${}_{12}\mathrm{C}_6$
④ ${}_{12}\mathrm{C}_8$ ⑤ $({}_{12}\mathrm{C}_6)^2$

미니 모의고사 - 1회

제한시간 : 30분

정답과 풀이 022쪽

01

오른쪽 그림과 같이 원에 내접하고 있는 정오각형을 5등분하였다. 10개의 영역에 서로 다른 10가지의 색을 모두 칠하는 경우의 수는?
(단, 한 영역에는 한 가지의 색을 칠하고, 회전하여 일치하는 것은 같은 것으로 본다.) [3점]

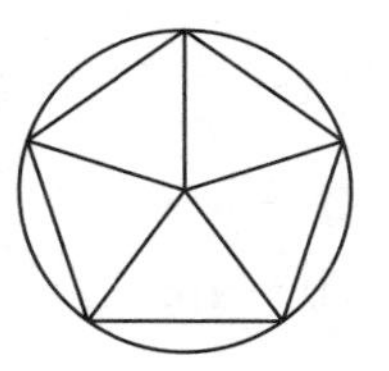

① $10!$　② $\frac{10!}{2}$　③ $\frac{10!}{5}$
④ $5!$　⑤ $\frac{5!}{2}$

02

4의 약수 중에서 중복을 허락하여 4개를 택해 일렬로 나열하여 만들 수 있는 네 자리의 자연수 중에서 각 자리의 모든 수의 합이 10인 자연수의 개수는? [3점]

① 6　② 8　③ 10
④ 12　⑤ 14

03

두 집합 $X=\{a, b, c\}$, $Y=\{1, 2, 3, 4\}$에 대하여 함수 $f: X \longrightarrow Y$의 설명으로 |보기|에서 옳은 것만을 있는 대로 고른 것은? [3점]

보기

ㄱ. 함수 f의 개수는 64이다.
ㄴ. 함수 f 중에서 일대일함수의 개수는 4이다.
ㄷ. $f(a)<f(b)<f(c)$를 만족시키는 함수 f의 개수는 24이다.
ㄹ. $f(a)\le f(b)\le f(c)$를 만족시키는 함수 f의 개수는 20이다.

① ㄱ, ㄴ　② ㄱ, ㄹ　③ ㄴ, ㄷ
④ ㄴ, ㄹ　⑤ ㄷ, ㄹ

04

$(x+2y)^5$의 전개식에서 x^3y^2의 계수는? [3점]

① 35　② 40　③ 45
④ 50　⑤ 55

05

$\left(5x+\frac{1}{125}\right)^{15}$의 전개식에서 계수가 정수인 항의 개수는? [3점]

① 4　② 5　③ 6
④ 7　⑤ 8

미니 모의고사 - 1회

06

4명의 학생에게 축구, 농구, 테니스 중에서 가장 좋아하는 스포츠 종목 하나를 선택하도록 하였다. 이 결과 학생들이 선택한 종목에 축구와 농구가 모두 포함되도록 선택하는 경우의 수를 구하여라.
(단, 모든 학생은 한 개의 스포츠 종목을 선택하였다.)
[4점]

07

오른쪽 그림과 같은 도로망이 있다. P 지점에서 출발하여 Q 지점까지 최단 거리로 가는 경우의 수는? **[4점]**

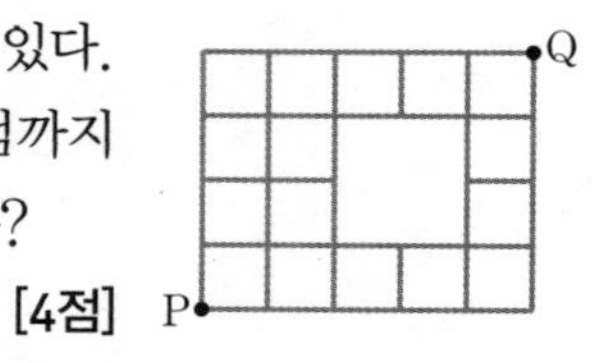

① 66 ② 70 ③ 74 ④ 78 ⑤ 82

08

방정식 $(x+y)(a+b+c)=33$을 만족시키는 자연수 x, y, a, b, c의 모든 순서쌍 (x, y, a, b, c)의 개수는? **[4점]**

① 90 ② 95 ③ 100 ④ 105 ⑤ 110

09

$\left(x-\frac{1}{x^2}\right)^2(x+2)^5$의 전개식에서 x의 계수는? **[4점]**

① -156 ② -157 ③ -158 ④ -159 ⑤ -160

10

${}_{22}C_2+{}_{22}C_6+{}_{22}C_{10}+{}_{22}C_{14}+{}_{22}C_{18}+{}_{22}C_{22}$의 값과 같은 것은? **[4점]**

① 2^{20} ② 2^{21} ③ 2^{22} ④ 2^{23} ⑤ 2^{24}

실력점검

맞힌 개수	/10개	점수	/35점

미니 모의고사 - 2회

제한시간 : 30분

정답과 풀이 024쪽

01

5개의 숫자 1, 2, 3, 4, 5 중에서 4개의 숫자를 택하여 네 자리의 자연수를 만들 때, 4200보다 큰 자연수의 개수는? (단, 각 자리의 숫자는 같아도 된다.) **[3점]**

① 130 ② 140 ③ 150 ④ 160 ⑤ 170

02

8개의 문자 a, a, a, b, b, c, c, c를 일렬로 나열할 때, c끼리 서로 이웃하지 않게 나열하는 경우의 수는? **[3점]**

① 96 ② 120 ③ 144 ④ 200 ⑤ 300

03

같은 사과 5개와 서로 다른 배 4개를 A, B, C 세 명에게 나누어 주는 경우의 수는?
(단, A, B, C 모두 적어도 1개의 사과와 적어도 1개의 배를 받아야 한다.) **[3점]**

① 204 ② 208 ③ 212 ④ 216 ⑤ 220

04

$(x^5-2x+1)^5$의 전개식에서 x^4의 계수는? **[3점]**

① 70 ② 75 ③ 80 ④ 85 ⑤ 90

05

${}_3C_3+{}_4C_3+{}_5C_3+{}_6C_3+\cdots+{}_{11}C_3+{}_{12}C_3$의 값과 같은 것은? **[3점]**

① ${}_{12}C_4$ ② ${}_{12}C_5$ ③ ${}_{13}C_3$ ④ ${}_{13}C_4$ ⑤ ${}_{13}C_5$

06

각 면에 1, 2, 3, 4가 적혀 있는 정사면체 모양의 주사위가 있다. 이 주사위를 세 번 던져서 밑면에 나온 눈의 수를 차례대로 x, y, z라고 할 때, x, z의 값 중에서 작지 않은 값이 y의 값보다 크게 되는 세 수 x, y, z의 모든 순서쌍 (x, y, z)의 개수를 구하여라. **[4점]**

07

A, B, C, D, E를 포함한 7명의 학생을 다음 조건을 만족시키도록 일렬로 세우는 경우의 수는? **[4점]**

> (가) A, B는 서로 이웃하게 세운다.
> (나) C는 D보다 왼쪽에 세우고, D는 E보다 오른쪽에 세운다.

① 160 ② 180 ③ 200 ④ 220 ⑤ 240

08

${}_{10}C_1+{}_{10}C_2-{}_{10}C_3+{}_{10}C_4-{}_{10}C_5+{}_{10}C_6-{}_{10}C_7+{}_{10}C_8-{}_{10}C_9$ 의 값은? **[4점]**

① 18 ② 19 ③ 20 ④ 21 ⑤ 22

09

$4^{2021}+6^{2021}$을 10으로 나누었을 때의 나머지는? **[4점]**

① 0 ② 2 ③ 4 ④ 6 ⑤ 8

10

다항식

$$(x+1)+(x+1)^2+(x+1)^3+\cdots+(x+1)^{10}$$

의 전개식에서 x^5의 계수와 x^6의 계수의 합과 같은 것은? **[4점]**

① ${}_{11}C_5$ ② ${}_{11}C_6$ ③ ${}_{12}C_6$ ④ ${}_{12}C_7$ ⑤ ${}_{13}C_7$

실력점검

맞힌 개수	/10개	점수	/35점

확률

상위권 보장 개념+필수 기출 문제

개념 1 여러 가지 사건

(1) **시행:** 같은 조건에서 반복할 수 있고 그 결과가 우연에 의하여 결정되는 실험이나 관찰

(2) **사건**

① 표본공간: 어떤 시행에서 일어날 수 있는 모든 결과의 집합

② 사건: 표본공간의 부분집합

③ 근원사건: 한 개의 원소로 이루어진 사건

(3) 표본공간 S의 두 사건 A와 B에 대하여

① 합사건: 사건 A 또는 사건 B가 일어나는 사건을 A와 B의 합사건이라 하고, 기호로 $A\cup B$와 같이 나타낸다.

② 곱사건: 두 사건 A와 B가 동시에 일어나는 사건을 A와 B의 곱사건이라 하고, 기호로 $A\cap B$와 같이 나타낸다.

③ 배반사건: 두 사건 A와 B가 동시에 일어나지 않을 때, 즉 $A\cap B=\varnothing$일 때, 사건 A와 B는 서로 배반사건이라고 한다.

④ 여사건: 사건 A가 일어나지 않는 사건을 A의 여사건이라 하고, 기호로 A^C과 같이 나타낸다.

등급업 TIP $A\cap A^C=\varnothing$이므로 A와 A^C은 서로 배반사건이다.

001

출제율

1부터 8까지의 자연수가 각각 하나씩 적혀 있는 8개의 공이 들어 있는 주머니에서 한 개의 공을 꺼내는 시행에 대하여 표본공간을 S, 소수가 나오는 사건을 A, 10의 약수가 나오는 사건을 B라고 할 때, 다음 중 옳지 않은 것은?

① $n(S)=8$

② $n(A)=4$

③ $n(B)=3$

④ $A\cap B=\varnothing$

⑤ 근원사건의 개수는 8이다.

002

출제율

한 개의 주사위를 한 번 던지는 시행에서 4의 약수의 눈이 나오는 사건을 A, 2의 배수의 눈이 나오는 사건을 B라고 할 때, $n(A\cup B)+n(A\cap B)$의 값을 구하여라.

003

출제율

2, 4, 6, 8, 10의 수가 각각 하나씩 적혀 있는 카드에서 한 장의 카드를 택하는 시행에 대하여 표본공간을 S, 짝수가 나오는 사건을 A, 소수가 나오는 사건을 B, 6의 약수가 나오는 사건을 C라고 할 때, |보기|에서 옳은 것만을 있는 대로 고른 것은?

(단, B^C은 B의 여사건이다.)

보기

ㄱ. $A=S$ ㄴ. $A\cap B=B$

ㄷ. $B\cap C=C$ ㄹ. $n(B^C)=4$

① ㄱ ② ㄱ, ㄴ ③ ㄱ, ㄹ

④ ㄴ, ㄷ ⑤ ㄱ, ㄴ, ㄹ

004

출제율

1부터 10까지의 자연수가 각각 하나씩 적혀 있는 10개의 공이 들어 있는 주머니에서 한 개의 공을 꺼내는 시행에 대하여 다음 |보기|의 사건 중 서로 배반사건끼리 짝 지어진 것은?

보기

ㄱ. 8의 약수가 나오는 사건

ㄴ. 소수가 나오는 사건

ㄷ. 짝수가 나오는 사건

ㄹ. 3의 배수가 나오는 사건

① ㄱ과 ㄴ ② ㄱ과 ㄷ ③ ㄱ과 ㄹ

④ ㄴ과 ㄷ ⑤ ㄷ과 ㄹ

개념 2 확률의 뜻과 기본 성질

(1) **확률:** 어떤 시행에서 사건 A가 일어날 가능성을 수로 나타낸 것을 사건 A의 확률이라 하고, 기호로 $\mathrm{P}(A)$와 같이 나타낸다.

(2) **수학적 확률:** 어떤 시행의 표본공간 S의 각 근원사건이 일어날 가능성이 모두 같은 정도로 기대될 때, 사건 A가 일어날 확률을

$$\mathrm{P}(A)=\frac{n(A)}{n(S)}$$

로 정의하고, 이것을 사건 A가 일어날 수학적 확률이라고 한다.

(3) **통계적 확률:** 같은 시행을 n번 반복하여 사건 A가 일어난 횟수를 r_n이라고 하면 시행 횟수 n이 한없이 커짐에 따라 그 상대도수 $\frac{r_n}{n}$이 일정한 값 p에 가까워진다. 이때 p를 사건 A의 통계적 확률이라고 한다.

(4) **확률의 기본 성질**

표본공간 S의 임의의 사건 A에 대하여

① $0 \le \mathrm{P}(A) \le 1$

② $A=S$이면 $\mathrm{P}(A)=1$

③ $A=\varnothing$이면 $\mathrm{P}(A)=0$

005

출제율

서로 다른 두 개의 주사위를 동시에 던질 때, 나오는 두 눈의 수가 같을 확률은?

① $\frac{5}{12}$ ② $\frac{1}{3}$ ③ $\frac{1}{4}$

④ $\frac{1}{6}$ ⑤ $\frac{1}{12}$

006

출제율

흰 공 3개, 검은 공 4개가 들어 있는 주머니가 있다. 이 주머니에서 임의로 3개의 공을 동시에 꺼낼 때, 흰 공 1개, 검은 공 2개를 꺼낼 확률을 구하여라.

007

출제율

오른쪽 그림과 같이 원주를 8등분한 8개의 점이 있다. 이 중에서 세 점을 택하여 삼각형을 만들 때, 이 삼각형이 직각삼각형이 될 확률은?

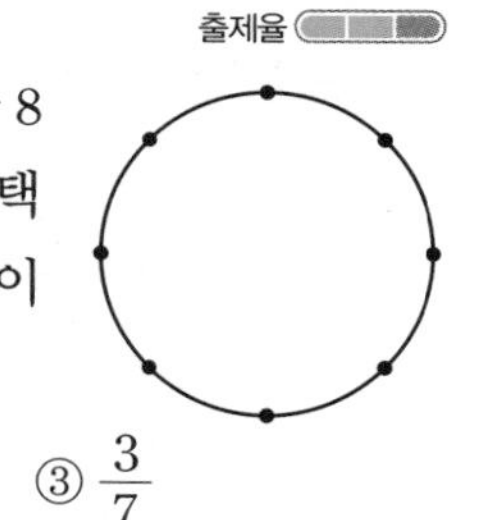

① $\frac{1}{7}$ ② $\frac{1}{5}$ ③ $\frac{3}{7}$

④ $\frac{1}{2}$ ⑤ $\frac{3}{5}$

008

출제율

어떤 공장에서 매일 100만 자루의 연필을 생산하고 있다. 이 공장에서 생산된 연필이 불량품일 확률이 0.0003이라고 한다. 이 공장에서 매일 몇 자루의 불량품이 나온다고 예상할 수 있는가?

① 300자루 ② 400자루 ③ 500자루

④ 600자루 ⑤ 700자루

009

출제율

표본공간 S의 임의의 두 사건 A, B에 대하여 |보기|에서 옳은 것만을 있는 대로 고른 것은?

보기

ㄱ. $0 < \mathrm{P}(A) < 1$

ㄴ. $\mathrm{P}(S)+\mathrm{P}(\varnothing)=1$

ㄷ. $0 \le \mathrm{P}(A)+\mathrm{P}(B) \le 1$

① ㄱ ② ㄴ ③ ㄱ, ㄴ

④ ㄱ, ㄷ ⑤ ㄱ, ㄴ, ㄷ

개념 3 확률의 덧셈정리

표본공간 S의 임의의 두 사건 A, B에 대하여

(1) $\mathrm{P}(A\cup B)=\mathrm{P}(A)+\mathrm{P}(B)-\mathrm{P}(A\cap B)$

(2) 두 사건 A와 B가 서로 배반사건, 즉 $A\cap B=\varnothing$이면

$\mathrm{P}(A\cup B)=\mathrm{P}(A)+\mathrm{P}(B)$

'또는', '~이거나'로 표현된 사건의 확률은 확률의 덧셈정리를 이용한다.

010

출제율

두 사건 A, B에 대하여

$$\mathrm{P}(A\cup B)=\frac{3}{4},\ \mathrm{P}(A^C\cap B)=\frac{2}{5}$$

일 때, $\mathrm{P}(A)$의 값은? (단, A^C은 A의 여사건이다.)

① $\frac{1}{4}$ ② $\frac{7}{20}$ ③ $\frac{9}{20}$
④ $\frac{11}{20}$ ⑤ $\frac{13}{20}$

011

출제율

두 사건 A, B는 서로 배반사건이고

$$\mathrm{P}(A\cap B^C)=\frac{1}{3},\ \mathrm{P}(A^C\cap B)=\frac{2}{5}$$

일 때, $\mathrm{P}(A\cup B)$의 값은? (단, A^C은 A의 여사건이다.)

① $\frac{1}{3}$ ② $\frac{7}{15}$ ③ $\frac{3}{5}$
④ $\frac{11}{15}$ ⑤ $\frac{13}{15}$

012

출제율

1부터 10까지의 자연수가 각각 하나씩 적혀 있는 10개의 공이 들어 있는 주머니에서 임의로 한 개의 공을 꺼낼 때, 2의 배수 또는 3의 배수가 적힌 공이 나올 확률은?

① $\frac{1}{2}$ ② $\frac{3}{5}$ ③ $\frac{7}{10}$
④ $\frac{4}{5}$ ⑤ $\frac{9}{10}$

013

출제율

서로 다른 두 개의 주사위를 동시에 던질 때, 나오는 두 눈의 수의 합이 10 이상이거나 두 눈의 수가 같을 확률은?

① $\frac{5}{18}$ ② $\frac{1}{3}$ ③ $\frac{7}{18}$
④ $\frac{4}{9}$ ⑤ $\frac{1}{2}$

014

출제율

흰 공 6개, 검은 공 4개가 들어 있는 주머니에서 임의로 2개의 공을 동시에 꺼낼 때, 공의 색깔이 모두 같을 확률은?

① $\frac{1}{5}$ ② $\frac{1}{3}$ ③ $\frac{7}{15}$
④ $\frac{3}{5}$ ⑤ $\frac{11}{15}$

개념 4 여사건의 확률

(1) **여사건의 확률**
사건 A의 여사건 A^C에 대하여
$P(A^C)=1-P(A)$

(2) 두 사건 A, B의 여사건이 각각 A^C, B^C일 때
① $P(A^C \cap B^C)=1-P(A \cup B)$
└ $P(A^C \cap B^C)=P((A \cup B)^C)$
② $P(A^C \cup B^C)=1-P(A \cap B)$
└ $P(A^C \cup B^C)=P((A \cap B)^C)$

'적어도 ~인', '~가 아닌', '~ 이상', '~ 이하'인 사건의 확률은 여사건의 확률을 이용하면 간편하다.

015

출제율

두 사건 A, B에 대하여

$$P(A)=\frac{2}{3},\ P(A \cap B^C)=\frac{1}{4}$$

일 때, $P(A^C \cup B^C)$의 값은?
(단, A^C은 A의 여사건이다.)

① $\frac{1}{3}$ ② $\frac{5}{12}$ ③ $\frac{1}{2}$
④ $\frac{7}{12}$ ⑤ $\frac{2}{3}$

016

출제율

두 사건 A, B에 대하여

$$P(A^C \cup B^C)=\frac{2}{3},\ P(A \cap B^C)=\frac{1}{5}$$

일 때, $P(A^C)$의 값은? (단, A^C은 A의 여사건이다.)

① $\frac{7}{15}$ ② $\frac{8}{15}$ ③ $\frac{3}{5}$
④ $\frac{2}{3}$ ⑤ $\frac{11}{15}$

017

출제율

빨간 공 3개, 파란 공 3개가 들어 있는 주머니가 있다. 이 주머니에서 임의로 2개의 공을 동시에 꺼낼 때, 적어도 한 개는 파란 공인 확률은?

① $\frac{2}{5}$ ② $\frac{1}{2}$ ③ $\frac{3}{5}$
④ $\frac{7}{10}$ ⑤ $\frac{4}{5}$

018

출제율

남학생 5명, 여학생 5명 중에서 회장 1명, 부회장 1명을 뽑을 때, 회장, 부회장 중 적어도 한 명은 남학생일 확률을 구하여라.

019

출제율

서로 다른 2개의 주사위를 동시에 던질 때, 적어도 하나는 짝수의 눈이 나올 확률은?

① $\frac{1}{4}$ ② $\frac{1}{3}$ ③ $\frac{1}{2}$
④ $\frac{2}{3}$ ⑤ $\frac{3}{4}$

020

출제율

rainbow에 있는 7개의 문자를 일렬로 나열할 때, 양 끝에 적어도 한 개의 모음이 올 확률은?

① $\frac{3}{7}$ ② $\frac{11}{21}$ ③ $\frac{13}{21}$
④ $\frac{5}{7}$ ⑤ $\frac{17}{21}$

최상위권 도약 실력 완성 문제

개념 1 여러 가지 사건

021 다빈출

한 개의 주사위를 한 번 던지는 시행에서 표본공간을 S라 하고 2의 약수의 눈이 나오는 사건을 A, 홀수의 눈이 나오는 사건을 B, 2의 배수의 눈이 나오는 사건을 C라고 할 때, |보기|에서 옳은 것만을 있는 대로 고른 것은? (단, A^C은 A의 여사건이다.)

보기
ㄱ. $n(A\cup B)=5$
ㄴ. $n(A^C)=4$
ㄷ. A^C과 B는 서로 배반사건이다.
ㄹ. B와 C는 서로 배반사건이다.

① ㄱ, ㄴ ② ㄴ, ㄷ ③ ㄴ, ㄹ
④ ㄱ, ㄴ, ㄹ ⑤ ㄴ, ㄷ, ㄹ

022

1부터 8까지의 자연수가 각각 하나씩 적혀 있는 8장의 카드에서 한 장의 카드를 택할 때, 카드에 적혀 있는 수가 2의 배수인 사건을 A, 소수인 사건을 B라고 하자. 이때 두 사건 A, B와 모두 배반인 사건의 개수는?

① 2 ② 4 ③ 8
④ 16 ⑤ 32

023

한 개의 동전을 세 번 던지는 시행에서 앞면이 두 번만 나오는 사건을 A라고 할 때, 사건 A와 배반인 사건의 개수를 구하여라.

024 학교 기출 신유형

한 개의 주사위를 한 번 던지는 시행에서 두 사건 A, B가 $A=\{x\,|\,x\le n,\ n$은 6 이하의 자연수$\}$, $B=\{1, 2, 4\}$일 때, 두 사건 A^C과 B가 서로 배반사건이 되도록 하는 모든 n의 값의 합은? (단, A^C은 A의 여사건이다.)

① 11 ② 15 ③ 18
④ 20 ⑤ 21

개념 2 확률의 뜻과 기본 성질

025

한 개의 주사위를 두 번 던져서 나온 눈의 수를 차례로 a, b라고 할 때, 두 직선 $y=\frac{a}{2}x-1$과 $y=bx+1$이 서로 평행할 확률은?

① $\frac{1}{12}$ ② $\frac{1}{6}$ ③ $\frac{1}{4}$
④ $\frac{1}{3}$ ⑤ $\frac{5}{12}$

026

3개의 숫자 1, 2, 3에서 중복을 허락하여 네 자리의 자연수를 만들 때, 만든 수가 2200보다 클 확률은?

① $\frac{7}{18}$ ② $\frac{4}{9}$ ③ $\frac{1}{2}$
④ $\frac{5}{9}$ ⑤ $\frac{11}{18}$

027 다빈출

A, B 두 사람을 포함하여 6명이 원 모양의 탁자에 일정한 간격으로 둘러앉을 때, A, B가 서로 이웃할 확률은?

(단, 회전하여 일치하는 것은 같은 것으로 본다.)

① $\frac{3}{10}$ ② $\frac{2}{5}$ ③ $\frac{1}{2}$
④ $\frac{3}{5}$ ⑤ $\frac{7}{10}$

028

두 집합 $X=\{a, b, c, d\}$, $Y=\{1, 2, 3\}$에 대하여 X에서 Y로의 함수 f가 $f(a)\le f(b)\le f(c)\le f(d)$를 만족시킬 확률은?

① $\frac{11}{81}$ ② $\frac{13}{81}$ ③ $\frac{5}{27}$
④ $\frac{17}{81}$ ⑤ $\frac{19}{81}$

029 학교 기출 신유형

한 개의 주사위를 세 번 던질 때, 나오는 눈의 수를 차례로 a, b, c라고 하자. x에 대한 이차방정식 $ax^2+bx+c=0$이 중근을 가질 확률은?

① $\frac{1}{216}$ ② $\frac{1}{72}$ ③ $\frac{5}{216}$
④ $\frac{7}{216}$ ⑤ $\frac{1}{24}$

030

7개의 숫자 2, 3, 4, 4, 4, 5, 5를 일렬로 나열할 때, 홀수와 짝수가 교대로 나열될 확률은?

① $\frac{1}{35}$ ② $\frac{3}{35}$ ③ $\frac{1}{7}$
④ $\frac{1}{5}$ ⑤ $\frac{9}{35}$

031

집합 $X=\{x|x$는 10 이하의 자연수$\}$에 대하여 두 집합 A, B를 $A=\{2n|n\in X\}$, $B=\{2^n|n\in X\}$라고 하자. 집합 A의 원소 중에서 임의로 택한 원소를 a, 집합 B의 원소 중에서 임의로 택한 원소를 b라고 할 때, $a+b$가 3의 배수일 확률을 구하여라.

032

1부터 4까지의 자연수가 각각 하나씩 적혀 있는 4개의 공이 들어 있는 주머니가 있다. 이 주머니에서 한 개의 공을 꺼내는 시행을 4번 반복할 때, 꺼낸 공에 적혀 있는 수 a, b, c, d가 다음 조건을 만족시킬 확률은?

(단, 꺼낸 공은 다시 집어넣는다.)

> (가) $a+b+c+d=6$
> (나) $a\times b\times c\times d$는 3의 배수이다.

① $\frac{1}{128}$ ② $\frac{1}{64}$ ③ $\frac{3}{128}$
④ $\frac{1}{32}$ ⑤ $\frac{5}{128}$

033 교육청 기출

다섯 개의 숫자 0, 1, 2, 3, 4를 중복을 허락하여 만들 수 있는 네 자리의 자연수를 $a_1a_2a_3a_4$라고 하자. 예를 들면, 1230인 경우 $a_1=1$, $a_2=2$, $a_3=3$, $a_4=0$이다. 이와 같은 네 자리의 자연수 $a_1a_2a_3a_4$가 $a_1<a_2<a_3$, $a_3>a_4$를 만족시킬 확률은 $\frac{q}{p}$이다. $p+q$의 값을 구하여라.

(단, p와 q는 서로소인 자연수이다.)

개념 3 확률의 덧셈정리

034

두 사건 A, B에 대하여

$$\mathrm{P}(A)=\frac{3}{4},\ \mathrm{P}(B)=\frac{2}{5}$$

일 때, $\mathrm{P}(A\cap B)$의 최댓값을 M, 최솟값을 m이라고 하자. $M+m$의 값은?

① $\frac{9}{20}$ ② $\frac{1}{2}$ ③ $\frac{11}{20}$
④ $\frac{3}{5}$ ⑤ $\frac{13}{20}$

035 다빈출

흰 공 5개와 빨간 공 3개가 들어 있는 주머니가 있다. 이 주머니에서 임의로 4개의 공을 동시에 꺼낼 때, 꺼낸 4개의 공 중 흰 공이 3개 이상일 확률은?

① $\frac{17}{42}$ ② $\frac{19}{42}$ ③ $\frac{1}{2}$
④ $\frac{23}{42}$ ⑤ $\frac{25}{42}$

036 다빈출

숫자 1, 3, 3, 5, 5를 일렬로 나열하여 만든 다섯 자리의 자연수 중에서 임의로 하나를 선택할 때, 십의 자리의 숫자가 소수일 확률은?

① $\frac{2}{5}$ ② $\frac{1}{2}$ ③ $\frac{3}{5}$
④ $\frac{7}{10}$ ⑤ $\frac{4}{5}$

037

50 이하의 자연수 중에서 임의로 하나의 자연수를 선택할 때, 선택한 수가 5의 배수이거나 십의 자리의 숫자가 10의 약수일 확률을 구하여라.

038 학교 기출 신유형

A, B를 포함한 5명을 일렬로 세울 때, A는 맨 앞에서부터 두 번째 이내에 서고 A와 B는 서로 이웃하여 서게 될 확률은?

① $\frac{1}{10}$ ② $\frac{7}{60}$ ③ $\frac{2}{15}$
④ $\frac{3}{20}$ ⑤ $\frac{1}{6}$

039 교육청 기출

1부터 9까지의 자연수가 각각 하나씩 적혀 있는 9개의 공이 들어 있는 주머니가 있다. 이 주머니에서 임의로 3개의 공을 동시에 꺼낼 때, 꺼낸 공에 적혀 있는 세 수의 합이 짝수일 확률은?

① $\frac{5}{14}$ ② $\frac{8}{21}$ ③ $\frac{3}{7}$
④ $\frac{10}{21}$ ⑤ $\frac{11}{21}$

040

집합 $A=\{n \mid 1 \le n \le 100,\ n$은 자연수$\}$에 대하여 집합 A에서 임의로 하나의 자연수 a를 선택할 때, 이차방정식 $10x^2-7ax+a^2=0$이 정수인 해를 가질 확률은?

① $\frac{2}{5}$ ② $\frac{1}{2}$ ③ $\frac{3}{5}$
④ $\frac{7}{10}$ ⑤ $\frac{4}{5}$

041

두 집합 $X=\{a,\ b,\ c,\ d\}$, $Y=\{-1,\ 0,\ 1\}$에 대하여 X에서 Y로의 함수 f가 $f(a)=-1$ 또는 $f(b)=1$을 만족시킬 확률은?

① $\frac{7}{18}$ ② $\frac{4}{9}$ ③ $\frac{1}{2}$
④ $\frac{5}{9}$ ⑤ $\frac{11}{18}$

042

서로 다른 두 개의 주사위를 동시에 던져서 나오는 눈의 수를 각각 x, y라고 하자. 두 수 x, y가 부등식 $x \le y$ 또는 $xy \ge 15$를 만족시킬 확률은?

① $\frac{5}{9}$　② $\frac{11}{18}$　③ $\frac{2}{3}$
④ $\frac{13}{18}$　⑤ $\frac{7}{9}$

043 평가원 기출

여학생 4명과 남학생 2명이 어느 요양 시설에서 6명 모두가 하루에 한 명씩 6일 동안 봉사 활동을 하려고 한다. 이 6명의 학생이 봉사 활동 순번을 임의로 정할 때, 첫째 날 또는 여섯째 날에 남학생이 봉사 활동을 하게 될 확률은?

① $\frac{17}{30}$　② $\frac{3}{5}$　③ $\frac{19}{30}$
④ $\frac{2}{3}$　⑤ $\frac{7}{10}$

개념 4 여사건의 확률

044

빨간 공이 3개, 파란 공이 n개 들어 있는 주머니에서 임의로 2개의 공을 동시에 꺼낼 때, 꺼낸 공 중 적어도 한 개는 빨간 공일 확률이 $\frac{5}{7}$이다. n의 값을 구하여라.

045 다빈출

원 모양의 탁자에 같은 간격으로 놓여 있는 똑같은 의자 7개에 여학생 4명, 남학생 3명이 모두 임의로 앉을 때, 적어도 2명의 남학생이 서로 이웃하도록 앉을 확률은?

(단, 회전하여 일치하는 것은 같은 것으로 본다.)

① $\frac{2}{5}$　② $\frac{1}{2}$　③ $\frac{3}{5}$
④ $\frac{7}{10}$　⑤ $\frac{4}{5}$

046

1부터 6까지의 자연수가 각각 하나씩 적혀 있는 6개의 의자가 있다. 여학생 2명과 남학생 4명이 모두 임의로 이 의자에 각각 한 명씩 앉을 때, 적어도 한 여학생이 좌석 번호가 짝수인 의자에 앉을 확률은?

① $\frac{2}{5}$　② $\frac{1}{2}$　③ $\frac{3}{5}$
④ $\frac{7}{10}$　⑤ $\frac{4}{5}$

047

크기가 각각 같은 ● 모양의 스티커 3장, ★ 모양의 스티커 2장, ♥ 모양의 스티커 2장을 일렬로 나열할 때, ● 모양의 스티커가 2장만 이웃하는 확률은?

① $\frac{2}{7}$ ② $\frac{3}{7}$ ③ $\frac{4}{7}$
④ $\frac{5}{7}$ ⑤ $\frac{6}{7}$

048

각 자리의 숫자가 0이 아닌 세 자리의 자연수 중에서 임의로 한 자연수를 선택할 때, 각 자리의 수의 곱이 6 이상의 짝수일 확률을 구하여라.

049 학교 기출 신 유형

한 개의 주사위를 세 번 던질 때, 나오는 눈의 수를 차례로 a, b, c라고 하자. 삼차함수
$f(x)=x^3-4x^2+5x-2$에 대하여 $f(a)f(b)f(c)=0$이 성립할 확률은?

① $\frac{91}{216}$ ② $\frac{19}{27}$ ③ $\frac{7}{9}$
④ $\frac{26}{27}$ ⑤ $\frac{215}{216}$

050 평가원 기출

방정식 $a+b+c=9$를 만족시키는 음이 아닌 정수 a, b, c의 모든 순서쌍 (a, b, c) 중에서 임의로 한 개를 선택할 때, 선택한 순서쌍 (a, b, c)가 $a<2$ 또는 $b<2$를 만족시킬 확률은 $\frac{q}{p}$이다. $p+q$의 값을 구하여라.

(단, p와 q는 서로소인 자연수이다.)

051

6개의 문자 a, a, b, b, c, d를 일렬로 나열할 때, 같은 문자끼리 이웃하지 않도록 나열할 확률은?

① $\frac{7}{15}$ ② $\frac{8}{15}$ ③ $\frac{3}{5}$
④ $\frac{2}{3}$ ⑤ $\frac{11}{15}$

052

집합 $X=\{1, 2, 3, 4, 5, 6\}$에 대하여 X에서 X로의 함수 f는 다음 조건을 만족시킨다.

(가) $f(2)=2$, $f(3)=3$
(나) 모든 함숫값의 합은 15이다.

함수 f 중에서 임의로 한 함수를 택할 때, 치역의 원소의 개수가 3 이상일 확률은?

① $\frac{29}{40}$ ② $\frac{31}{40}$ ③ $\frac{33}{40}$
④ $\frac{7}{8}$ ⑤ $\frac{37}{40}$

상위권 보장 개념+필수 기출 문제

개념 1 조건부확률

(1) **조건부확률**

표본공간 S의 두 사건 A, B에 대하여 확률이 0이 아닌 사건 A에 대하여 사건 A가 일어났다고 가정할 때, 사건 B가 일어날 확률을 사건 A가 일어났을 때의 사건 B의 조건부확률이라 하고, 기호로 $\mathrm{P}(B|A)$와 같이 나타낸다.

(2) **조건부확률의 계산**

사건 A가 일어났을 때 사건 B의 조건부확률은

$$\mathrm{P}(B|A)=\frac{\mathrm{P}(A\cap B)}{\mathrm{P}(A)}\ (\text{단, } \mathrm{P}(A)>0)$$

조건부확률 $\mathrm{P}(B|A)$는 사건 A를 새로운 표본공간으로 생각할 때 사건 $A\cap B$가 일어날 확률이다.
따라서 사건 A가 일어나는 경우의 수를 $n(A)$라고 하면 $\mathrm{P}(B|A)=\frac{n(A\cap B)}{n(A)}$로 구할 수도 있다.

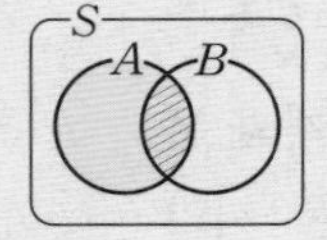

053

출제율

두 사건 A, B에 대하여

$$\mathrm{P}(A\cap B)=\frac{1}{6},\ \mathrm{P}(B|A)=\frac{1}{3}$$

일 때, $\mathrm{P}(A)$의 값은?

① $\frac{1}{6}$ ② $\frac{1}{5}$ ③ $\frac{1}{4}$
④ $\frac{1}{3}$ ⑤ $\frac{1}{2}$

054

출제율

두 사건 A, B가 서로 배반사건이고

$$\mathrm{P}(A)=\frac{1}{5},\ \mathrm{P}(B)=\frac{2}{3}$$

일 때, $\mathrm{P}(B|A^C)$의 값은? (단, A^C은 A의 여사건이다.)

① $\frac{1}{6}$ ② $\frac{1}{3}$ ③ $\frac{1}{2}$
④ $\frac{2}{3}$ ⑤ $\frac{5}{6}$

055

출제율

두 사건 A, B에 대하여

$$\mathrm{P}(A\cap B)=\frac{1}{20},\ \mathrm{P}(A|B)=\frac{1}{5},\ \mathrm{P}(B|A)=\frac{1}{3}$$

일 때, $\mathrm{P}(A\cup B)$의 값은?

① $\frac{3}{10}$ ② $\frac{7}{20}$ ③ $\frac{2}{5}$
④ $\frac{9}{20}$ ⑤ $\frac{1}{2}$

056

출제율

한 개의 주사위를 한 번 던져서 나오는 눈의 수가 6의 약수일 때, 그 수가 홀수일 확률은?

① $\frac{1}{4}$ ② $\frac{1}{3}$ ③ $\frac{2}{5}$
④ $\frac{1}{2}$ ⑤ $\frac{5}{6}$

057

출제율

어느 고등학교 학생들의 혈액형을 조사하였더니 AB형이 전체의 25 %이고 AB형인 남학생은 전체의 10 %라고 한다. 이 고등학교 학생 중에서 임의로 한 명을 택하였더니 AB형이었을 때, 남학생일 확률은?

① $\frac{1}{10}$ ② $\frac{1}{5}$ ③ $\frac{3}{10}$
④ $\frac{2}{5}$ ⑤ $\frac{1}{2}$

058 교육청 기출

출제율

어느 역사 동아리 1, 2학년 학생 32명을 대상으로 박물관 A와 박물관 B에 대한 선호도를 조사하였다. 이 조사에 참여한 학생은 박물관 A와 박물관 B 중 하나를 선택하였고, 각 학생이 선택한 박물관별 인원수는 다음과 같다.

(단위: 명)

구분	1학년	2학년	합계
박물관 A	9	15	24
박물관 B	6	2	8
합계	15	17	32

이 조사에 참여한 역사 동아리 학생 중에서 임의로 선택한 1명이 박물관 A를 선택한 학생일 때, 이 학생이 1학년 학생일 확률은?

① $\frac{3}{8}$ ② $\frac{5}{12}$ ③ $\frac{11}{24}$
④ $\frac{1}{2}$ ⑤ $\frac{13}{24}$

059

출제율

주머니 A에는 흰 공 2개, 검은 공 2개가 들어 있고, 주머니 B에는 흰 공 3개, 검은 공 2개가 들어 있다. 주머니 A, B에서 공을 각각 1개씩 임의로 뽑았더니 서로 다른 색의 공이 나왔을 때, 주머니 A에서 흰 공을 뽑았을 확률은?

① $\frac{1}{5}$ ② $\frac{3}{10}$ ③ $\frac{2}{5}$
④ $\frac{1}{2}$ ⑤ $\frac{3}{5}$

개념 2 확률의 곱셈정리

(1) **확률의 곱셈정리**

두 사건 A, B에 대하여 두 사건 A, B가 동시에 일어날 확률은

$$P(A\cap B)=P(A)P(B|A)=P(B)P(A|B)$$

(단, $P(A)>0$, $P(B)>0$)

참고 $P(A\cup B)=P(A)+P(B)-P(A)P(B|A)$
$=P(A)+P(B)-P(B)P(A|B)$
(단, $P(A)>0$, $P(B)>0$)

확률이 0이 아닌 두 사건 A, E에 대하여 두 사건 $A\cap E$와 $A^C\cap E$는 서로 배반사건이므로

(1) $P(E)=P(A\cap E)+P(A^C\cap E)$

(2) $P(A|E)=\dfrac{P(A\cap E)}{P(A\cap E)+P(A^C\cap E)}$

060

출제율

두 사건 A, B에 대하여

$$P(A^C)=\frac{2}{5},\ P(B|A)=\frac{1}{6}$$

일 때, $P(A\cap B)$의 값은?

(단, A^C은 A의 여사건이다.)

① $\frac{1}{6}$ ② $\frac{1}{7}$ ③ $\frac{1}{8}$
④ $\frac{1}{9}$ ⑤ $\frac{1}{10}$

061

출제율

흰 공이 4개, 검은 공이 6개 들어 있는 주머니에서 공을 한 개씩 두 번 꺼낼 때, 꺼낸 두 개의 공이 모두 검은 공일 확률은? (단, 꺼낸 공은 다시 넣지 않는다.)

① $\frac{1}{3}$ ② $\frac{2}{5}$ ③ $\frac{1}{2}$
④ $\frac{3}{5}$ ⑤ $\frac{2}{3}$

062

출제율

숫자 1, 2, 2, 2, 3, 3이 각각 하나씩 적혀 있는 6장의 카드가 있다. 이 6장의 카드 중에서 현진이가 임의로 한 장의 카드를 선택한 후, 병준이가 남은 5장의 카드 중에서 임의로 한 장의 카드를 선택할 때, 현진이는 2가 적혀 있는 카드를 선택하고, 병준이는 3이 적혀 있는 카드를 선택할 확률을 구하여라.

063 학교 기출 신유형

출제율

흰 공 3개, 검은 공 2개가 들어 있는 주머니와 각 면에 1, 2, 3, 4, 5, 6이 적혀 있는 주사위와 각 면에 1, 2, 3, 4가 적혀 있는 정사면체가 있다. 주머니에서 흰 공이 나오면 주사위를 던지고, 검은 공이 나오면 정사면체를 던질 때, 3 미만의 눈이 나올 확률은?
(단, 정사면체를 던질 때, 나온 눈은 밑면에 놓인 눈을 말한다.)

① $\frac{1}{3}$ ② $\frac{2}{5}$ ③ $\frac{5}{12}$
④ $\frac{1}{2}$ ⑤ $\frac{7}{12}$

064

출제율

주머니 A에는 흰 공 2개, 검은 공 3개가 들어 있고, 주머니 B에는 흰 공 3개, 검은 공 1개가 들어 있다. 주머니 A에서 임의로 1개의 공을 꺼내어 흰 공이면 검은 공 2개를 주머니 B에 넣고, 검은 공이면 흰 공 1개를 주머니 B에 넣는다. 이후 주머니 B에서 임의로 1개의 공을 꺼낼 때, 그것이 흰 공일 확률은?

① $\frac{9}{25}$ ② $\frac{11}{25}$ ③ $\frac{13}{25}$
④ $\frac{3}{5}$ ⑤ $\frac{17}{25}$

065

출제율

두 대의 기계 A, B로 제품을 생산하는 공장에서 두 기계 A, B는 각각 전체의 40 %, 60 %를 생산하고 있고, 생산한 제품 중에는 각각 5 %, 8 %의 불량품이 포함되어 있다. 한 제품이 불량품일 때, 이 제품이 기계 B에서 생산된 제품일 확률은?

① $\frac{6}{17}$ ② $\frac{8}{17}$ ③ $\frac{10}{17}$
④ $\frac{12}{17}$ ⑤ $\frac{14}{17}$

066 평가원 기출

출제율

한 개의 주사위를 사용하여 다음 규칙에 따라 점수를 얻는 시행을 한다.

> (가) 한 번 던져 나온 눈의 수가 5 이상이면 나온 눈의 수를 점수로 한다.
> (나) 한 번 던져 나온 눈의 수가 5보다 작으면 한 번 더 던져 나온 눈의 수를 점수로 한다.

시행의 결과로 얻은 점수가 5점 이상일 때, 주사위를 한 번만 던졌을 확률을 $\frac{q}{p}$라고 하자. p^2+q^2의 값을 구하여라. (단, p와 q는 서로소인 자연수이다.)

개념 3 사건의 독립과 종속

(1) 사건의 독립

두 사건 A, B에 대하여 사건 A가 일어나거나 일어나지 않는 것이 사건 B가 일어날 확률에 영향을 주지 않을 때, 즉

$$P(B|A)=P(B|A^C)=P(B)$$

일 때, 두 사건 A와 B는 서로 독립이라고 한다.

(2) 두 사건 A, B가 서로 독립이기 위한 필요충분조건은

$$P(A\cap B)=P(A)P(B)$$

(단, $P(A)>0$, $P(B)>0$)

(3) 사건의 종속

사건 A와 B가 서로 독립이 아닐 때, 즉

$P(A|B)\neq P(A)$ 또는 $P(B|A)\neq P(B)$

일 때, 두 사건 A와 B는 서로 종속이라고 한다.

참고 두 사건 A와 B가 서로 종속이면
$P(A\cap B)\neq P(A)P(B)$

사건 A, B가 서로 독립
$\Longleftrightarrow$ 사건 A^C, B가 서로 독립
$\Longleftrightarrow$ 사건 A, B^C이 서로 독립
$\Longleftrightarrow$ 사건 A^C, B^C이 서로 독립

067

출제율

두 사건 A, B가 서로 독립이고

$$P(A^C)=\frac{2}{3},\ P(A\cap B)=\frac{1}{6}$$

일 때, $P(B)$의 값은? (단, A^C은 A의 여사건이다.)

① $\frac{1}{6}$ ② $\frac{1}{4}$ ③ $\frac{1}{3}$ ④ $\frac{5}{12}$ ⑤ $\frac{1}{2}$

068

출제율

두 사건 A와 B가 서로 독립이고

$$P(B)=\frac{2}{3},\ P(A\cup B)=\frac{3}{4}$$

일 때, $P(A)$의 값은?

① $\frac{1}{8}$ ② $\frac{1}{4}$ ③ $\frac{3}{8}$ ④ $\frac{1}{2}$ ⑤ $\frac{5}{8}$

069

출제율

두 사건 A와 B가 서로 독립이고

$$P(A|B)=\frac{1}{3},\ P(A\cap B^C)=\frac{1}{6}$$

일 때, $P(B)$의 값은? (단, B^C은 B의 여사건이다.)

① $\frac{5}{12}$ ② $\frac{1}{2}$ ③ $\frac{7}{12}$ ④ $\frac{2}{3}$ ⑤ $\frac{3}{4}$

070

출제율

한 개의 주사위를 한 번 던졌을 때, 6의 약수의 눈이 나오는 사건을 A, 홀수의 눈이 나오는 사건을 B, 소수의 눈이 나오는 사건을 C라고 하자. |보기|에서 서로 독립인 사건끼리 짝 지어진 것만을 있는 대로 고른 것은?

보기
ㄱ. A와 B　　ㄴ. B와 C　　ㄷ. A와 C

① ㄱ ② ㄴ ③ ㄷ ④ ㄱ, ㄷ ⑤ ㄴ, ㄷ

071

출제율

어느 시험에서 두 학생 A, B가 합격할 확률이 각각 $\frac{8}{9}$, $\frac{9}{10}$일 때, 이 시험에서 한 학생만 합격할 확률은?

① $\frac{1}{6}$ ② $\frac{17}{90}$ ③ $\frac{19}{90}$
④ $\frac{7}{30}$ ⑤ $\frac{23}{90}$

072

출제율

지우와 재성이가 탁구 시합을 하는데 두 게임을 연속하여 이기는 사람이 우승하기로 하였다. 매 게임마다 재성이가 지우를 이길 확률이 $\frac{1}{3}$이라고 할 때, 네 번째 게임에서 재성이가 우승할 확률을 구하여라.

(단, 비기는 경우는 없다.)

073

출제율

다음은 두 동아리 A, B의 학생들을 대상으로 축구와 야구에 대한 선호도를 조사하여 그 인원수를 두 동아리 A, B의 전체 학생들의 수에 대한 비율로 나타낸 것이다.

구분	축구	야구	합계
A	a	b	$\frac{2}{7}$
B	c	d	$\frac{5}{7}$
합계	$\frac{3}{4}$	$\frac{1}{4}$	1

어떤 학생이 동아리 A에 속할 사건과 야구를 좋아할 사건이 서로 독립일 때, $b+c$의 값은?

① $\frac{4}{7}$ ② $\frac{17}{28}$ ③ $\frac{9}{14}$
④ $\frac{19}{28}$ ⑤ $\frac{5}{7}$

개념 4 독립시행의 확률

(1) 독립시행

동일한 시행을 반복할 때, 각 시행에서 일어나는 사건이 서로 독립이면 이와 같은 시행을 독립시행이라고 한다.

(2) 독립시행의 확률

어떤 시행에서 사건 A가 일어날 확률이 p일 때, 이 시행을 n회 반복한 독립시행에서 사건 A가 r회 일어날 확률은

$${}_{n}\mathrm{C}_{r}p^{r}(1-p)^{n-r} \text{ (단, } r=0, 1, 2, \cdots, n)$$

074

출제율

한 개의 주사위를 5번 던질 때, 소수의 눈이 3번 나올 확률은?

① $\frac{1}{4}$ ② $\frac{5}{16}$ ③ $\frac{3}{8}$
④ $\frac{7}{16}$ ⑤ $\frac{1}{2}$

075

출제율

어느 양궁 선수가 10점 과녁을 맞힐 확률은 $\frac{1}{2}$이라고 한다. 이 양궁 선수가 5발을 쏘았을 때, 10점 과녁에 2발 이상 맞힐 확률은?

① $\frac{5}{16}$ ② $\frac{7}{16}$ ③ $\frac{9}{16}$
④ $\frac{11}{16}$ ⑤ $\frac{13}{16}$

076

출제율

동전 한 개를 5번 던질 때, 앞면이 나오는 횟수와 뒷면이 나오는 횟수의 곱이 4일 확률은?

① $\frac{3}{16}$ ② $\frac{7}{32}$ ③ $\frac{1}{4}$
④ $\frac{9}{32}$ ⑤ $\frac{5}{16}$

077

출제율

한 개의 주사위를 한 번 던져서 4의 약수의 눈이 나오면 동전을 2개, 4의 약수의 눈이 나오지 않으면 동전을 3개 던지기로 한다. 주사위를 한 번 던질 때, 동전의 앞면이 한 번 나올 확률은?

① $\frac{5}{16}$ ② $\frac{3}{8}$ ③ $\frac{7}{16}$
④ $\frac{1}{2}$ ⑤ $\frac{9}{16}$

078

출제율

어떤 야구 경기는 5번의 경기에서 3번을 먼저 이기는 팀이 우승한다. A팀과 B팀이 경기에서 이길 확률은 두 팀 모두 $\frac{1}{2}$이다. 네 번째 경기에서 우승팀이 결정될 확률은? (단, 비기는 경우는 없다.)

① $\frac{1}{8}$ ② $\frac{3}{16}$ ③ $\frac{1}{4}$
④ $\frac{5}{16}$ ⑤ $\frac{3}{8}$

079 학교 기출 신유형

출제율

수직선의 원점에 점 P가 있다. 한 개의 주사위를 한 번 던져서 짝수의 눈이 나오면 점 P는 양의 방향으로 1만큼 움직이고, 홀수의 눈이 나오면 음의 방향으로 1만큼 움직인다. 주사위를 5번 던졌을 때, 점 P의 좌표가 1일 확률은?

① $\frac{1}{32}$ ② $\frac{1}{16}$ ③ $\frac{1}{8}$
④ $\frac{1}{4}$ ⑤ $\frac{5}{16}$

080

출제율

흰 공 2개와 검은 공 4개가 들어 있는 주머니에서 임의로 한 개의 공을 꺼내어 공의 색을 확인한 후 다시 넣는 시행을 5회 반복한다. 각 시행에서 꺼낸 공이 흰 공이면 2점을 얻고, 검은 공이면 3점을 얻을 때, 얻은 점수의 합이 12일 확률은?

① $\frac{40}{243}$ ② $\frac{41}{243}$ ③ $\frac{14}{81}$
④ $\frac{43}{243}$ ⑤ $\frac{44}{243}$

081

출제율

한 개의 동전을 6번 던질 때, $k(k=1, 2, 3, \cdots, 6)$번째에 앞면이 나오면 $a_k=1$, 뒷면이 나오면 $a_k=-1$로 정한다. 6차 다항식

$$f(x)=a_1x+a_2x^2+a_3x^3+\cdots+a_6x^6$$

에 대하여 $f(x)$가 다항식 $x-1$로 나누어떨어질 확률은?

① $\frac{3}{16}$ ② $\frac{1}{4}$ ③ $\frac{5}{16}$
④ $\frac{3}{8}$ ⑤ $\frac{7}{16}$

최상위권 도약 실력 완성 문제

개념 1 조건부확률

082

상자 A에는 흰 공 2개, 검은 공 3개가 들어 있고, 상자 B에는 흰 공 3개, 검은 공 2개가 들어 있다. 상자 A에서 임의로 2개의 공을 꺼내어 상자 B에 넣은 후, 다시 상자 B에서 임의로 한 개의 공을 꺼내는 시행을 한다. 이 시행에서 상자 A에서 꺼낸 공 중 적어도 한 개가 흰 공이었을 때, 상자 B에서 꺼낸 공이 흰 공일 확률은?

① $\frac{23}{49}$　② $\frac{25}{49}$　③ $\frac{27}{49}$　④ $\frac{29}{49}$　⑤ $\frac{31}{49}$

083

주머니 A에는 1, 2, 3, 4의 숫자가 각각 하나씩 적혀 있는 4장의 카드가 들어 있고, 주머니 B에는 5, 6, 7, 8의 숫자가 각각 하나씩 적혀 있는 4장의 카드가 들어 있다. 두 주머니 A, B에서 각각 임의로 한 장씩 꺼낸 카드에 적혀 있는 두 수의 합이 짝수일 때, 주머니 A에서 꺼낸 카드에 적힌 수가 홀수일 확률은?

① $\frac{1}{2}$　② $\frac{1}{3}$　③ $\frac{1}{4}$　④ $\frac{1}{5}$　⑤ $\frac{1}{6}$

084

A, B가 각각 주사위를 한 개씩 한 번만 던져서 더 큰 수의 눈이 나온 사람이 이기고, 같은 수의 눈이 나오면 비기는 것으로 하였다. A가 던진 주사위에서 3의 배수의 눈이 나왔을 때, A가 이길 확률을 구하여라.

085

주머니에 1부터 10까지의 자연수가 각각 하나씩 적혀 있는 공이 10개 들어 있다. 이 주머니에서 임의로 3개의 공을 동시에 꺼낼 때, 꺼낸 3개의 공에 적혀 있는 수를 a, b, c $(a<b<c)$라고 하자. $a+b+c$가 짝수일 때, a가 홀수일 확률을 구하여라.

086

다음은 어느 산악회 회원 100명을 대상으로 한라산과 설악산의 등반 희망 여부를 조사한 표이다.

(단위: 명)

설악산 \ 한라산	희망함	희망하지 않음	합계
희망함	30	30	60
희망하지 않음	24	16	40
합계	54	46	100

산악회 회원 중에서 임의로 뽑은 한 명이 한라산 등반을 희망하였을 때, 이 회원이 설악산 등반을 희망하였을 확률을 p_1, 산악회 회원 중에서 임의로 뽑은 한 명이 설악산 등반을 희망하였을 때, 이 회원이 한라산 등반을 희망하지 않았을 확률을 p_2라고 하자. p_1-p_2의 값은?

① $\frac{2}{9}$　② $\frac{1}{6}$　③ $\frac{1}{9}$　④ $\frac{1}{18}$　⑤ 0

087 다빈출

어느 어학원에서 남학생 250명, 여학생 200명을 대상으로 어학연수 체험 상품에 대한 평가를 한 결과 남학생 중에서 40 %, 여학생 중에서 55 %가 긍정적인 평가를 하였다. 이 어학원 학생 450명 중에서 임의로 선택한 한 사람이 상품에 대하여 긍정적인 평가를 하였을 때, 이 사람이 남학생일 확률은?

① $\frac{3}{7}$ ② $\frac{10}{21}$ ③ $\frac{11}{21}$
④ $\frac{4}{7}$ ⑤ $\frac{13}{21}$

088 다빈출

여학생 70명, 남학생 100명을 대상으로 가수 A와 가수 B의 선호도를 조사하였다. 그 결과 모든 학생은 적어도 한 가수를 선호하였고, 가수 A를 선호한 학생 100명 중 여학생이 40명이었으며, 가수 B를 선호한 학생 120명 중 여학생이 55명이었다. 두 가수 A, B를 모두 선호한 학생들 중에서 한 명을 임의로 뽑을 때, 이 학생이 여학생일 확률은?

① $\frac{11}{30}$ ② $\frac{13}{30}$ ③ $\frac{1}{2}$
④ $\frac{17}{30}$ ⑤ $\frac{19}{30}$

089

어느 고속버스의 승객 중에서 75 %는 어른이고 40 %는 남자이다. 또, 여자 승객 중에서 $\frac{2}{3}$가 어른이라고 한다. 어린이 중에서 한 명을 뽑을 때, 그 사람이 남자일 확률은?

① $\frac{4}{25}$ ② $\frac{1}{5}$ ③ $\frac{6}{25}$
④ $\frac{7}{25}$ ⑤ $\frac{8}{25}$

090

남학생이 20명이고, 여학생이 18명인 민호네 반 학생들이 이번 학업성취도 평가에서 미적분과 확률과 통계 중 한 과목을 선택하였고, 확률과 통계를 선택한 남학생은 12명이다. 민호네 반에서 확률과 통계를 선택한 학생들 중 한 명을 뽑을 때, 그 학생이 여학생일 확률이 $\frac{5}{11}$이다. 미적분을 선택한 학생들 중 한 명을 뽑을 때, 그 학생이 남학생일 확률은?

① $\frac{5}{12}$ ② $\frac{1}{2}$ ③ $\frac{7}{12}$
④ $\frac{2}{3}$ ⑤ $\frac{3}{4}$

091 평가원 기출

어느 도서관 이용자 300명을 대상으로 각 연령대별, 성별 이용 현황을 조사한 결과는 다음과 같다.

(단위: 명)

구분	19세 이하	20대	30대	40세 이상	합계
남성	40	a	$60-a$	100	200
여성	35	$45-b$	b	20	100

이 도서관 이용자 300명 중에서 30대가 차지하는 비율은 12 %이다. 이 도서관 이용자 300명 중에서 임의로 선택한 1명이 남성일 때, 이 이용자가 20대일 확률과 이 도서관 이용자 300명 중에서 임의로 선택한 1명이 여성일 때, 이 이용자가 30대일 확률이 서로 같다. $a+b$의 값을 구하여라.

개념 2 확률의 곱셈정리

092

상자에는 흰 공 5개와 검은 공 6개가 들어 있다. 두 사람 A, B가 이 순서대로 상자에서 임의로 2개의 공을 동시에 꺼낼 때, A가 꺼낸 2개의 공이 흰 공 1개와 검은 공 1개이고, B가 꺼낸 2개의 공이 같은 색 공일 확률은?

(단, 꺼낸 공은 다시 넣지 않는다.)

① $\frac{7}{33}$　② $\frac{8}{33}$　③ $\frac{3}{11}$
④ $\frac{10}{33}$　⑤ $\frac{1}{3}$

093

n개의 당첨 제비를 포함한 15개의 제비가 들어 있는 상자가 있다. 이 상자에서 갑, 을의 순서로 제비를 한 개씩 뽑을 때, 갑과 을이 모두 당첨 제비를 뽑을 확률이 $\frac{1}{7}$이 되도록 하는 n의 값은?

(단, 뽑은 제비는 다시 넣지 않는다.)

① 6　② 7　③ 8
④ 9　⑤ 10

094

어떤 축구팀이 비가 내릴 때 경기에서 이길 확률이 0.7이고, 비가 내리지 않을 때 경기에서 이길 확률은 0.5라고 한다. 내일 비가 내릴 확률이 0.3일 때, 이 팀이 내일 경기에서 이길 확률은?

① 0.56　② 0.58　③ 0.6
④ 0.62　⑤ 0.64

095 학교 기출 신유형

빨간 공 3개와 파란 공 4개가 들어 있는 주머니가 있다. 이 주머니에서 갑부터 시작하여 갑과 을이 번갈아 가며 임의로 공을 한 개씩 꺼낼 때, 먼저 빨간 공을 꺼낸 쪽이 이긴다고 한다. 이때 갑이 이길 확률은?

(단, 꺼낸 공은 다시 넣지 않는다.)

① $\frac{13}{35}$　② $\frac{3}{7}$　③ $\frac{17}{35}$
④ $\frac{19}{35}$　⑤ $\frac{22}{35}$

정답과 풀이 041쪽

096 평가원 기출

3학년에 7개의 반이 있는 어느 고등학교에서 토너먼트 방식으로 축구 시합을 하려고 하는데 이미 1반은 부전승으로 결정되어 있다. 다음과 같은 형태의 대진표를 만들어 시합을 할 때, 1반과 2반이 축구 시합을 할 확률은? $\left(\text{단, 각 반이 시합에서 이길 확률은 모두 } \frac{1}{2}\text{이고, 기권하는 반은 없다고 한다.}\right)$

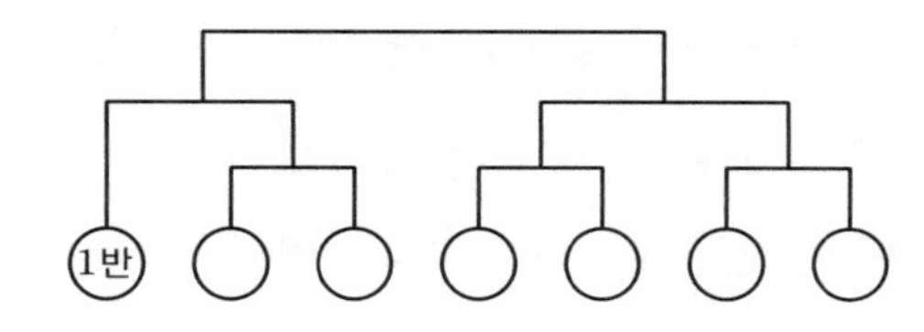

① $\frac{3}{4}$　② $\frac{5}{8}$　③ $\frac{1}{2}$
④ $\frac{3}{8}$　⑤ $\frac{1}{4}$

097

숫자 1, 2, 3이 적혀 있는 공이 각각 2개씩 들어 있는 주머니가 있다. 이 주머니에서 임의로 1개의 공을 꺼내는 시행을 반복할 때, 나온 공에 적혀 있는 수의 합이 3의 배수이면 이 시행을 멈추기로 한다. 3회 이하로 시행을 멈출 확률은? (단, 꺼낸 공은 다시 넣지 않는다.)

① $\frac{7}{15}$　② $\frac{8}{15}$　③ $\frac{3}{5}$
④ $\frac{2}{3}$　⑤ $\frac{11}{15}$

098 다빈출

어떤 거짓말 탐지기가 있다. 이 거짓말 탐지기가 거짓말을 한 사람이 거짓말을 말한다고 판단할 확률은 99 %, 진실을 말한 사람이 거짓말을 한다고 판단할 확률은 4 %라고 한다. 거짓말을 한 사람 10명과 진실을 말한 사람 90명으로 이루어진 집단에서 임의로 한 명을 선택하여 면담하였을 때, 탐지기가 이 사람을 거짓말을 한 사람으로 판단할 확률은?

① 0.12　② 0.125　③ 0.13
④ 0.135　⑤ 0.14

099 다빈출

상자 A에는 흰 공이 3개, 검은 공이 3개가 들어 있고, 상자 B에는 흰 공이 3개, 검은 공이 2개가 들어 있다. 두 상자 A, B 중에서 한 상자를 임의로 택하고 그 상자에서 2개의 공을 꺼냈을 때, 흰 공이 1개, 검은 공이 1개가 나왔다. 이때 택한 상자가 B일 확률은?

① $\frac{3}{4}$　② $\frac{5}{8}$　③ $\frac{1}{2}$
④ $\frac{3}{8}$　⑤ $\frac{1}{4}$

100

4곳을 방문하면 1곳에서 우산을 잃어버리는 버릇이 있는 유미는 편의점, 친구 집, 빵집을 차례로 방문하고 집에 돌아와 보니 우산을 잃어버렸다는 것을 알았다. 이때 우산을 친구 집에 두고 왔을 확률은?

(단, 이동하는 동안에는 우산을 잃어버리지 않는다.)

① $\frac{12}{37}$ ② $\frac{13}{37}$ ③ $\frac{14}{37}$ ④ $\frac{15}{37}$ ⑤ $\frac{16}{37}$

101 다빈출

어떤 의사가 폐암에 걸린 사람을 폐암에 걸렸다고 진단할 확률은 80 %이고, 폐암에 걸리지 않은 사람을 폐암에 걸렸다고 진단할 확률은 5 %라고 한다. 폐암에 걸린 사람의 비율이 10 %인 어떤 집단에서 임의로 택한 한 사람이 폐암에 걸렸다고 진단받았을 때, 이 사람이 정말로 폐암에 걸렸을 확률은?

① $\frac{3}{5}$ ② $\frac{16}{25}$ ③ $\frac{17}{25}$ ④ $\frac{18}{25}$ ⑤ $\frac{19}{25}$

102 교육청 기출

식문화 체험의 날에 어느 고등학교 전체 학생을 대상으로 점심과 저녁 식사를 제공하였다. 모든 학생들은 매 식사 때마다 양식과 한식 중 하나를 반드시 선택하였고, 전체 학생의 60 %가 점심에 한식을 선택하였다. 점심에 양식을 선택한 학생의 25 %는 저녁에도 양식을 선택하였고, 점심에 한식을 선택한 학생의 30 %는 저녁에도 한식을 선택하였다. 이 고등학교 학생 중에서 임의로 선택한 한 명이 저녁에 양식을 선택한 학생일 때, 이 학생이 점심에 한식을 선택했을 확률은 $\frac{q}{p}$이다. $p+q$의 값을 구하여라.(단, p와 q는 서로소인 자연수이다.)

개념 3 사건의 독립과 종속

103

두 사건 A, B가 서로 독립이고 $\mathrm{P}(A\cap B)=\frac{1}{9}$일 때, $\mathrm{P}(A\cup B)=m-\frac{1}{9}$이 되도록 하는 실수 m의 최솟값은?

① $\frac{11}{18}$ ② $\frac{2}{3}$ ③ $\frac{13}{18}$ ④ $\frac{7}{9}$ ⑤ $\frac{5}{6}$

104

임의의 두 사건 A, B에 대하여 |보기|에서 옳은 것만을 있는 대로 고른 것은?

(단, A^C은 A의 여사건이고 $\mathrm{P}(A)\mathrm{P}(B) \neq 0$이다.)

보기

ㄱ. $\mathrm{P}(A|B^C)=\mathrm{P}(A)$이면 두 사건 A, B는 서로 독립이다.

ㄴ. 두 사건 A, B가 배반사건이면 $\mathrm{P}(B|A)=0$이다.

ㄷ. 두 사건 A, B가 서로 독립이면 두 사건 A, B는 배반사건이다.

① ㄱ ② ㄱ, ㄴ ③ ㄱ, ㄷ
④ ㄴ, ㄷ ⑤ ㄱ, ㄴ, ㄷ

105

어떤 야구 선수가 상대 팀의 투수 A, B와 대결할 때, 안타를 칠 확률은 각각 0.2, 0.1이다. 한 경기에서 이 선수가 투수 A와 2회 대결한 후 투수 B와 1회 대결한다면 3회의 대결 중 2회 이상 안타를 칠 확률은?

① 0.06 ② 0.066 ③ 0.072
④ 0.078 ⑤ 0.084

106

세 학생 A, B, C가 어떤 시험에서 합격할 확률이 각각 $\frac{2}{3}$, a, $\frac{2}{5}$일 때, 세 명 중 두 명만 합격할 확률은 $\frac{2}{5}$이다. a의 값은?

① $\frac{5}{12}$ ② $\frac{1}{2}$ ③ $\frac{7}{12}$
④ $\frac{2}{3}$ ⑤ $\frac{3}{4}$

107

어느 농구팀의 두 선수 A, B의 자유투 성공률은 각각 0.9, 0.8이다. 두 선수가 각각 한 번씩 자유투를 던져 한 선수만 성공했을 때, A가 성공했을 확률은?

(단, 두 선수가 자유투를 성공하는 사건은 서로 독립이다.)

① $\frac{3}{13}$ ② $\frac{5}{13}$ ③ $\frac{7}{13}$
④ $\frac{9}{13}$ ⑤ $\frac{11}{13}$

108

1부터 12까지의 자연수가 각각 하나씩 적혀 있는 12장의 카드가 들어 있는 주머니가 있다. 이 주머니에서 임의로 한 장의 카드를 꺼내는 시행에서 4의 배수가 나오는 사건을 A라고 할 때, 사건 A와 독립이고 $n(A \cap X)=2$인 사건 X의 개수는?

(단, $n(A)$는 사건 A가 일어나는 경우의 수이다.)

① 236 ② 240 ③ 244
④ 248 ⑤ 252

109 학교 기출 신유형

다음 표와 같이 두 상자 A, B에는 흰 공과 검은 공이 합하여 각각 100개의 공이 들어 있다.

(단위: 개)

구분	흰 공	검은 공	합계
상자 A	a	$100-a$	100
상자 B	$100-2a$	$2a$	100

두 상자 A, B에서 임의로 하나씩 공을 꺼낼 때, 같은 색의 공이 나올 확률이 $\frac{1}{2}$이다. 자연수 a의 값을 구하여라.

(단, 상자 B에는 흰 공이 적어도 1개 들어 있다.)

110 다빈출

두 프로야구팀 A, B가 7전 4선승제인 한국 시리즈에 진출하였다. 3경기를 진행한 결과 A팀이 2승 1패로 앞서가고 있을 때, A팀이 우승할 확률은?

(단, 각 경기에서 두 팀이 이길 확률은 서로 같고, 비기는 경우는 없다.)

① $\frac{5}{16}$ ② $\frac{7}{16}$ ③ $\frac{9}{16}$
④ $\frac{11}{16}$ ⑤ $\frac{13}{16}$

개념 4 독립시행의 확률

111

선겸이는 400 m 달리기 대회에서 우승할 확률이 $\frac{2}{3}$이다. 선겸이가 5번의 대회에 출전할 때, 2번 이상 우승할 확률은?

① $\frac{232}{243}$ ② $\frac{230}{243}$ ③ $\frac{76}{81}$
④ $\frac{226}{243}$ ⑤ $\frac{224}{243}$

112

어느 회사에서 직원을 채용할 때 1차 면접에서 합격한 지원자를 대상으로 2차 면접을 하여 2차까지의 면접에서 합격한 사람만 입사할 수 있다고 한다. 1차와 2차의 면접은 서로 독립이며, 1차와 2차 면접에서 합격할 확률은 각각 $\frac{1}{2}$, $\frac{2}{5}$이다. 5명의 지원자를 대상으로 이 면접을 적용하였을 때, 4명만 입사할 확률을 구하여라.

113 다빈출

주사위 1개를 던져서 나오는 눈의 수가 6의 약수이면 동전 2개를 동시에 던지고, 6의 약수가 아니면 동전 4개를 동시에 던지기로 하였다. 한 개의 주사위를 한 번 던진 후 그 결과에 따라 동전을 던질 때, 앞면이 나온 횟수와 뒷면이 나온 횟수가 같을 확률이 $\frac{q}{p}$이다. $p+q$의 값을 구하여라. (단, p와 q는 서로소인 자연수이다.)

114 학교 기출 신 유형

한 개의 주사위를 한 번 던져서 나오는 눈의 수가 4의 약수이면 2점을 얻고, 4의 약수가 아니면 1점을 잃는 게임이 있다. 시작 점수가 2점인 사람이 이 게임을 6번 하였을 때, 점수가 8점이 될 확률이 $a\times\left(\frac{1}{2}\right)^b$이다. 6번의 게임이 끝나기 전 점수가 8 이상인 경우는 없을 때, $a+b$의 값을 구하여라.

115 다빈출

한 개의 주사위를 6번 던질 때 소수의 눈이 나오는 횟수를 a, 한 개의 동전을 3개 던질 때 앞면이 나오는 횟수를 b라고 하자. $a-b$의 값이 4일 확률은?

① $\frac{7}{128}$ ② $\frac{9}{128}$ ③ $\frac{11}{128}$
④ $\frac{13}{128}$ ⑤ $\frac{15}{128}$

116

주사위 한 개와 동전 6개를 동시에 던질 때, 주사위의 눈의 수와 뒷면이 나온 동전의 개수의 합이 6이 될 확률은?

① $\frac{9}{64}$ ② $\frac{19}{128}$ ③ $\frac{5}{32}$
④ $\frac{21}{128}$ ⑤ $\frac{11}{64}$

117

윷을 던져 도나 개가 나오면 1점을 잃고, 걸이 나오면 0점, 윷이나 모가 나오면 2점을 얻기로 하였다. 이 윷을 3번 던질 때, 점수가 3점이 될 확률은?

(단, 윷짝의 등, 배가 나올 확률은 각각 $\frac{1}{2}$이다.)

① $\frac{11}{512}$ ② $\frac{13}{512}$ ③ $\frac{15}{512}$
④ $\frac{17}{512}$ ⑤ $\frac{19}{512}$

118 학교 기출 신 유형

오른쪽 그림과 같이 한 변의 길이가 1인 정오각형이 있다. 점 P가 A에서 출발하여 동전을 던져 앞면이 나오면 2만큼, 뒷면이 나오면 1만큼 정오각형의 변을 따라 시계 방향으로 움직인다. 동전을 6번 던졌을 때, 점 P가 점 D에 위치할 확률은?

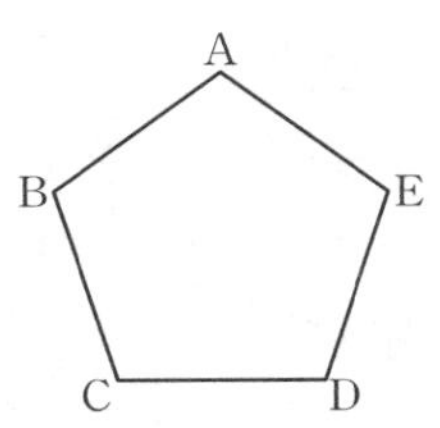

① $\frac{5}{64}$ ② $\frac{3}{32}$ ③ $\frac{7}{64}$
④ $\frac{1}{8}$ ⑤ $\frac{9}{64}$

119

한 개의 동전을 5번 던질 때, 다음 조건을 만족시킬 확률은?

> (가) 앞면이 2번 이상 나온다.
> (나) 적어도 앞면이 연속해서 나오는 경우가 있다.

① $\frac{1}{2}$ ② $\frac{17}{32}$ ③ $\frac{9}{16}$
④ $\frac{19}{32}$ ⑤ $\frac{5}{8}$

120

수직선 위에 점 P(10)이 있다. 한 개의 주사위를 던져서 4 이하의 눈이 나오면 점 P는 음의 방향으로 1만큼 움직이고, 5 이상의 눈이 나오면 점 P는 양의 방향으로 1만큼 움직인다. 주사위를 6번 던졌을 때, 점 P의 좌표가 6 이상일 확률은?

① $\frac{728}{729}$ ② $\frac{712}{729}$ ③ $\frac{232}{243}$
④ $\frac{680}{729}$ ⑤ $\frac{665}{729}$

121 교육청 기출

좌표평면 위의 점 P가 다음 규칙에 따라 이동한다.

> (가) 원점에서 출발한다.
> (나) 동전을 1개 던져서 앞면이 나오면 x축의 방향으로 1만큼 평행이동한다.
> (다) 동전을 1개 던져서 뒷면이 나오면 x축의 방향으로 1만큼, y축의 방향으로 1만큼 평행이동한다.

1개의 동전을 6번 던져서 점 P가 $(a,\ b)$로 이동하였다. $a+b$가 3의 배수가 될 확률이 $\frac{q}{p}$일 때, $p+q$의 값을 구하여라. (단, p와 q는 서로소인 자연수이다.)

122

좌표평면 위의 점 P가 원점을 출발하여 다음 규칙에 따라 이동한다.

> (가) 주사위 한 개를 던져서 3 이상의 눈이 나오면 x축의 방향으로 1만큼 움직인다.
> (나) 주사위 한 개를 던져서 2 이하의 눈이 나오면 y축의 방향으로 1만큼 움직인다.

위와 같은 시행을 5번 반복한 후 점 P가 점 B(3, 2)로 이동했을 때, 점 P가 점 A(2, 1)를 지나지 않고 점 B(3, 2)로 이동할 확률은?

① $\frac{1}{5}$ ② $\frac{3}{10}$ ③ $\frac{2}{5}$
④ $\frac{1}{2}$ ⑤ $\frac{3}{5}$

123

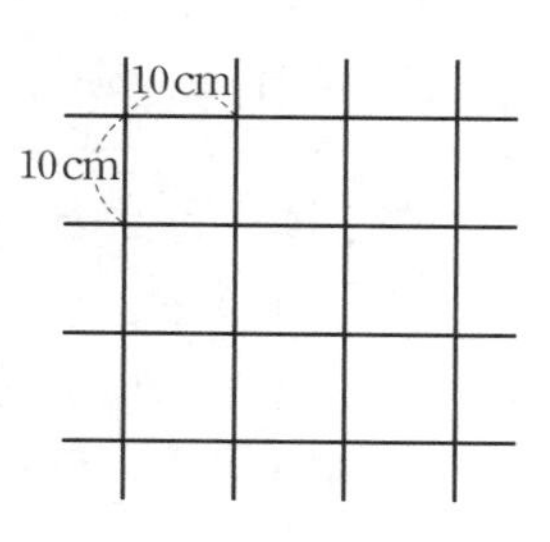

한 변의 길이가 10 cm인 정사각형 모양의 타일을 깐 바닥에 반지름의 길이가 1 cm인 동전을 던질 때, 동전이 한 장의 타일 위에 완전히 놓일 때의 확률과 두 장의 타일 위에 걸칠 때의 확률의 합은 $\frac{q}{p}$이다. $p+q$의 값을 구하여라.

(단, p와 q는 서로소인 자연수이다.)

124

방정식 $x+y+z+w=8$을 만족시키는 음이 아닌 정수 x, y, z, w의 모든 순서쌍 (x, y, z, w) 중에서 임의로 한 개를 택했을 때, 선택한 순서쌍 (x, y, z, w)가

$$(x-2)(y+z-5)=0$$

을 만족시킬 확률은?

① $\frac{4}{15}$ ② $\frac{3}{11}$ ③ $\frac{46}{165}$

④ $\frac{51}{165}$ ⑤ $\frac{52}{165}$

125

한 개의 동전을 n번 던질 때, 앞면이 2번 이상 연속하여 나오지 않을 확률을 p_n이라고 하면 $p_1=a$, $p_2=b$, $p_{n+2}=cp_n+dp_{n+1}$이다. $a+b+c+d$의 값은?

① $\frac{1}{2}$　② 1　③ $\frac{3}{2}$　④ 2　⑤ $\frac{5}{2}$

126

세 신호등 A, B, C에서 신호등 A, C는 1분 중 20초 동안 정지 신호가 되고, 신호등 B는 1분 중 30초 동안 정지 신호가 된다. 한 번이라도 정지 신호에 걸리면 목적지에 늦게 도착하게 될 때, 출발지에서 목적지를 향하여 가는 자동차가 정지 신호에 걸려서 목적지에 늦게 도착하였다. 이때 신호등 A에 걸렸을 확률은?

(단, 세 신호등은 독립적으로 작동한다.)

① $\frac{5}{14}$　② $\frac{3}{7}$　③ $\frac{1}{2}$　④ $\frac{4}{7}$　⑤ $\frac{9}{14}$

127

두 동전 A, B를 던졌을 때, 좌표평면 위의 점 $\mathrm{P}(x, y)$가 원점에서 출발하여 다음 규칙에 따라 이동한다.

> (가) A, B 모두 앞면이 나오면 점 (x, y)를 점 $(x+1, y+1)$로 이동시킨다.
> (나) A는 앞면, B는 뒷면이 나오면 점 (x, y)를 점 $(x+1, y-1)$로 이동시킨다.
> (다) A는 뒷면, B는 앞면이 나오면 점 (x, y)를 점 $(x-1, y+1)$로 이동시킨다.
> (라) A, B 모두 뒷면이 나오면 점 (x, y)를 점 $(x-1, y-1)$로 이동시킨다.

두 동전 A, B를 동시에 던지는 시행 7회째에 점 P가 직선 $x+y=8$ 위로 이동했을 때, 이 시행 3회째에 점 $\mathrm{Q}(3, 3)$을 지나 직선 $x+y=8$ 위로 이동했을 확률을 구하여라.

미니 모의고사 - 1회

제한시간 : 30분

정답과 풀이 049쪽

01

서로 다른 두 개의 주사위를 동시에 던질 때, 나오는 두 눈의 수의 합이 10 이상이거나 5의 배수일 확률은? **[3점]**

① $\frac{1}{18}$ ② $\frac{1}{9}$ ③ $\frac{1}{6}$
④ $\frac{2}{9}$ ⑤ $\frac{5}{18}$

02

두 사건 A, B에 대하여

$$\mathrm{P}(A^C)=\frac{3}{5},\ \mathrm{P}(A^C\cap B)=\frac{1}{3}$$

일 때, $\mathrm{P}(A\cup B)$의 값은?

(단, A^C은 A의 여사건이다.) **[3점]**

① $\frac{3}{5}$ ② $\frac{2}{3}$ ③ $\frac{11}{15}$
④ $\frac{4}{5}$ ⑤ $\frac{13}{15}$

03

한 개의 주사위를 던져서 나온 눈의 수가 소수일 때, 그 수가 짝수일 확률은? **[3점]**

① $\frac{1}{6}$ ② $\frac{1}{3}$ ③ $\frac{1}{2}$
④ $\frac{2}{3}$ ⑤ $\frac{5}{6}$

04

확률이 0이 아닌 두 사건 A, B가 서로 독립일 때, |보기|에서 옳은 것만을 있는 대로 고른 것은?

(단, A^C은 A의 여사건이다.) **[3점]**

보기

ㄱ. $\mathrm{P}(B)=\mathrm{P}(A)\mathrm{P}(B)+\mathrm{P}(A^C)\mathrm{P}(B)$
ㄴ. $\mathrm{P}(A|B^C)=1-\mathrm{P}(A|B)$
ㄷ. $\{1-\mathrm{P}(A)\}\{1-\mathrm{P}(B)\}=1-\mathrm{P}(A\cup B)$
ㄹ. $\mathrm{P}(A\cup B)=\mathrm{P}(A)+\mathrm{P}(B)$

① ㄱ, ㄴ ② ㄱ, ㄷ ③ ㄴ, ㄹ
④ ㄱ, ㄴ, ㄷ ⑤ ㄴ, ㄷ, ㄹ

05

10개의 제비 중에 2개의 당첨 제비가 들어 있다. 갑, 을의 순서로 한 개씩 제비를 뽑을 때, 을이 당첨 제비를 뽑을 확률은? (단, 뽑은 제비는 다시 넣지 않는다.) **[3점]**

① $\frac{2}{15}$ ② $\frac{7}{45}$ ③ $\frac{8}{45}$
④ $\frac{1}{5}$ ⑤ $\frac{2}{9}$

06

한 개의 주사위를 두 번 던져서 나오는 눈의 수를 차례로 a, b라고 하자. 이차방정식 $x^2-ax+b=0$이 실근을 가질 확률이 $\frac{q}{p}$일 때, $p+q$의 값을 구하여라.

(단, p와 q는 서로소인 자연수이다.) **[4점]**

07

1부터 100까지의 자연수 중에서 임의로 하나를 택할 때, 그 수가 35와 서로소일 확률은? **[4점]**

① $\frac{7}{50}$ ② $\frac{8}{25}$ ③ $\frac{3}{5}$ ④ $\frac{17}{25}$ ⑤ $\frac{41}{50}$

08

다음 그림과 같이 두 주머니 A, B에 숫자가 적혀 있는 공이 5개씩 들어 있다. A, B에서 각각 한 개씩 공을 꺼낼 때, 나온 두 수의 곱이 짝수일 확률은? **[4점]**

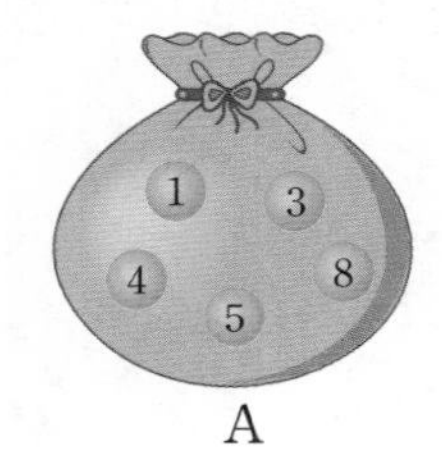

A

B

① $\frac{2}{5}$ ② $\frac{12}{25}$ ③ $\frac{14}{25}$ ④ $\frac{16}{25}$ ⑤ $\frac{18}{25}$

09

현빈이는 사탕을 3개, 민준이는 사탕을 2개 가지고 있고, 시합을 하여 진 사람이 이긴 사람에게 사탕을 1개 주는 게임을 한다. 어느 한 사람의 사탕이 모두 없어질 때까지 게임을 할 때, 현빈이가 사탕을 모두 가져갈 확률을 구하여라.

(단, 한 번의 게임에서 현빈이와 민준이가 이길 확률은 각각 $\frac{1}{2}$이다.) **[4점]**

10

서로 다른 2개의 주사위를 동시에 던져서 나온 눈의 수의 합이 7이면 한 개의 동전을 4번 던지고, 나온 눈의 수의 합이 7이 아니면 한 개의 동전을 3번 던진다. 이 시행에서 동전의 앞면이 나온 횟수가 뒷면이 나온 횟수보다 많을 확률은? **[4점]**

① $\frac{43}{96}$ ② $\frac{15}{32}$ ③ $\frac{47}{96}$ ④ $\frac{49}{96}$ ⑤ $\frac{17}{32}$

실력점검

맞힌 개수	/10개	점수	/35점

미니 모의고사 - 2회

제한시간 : 30분

정답과 풀이 051쪽

01

4쌍의 부부가 원 모양의 탁자에 일정한 간격으로 둘러앉아 식사를 하려고 한다. 남녀가 교대로 앉을 확률은?
(단, 회전하여 일치하는 것은 같은 것으로 본다.) **[3점]**

① $\frac{1}{35}$ ② $\frac{4}{35}$ ③ $\frac{1}{5}$
④ $\frac{2}{7}$ ⑤ $\frac{13}{35}$

02

두 사건 A, B가 서로 배반사건이고,

$$P(A)=\frac{1}{5},\ P(A\cup B)=\frac{4}{5}$$

일 때, $P(B^C)$의 값은? (단, B^C은 B의 여사건이다.)
[3점]

① $\frac{1}{3}$ ② $\frac{2}{5}$ ③ $\frac{1}{2}$
④ $\frac{2}{3}$ ⑤ $\frac{3}{4}$

03

어느 고등학교의 3학년 학생은 320명이다. 이 고등학교의 3학년 학생은 기하와 미적분 중 한 과목을 선택하였고 각 과목을 선택한 학생 수는 다음 표와 같다.

(단위: 명)

구분	기하	미적분	합계
남학생	65	90	155
여학생	66	99	165
합계	131	189	320

이 고등학교의 3학년 학생 중에서 임의로 선택한 한 명이 미적분을 선택한 학생일 때, 이 학생이 남학생일 확률은? **[3점]**

① $\frac{8}{21}$ ② $\frac{3}{7}$ ③ $\frac{10}{21}$
④ $\frac{11}{21}$ ⑤ $\frac{4}{7}$

04

두 사람 A, B가 가위바위보를 세 번 할 때, 첫 번째와 두 번째에서는 비기고, 세 번째에서 승부가 날 확률은?
[3점]

① $\frac{1}{27}$ ② $\frac{2}{27}$ ③ $\frac{1}{9}$
④ $\frac{4}{27}$ ⑤ $\frac{5}{27}$

05

어떤 질병의 치료제를 환자에게 투여했을 때, 완치율은 80 %라고 한다. 5명의 환자가 이 치료제를 투여했을 때, 4명 이상의 환자가 완치될 확률은 $\frac{b\times 2^c}{5^a}$이다.
$a+b+c$의 최솟값을 구하여라.
(단, a, b, c는 자연수이다.) **[3점]**

미니 모의고사 - 2회

정답과 풀이 052쪽

06

중복을 허락하여 1, 2, 3, 4, 5에서 네 개의 숫자를 택해 일렬로 나열한 네 자리의 자연수 중 백의 자리의 숫자와 일의 자리의 숫자의 합이 짝수일 확률은? **[4점]**

① $\frac{9}{25}$ ② $\frac{2}{5}$ ③ $\frac{11}{25}$
④ $\frac{12}{25}$ ⑤ $\frac{13}{25}$

07

집합 $X=\{a, b, c, d\}$에서 집합 $Y=\{-2, -1, 0, 1, 2\}$로의 함수 중에서 임의로 택한 한 함수를 $f(x)$라고 할 때, $f(a)f(b)f(c)=0$ 또는 $f(d)\le 0$이 성립할 확률을 구하여라. **[4점]**

08

흰 공이 3개, 검은 공이 1개, 빨간 공이 2개 들어 있는 상자가 있다. 이 상자에서 임의로 공을 한 개씩 3번 꺼내었더니 첫 번째 공과 세 번째 공의 색만 같았을 때, 처음에 흰 공이 나왔을 확률을 구하여라.

(단, 꺼낸 공은 다시 넣지 않는다.) **[4점]**

09

각 면에 1, 2, 2, 3, 3, 3의 숫자가 각각 하나씩 적혀 있는 정육면체 모양의 상자를 던져서 윗면에 적혀 있는 숫자를 읽기로 하자. 이 상자를 3번 던질 때, 첫 번째와 세 번째 나온 숫자의 합이 5이고, 두 번째 나온 숫자가 짝수일 확률은? **[4점]**

① $\frac{2}{27}$ ② $\frac{1}{9}$ ③ $\frac{4}{27}$
④ $\frac{5}{27}$ ⑤ $\frac{2}{9}$

10

2개의 동전을 던져서 앞면이 나온 개수만큼 주사위를 반복해서 던질 때, 1의 눈이 나온 경우가 1번일 확률은? **[4점]**

① $\frac{7}{72}$ ② $\frac{1}{8}$ ③ $\frac{11}{72}$
④ $\frac{13}{72}$ ⑤ $\frac{5}{24}$

실력점검

맞힌 개수	/10개	점수	/35점

통계

05. 확률분포

06. 정규분포

07. 통계적 추정

상위권 보장 개념+필수 기출 문제

개념 1 이산확률변수와 확률질량함수

(1) 확률변수

어떤 시행에서 표본공간의 각 원소에 하나의 실수를 대응시키는 함수를 확률변수라 하고, 확률변수 X가 어떤 값 x를 가질 확률을 기호로 $\mathrm{P}(X=x)$와 같이 나타낸다.

① 확률분포: 확률변수 X가 가지는 값과 X가 이 값을 가질 확률을 대응시킨 것을 X의 확률분포라고 한다.

② 이산확률변수: 확률변수 X가 가지는 값이 유한개이거나 자연수와 같이 셀 수 있을 때, X를 이산확률변수라고 한다.

(2) 확률질량함수: 이산확률변수 X가 가지는 값 $x_1, x_2, \cdots x_n$과 이 값들을 가질 확률 $p_1, p_2, \cdots, p_n$ 사이의 대응 관계를 나타내는 함수

$$\mathrm{P}(X=x_i)=p_i\ (i=1, 2, 3, \cdots, n)$$

를 이산확률변수 X의 확률질량함수라고 한다.

(3) 확률질량함수의 성질

이산확률변수 X의 확률질량함수가 $\mathrm{P}(X=x_i)=p_i$ $(i=1, 2, 3, \cdots, n)$일 때

① $0\le p_i\le 1$

② $p_1+p_2+p_3+\cdots+p_n=1$

└확률의 총합은 1이다.

확률변수 X의 확률질량함수 $\mathrm{P}(X=x_i)=p_i\ (i=1, 2, 3, \cdots, n)$에 대하여

(1) $\mathrm{P}(X=x_i \text{ 또는 } X=x_j)=\mathrm{P}(X=x_i)+\mathrm{P}(X=x_j)=p_i+p_j$

(2) $\mathrm{P}(x_i\le X\le x_j)=p_i+p_{i+1}+p_{i+2}+\cdots+p_j$ (단, $i, j=1, 2, 3, \cdots, n$이고 $i\le j$이다.)

001

출제율

다음 중 이산확률변수가 아닌 것은?

① 어느 야구 선수가 한 경기에서 안타를 친 횟수
② 어떤 학생이 하루에 외우는 영어 단어의 개수
③ 어떤 학생이 등교하는 데 걸리는 시간
④ 한 개의 동전을 5번 던질 때 앞면이 나오는 횟수
⑤ 한 개의 주사위를 2번 던질 때 나오는 눈의 수의 합

002

출제율

확률변수 X의 확률분포를 표로 나타내면 다음과 같을 때, $\mathrm{P}(X\ge 2)$의 값은? (단, a는 상수이다.)

X	1	2	3	합계
$\mathrm{P}(X=x)$	$a+\frac{2}{3}$	a	$a+\frac{1}{6}$	1

① $\frac{1}{18}$ ② $\frac{1}{6}$ ③ $\frac{5}{18}$ ④ $\frac{7}{18}$ ⑤ $\frac{1}{2}$

003

출제율

확률변수 X의 확률질량함수가

$$\mathrm{P}(X=x)=\begin{cases} k-\dfrac{x}{12} & (x=-2, -1) \\ k+\dfrac{x}{12} & (x=0, 1, 2) \end{cases}$$

일 때, 상수 k의 값을 구하여라.

004

출제율

확률변수 X의 확률질량함수가

$$\mathrm{P}(X=x)=\frac{x}{a}\ (x=1, 2, 3, \cdots, 10)$$

일 때, $\mathrm{P}(1\le X\le 5)$의 값은? (단, a는 상수이다.)

① $\frac{3}{11}$ ② $\frac{18}{55}$ ③ $\frac{4}{11}$ ④ $\frac{1}{2}$ ⑤ $\frac{24}{55}$

005

출제율

1, 2, 3, 4, 5의 숫자가 각각 하나씩 적혀 있는 5장의 카드 중에서 임의로 3장의 카드를 동시에 뽑을 때, 카드에 적힌 수 중에서 가장 큰 수를 확률변수 X라고 하자. 이때 $\mathrm{P}(X \le 4)$의 값은?

① $\frac{1}{10}$　② $\frac{1}{5}$　③ $\frac{3}{10}$
④ $\frac{2}{5}$　⑤ $\frac{1}{2}$

006 학교 기출 신유형

출제율

한 개의 주사위를 던져서 5 이상의 눈이 나오면 2점, 4 이하의 눈이 나오면 1점을 얻는 게임이 있다. 이 게임을 5번 한 후 얻은 총점수를 확률변수 X라고 할 때, $\mathrm{P}(X=8)$의 값은?

① $\frac{10}{243}$　② $\frac{20}{243}$　③ $\frac{40}{243}$
④ $\frac{80}{243}$　⑤ $\frac{160}{243}$

개념 2 이산확률변수의 평균, 분산, 표준편차

(1) 이산확률변수의 평균(기댓값), 분산, 표준편차

이산확률변수 X의 확률질량함수가
$\mathrm{P}(X=x_i)=p_i$ $(i=1, 2, 3, \cdots, n)$일 때
① 평균: $\mathrm{E}(X)=x_1p_1+x_2p_2+x_3p_3+\cdots+x_np_n$
② 분산: $\mathrm{V}(X)=\mathrm{E}((X-m)^2)=\mathrm{E}(X^2)-\{\mathrm{E}(X)\}^2$
③ 표준편차: $\sigma(X)=\sqrt{\mathrm{V}(X)}$
└ $\sigma(X)$는 $\mathrm{V}(X)$의 양의 제곱근이다.

분산은 확률변수 X의 값과 평균의 차를 제곱한 값의 평균을 구한 것이므로 분산이 클수록 확률변수 X는 평균에서 멀리 떨어진 값을 가질 확률이 크다는 뜻이다.

007

출제율

확률변수 X의 확률분포를 표로 나타내면 다음과 같을 때, X의 평균은? (단, a는 상수이다.)

X	-1	0	1	2	합계
$\mathrm{P}(X=x)$	$\frac{1}{8}$	a	$5a$	a	1

① $\frac{1}{4}$　② $\frac{3}{8}$　③ $\frac{1}{2}$
④ $\frac{5}{8}$　⑤ $\frac{3}{4}$

008

출제율

확률변수 X의 확률분포를 표로 나타내면 다음과 같다.

X	a	4	8	합계
$\mathrm{P}(X=x)$	$\frac{1}{2}$	$\frac{1}{4}$	b	1

X의 평균이 4일 때, X의 분산은?

(단, a, b는 상수이다.)

① 6　② 7　③ 8
④ 9　⑤ 10

009

출제율

확률변수 X의 확률질량함수가

$$P(X=x)=\frac{x}{a}\ (x=1,\ 2,\ 3,\ 4)$$

일 때, X의 표준편차는? (단, a는 상수이다.)

① 1 ② $\sqrt{2}$ ③ $\sqrt{3}$
④ 2 ⑤ $\sqrt{5}$

010

출제율

주사위를 한 번 던져서 나오는 눈의 수를 4로 나누었을 때의 나머지를 확률변수 X라고 하자. 이때 X의 분산은?

① $\frac{2}{3}$ ② $\frac{3}{4}$ ③ $\frac{5}{6}$
④ $\frac{11}{12}$ ⑤ 1

011

출제율

확률변수 X의 확률분포를 표로 나타내면 다음과 같다.

X	1	2	3	합계
$P(X=x)$	a	b	c	1

$E(X)=2,\ \sigma(X)=\frac{1}{2}$일 때, $\frac{b}{ac}$의 값을 구하여라.

(단, $a,\ b,\ c$는 상수이다.)

012

출제율

50원짜리, 100원짜리, 500원짜리 동전이 각각 2개, 2개, 1개가 들어 있는 주머니에서 임의로 한 개의 동전을 꺼낼 때, 꺼낸 동전의 금액의 기댓값은?

① 150원 ② 160원 ③ 180원
④ 200원 ⑤ 250원

013

출제율

이산확률변수 X에 대하여

$$P(X=2)=1-P(X=0),\ \{E(X)\}^2=2V(X)$$

일 때, $\sigma(X)$의 값은? (단, $0<P(X=2)<1$)

① $\frac{2}{3}$ ② $\frac{\sqrt{5}}{3}$ ③ $\frac{\sqrt{6}}{3}$
④ $\frac{\sqrt{7}}{3}$ ⑤ $\frac{2\sqrt{2}}{3}$

014 평가원 기출

출제율

한 개의 동전을 세 번 던져 나온 결과에 대하여 다음 규칙에 따라 얻은 점수를 확률변수 X라고 하자.

> (가) 같은 면이 연속하여 나오지 않으면 0점으로 한다.
> (나) 같은 면이 연속하여 두 번만 나오면 1점으로 한다.
> (다) 같은 면이 연속하여 세 번 나오면 3점으로 한다.

확률변수 X의 분산 $V(X)$의 값은?

① $\frac{9}{8}$ ② $\frac{19}{16}$ ③ $\frac{5}{4}$
④ $\frac{21}{16}$ ⑤ $\frac{11}{8}$

정답과 풀이 054쪽

개념 3 확률변수의 평균, 분산, 표준편차의 성질

(1) **확률변수 $aX+b$의 평균, 분산, 표준편차**

확률변수 X와 임의의 상수 a $(a\neq0)$, b에 대하여

① 평균: $\mathrm{E}(aX+b)=a\mathrm{E}(X)+b$

② 분산: $\mathrm{V}(aX+b)=a^2\mathrm{V}(X)$

③ 표준편차: $\sigma(aX+b)=|a|\sigma(X)$

참고 분산과 표준편차는 평균을 중심으로 흩어진 정도를 나타내므로 b의 값의 영향을 받지 않는다.

임의의 상수 $a(a\neq0)$, b, c에 대하여

$$\mathrm{E}(aX^2+bX+c)=a\mathrm{E}(X^2)+b\mathrm{E}(X)+c$$

015

출제율

확률변수 X의 확률분포를 표로 나타내면 다음과 같을 때, 확률변수 $Y=4X+5$에 대하여 $\mathrm{V}(Y)$의 값은?

X	1	3	5	7	합계
$\mathrm{P}(X=x)$	$\frac{1}{8}$	$\frac{3}{8}$	$\frac{3}{8}$	$\frac{1}{8}$	1

① 46 ② 48 ③ 50 ④ 52 ⑤ 54

016

출제율

확률변수 X의 확률분포를 표로 나타내면 다음과 같을 때, $\mathrm{E}(6X-5)$의 값은? (단, a는 상수이다.)

X	2	4	8	16	합계
$\mathrm{P}(X=x)$	$a+\frac{1}{5}$	$a+\frac{1}{3}$	$4a$	a	1

① 18 ② 21 ③ 24 ④ 27 ⑤ 30

017

출제율

확률변수 X의 확률질량함수가

$$\mathrm{P}(X=x)=\left|\frac{x-1}{10}\right| \ (x=2,\ 3,\ 4,\ 5)$$

일 때, 확률변수 $Y=10X+4$의 분산을 구하여라.

018

출제율

두 확률변수 X, Y에 대하여 $Y=\frac{3}{4}X+9$, $\mathrm{E}(Y)=18$일 때, $\mathrm{E}(X)$의 값은?

① 10 ② 12 ③ 14 ④ 16 ⑤ 18

019

출제율

확률변수 X의 평균이 3, 분산이 16이고 확률변수 $Y=\frac{X+a}{b}$의 평균이 4, 분산이 4일 때, 상수 a, b에 대하여 $a+b$의 값은? (단, $b>0$)

① 6 ② 7 ③ 8 ④ 9 ⑤ 10

020
출제율

확률변수 X의 확률분포를 표로 나타내면 다음과 같을 때, $\mathrm{E}(aX-25)$의 값은? (단, a는 상수이다.)

X	1000	2000	3000	합계
$\mathrm{P}(X=x)$	a^2	$\frac{1}{2}a$	$\frac{1}{2}$	1

① 1080 ② 1090 ③ 1100
④ 1110 ⑤ 1120

021
출제율

두 개의 주사위를 동시에 던져서 나온 두 눈의 수의 차를 확률변수 X라고 할 때, 확률변수 $36X-5$의 평균을 구하여라.

022
출제율

흰 공 3개, 검은 공 1개, 파란 공 2개가 들어 있는 주머니에서 임의로 3개의 공을 동시에 꺼낼 때, 나오는 흰 공의 개수를 확률변수 X라고 하자. 확률변수 $Y=10X+3$에 대하여 $\mathrm{E}(Y)+\mathrm{V}(Y)$의 값은?

① 54 ② 57 ③ 60
④ 63 ⑤ 66

개념 4 이항분포

(1) **이항분포:** 한 번의 시행에서 사건 A가 일어날 확률이 p로 일정할 때, n번의 독립시행에서 사건 A가 일어나는 횟수를 X라고 하면 X의 확률질량함수는

$$\mathrm{P}(X=x)={}_n\mathrm{C}_x p^x(1-p)^{n-x}\ (x=0, 1, 2, \cdots, n)$$

이다. 이와 같은 확률변수 X의 확률분포를 이항분포라 하고, 기호로 $\mathrm{B}(n, p)$와 같이 나타낸다.

(2) **이항분포의 평균, 분산, 표준편차**

확률변수 X가 이항분포 $\mathrm{B}(n, p)$를 따를 때

$$\mathrm{E}(X)=np,\ \mathrm{V}(X)=npq,\ \sigma(X)=\sqrt{npq}$$

(단, $q=1-p$)

(3) **큰수의 법칙**

어떤 시행에서 사건 A가 일어날 수학적 확률이 p이고, n번의 독립시행에서 사건 A가 일어나는 횟수를 X라고 할 때, 임의의 양수 h에 대하여 n의 값이 한없이 커질수록 $\mathrm{P}\left(\left|\frac{X}{n}-p\right|<h\right)$는 1에 가까워진다.

└상대도수 $\frac{X}{n}$는 n의 값이 커질수록 수학적 확률 p에 가까워진다.

복원추출로 공이나 제비를 뽑는 경우, 동전이나 주사위를 여러 번 던지는 경우와 같이 독립시행의 확률에서의 평균과 분산에 대한 문제는 이항분포를 이용한다. 이때 시행 횟수 n과 한 번의 시행에서의 확률 p를 구하는 것이 문제 해결의 열쇠이다.

023
출제율

확률변수 X가 이항분포 $\mathrm{B}\left(n, \frac{1}{3}\right)$을 따르고 $\mathrm{E}(X^2)=\mathrm{V}(X)+16$을 만족시킬 때, 자연수 n의 값은?

① 10 ② 12 ③ 14
④ 16 ⑤ 18

024

출제율

빨간 구슬 3개, 노란 구슬 a개가 들어 있는 주머니에서 한 개의 구슬을 꺼내어 색을 확인한 후 다시 넣는 시행을 n회 반복할 때, 노란 구슬이 나오는 횟수를 확률변수 X라고 하자. $E(X)=4$, $V(X)=2.4$일 때, $a+n$의 값을 구하여라.

025

출제율

한 개의 동전을 10번 던질 때, 앞면이 나오는 횟수를 확률변수 X라고 하자. 확률변수 $Y=10-X$에 대하여 |보기|에서 옳은 것만을 있는 대로 고른 것은?

보기

ㄱ. $P(5\le Y\le 7)=P(3\le X\le 5)$

ㄴ. Y의 평균은 X의 평균과 같다.

ㄷ. Y의 분산은 X의 분산보다 크다.

① ㄱ ② ㄷ ③ ㄱ, ㄴ
④ ㄴ, ㄷ ⑤ ㄱ, ㄴ, ㄷ

026

출제율

확률변수 X가 이항분포 $B(10, p)$를 따르고 $P(X=5)=3P(X=4)$가 성립할 때, 확률변수 X의 표준편차를 구하여라. (단, $0<p<1$)

027

출제율

두 확률변수 X, Y가 각각 이항분포 $B(3, p)$, $B(6, p)$를 따르고, $P(X\ge 1)=\frac{19}{27}$일 때, $P(Y=6)$의 값은?

① $\frac{1}{3^6}$ ② $\frac{4}{3^6}$ ③ $\frac{8}{3^6}$
④ $\frac{1}{3^4}$ ⑤ $\frac{4}{3^4}$

028 평가원 기출

출제율

이차함수 $y=f(x)$의 그래프는 다음 그림과 같고, $f(0)=f(3)=0$이다.

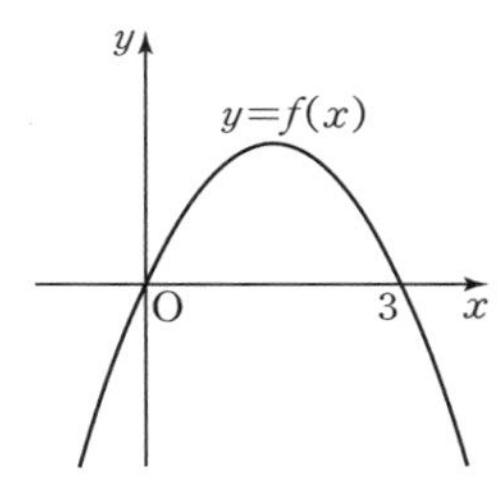

한 개의 주사위를 던져 나온 눈의 수 m에 대하여 $f(m)$이 0보다 큰 사건을 A라고 하자. 한 개의 주사위를 15회 던지는 독립시행에서 사건 A가 일어나는 횟수를 확률변수 X라고 할 때, $E(X)$의 값은?

① 3 ② $\frac{7}{2}$ ③ 4
④ $\frac{9}{2}$ ⑤ 5

최상위권 도약 실력 완성 문제

개념 1 이산확률변수와 확률질량함수

029

확률변수 X의 확률질량함수가

$$P(X=x)=\frac{x}{15}\ (x=1,\ 2,\ 3,\ 4,\ 5)$$

이고, $P(X=a)+P(X=b)=\frac{1}{3}$일 때, 상수 a, b에 대하여 a^2+b^2의 최댓값을 구하여라.

030 다빈출

확률변수 X의 확률질량함수가

$$P(X=x)=\frac{{}_4C_x}{k}\ (x=1,\ 2,\ 3,\ 4)$$

일 때, $P(X\geq 3)$의 값은? (단, k는 상수이다.)

① $\frac{1}{6}$ ② $\frac{1}{3}$ ③ $\frac{1}{2}$
④ $\frac{2}{3}$ ⑤ $\frac{5}{6}$

031

확률변수 X가 가질 수 있는 값은 6의 양의 약수이고 X의 확률질량함수가 $P(X=x)=\frac{7-kx}{16}$일 때, $P(X^2-2X-15<0)$의 값은? (단, k는 상수이다.)

① $\frac{11}{16}$ ② $\frac{3}{4}$ ③ $\frac{13}{16}$
④ $\frac{7}{8}$ ⑤ $\frac{15}{16}$

032

확률변수 X의 확률질량함수가 다음과 같다.

$$P(X=x)=\frac{a}{\sqrt{x+1}+\sqrt{x}}\ (x=1,\ 2,\ \cdots,\ 15)$$

$P(X=4)+P(X=5)+\cdots+P(X=8)=b$일 때, 상수 a, b에 대하여 ab의 값은?

① $\frac{1}{12}$ ② $\frac{1}{9}$ ③ $\frac{1}{6}$
④ $\frac{1}{3}$ ⑤ $\frac{2}{3}$

033

확률변수 X가 가질 수 있는 값이 10 이하의 자연수이고

$$P(X\geq k)=\frac{a}{k}\ (k=1,\ 2,\ 3,\ \cdots,\ 10)$$

일 때, 상수 a의 값은?

① $\frac{9}{10}$ ② $\frac{10}{11}$ ③ 1
④ $\frac{11}{10}$ ⑤ $\frac{10}{9}$

034 학교 기출 신유형

확률변수 X의 확률분포를 표로 나타내면 다음과 같다.

X	1	2	3	4	합계
$P(X=x)$	$\frac{1}{8}$	a	$\frac{3}{8}$	b	1

ab의 값이 최대일 때, $P(3\leq X\leq 4)$의 값은?

(단, $ab\neq 0$)

① $\frac{1}{2}$ ② $\frac{5}{8}$ ③ $\frac{3}{4}$
④ $\frac{7}{8}$ ⑤ $\frac{7}{12}$

035

동전을 던져 뒷면이 나오면 한 개의 주사위를 던지고, 앞면이 나오면 서로 다른 두 개의 주사위를 던지기로 한다. 동전을 던지고 난 후 주사위를 던져서 짝수의 눈이 나오는 횟수를 확률변수 X라고 할 때, $\mathrm{P}(X=1)$의 값은?

① $\frac{1}{8}$ ② $\frac{1}{6}$ ③ $\frac{1}{4}$
④ $\frac{1}{2}$ ⑤ $\frac{2}{3}$

036

확률변수 X의 확률분포를 표로 나타내면 다음과 같다.

X	0	1	2	$\cdots$	9	합계
$\mathrm{P}(X=x)$	p_0	p_1	p_2	$\cdots$	p_9	1

집합 $\{x\mid x$는 $0\le x\le 9$인 정수$\}$에서 정의된 두 함수 $F(x)$, $G(x)$에 대하여

$$F(x)=\mathrm{P}(0\le X\le x),\ G(x)=\mathrm{P}(X>x)$$

일 때, |보기|에서 옳은 것만을 있는 대로 고른 것은?

보기

ㄱ. $F(5)+G(5)=1$
ㄴ. $\mathrm{P}(2\le X\le 6)=F(6)-F(2)$
ㄷ. $\mathrm{P}(4\le X\le 9)=G(3)$

① ㄴ ② ㄷ ③ ㄱ, ㄴ
④ ㄱ, ㄷ ⑤ ㄴ, ㄷ

개념 2 이산확률변수의 평균, 분산, 표준편차

037 다빈출

1이 적혀 있는 구슬이 1개, 2가 적혀 있는 구슬이 2개, 3이 적혀 있는 구슬이 3개 들어 있는 주머니가 있다. 이 주머니에서 임의로 두 개의 구슬을 동시에 꺼낼 때, 그 구슬에 적혀 있는 수의 곱을 확률변수 X라고 하자. X의 평균이 $\frac{q}{p}$일 때, $p+q$의 값을 구하여라.

(단, p와 q는 서로소인 자연수이다.)

038

1, 1, 2, 3의 숫자가 각각 하나씩 적혀 있는 카드 중에서 임의로 2장의 카드를 동시에 뽑을 때, 카드에 적혀 있는 두 수의 합을 확률변수 X라고 하자. X의 평균이 m일 때, $\mathrm{P}(|X-m|\le 1)$의 값은?

(단, 카드의 모양은 모두 다르다.)

① $\frac{1}{4}$ ② $\frac{1}{3}$ ③ $\frac{1}{2}$
④ $\frac{2}{3}$ ⑤ $\frac{3}{4}$

039

5개의 문자 a, a, b, b, b를 일렬로 나열할 때, 문자 a 사이에 있는 문자 b의 개수를 확률변수 X라고 하자. X의 기댓값을 구하여라.

040

확률변수 X의 확률분포를 표로 나타내면 다음과 같다.

X	2	4	6	8	합계
$\mathrm{P}(X=x)$	$\frac{1}{2}$	a	b	$\frac{1}{4}$	1

$\mathrm{E}(X)$의 최댓값을 M, 최솟값을 m이라고 할 때, $M+m$의 값은? (단, a, b는 상수이다.)

① $\frac{15}{2}$ ② $\frac{17}{2}$ ③ $\frac{19}{2}$
④ $\frac{21}{2}$ ⑤ $\frac{23}{2}$

041

호진이가 e 스포츠 경기에서 승리할 확률을 x라고 하자. 이 경기에서 승리하면 10점을 얻고, 지면 5점을 얻을 때, 호진이가 획득한 점수의 표준편차가 최대가 되게 하는 x의 값은? (단, 비기는 경우는 없다.)

① $\frac{1}{6}$ ② $\frac{1}{5}$ ③ $\frac{1}{4}$
④ $\frac{1}{3}$ ⑤ $\frac{1}{2}$

042

종석이와 나영이가 게임을 하는데 다섯 번의 대결 중 세 번을 먼저 이기는 사람이 우승한다고 한다. 두 사람의 승률이 모두 $\frac{1}{2}$이고 비기는 경우는 없을 때, 우승자가 결정될 때까지 치른 대결의 수를 확률변수 X라고 하자. $\mathrm{E}(X)=\frac{q}{p}$일 때, $q-p$의 값을 구하여라.

(단, p와 q는 서로소인 자연수이다.)

043 학교 기출 신유형

어느 공장에서 한 상자에 40장의 마스크를 넣어 판매하고 있는데, 한 상자당 불량 마스크가 2장이라고 한다. 한 상자에서 임의로 3장의 마스크를 동시에 꺼내어 불량 마스크가 없으면 이 상자를 5000원에 판매하고, 불량 마스크가 1개 이상이면 상자 속의 불량 마스크를 모두 정상인 마스크로 바꾸어 6000원에 판매한다. 이러한 방식으로 390상자를 판매할 때, 전체 판매액의 기댓값은?

① 1995000원 ② 1999000원 ③ 2004000원
④ 2007000원 ⑤ 2010000원

044

10개의 문자로 구성된 단어 STATISTICS에 대하여 표본공간 {S, T, A, I, C}의 각 문자에 주어진 확률은 단어 STATISTICS에 나타난 그 문자의 개수에 정비례한다고 한다. 각 문자의 개수를 확률변수 X라고 할 때, X의 표준편차는?

① $\frac{2}{5}$ ② $\frac{3}{5}$ ③ $\frac{4}{5}$
④ 1 ⑤ $\frac{6}{5}$

045

다음 그림과 같은 게임판의 출발 지점에 말을 놓은 후 주사위 한 개를 던져서 3의 배수의 눈이 나오면 왼쪽 아래(↙)로, 3의 배수의 눈이 나오지 않으면 오른쪽 아래(↘)로 화살표를 따라 이동한다. 주사위를 세 번 던져서 맨 아랫줄에 도착하면 도착한 칸에 있는 상금을 받는다. 받을 수 있는 상금을 확률변수 X라고 할 때, X의 기댓값은 $\frac{k}{3^2}$원이다. 상수 k의 값은?

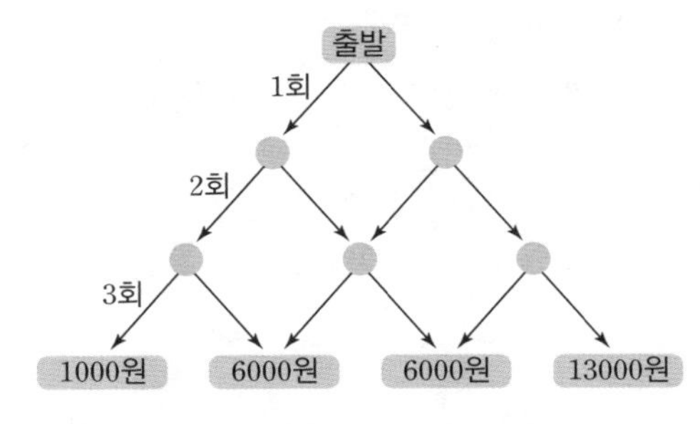

① 65000 ② 68000 ③ 71000
④ 74000 ⑤ 77000

046

한 개의 주사위를 6번 던질 때, 짝수의 눈이 나오는 횟수와 홀수의 눈이 나오는 횟수의 차의 제곱을 확률변수 X라고 하자. X의 평균은?

① 2 ② 4 ③ 6
④ 8 ⑤ 10

047

오른쪽 그림과 같이 동일한 간격으로 그려진 동심원으로 된 표적을 사용하여 사격 경기를 하는데, 표적의 각 영역을 맞히면 그 영역에 적혀 있는 숫자만큼 점수가 주어진다. 한 번 사격하여 받을 수 있는 점수의 기댓값이 6.4점이 되게 하려면 가장 중앙에 있는 원을 맞혔을 때의 점수를 몇 점으로 정하면 되는지 구하여라.

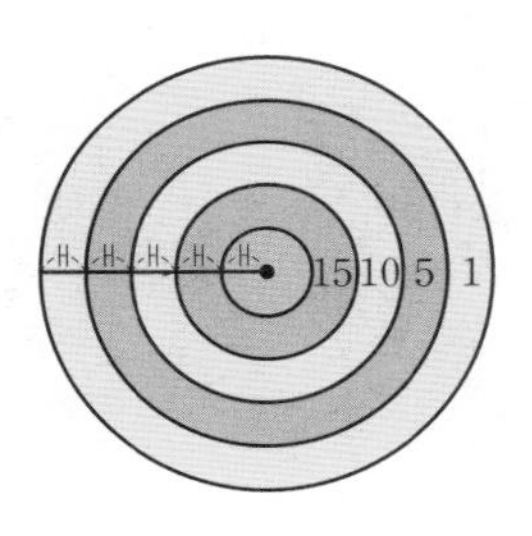

(단, 사격에서 표적을 빗나가거나 경계선에 맞히는 경우는 없다.)

개념 3 확률변수의 평균, 분산, 표준편차의 성질

048

확률변수 X의 확률분포를 표로 나타내면 다음과 같을 때, 확률변수 $2X^2-3X+1$의 평균은?

X	0	10	20	30	합계
$\mathrm{P}(X=x)$	$\frac{2}{5}$	$\frac{1}{5}$	$\frac{3}{10}$	$\frac{1}{10}$	1

① 420 ② 422 ③ 424
④ 426 ⑤ 428

049 다빈출

확률변수 X의 확률질량함수가

$$\mathrm{P}(X=x)=\frac{ax+2}{10}\ (x=-1,\ 0,\ 1,\ 2)$$

일 때, $\mathrm{V}(3X+2)$의 값은? (단, a는 상수이다.)

① 9 ② 18 ③ 27
④ 36 ⑤ 45

050 교육청 기출

다음은 세 개의 주사위를 던져서 나온 눈의 수들 중에서 두 수의 차의 최댓값을 확률변수 X라고 할 때, 확률변수 X의 확률분포를 표로 나타낸 것이다.

X	0	1	2	3	4	5	합계
$\mathrm{P}(X=x)$	$\frac{1}{36}$	a	$\frac{2}{9}$	b	$\frac{2}{9}$	$\frac{5}{36}$	1

이때 확률변수 $Y=12X+5$의 평균 $\mathrm{E}(Y)$의 값은?

① 40 ② 44 ③ 48
④ 52 ⑤ 56

051

서로 다른 두 개의 주사위를 동시에 던져서 나온 눈의 수의 합 m에 대하여 확률변수 X를

$$X=\begin{cases}\frac{1}{4} & (m>5)\\ \frac{m}{4} & (m\le 5)\end{cases}$$

으로 정의할 때, $\mathrm{E}(6X+1)$의 값을 구하여라.

052

각 면에 1, 2, 3, 4, 5, 6이 각각 하나씩 적혀 있는 정육면체 모양의 주사위를 던져서 나온 윗면에 적혀 있는 수를 확률변수 X라 하고, 각 면에 5, 8, 11, 14, 17, 20이 각각 하나씩 적혀 있는 정육면체 모양의 주사위를 던져서 나온 윗면에 적혀 있는 수를 확률변수 Y라고 하자. $\mathrm{V}(2X)+\mathrm{V}(2Y)$의 값은?

① $\frac{310}{3}$ ② $\frac{320}{3}$ ③ 110
④ $\frac{340}{3}$ ⑤ $\frac{350}{3}$

053 학교 기출 신유형

확률변수 X의 확률질량함수는

$$\mathrm{P}(X=a)=ax+a$$

$(x=0,\ 1,\ 2,\ 3)$

이다. 확률변수 $Y=pX+q$에 대하여 점 $(X,\ Y)$는 모두 오른쪽 그림의 직선 위의 점일 때, $\mathrm{E}(Y)$의 값은? (단, a, p, q는 상수이다.)

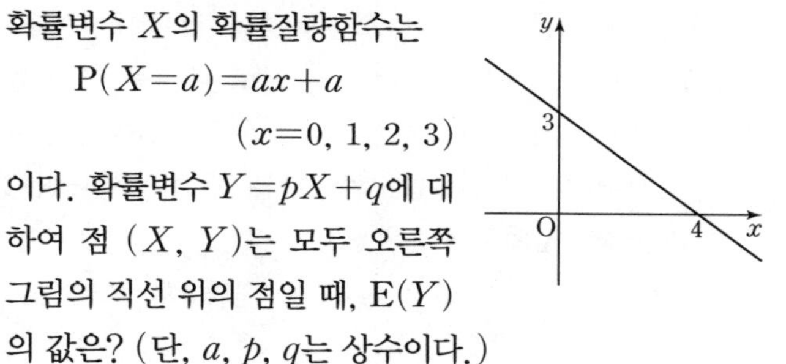

① 1　② $\frac{3}{2}$　③ 2　④ $\frac{5}{2}$　⑤ 3

054

남학생 3명, 여학생 2명을 일렬로 세우고, 앞에 있는 학생부터 차례대로 1, 2, 3, 4, 5의 번호를 각각 하나씩 부여할 때, 남학생 중에서 가장 앞에 있는 학생의 번호를 확률변수 X라고 하자. 확률변수 $Y=2X-3$에 대하여 $\mathrm{E}(Y)+\mathrm{V}(Y)$의 값을 구하여라.

055

흰 구슬과 검은 구슬을 모두 합하여 10개의 구슬이 들어 있는 주머니가 있다. 동전 2개를 동시에 던져 앞면이 나오는 개수만큼 주머니에서 구슬을 꺼낼 때, 꺼낸 구슬 중에서 검은 구슬의 개수를 확률변수 X라고 하자. $\mathrm{P}(X=2)=\frac{1}{60}$일 때, $\mathrm{V}(10X)$의 값은?

(단, 꺼낸 구슬은 다시 넣지 않는다.)

① $\frac{67}{3}$　② 23　③ $\frac{71}{3}$　④ $\frac{73}{3}$　⑤ 25

개념 4 이항분포

056 평가원 기출

이산확률변수 X가 값 x를 가질 확률이

$$\mathrm{P}(X=x)={}_{n}\mathrm{C}_{x}p^{x}(1-p)^{n-x}$$

$(x=0,\ 1,\ 2,\ \cdots,\ n$이고 $0<p<1)$

이다. $\mathrm{E}(X)=1$, $\mathrm{V}(X)=\frac{9}{10}$일 때, $\mathrm{P}(X<2)$의 값은?

① $\frac{19}{10}\left(\frac{9}{10}\right)^{9}$　② $\frac{17}{9}\left(\frac{8}{9}\right)^{8}$　③ $\frac{15}{8}\left(\frac{7}{8}\right)^{7}$　④ $\frac{13}{7}\left(\frac{6}{7}\right)^{6}$　⑤ $\frac{11}{6}\left(\frac{5}{6}\right)^{5}$

057

이항분포 $\mathrm{B}\left(9, \frac{1}{3}\right)$을 따르는 확률변수 X에 대하여 확률변수 Y가 $Y=2X-3$일 때, |보기|에서 옳은 것만을 있는 대로 고른 것은?

보기

ㄱ. $\mathrm{P}(Y=1)={}_9\mathrm{C}_2\times\frac{2^7}{3^9}$

ㄴ. $\mathrm{E}(X+Y)=\mathrm{E}(X)+\mathrm{E}(Y)$

ㄷ. $\mathrm{V}\left(2X-\frac{1}{2}Y\right)=\mathrm{V}(2X)-\mathrm{V}\left(X-\frac{3}{2}\right)$

① ㄱ　② ㄷ　③ ㄱ, ㄴ
④ ㄴ, ㄷ　⑤ ㄱ, ㄴ, ㄷ

058

화살 10개를 쏘아서 평균 4개를 명중시키는 양궁 선수가 있다. 이 선수가 화살 25개를 쏘았을 때, 명중시킨 화살의 개수를 확률변수 X라고 하자. $(X-a)^2$의 기댓값을 $f(a)$라고 할 때, $f(a)$의 최솟값을 구하여라.

059

어느 공장에서 생산되는 제품은 부품 A와 부품 B를 조립하여 완성된다. 부품 A는 10개 중 1개의 비율로 불량품이 있고, 부품 B는 15개 중 1개의 비율로 불량품이 있다고 한다. 이 공장에서 100개의 제품을 완성할 때, 부품 A와 부품 B가 모두 합격품인 완성품의 개수를 확률변수 X라고 하자. 이때 $\sigma(X)$의 값은?

① $\frac{2\sqrt{21}}{5}$　② $\frac{3\sqrt{26}}{5}$　③ $\frac{4\sqrt{21}}{5}$
④ $2\sqrt{5}$　⑤ $\sqrt{21}$

060

한 개의 주사위를 던져서 나오는 눈의 수 a에 대하여 이차방정식 $x^2-(a+2)x+4=0$이 서로 다른 두 실근을 갖는 사건을 A라고 하자. 한 개의 주사위를 180번 던지는 독립시행에서 사건 A가 일어나는 횟수를 확률변수 X라고 할 때, X의 분산은?

① 20　② 25　③ 30
④ 35　⑤ 40

061

16 이하의 음이 아닌 정수 k에 대하여 함수 $f(k)$를

$$f(k)={}_{16}\mathrm{C}_k\left(\frac{1}{2}\right)^{16}$$

으로 정의할 때,

$f(1)+2^2f(2)+3^2f(3)+\cdots+16^2f(16)$의 값을 구하여라.

062

확률변수 X가 이항분포 $\mathrm{B}(n,\ p)$를 따르고 $\mathrm{E}(X)=6$, $\mathrm{E}(X^2)=40$일 때, $\mathrm{P}(X=1)+\mathrm{P}(X=2)=k\times\left(\frac{2}{3}\right)^{16}$이다. 상수 k의 값은?

① 21 ② 24 ③ 27
④ 30 ⑤ 33

063

수직선 위의 원점에 점 P가 있다. 한 개의 주사위를 던져 짝수의 눈이 나오면 점 P를 오른쪽으로 2만큼, 홀수의 눈이 나오면 왼쪽으로 1만큼 이동한다. 주사위를 100번 던질 때, 점 P의 좌표의 평균을 구하여라.

064 다빈출

한 개의 주사위를 10회 던져서 4의 눈이 나오는 횟수 X에 대하여 4^X원의 상금을 받기로 하였을 때, 받을 수 있는 상금의 기댓값은?

① 1원 ② $\left(\frac{1}{2}\right)^{10}$원 ③ $\left(\frac{2}{3}\right)^{10}$원
④ $\left(\frac{3}{2}\right)^{10}$원 ⑤ 4^{10}원

065 학교 기출 신유형

확률변수 X가 이항분포 $\mathrm{B}\left(18,\ \frac{1}{3}\right)$을 따른다. $X\geq1$인 사건을 A, $X\leq1$인 사건을 B라고 할 때, $\mathrm{P}(A|B)$의 값은?

① $\frac{1}{2}$ ② $\frac{3}{5}$ ③ $\frac{7}{10}$
④ $\frac{4}{5}$ ⑤ $\frac{9}{10}$

066

확률변수 X가 가지는 값이 1부터 33까지의 홀수인 자연수일 때,

$\mathrm{P}(X=1)={}_{16}\mathrm{C}_0\left(\frac{3}{4}\right)^{16}$, $\mathrm{P}(X=3)={}_{16}\mathrm{C}_1\left(\frac{1}{4}\right)^1\left(\frac{3}{4}\right)^{15}$,

$\mathrm{P}(X=5)={}_{16}\mathrm{C}_2\left(\frac{1}{4}\right)^2\left(\frac{3}{4}\right)^{14}$, $\cdots$,

$\mathrm{P}(X=33)={}_{16}\mathrm{C}_{16}\left(\frac{1}{4}\right)^{16}$

이다. $\mathrm{E}(2X+1)+\mathrm{V}(3X+2)$의 값을 구하여라.

상위권 보장 개념+필수 기출 문제

개념 1 연속확률변수와 확률밀도함수

(1) **연속확률변수:** 확률변수 X가 어떤 범위에 속하는 모든 실수의 값을 가질 때, X를 연속확률변수라고 한다.

(2) **확률밀도함수:** $\alpha \le X \le \beta$의 모든 실수의 값을 가지는 연속확률변수 X에 대하여 $\alpha \le x \le \beta$에서 함수 $f(x)$가 다음 조건을 만족시킬 때, 함수 $f(x)$를 확률변수 X의 확률밀도함수라고 한다.

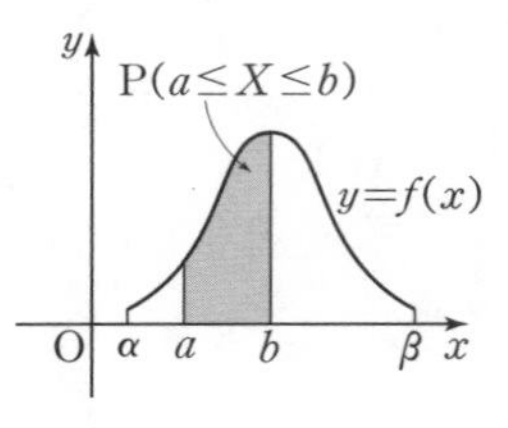

① $f(x) \ge 0$

② 함수 $y=f(x)$의 그래프와 x축 및 두 직선 $x=\alpha$, $x=\beta$로 둘러싸인 부분의 넓이가 1이다.

③ $\mathrm{P}(a \le X \le b)$는 $y=f(x)$의 그래프와 x축 및 두 직선 $x=a$, $x=b$로 둘러싸인 부분의 넓이와 같다. (단, $\alpha \le a \le b \le \beta$)

참고 $\mathrm{P}(a \le X \le b) = \mathrm{P}(a \le X < b) = \mathrm{P}(a < X \le b) = \mathrm{P}(a < X < b)$

등급업 TIP 확률밀도함수 $f(x)$의 그래프의 모양이 다각형의 꼴일 때는 삼각형, 사각형, 사다리꼴의 넓이를 이용하여 확률을 구할 수 있다.

067

출제율

다음 |보기|에서 연속확률변수인 것의 개수를 구하여라.

보기

ㄱ. 축구 경기의 점수
ㄴ. 건전지의 수명 시간
ㄷ. 배차 간격이 7분인 버스를 기다리는 시간
ㄹ. 두 개의 주사위를 던질 때 나오는 두 눈의 수의 합
ㅁ. 한 개의 동전을 10번 던질 때 앞면이 나오는 횟수

068

출제율

연속확률변수 X의 확률밀도함수가

$$f(x)=\frac{1}{8}x \ (0 \le x \le 4)$$

일 때, $\mathrm{P}(0 < X \le 2)=\frac{q}{p}$이다. pq의 값은?

(단, p와 q는 서로소인 자연수이다.)

① 3　② 4　③ 5　④ 6　⑤ 7

069

출제율

연속확률변수 X의 확률밀도함수가

$$f(x)=ax+2a \ (0 \le x \le 1)$$

일 때, 상수 a의 값은?

① $\frac{1}{6}$　② $\frac{1}{5}$　③ $\frac{1}{3}$　④ $\frac{2}{5}$　⑤ $\frac{1}{2}$

070

출제율

연속확률변수 X가 가지는 값의 범위가 $0 \le X \le 1$일 때, |보기|에서 함수 $f(x)=ax+b$가 확률변수 X의 확률밀도함수가 되기 위한 조건만을 있는 대로 고른 것은?

(단, a, b는 상수이다.)

보기

ㄱ. $b \ge 0$　ㄴ. $a+b \ge 0$　ㄷ. $a+2b=1$

① ㄱ　② ㄴ　③ ㄱ, ㄴ　④ ㄴ, ㄷ　⑤ ㄱ, ㄴ, ㄷ

071

출제율

연속확률변수 X의 확률밀도함수가

$$f(x)=\begin{cases} x & (0\le x\le 1) \\ 2-x & (1\le x\le 2) \end{cases}$$

이다. $\mathrm{P}(X>a)=\frac{1}{8}$일 때, 상수 a의 값을 구하여라.

072

출제율

연속확률변수 X가 가지는 값의 범위는 $-1\le X\le 2$이고, $\mathrm{P}(X\le 0)$과 $\mathrm{P}(X\le 1)$이 이차방정식 $12x^2-7x+1=0$의 두 근일 때, $\mathrm{P}(0<X\le 1)$의 값은?

① $\frac{1}{12}$ ② $\frac{1}{6}$ ③ $\frac{1}{4}$

④ $\frac{1}{3}$ ⑤ $\frac{5}{12}$

073 평가원 기출

출제율

연속확률변수 X가 가지는 값의 범위는 $0\le X\le 2$이고, X의 확률밀도함수 $y=f(x)$의 그래프는 다음 그림과 같다.

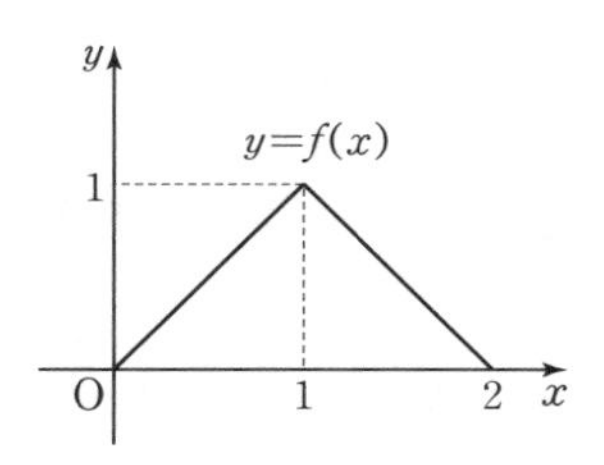

확률 $\mathrm{P}\left(a\le X\le a+\frac{1}{2}\right)$의 값이 최대가 되도록 하는 상수 a의 값은?

① $\frac{3}{8}$ ② $\frac{1}{2}$ ③ $\frac{5}{8}$

④ $\frac{3}{4}$ ⑤ $\frac{7}{8}$

개념 2 정규분포

(1) **정규분포:** 실수 전체의 집합에서 정의된 연속확률변수 X의 확률밀도함수 $f(x)$가 상수 m, $\sigma(\sigma>0)$에 대하여 (평균: m, 표준편차: σ)

$$f(x)=\frac{1}{\sqrt{2\pi}\sigma}e^{-\frac{(x-m)^2}{2\sigma^2}}\ (e=2.718281\cdots)$$

일 때, X의 확률분포를 정규분포라 하고 확률밀도함수 $f(x)$의 그래프를 정규분포곡선이라고 한다.

(2) 평균이 m, 표준편차가 σ인 정규분포를 기호로 $\mathrm{N}(m, \sigma^2)$과 같이 나타낸다.

정규분포 $\mathrm{N}(m, \sigma^2)$을 따르는 확률변수 X의 정규분포곡선은

(1) 직선 $x=m$(평균)에 대하여 대칭이다.

(2) 평균 m이 일정할 때, 표준편차 σ의 값이 클수록 높이는 낮아지고 폭은 넓어진다. ➡ $\sigma_1<\sigma_2<\sigma_3$

(3) 표준편차 σ의 값이 일정할 때, 평균 m의 값에 따라 대칭축의 위치는 변한다. ➡ $m_1<m_2$

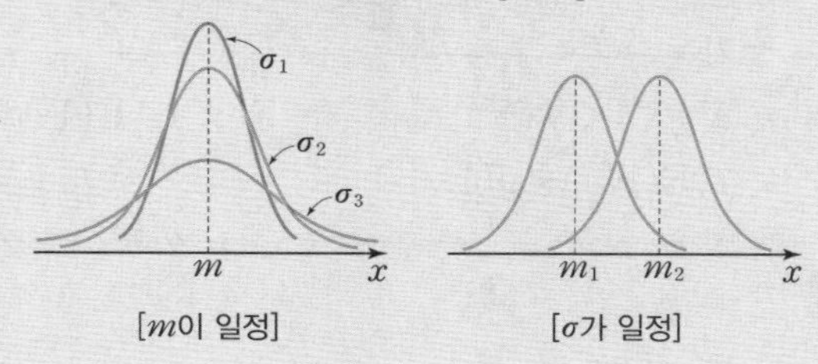

[m이 일정] [σ가 일정]

074

출제율

다음 중 평균이 m이고, 표준편차가 σ인 정규분포를 따르는 확률밀도함수의 그래프에 대한 특징이 아닌 것은?

① x축이 점근선이다.

② 직선 $x=m$에 대하여 대칭이다.

③ 곡선과 x축 사이의 넓이는 1이다.

④ m의 값이 일정할 때, σ의 값이 클수록 가운데 부분의 높이가 높아진다.

⑤ σ의 값이 같고, m의 값이 다른 두 그래프는 대칭축의 위치는 다르지만 그래프의 모양은 같다.

075

출제율

정규분포 $N(m, \sigma^2)$을 따르는 확률변수 X에 대하여

$P(X \le m+\sigma)=0.7882$

일 때, $P(m-\sigma \le X \le m+\sigma)$의 값을 구하여라.

076

출제율

정규분포를 따르는 연속확률변수 X, Y의 확률밀도함수를 각각 $f(x)$, $g(x)$라고 할 때, 두 함수 $y=f(x)$, $y=g(x)$의 그래프가 오른쪽 그림과 같다. |보기|에서 옳은 것만을 있는 대로 고른 것은?

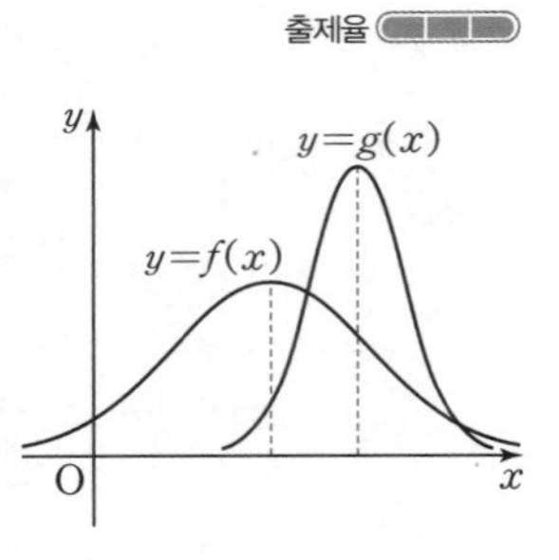

보기

ㄱ. $V(X)<V(Y)$　　ㄴ. $E(X)<E(Y)$
ㄷ. $f(E(X))<g(E(Y))$

① ㄱ　② ㄴ　③ ㄱ, ㄴ
④ ㄱ, ㄷ　⑤ ㄴ, ㄷ

077

출제율

두 확률변수 X, Y가 각각 정규분포 $N(10, a^2)$, $N(10, b^2)$ $(0<a<b)$을 따를 때, 다음 중 세 수 $p=P(X \ge 12)$, $q=P(Y \ge 12)$, $r=P(X \le 8)$의 대소 관계로 옳은 것은?

① $p<q<r$　② $p=q>r$　③ $p=q<r$
④ $p=r<q$　⑤ $p=q=r$

078

출제율

확률변수 X는 정규분포 $N(m, \sigma^2)$을 따른다.
확률변수 $2X$의 표준편차가 10이고
$P(X \le 60)=P(X \ge 110)$일 때, $m+\sigma$의 값은?

① 80　② 85　③ 90
④ 95　⑤ 100

079

출제율

확률변수 X가 정규분포 $N(m, 2^2)$을 따를 때, $E\left(\frac{1}{3}X+1\right)=51$이다. 등식 $P(X<a-1)=P(X>b)$가 성립하도록 하는 상수 a, b에 대하여 $a+b$의 값을 구하여라.

080

출제율

확률변수 X가 정규분포 $N(m, \sigma^2)$을 따를 때,

$P(X \le 20)=P(X \ge 44)$

가 성립한다. $P(a \le X \le a+10)$의 값이 최대가 되도록 하는 상수 a의 값은?

① 24　② 27　③ 30
④ 33　⑤ 36

개념 3 표준정규분포

(1) **표준정규분포:** 평균이 0이고 분산이 1인 정규분포 $\mathrm{N}(0,\ 1)$을 표준정규분포라 하고, 확률변수 Z가 표준정규분포 $\mathrm{N}(0,\ 1)$을 따를 때, Z의 확률밀도함수는

$$f(z)=\frac{1}{\sqrt{2\pi}}e^{-\frac{z^2}{2}}$$

(2) 정규분포 $\mathrm{N}(m,\ \sigma^2)$을 따르는 확률변수 X가 a 이상 b 이하의 값을 가질 확률 $\mathrm{P}(a\le X\le b)$는 $Z=\frac{X-m}{\sigma}$을 이용하여 표준정규분포 $\mathrm{N}(0,\ 1)$을 따르는 확률변수 Z로 바꾸어 구한다. 즉,

$$\mathrm{P}(a\le X\le b)=\mathrm{P}\left(\frac{a-m}{\sigma}\le\frac{X-m}{\sigma}\le\frac{b-m}{\sigma}\right)$$
$$=\mathrm{P}\left(\frac{a-m}{\sigma}\le Z\le\frac{b-m}{\sigma}\right)$$

표준정규분포는 평균이 0이므로 확률밀도함수 $f(z)$의 그래프는 직선 $z=0$에 대하여 대칭이다.
따라서 $0<a<b$에서 확률변수 Z가 표준정규분포를 따를 때, 다음이 성립한다.

(1) $\mathrm{P}(0\le Z\le a)=\mathrm{P}(-a\le Z\le 0)$
(2) $\mathrm{P}(a\le Z\le b)=\mathrm{P}(0\le Z\le b)-\mathrm{P}(0\le Z\le a)$
(3) $\mathrm{P}(Z\ge a)=\mathrm{P}(Z\ge 0)-\mathrm{P}(0\le Z\le a)$
$=0.5-\mathrm{P}(0\le Z\le a)$
(4) $\mathrm{P}(Z\le a)=\mathrm{P}(Z\le 0)+\mathrm{P}(0\le Z\le a)$
$=0.5+\mathrm{P}(0\le Z\le a)$
(5) $\mathrm{P}(-a\le Z\le b)=\mathrm{P}(-a\le Z\le 0)+\mathrm{P}(0\le Z\le b)$
$=\mathrm{P}(0\le Z\le a)+\mathrm{P}(0\le Z\le b)$

081

출제율

확률변수 X가 정규분포 $\mathrm{N}(30,\ 5^2)$을 따를 때, 다음 중 옳지 않은 것은?
(단, Z가 표준정규분포를 따르는 확률변수일 때, $\mathrm{P}(0\le Z\le 2)=0.4772$로 계산한다.)

① $\mathrm{P}(30\le X\le 40)=0.4772$
② $\mathrm{P}(20\le X\le 30)=0.4772$
③ $\mathrm{P}(X\le 40)=0.9544$
④ $\mathrm{P}(X\le 20)=0.0228$
⑤ $\mathrm{P}(X\ge 20)=0.9772$

082

출제율

평균이 m, 분산이 σ^2인 정규분포를 따르는 확률변수 X에 대하여 $\mathrm{P}(10<X<17)=\mathrm{P}(13<X<20)$이고, $\mathrm{V}\left(\frac{1}{5}X\right)=4$일 때, $m+\sigma$의 값은?

① 10 ② 15 ③ 20
④ 25 ⑤ 30

083 학교 기출 신유형

출제율

두 확률변수 X, Y가 각각 정규분포 $\mathrm{N}(80,\ 10^2)$, $\mathrm{N}(50,\ 6^2)$을 따를 때,
$\mathrm{P}(80\le X\le k)=\mathrm{P}(38\le Y\le 50)$을 만족시키는 상수 k의 값을 구하여라.

084 평가원 기출

출제율

어느 농장에서 수확하는 파프리카 1개의 무게는 평균이 180 g, 표준편차가 20 g인 정규분포를 따른다고 한다.
이 농장에서 수확한 파프리카 중에서 임의로 선택한 파프리카 1개의 무게가 190 g 이상이고 210 g 이하일 확률을 오른쪽 표준정규분포표를 이용하여 구한 것은?

z	$\mathrm{P}(0\le Z\le z)$
0.5	0.1915
1.0	0.3413
1.5	0.4332
2.0	0.4772

① 0.0440 ② 0.0919 ③ 0.1359
④ 0.1498 ⑤ 0.2417

085

출제율

사탕 상자 A에 들어 있는 사탕 한 개의 무게는 평균이 150 g, 표준편차가 4 g인 정규분포를 따르고, 초콜릿 상자 B에 들어 있는 초콜릿 한 개의 무게는 평균이 250 g, 표준편차가 5 g인 정규분포를 따른다고 한다.
사탕 상자 A에서 임의로 꺼낸 사탕 한 개의 무게가 162 g 이하일 확률은 초콜릿 상자 B에서 임의로 꺼낸 초콜릿 한 개의 무게가 k g 이상일 확률과 같다. 상수 k의 값은?

① 235 ② 240 ③ 245
④ 255 ⑤ 260

086

출제율

확률변수 X가 정규분포 $\mathrm{N}\left(m, \left(\frac{m}{2}\right)^2\right)$을 따르고 $\mathrm{P}\left(X \le \frac{9}{2}\right)=0.9772$일 때, 오른쪽 표준정규분포표를 이용하여 m의 값을 구하여라.

z	$\mathrm{P}(0 \le Z \le z)$
1.0	0.3413
2.0	0.4772
3.0	0.4987

087

출제율

어느 자격증 시험에 2000명이 응시하였다. 시험 응시자의 점수 분포는 평균이 63점, 표준편차가 10점인 정규분포를 따른다고 한다. 이 시험에서 70점 이상을 얻은 응시자는 합격이라고 할 때, 자격증 시험 합격자의 수를 오른쪽 표준정규분포표를 이용하여 구한 것은?

z	$\mathrm{P}(0 \le Z \le z)$
0.5	0.1915
0.6	0.2257
0.7	0.2580
0.8	0.2881
0.9	0.3159

① 448 ② 460 ③ 472
④ 484 ⑤ 496

개념 4 이항분포와 정규분포의 관계

(1) 이항분포와 정규분포의 관계

확률변수 X가 이항분포 $\mathrm{B}(n, p)$를 따를 때, n의 값이 충분히 크면 X는 근사적으로 정규분포 $\mathrm{N}(np, npq)$를 따른다. (단, $q=1-p$)

$np \ge 5$, $nq \ge 5$이면 n을 충분히 큰 값으로 생각한다.

등급업 TIP

n의 값이 충분히 클 때, 이항분포 $\mathrm{B}(n, p)$에서 $\mathrm{P}(a \le X \le b)$의 값은 다음과 같은 순서로 구한다.

(i) (평균)$=m=np$, (분산)$=\sigma^2=np(1-p)$를 구한다.
(ii) 확률변수 X를 정규분포 $\mathrm{N}(m, \sigma^2)$으로 근사시킨다.
(iii) 확률변수 X를 $Z=\frac{X-m}{\sigma}$을 이용하여 표준정규분포 $\mathrm{N}(0, 1)$로 바꾼다.
(iv) 표준정규분포표를 이용하여 $\mathrm{P}(a \le X \le b)$의 값을 구한다.

088

출제율

확률변수 X가 이항분포 $\mathrm{B}\left(180, \frac{5}{6}\right)$를 따를 때, $\mathrm{P}(X \ge 155)$의 값을 구하여라.
(단, Z가 표준정규분포를 따르는 확률변수일 때, $\mathrm{P}(0 \le Z \le 1)=0.3413$이다.)

089

출제율

불량품일 확률이 0.1인 상품을 100개 구입했을 때, 불량품이 4개 이하일 확률은?
(단, Z가 표준정규분포를 따르는 확률변수일 때, $\mathrm{P}(0 \le Z \le 2)=0.4772$이다.)

① 0.0114 ② 0.0228 ③ 0.0375
④ 0.0475 ⑤ 0.0525

090

출제율

확률변수 X에 대하여

$\mathrm{P}(X=x)={}_{720}\mathrm{C}_x\left(\frac{1}{6}\right)^x\left(\frac{5}{6}\right)^{720-x}$

$(x=0,\ 1,\ 2,\ \cdots,\ 720)$

일 때, $\mathrm{P}(110\le X\le 140)$의 값을 오른쪽 표준정규분포표를 이용하여 구한 것은?

z	$\mathrm{P}(0\le Z\le z)$
1.0	0.3413
1.5	0.4332
2.0	0.4772

① 0.7745 ② 0.8185 ③ 0.8400
④ 0.9572 ⑤ 0.9759

091

출제율

확률변수 X가 이항분포 $\mathrm{B}\left(100,\ \frac{1}{5}\right)$을 따를 때, $\mathrm{P}\left(\left|\frac{X}{40}-\frac{1}{2}\right|<\frac{1}{5}\right)$의 값을 오른쪽 표준정규분포표를 이용하여 구한 것은?

z	$\mathrm{P}(0\le Z\le z)$
0.5	0.1915
1.0	0.3413
1.5	0.4332
2.0	0.4772
2.5	0.4938

① 0.3830 ② 0.6826 ③ 0.8664
④ 0.9544 ⑤ 0.9876

092 학교 기출 신유형

출제율

정오각형 $\mathrm{A}_1\mathrm{A}_2\mathrm{A}_3\mathrm{A}_4\mathrm{A}_5$의 꼭짓점 중에서 서로 다른 두 점 A_i, A_j를 임의로 택하는 시행을 400회 반복한다. 선분 $\mathrm{A}_i\mathrm{A}_j$가 정오각형의 변이 되는 횟수가 210회 이상일 확률을 오른쪽 표준정규분포표를 이용하여 구한 것은?

(단, i, $j=1,\ 2,\ 3,\ 4,\ 5$)

z	$\mathrm{P}(0\le Z\le z)$
0.5	0.1915
1.0	0.3413
1.5	0.4332
2.0	0.4772

① 0.0228 ② 0.0668 ③ 0.1587
④ 0.2708 ⑤ 0.3085

093

출제율

다음 그림과 같이 두 상자 A, B에 1, 2, 3, 4의 숫자가 각각 하나씩 적혀 있는 카드가 4장씩 들어 있다.

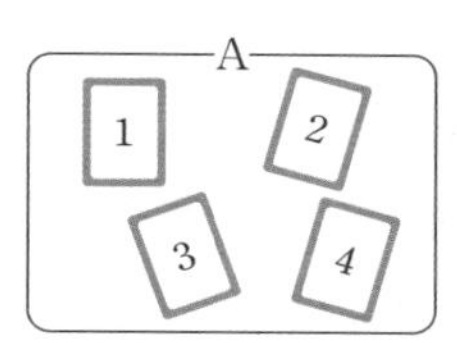

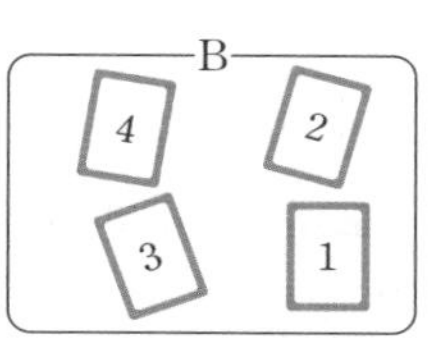

두 상자 A, B에서 임의로 카드를 한 장씩 꺼내어 카드에 적혀 있는 수의 곱이 홀수인 사건을 E라고 하자. 이 시행을 1200번 하였을 때 사건 E가 일어나는 횟수가 270회 이하일 확률을 오른쪽 표준정규분포표를 이용하여 구한 것은?

z	$\mathrm{P}(0\le Z\le z)$
1.0	0.341
1.5	0.433
2.0	0.477
2.5	0.494

① 0.023 ② 0.067 ③ 0.159
④ 0.341 ⑤ 0.433

094

출제율

어느 식당을 처음 방문한 손님의 75 %가 이 식당을 한 달 안에 재방문한다고 한다. 이 식당을 처음 방문한 손님 300명 중에서 한 달 안에 다시 이 식당을 방문하는 손님이 n명 이상일 확률이 0.023일 때, 자연수 n의 값을 오른쪽 표준정규분포표를 이용하여 구하여라.

z	$\mathrm{P}(0\le Z\le z)$
1.60	0.445
2.0	0.477
2.25	0.488
2.50	0.494

최상위권 도약 실력 완성 문제

개념 1 연속확률변수와 확률밀도함수

095

$0 \le x \le 1$에서 정의된 두 확률밀도함수 $f(x)$, $g(x)$에 대하여 |보기|에서 확률밀도함수가 될 수 있는 것만을 있는 대로 고른 것은?

보기

ㄱ. $f(x)+g(x)$　　ㄴ. $\frac{1}{3}\{f(x)+2g(x)\}$

ㄷ. $f(x)g(x)$

① ㄱ　② ㄴ　③ ㄱ, ㄴ
④ ㄱ, ㄷ　⑤ ㄴ, ㄷ

096

연속확률변수 X에 대하여

$$P(x \le X \le 2)=a(2-x)\ (0 \le x \le 2)$$

가 성립할 때, $P(0 \le X < a)$의 값은?

(단, a는 상수이다.)

① $\frac{1}{4}$　② $\frac{3}{8}$　③ $\frac{1}{2}$
④ $\frac{3}{4}$　⑤ $\frac{7}{8}$

097 다빈출

15분 간격으로 A 정류장을 지나가는 버스가 있다. 태연이가 임의의 시각에 A 정류장에 도착할 때, 태연이가 이 버스를 5분 이상 기다릴 확률은?

① $\frac{1}{4}$　② $\frac{1}{3}$　③ $\frac{1}{2}$
④ $\frac{2}{3}$　⑤ $\frac{3}{4}$

098 학교 기출 신유형

두 양수 a, $b(a<b)$에 대하여 연속확률변수 X가 가지는 값의 범위는 $0 \le X \le 1$이고 X의 확률밀도함수 $y=f(x)$의 그래프는 오른쪽 그림과 같다. $b-a=\frac{1}{3}$이고

$2P(a \le X \le b)$
$=P(0 \le X \le a)+P(b \le X \le 1)$

일 때, $a+b$의 값을 구하여라.

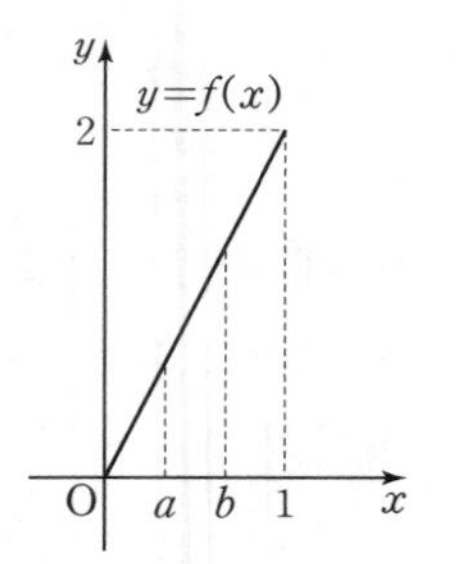

099

연속확률변수 X의 확률밀도함수가

$$f(x)=\begin{cases} \frac{1}{3}x & (0 \le x \le 2) \\ -\frac{2}{3}x+2 & (2 \le x \le 3) \end{cases}$$

일 때, $P(a \le X \le 2)=P(2 \le X \le 3)$을 만족시키는 a의 값은? (단, $0<a<2$)

① $\frac{\sqrt{2}}{2}$　② $\frac{\sqrt{3}}{2}$　③ 1
④ $\sqrt{2}$　⑤ $\sqrt{3}$

100 평가원 기출

연속확률변수 X가 가지는 값의 범위는 $0 \le X \le 4$이고 X의 확률밀도함수 $y=f(x)$의 그래프는 다음과 같다. $100\mathrm{P}(0 \le X \le 2)$의 값을 구하여라.

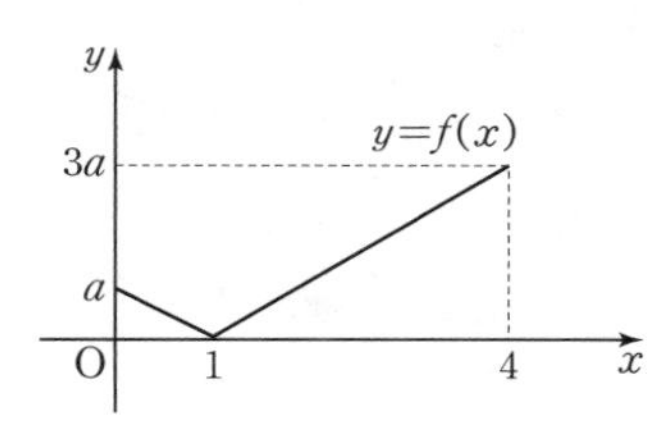

101

두 양수 a, b에 대하여 연속확률변수 X가 가지는 값의 범위는 $0 \le X \le b$이고 X의 확률밀도함수의 그래프가 오른쪽 그림과 같다.

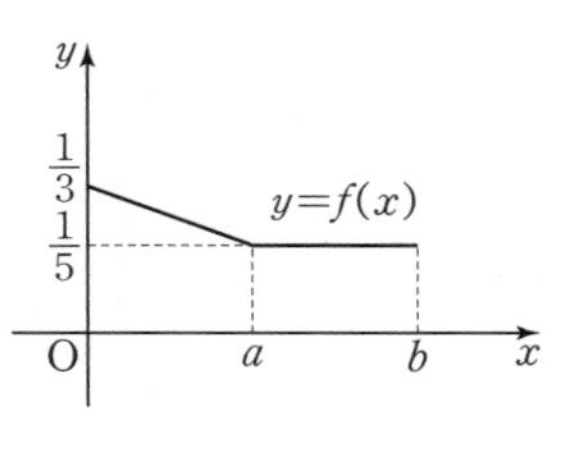

$\mathrm{P}(0 \le X \le a)=\frac{4}{7}$일 때, $\frac{b}{a}$의 값은? (단, $a<b$)

① 1 ② $\frac{3}{2}$ ③ 2 ④ $\frac{5}{2}$ ⑤ 3

102

연속확률변수 X의 확률밀도함수가 $f(x)=\frac{1}{2}x\ (0 \le x \le 2)$이다. 매회의 시행에서 사건 A가 일어날 확률이 $\mathrm{P}(0 \le X \le 1)$로 일정할 때, 5회의 독립시행에서 사건 A가 3회 이상 일어날 확률은 $\frac{m}{2^n}$이다. 자연수 m, n에 대하여 $m-n$의 값은? (단, $1 \le n \le 9$)

① 40 ② 42 ③ 44 ④ 46 ⑤ 48

103

오른쪽 그림은 어느 회사에서 판매하는 세탁기의 수명 X개월을 확률변수로 하는 확률밀도함수 $y=f(x)$의 그래프이다. 이 회사에서 판매하는 세탁기 2대를 구입하여 적어도 한 대는 50개월 이상 사용할 확률은? (단, a는 상수이다.)

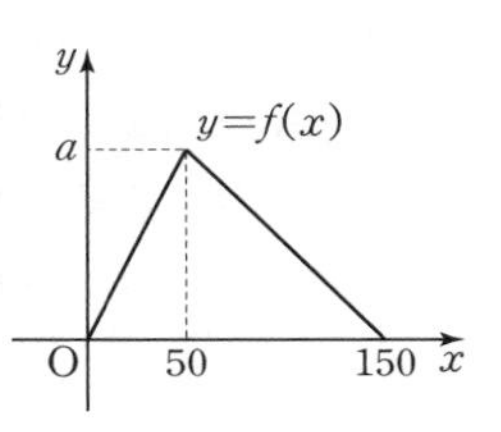

① $\frac{2}{3}$ ② $\frac{3}{4}$ ③ $\frac{4}{5}$ ④ $\frac{5}{6}$ ⑤ $\frac{8}{9}$

104 학교 기출 신유형

연속확률변수 X가 가지는 값의 범위는 $0 \le X \le 1$이고 X의 확률밀도함수 $y=f(x)$의 그래프는 오른쪽 그림과 같다. 이때 직선 $3x+3y+3X-1=0$과 원 $x^2+y^2=\frac{1}{18}$이 만날 확률은? (단, a는 상수이다.)

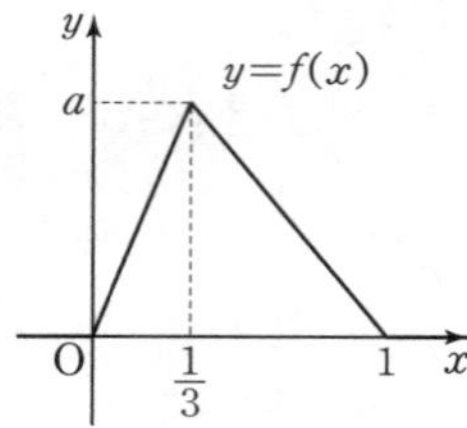

① $\frac{7}{12}$ ② $\frac{2}{3}$ ③ $\frac{3}{4}$
④ $\frac{5}{6}$ ⑤ $\frac{11}{12}$

105

연속확률변수 X의 확률밀도함수 $f(x)$가 모든 실수 x에 대하여 $f(1-x)=f(1+x)$를 만족시킨다.
두 양수 a, b $(a<b)$에 대하여

$P(1-a \le X \le 1+b)=p_1$,
$P(1+a \le X \le 1+b)=p_2$

라고 할 때, |보기|에서 옳은 것만을 있는 대로 고른 것은? (단, $p_1>0$, $p_2>0$)

보기

ㄱ. $P(1 \le X \le 1+a)=\frac{p_1-p_2}{2}$
ㄴ. $P(X \le 1-a)=\frac{1+p_1-p_2}{2}$
ㄷ. $P(1-b \le X \le 1+b)=p_1+p_2$

① ㄱ ② ㄴ ③ ㄱ, ㄴ
④ ㄱ, ㄷ ⑤ ㄴ, ㄷ

개념 2 정규분포

106 다빈출

3학년 학생 수가 각각 300명인 A, B, C 세 고등학교의 3학년 학생의 수학 성적 분포가 각각 정규분포를 이루고 그 정규분포곡선이 위의 그림과 같을 때, |보기|에서 옳은 것만을 있는 대로 고른 것은?

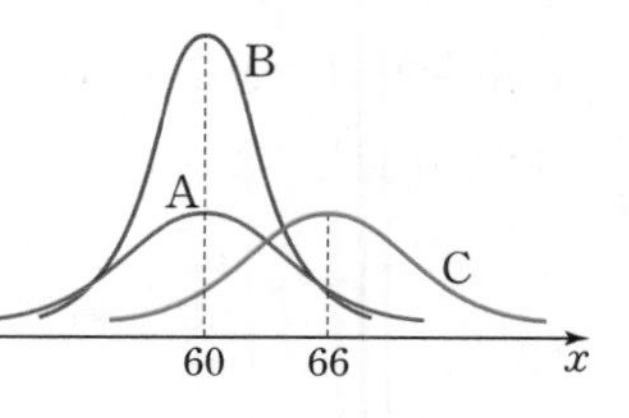

보기

ㄱ. A 고등학교와 C 고등학교 학생들의 성적의 평균은 같다.
ㄴ. B 고등학교 학생들보다 C 고등학교 학생들의 성적이 더 고른 편이다.
ㄷ. 성적이 우수한 학생들이 B 고등학교보다 A 고등학교에 더 많이 있다.

① ㄴ ② ㄷ ③ ㄱ, ㄷ
④ ㄴ, ㄷ ⑤ ㄱ, ㄴ, ㄷ

107

정규분포 $N(m, \sigma^2)$을 따르는 확률변수 X에 대하여
$P(X \le 80)=0.5$,
$P\left(X \ge \frac{11}{10}m\right)=0.1587$
일 때, $P(X \ge 96)$의 값을 오른쪽 표를 이용하여 구한 것은?

x	$P(0 \le X \le x)$
$m+0.5\sigma$	0.1915
$m+1.0\sigma$	0.3413
$m+1.5\sigma$	0.4332
$m+2.0\sigma$	0.4772

① 0.0228 ② 0.0668 ③ 0.0896
④ 0.1587 ⑤ 0.3085

108

다음 그림은 정규분포 $\mathrm{N}(m,\ \sigma^2)$을 따르는 확률변수의 확률밀도함수의 그래프와 구간별 확률을 나타낸 것이다.

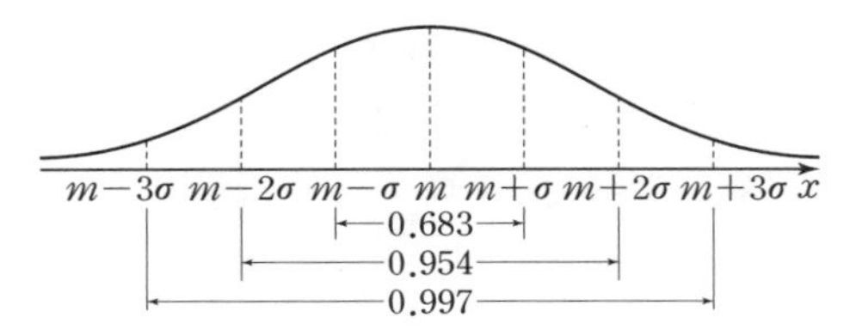

표준편차가 10인 정규분포를 따르는 확률변수 X의 확률밀도함수 $f(x)$가 $f(50-x)=f(50+x)$를 만족시킬 때, $\mathrm{P}(30\leq X\leq 40)$의 값은?

① 0.1355 ② 0.2465 ③ 0.3645
④ 0.4415 ⑤ 0.6235

109

연속확률변수 X가 평균이 20, 분산이 16인 정규분포를 따를 때, 함수 $f(k)=\mathrm{P}(k-4\leq X\leq k+4)$에 대한 설명으로 |보기|에서 옳은 것만을 있는 대로 고른 것은?

보기
ㄱ. $f(8)=f(32)$
ㄴ. 함수 $f(k)$는 $k=20$일 때 최댓값을 갖는다.
ㄷ. 임의의 실수 k에 대하여 $f(k)=f(20-k)$이다.

① ㄱ ② ㄷ ③ ㄱ, ㄴ
④ ㄴ, ㄷ ⑤ ㄱ, ㄴ, ㄷ

110

두 확률변수 X, Y가 각각 정규분포 $\mathrm{N}(10,\ \sigma^2)$, $\mathrm{N}(m,\ \sigma^2)$을 따르고 다음 조건을 만족시킨다.

(가) 두 확률변수 X, Y의 확률밀도함수는 각각 $f(x)$, $g(x)$이다.
(나) $f(a)=f(16)=g(16)$
(다) $\mathrm{P}(a\leq X\leq 16)=0.84$, $\mathrm{P}(Y\geq b)=0.08$

상수 a, b에 대하여 $a+b$의 값을 구하여라. (단, $m\neq 10$)

개념 3 표준정규분포

111

다음 표는 고등학교 3학년인 준영이의 기말고사 성적과 이 고등학교 3학년 전체 학생의 과목별 평균, 표준편차를 나타낸 것이다. 3학년 전체 학생의 과목별 성적 분포가 정규분포를 따른다고 할 때, 아래의 네 과목 중에서 준영이의 과목별 전체 석차가 가장 우수한 과목과 가장 저조한 과목을 순서대로 나열한 것은?

(단위: 점)

분류 \ 과목	국어	수학	영어	한국사
성적	80	62	76	70
전체 평균	74	56	64	65
표준편차	6	4	10	2

① 국어, 수학 ② 수학, 한국사
③ 영어, 국어 ④ 수학, 영어
⑤ 한국사, 국어

112

확률변수 X가 평균이 m, 표준편차가 1인 정규분포를 따른다. $f(m)=\mathrm{P}(X\le 0)$으로 정의할 때, 다음 중 m에 대한 함수 $y=f(m)$의 그래프의 개형으로 옳은 것은?

①
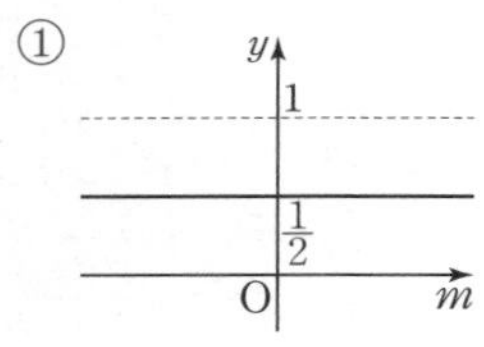

②
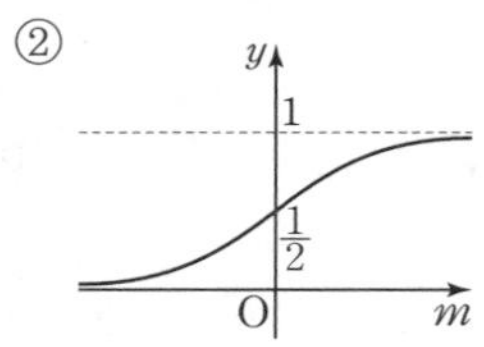

③
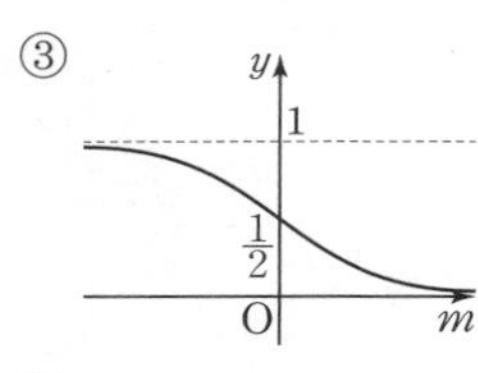

④
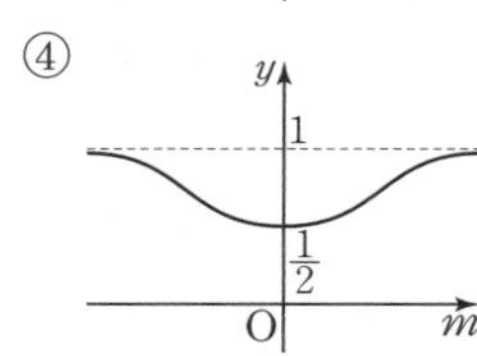

⑤
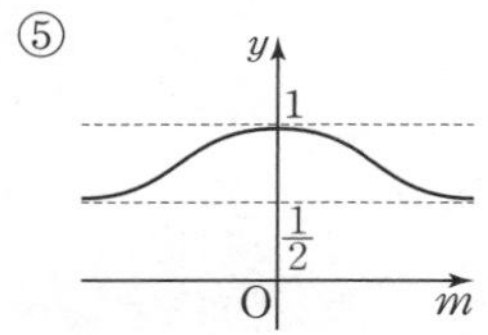

113

정규분포 $\mathrm{N}(30,\ 5^2)$을 따르는 확률변수 X에 대하여

$$\mathrm{P}(X\ge 34)=0.2119$$

일 때, $\mathrm{P}(26\le X\le 34)$의 값은?

① 0.2119 ② 0.4238 ③ 0.5762 ④ 0.6357 ⑤ 0.8476

114

정규분포 $\mathrm{N}(m,\ 4)$를 따르는 확률변수 X에 대하여 함수 $f(m)$을

$$f(m)=1-\mathrm{P}(X\ge 3m)$$

이라고 할 때, $f(1)-f(-1)$의 값을 구하여라.
(단, Z가 표준정규분포를 따르는 확률변수일 때, $\mathrm{P}(0\le Z\le 1)=0.3413$, $\mathrm{P}(0\le Z\le 2)=0.4772$이다.)

115 다빈출

모집 인원이 250명인 어느 기업의 입사 시험에 1250명의 지원자가 응시하였다. 시험 결과 지원자의 점수는 평균이 360점, 표준편차가 20점인 정규분포를 따를 때, 합격자의 최저 점수를 오른쪽 표준정규분포표를 이용하여 구한 것은?

z	$\mathrm{P}(0\le Z\le z)$
0.52	0.20
0.84	0.30
1.28	0.40
1.65	0.45

① 374.6점 ② 376.8점 ③ 378.2점 ④ 380.4점 ⑤ 382.6점

116

정규분포 $\mathrm{N}(m,\ \sigma^2)$을 따르는 확률변수 X에 대하여

$$\mathrm{P}(X\ge 80)+\mathrm{P}(40\le X\le m)=\frac{1}{2},$$

$$\mathrm{V}\left(\frac{1}{4}X+5\right)=4$$

일 때, $\mathrm{P}(44\le X\le 47.2)$의 값을 오른쪽 표준정규분포표를 이용하여 구하여라.

z	$\mathrm{P}(0\le Z\le z)$
1.6	0.4452
1.8	0.4641
2.0	0.4772
2.2	0.4861

정답과 풀이 072쪽

117

확률변수 X가 정규분포 $\mathrm{N}(0,\ 2^2)$을 따를 때, x에 대한 이차방정식 $x^2-Xx+1=0$의 두 근이 모두 양수일 확률을 오른쪽 표준정규분포표를 이용하여 구한 것은?

z	$\mathrm{P}(0\le Z\le z)$
0.5	0.1915
1.0	0.3413
1.5	0.4332
2.0	0.4772

① 0.0228 ② 0.0668 ③ 0.1587
④ 0.1915 ⑤ 0.3413

118 학교 기출 신유형

연속확률변수 X가 정규분포 $\mathrm{N}(1,\ 2^2)$을 따를 때, 두 함수

$f(t)=t^2+2Xt+X-2,$

$g(t)=4Xt-4$

의 그래프가 서로 만나지 않을 확률을 오른쪽 표준정규분포표를 이용하여 구한 것은?

z	$\mathrm{P}(0\le Z\le z)$
0.5	0.1915
1.0	0.3413
1.5	0.4332
2.0	0.4772

① 0.1721 ② 0.2918 ③ 0.3982
④ 0.4775 ⑤ 0.5328

119 교육청 기출

연속확률변수 X가 평균이 m, 표준편차가 σ인 정규분포를 따를 때, 실수 전체의 집합에서 정의된 함수 $f(t)$는

$f(t)=\mathrm{P}(t\le X\le t+2)$

이다. 함수 $f(t)$는 $t=4$에서 최댓값을 갖고, $f(m)=0.3413$이다. $f(7)$의 값을 오른쪽 표준정규분포표를 이용하여 구한 것은?

z	$\mathrm{P}(0\le Z\le z)$
1.0	0.3413
1.5	0.4332
2.0	0.4772
2.5	0.4938

① 0.1359 ② 0.0919 ③ 0.0606
④ 0.0440 ⑤ 0.0166

120

두 확률변수 X, Y가 각각 정규분포 $\mathrm{N}(10,\ 10^2)$, $\mathrm{N}(20,\ 5^2)$을 따를 때, 두 확률변수 X, Y의 정규분포곡선은 오른쪽 그림과 같다.

두 곡선과 직선 $x=10$으로 둘러싸인 부분의 넓이를 S_1, 두 곡선과 직선 $x=20$으로 둘러싸인 부분의 넓이를 S_2라고 할 때, S_2-S_1의 값을 오른쪽 표준정규분포표를 이용하여 구한 것은?

z	$\mathrm{P}(0\le Z\le z)$
1.0	0.3413
2.0	0.4772
3.0	0.4987

① 0.1248 ② 0.1359 ③ 0.1575
④ 0.1684 ⑤ 0.1839

121

A 버섯 농장에서 재배한 버섯 한 송이의 길이는 평균이 m mm, 표준편차가 5 mm인 정규분포를 따르고, B 버섯 농장에서 재배한 버섯 한 송이의 길이는 평균이 $(m+12)$ mm, 표준편차가 4 mm인 정규분포를 따른다. 두 농장 A, B에서 재배한 버섯은 그 길이가 각각 80 mm 이상일 때 특상품으로 분류되며, A 버섯 농장에서 재배한 버섯 중 임의로 택한 한 송이의 버섯이 특상품으로 분류될 확률은 0.0548이라고 한다. B 버섯 농장에서 재배한 버섯 중 임의로 택한 한 송이의 버섯이 특상품으로 분류될 확률을 오른쪽 표준정규분포표를 이용하여 구하여라.

z	$\mathrm{P}(0\le Z\le z)$
1.0	0.3413
1.2	0.3849
1.4	0.4192
1.6	0.4452

개념 4 이항분포와 정규분포의 관계

122 다빈출

서로 다른 두 개의 주사위를 동시에 던지는 시행을 192회 반복할 때, 홀수의 눈이 적어도 한 번 이상 나오는 횟수를 확률변수 X라고 하자. $\mathrm{P}(X\le 153)$의 값을 오른쪽 표준정규분포표를 이용하여 구하여라.

z	$\mathrm{P}(0\le Z\le z)$
1.0	0.3413
1.5	0.4332
2.0	0.4772
2.5	0.4938

123

100원짜리 동전 100개를 동시에 던져서 앞면이 60개 이상 나오면 10000원을 받고, 그렇지 않으면 1000원을 내는 게임을 하기로 하였다. 한 번의 시행에서 받을 수 있는 기대 금액을 오른쪽 표준정규분포표를 이용하여 구한 것은?

z	$\mathrm{P}(0\le Z\le z)$
1.0	0.34
2.0	0.48
3.0	0.49

① -890원 ② -780원 ③ -230원 ④ 760원 ⑤ 1090원

124

한 개의 동전을 36회 던져서 뒷면이 24회 이상 나올 확률과 한 개의 주사위를 1800회 던져서 3 이하의 소수의 눈이 n회 이상 나올 확률이 서로 같을 때, n의 값은?

① 600 ② 640 ③ 680 ④ 720 ⑤ 760

125

이항분포 $\mathrm{B}(720, p)$를 따르는 확률변수 X에 대하여 $\mathrm{V}(2X-9)=400$일 때, $\mathrm{P}(X\le 110)$의 값을 오른쪽 표준정규분포표를 이용하여 구한 것은? $\left(\text{단, } 0<p<\frac{1}{2}\right)$

z	$\mathrm{P}(0\le Z\le z)$
1.0	0.3413
1.5	0.4332
2.0	0.4772
2.5	0.4938

① 0.0062 ② 0.0228 ③ 0.0668 ④ 0.1587 ⑤ 0.3413

정답과 풀이 074쪽

126

명중률이 0.8인 어느 사격 선수가 n번의 사격 후 명중시킨 횟수를 확률변수 X라고 하자. 확률변수 X가 정규분포를 따르고 $\mathrm{P}(X \geq 18)=0.84$일 때, $\mathrm{P}(X \geq 24)$의 값을 오른쪽 표준정규분포표를 이용하여 구한 것은?

z	$\mathrm{P}(0 \leq Z \leq z)$
1.0	0.34
1.5	0.43
2.0	0.48

(단, n은 충분히 큰 수이다.)

① 0.01 ② 0.02 ③ 0.04 ④ 0.07 ⑤ 0.09

127

어느 공장에서 생산되는 라면 한 개의 무게는 평균 130 g, 표준편차가 5 g인 정규분포를 따르고, 무게가 120 g 이하인 라면은 불량품으로 판정한다고 한다. 이 라면 중에서 2500개를 임의로 추출할 때, 불량품이 n개 이상일 확률이 $\frac{1}{50}$이다. 자연수 n의 값을 오른쪽 표준정규분포표를 이용하여 구한 것은?

z	$\mathrm{P}(0 \leq Z \leq z)$
0.5	0.19
1.0	0.34
1.5	0.43
2.0	0.48

① 25 ② 36 ③ 49 ④ 64 ⑤ 81

128

다음 식의 값을 오른쪽 표준정규분포표를 이용하여 구하여라.

z	$\mathrm{P}(0 \leq Z \leq z)$
1.0	0.3413
2.0	0.4772
3.0	0.4987

$${}_{48}\mathrm{C}_{6}\left(\frac{1}{4}\right)^{6}\left(\frac{3}{4}\right)^{42}+{}_{48}\mathrm{C}_{7}\left(\frac{1}{4}\right)^{7}\left(\frac{3}{4}\right)^{41}+{}_{48}\mathrm{C}_{8}\left(\frac{1}{4}\right)^{8}\left(\frac{3}{4}\right)^{40}+\cdots+{}_{48}\mathrm{C}_{21}\left(\frac{1}{4}\right)^{21}\left(\frac{3}{4}\right)^{27}$$

129 평가원 기출

세 확률변수 X, Y, W는 각각 다음과 같다.

X는 이항분포 $\mathrm{B}\left(100, \frac{1}{5}\right)$을 따른다.
Y는 이항분포 $\mathrm{B}\left(225, \frac{1}{5}\right)$을 따른다.
W는 이항분포 $\mathrm{B}\left(400, \frac{1}{5}\right)$을 따른다.

|보기|에서 옳은 것만을 있는 대로 고른 것은?

보기

ㄱ. $\mathrm{P}\left(\left|\frac{X}{100}-\frac{1}{5}\right|<\frac{1}{10}\right)<\mathrm{P}\left(\left|\frac{W}{400}-\frac{1}{5}\right|<\frac{1}{10}\right)$

ㄴ. $\mathrm{P}\left(\left|\frac{X}{100}-\frac{1}{5}\right|<\frac{1}{10}\right)<\mathrm{P}\left(\left|\frac{Y}{225}-\frac{1}{5}\right|<\frac{1}{25}\right)$

ㄷ. $\mathrm{P}\left(\left|\frac{Y}{225}-\frac{1}{5}\right|<\frac{1}{25}\right)<\mathrm{P}\left(\left|\frac{W}{400}-\frac{1}{5}\right|<\frac{1}{25}\right)$

① ㄱ ② ㄴ ③ ㄱ, ㄷ ④ ㄴ, ㄷ ⑤ ㄱ, ㄴ, ㄷ

상위권 보장 개념+필수 기출 문제

개념 1 표본평균의 평균, 분산, 표준편차

(1) **모평균과 표본평균**

① 모집단의 확률변수 X의 평균, 분산, 표준편차를 각각 모평균, 모분산, 모표준편차라 하고, 각각 기호로 m, σ^2, σ와 같이 나타낸다.

② 모집단에서 크기가 n인 표본 X_1, X_2, $\cdots$, X_n을 임의추출하였을 때, 이 표본의 평균, 분산, 표준편차를 각각 표본평균, 표본분산, 표본표준편차라 하고, 각각 기호로 $\overline{X}$, S^2, S와 같이 나타낸다.

참고 복원추출과 비복원추출
모집단에서 표본을 추출할 때, 한 개의 자료를 뽑은 후 되돌려 놓고 다시 뽑는 것을 복원추출이라 하고, 되돌려 놓지 않고 다시 뽑는 것을 비복원추출이라고 한다. 특별한 언급이 없으면 임의추출은 복원추출로 생각한다.

(2) **표본평균의 평균, 분산, 표준편차**

모평균이 m, 모표준편차가 σ인 모집단에서 크기가 n인 표본을 임의추출할 때, 표본평균 $\overline{X}$에 대하여

① $\mathrm{E}(\overline{X})=m$

② $\mathrm{V}(\overline{X})=\dfrac{\sigma^2}{n}$

③ $\sigma(\overline{X})=\dfrac{\sigma}{\sqrt{n}}$

참고 모평균 m은 상수이지만 표본평균 $\overline{X}$는 추출된 표본에 따라 여러 가지 값을 가질 수 있는 확률변수이다.

130

출제율

어떤 공장에서 생산하는 케이블 선의 길이는 평균이 50 cm, 표준편차가 2 cm인 정규분포를 따른다고 한다. 이 케이블 선 중에서 100개를 임의추출할 때, 표본평균 $\overline{X}$에 대하여 $\mathrm{E}(\overline{X})\times\mathrm{V}(\overline{X})$의 값은?

① 2 ② 4 ③ 6 ④ 8 ⑤ 10

131

출제율

평균이 20, 표준편차가 4인 모집단에서 크기가 16인 표본을 임의추출할 때, 표본평균 $\overline{X}$에 대하여 $\overline{X}^2$의 평균은?

① 400 ② 401 ③ 402 ④ 403 ⑤ 404

132

출제율

어느 모집단의 확률분포를 표로 나타내면 다음과 같다.

X	1	2	3	합계
$\mathrm{P}(X=x)$	a	b	$\frac{1}{4}$	1

이 모집단에서 크기가 9인 표본을 복원추출할 때, 표본평균 $\overline{X}$에 대하여 $\mathrm{E}(\overline{X})=\dfrac{13}{8}$이다. 상수 a, b에 대하여 $a+2b$의 값을 구하여라.

133

출제율

상자 안에 1, 1, 1, 2, 2, 3이 각각 하나씩 적혀 있는 6장의 카드가 들어 있다. 이 상자에서 크기가 5인 표본을 복원추출하여 카드에 적혀 있는 수의 표본평균을 $\overline{X}$라고 할 때, $\overline{X}$의 표준편차는?

① $\dfrac{1}{6}$ ② $\dfrac{1}{5}$ ③ $\dfrac{1}{4}$ ④ $\dfrac{1}{3}$ ⑤ $\dfrac{1}{2}$

개념 2 표본평균의 확률분포

정규분포 $N(m, \sigma^2)$을 따르는 모집단에서 크기가 n인 표본을 임의추출할 때, 표본평균 $\overline{X}$는 정규분포 $N\left(m, \frac{\sigma^2}{n}\right)$을 따른다.

모집단의 분포가 정규분포 아닐 때에도 표본의 크기 $n(n \geq 30)$이 충분히 크면 표본평균 $\overline{X}$는 정규분포 $N\left(m, \frac{\sigma^2}{n}\right)$을 따른다.

134

출제율

평균이 70, 표준편차가 10인 정규분포를 따르는 모집단에서 크기가 25인 표본을 임의추출한 표본평균을 $\overline{X}$, 크기가 100인 표본을 임의추출한 표본평균을 $\overline{Y}$라고 하자. |보기|에서 옳은 것만을 있는 대로 고른 것은?

보기

ㄱ. $E(\overline{X}) = E(\overline{Y})$

ㄴ. $V(\overline{X}) > V(\overline{Y})$

ㄷ. $P(\overline{X} \leq a) = P(\overline{Y} \leq b)$이면 $2b - a = 70$이다.

① ㄱ ② ㄱ, ㄴ ③ ㄱ, ㄷ
④ ㄴ, ㄷ ⑤ ㄱ, ㄴ, ㄷ

135

출제율

정규분포 $N\left(m, \frac{m^2}{16}\right)$을 따르는 모집단에서 크기가 100인 표본을 임의추출한 표본평균을 $\overline{X}$라고 할 때,

$$P(m \leq \overline{X} \leq 82) = P(0 \leq Z \leq 1)$$

을 만족시키는 자연수 m의 값을 구하여라.

(단, 확률변수 Z는 표준정규분포 $N(0, 1)$을 따른다.)

136

출제율

정규분포 $N(60, \sigma^2)$을 따르는 모집단에서 크기가 25인 표본을 임의추출한 표본평균을 $\overline{X_1}$, 크기가 n인 표본을 임의추출한 표본평균을 $\overline{X_2}$라고 하자.
$P(60 \leq \overline{X_1} \leq 61) = P(60 \leq \overline{X_2} \leq 60.5)$일 때, n의 값을 구하여라.

137

출제율

정규분포 $N(200, 12^2)$을 따르는 모집단에서 크기가 36인 표본을 임의추출한 표본평균을 $\overline{X}$라고 하자. 이때 $P(197 \leq \overline{X} \leq k) = 0.7745$를 만족시키는 상수 k의 값을 오른쪽 표준정규분포표를 이용하여 구하여라.

z	$P(0 \leq Z \leq z)$
1.0	0.3413
1.5	0.4332
2.0	0.4772
2.5	0.4938

138

출제율

평균이 m, 표준편차가 10인 정규분포를 따르는 모집단에서 크기가 25인 표본을 임의추출한 표본평균을 $\overline{X}$라고 하자.
$P(\overline{X} \geq 2000) = 0.9772$를 만족시키는 상수 m의 값을 오른쪽 표준정규분포표를 이용하여 구한 것은?

z	$P(0 \leq Z \leq z)$
1.5	0.4332
2.0	0.4772
2.5	0.4938
3.0	0.4987

① 2003 ② 2004 ③ 2005
④ 2006 ⑤ 2007

139

출제율

어느 공장에서 생산하는 즉석 밥 1개의 무게는 평균이 200 g이고 표준편차가 1.8 g인 정규분포를 따른다고 한다. 이 공장에서 생산한 즉석밥 중에서 임의로 택한 9개의 무게의 평균이 198.5 g 이상일 확률을 오른쪽 표준정규분포표를 이용하여 구한 것은?

z	$\mathrm{P}(0 \le Z \le z)$
1.0	0.3413
1.5	0.4332
2.0	0.4772
2.5	0.4938

① 0.7745 ② 0.8413 ③ 0.9332
④ 0.9772 ⑤ 0.9938

140 교육청 기출

출제율

어느 도시의 시민 한 명이 1년 동안 병원을 이용한 횟수는 평균이 14, 표준편차가 3.2인 정규분포를 따른다고 한다. 이 도시의 시민 중에서 임의추출한 256명이 1년 동안 병원을 이용한 횟수의 표본평균이 13.7 이상이고 14.2 이하일 확률을 오른쪽 표준정규분포표를 이용하여 구한 것은?

z	$\mathrm{P}(0 \le Z \le z)$
1.0	0.3413
1.5	0.4332
2.0	0.4772
2.5	0.4938

① 0.6826 ② 0.7745 ③ 0.8185
④ 0.9104 ⑤ 0.9710

개념 3 모평균의 추정

(1) **추정:** 모평균, 모표준편차와 같이 모집단의 특성을 나타내는 값을 확률적으로 추측하는 것

(2) **모평균의 신뢰구간:** 정규분포 $\mathrm{N}(m, \sigma^2)$을 따르는 모집단에서 크기가 n인 표본을 임의추출하여 구한 표본평균 $\overline{X}$의 값을 $\overline{x}$라고 하면 모평균 m의 신뢰구간은 다음과 같다.

① 신뢰도 95 %일 때

$$\overline{x}-1.96\frac{\sigma}{\sqrt{n}} \le m \le \overline{x}+1.96\frac{\sigma}{\sqrt{n}}$$

② 신뢰도 99 %일 때

$$\overline{x}-2.58\frac{\sigma}{\sqrt{n}} \le m \le \overline{x}+2.58\frac{\sigma}{\sqrt{n}}$$

참고 모평균의 신뢰구간을 구할 때, 모표준편차 σ의 값이 주어지지 않은 경우 표본의 크기 n이 충분히 크면 모표준편차 σ 대신에 표본표준편차 S의 값을 이용해도 좋다.
└ $n \ge 30$이면 n을 충분히 큰 값으로 생각한다.

(3) **신뢰구간의 길이**

정규분포 $\mathrm{N}(m, \sigma^2)$을 따르는 모집단에서 크기가 n인 표본을 임의추출할 때, 모평균 m의 신뢰구간의 길이는 다음과 같다.

① 신뢰도 95 %일 때: $2\times1.96\times\frac{\sigma}{\sqrt{n}}$

② 신뢰도 99 %일 때: $2\times2.58\times\frac{\sigma}{\sqrt{n}}$

등급업 TIP

신뢰도가 α %인 신뢰구간의 길이

$2k\frac{\sigma}{\sqrt{n}}\left(\mathrm{P}(|Z| \le k)=\frac{\alpha}{100}\right)$에서

(1) 신뢰도가 일정할 때, n의 값이 커지면 신뢰구간의 길이는 짧아지고, n의 값이 작아지면 신뢰구간의 길이는 길어진다.

(2) n의 값이 일정할 때, 신뢰도가 커지면 신뢰구간의 길이는 길어지고, 신뢰도가 작아지면 신뢰구간의 길이는 짧아진다.

141

출제율

정규분포 $\mathrm{N}(m, 5^5)$을 따르는 모집단에서 크기가 100인 표본을 임의추출하여 조사한 결과 표본평균이 53.51이었다. 모평균 m을 신뢰도 95 %로 추정한 신뢰구간을 구하여라.
(단, Z가 표준정규분포를 따르는 확률변수일 때, $\mathrm{P}(|Z| \le 1.96)=0.95$로 계산한다.)

정답과 풀이 079쪽

142

출제율

어느 예능 프로그램의 방송 시간은 표준편차가 4분인 정규분포를 따른다고 한다. 이 예능 프로그램에서 100회를 임의추출하여 방송 시간의 평균을 조사하였더니 67분이었다. 이 예능 프로그램 방송 시간의 모평균을 신뢰도 99 %로 추정한 신뢰구간의 길이를 구하여라.
(단, Z가 표준정규분포를 따르는 확률변수일 때, $\mathrm{P}(|Z| \le 2.58) = 0.99$로 계산한다.)

143

출제율

어느 밭에서 수확한 딸기의 무게는 정규분포를 따른다고 한다. 이 딸기 중에서 임의추출한 n $(n \ge 30)$개의 무게를 조사하였더니 평균이 20 g, 표준편차가 5 g이었다. 이 결과를 이용하여 이 밭에서 수확한 딸기의 무게의 모평균 m을 신뢰도 95 %로 추정한 신뢰구간이 19.02 이상이고 a 이하이다. $n+a$의 값은?
(단, Z가 표준정규분포를 따르는 확률변수일 때, $\mathrm{P}(0 \le Z \le 1.96) = 0.475$로 계산한다.)

① 84.98 ② 85.96 ③ 101.02
④ 120.98 ⑤ 121.96

144

출제율

모평균이 m, 모표준편차가 σ인 정규분포를 따르는 모집단이 있다. 이 모집단에서 크기가 36인 표본을 임의추출하여 신뢰도 99 %로 추정한 모평균 m에 대한 신뢰구간이 $22.71 \le m \le 25.29$일 때, σ의 값을 구하여라.
(단, Z가 표준정규분포를 따르는 확률변수일 때, $\mathrm{P}(|Z| \le 2.58) = 0.99$로 계산한다.)

145

출제율

어느 고등학교 전체 학생들의 기상 시간은 표준편차가 6분인 정규분포를 따른다고 한다. 이 고등학교 학생 전체에 대한 기상 시간의 모평균을 신뢰도 95 %로 추정할 때, 신뢰구간의 길이가 2분 이하가 되도록 하려고 한다. 조사하여야 할 표본의 크기의 최솟값은?
(단, Z가 표준정규분포를 따르는 확률변수일 때, $\mathrm{P}(|Z| \le 1.96) = 0.95$로 계산한다.)

① 129 ② 131 ③ 133
④ 135 ⑤ 139

146 평가원 기출

출제율

어느 고등학교 학생들의 1개월 자율학습실 이용 시간은 평균이 m, 표준편차가 5인 정규분포를 따른다고 한다. 이 고등학교 학생 25명을 임의추출하여 1개월 자율학습실 이용 시간을 조사한 표본평균이 $\overline{x_1}$일 때, 모평균 m에 대한 신뢰도 95 %의 신뢰구간이
$80-a \le m \le 80+a$이었다. 또, 이 고등학교 학생 n명을 임의추출하여 1개월 자율학습실 이용 시간을 조사한 표본평균이 $\overline{x_2}$일 때, 모평균 m에 대한 신뢰도 95 %의 신뢰구간이 다음과 같다.

$$\frac{15}{16}\overline{x_1} - \frac{5}{7}a \le m \le \frac{15}{16}\overline{x_1} + \frac{5}{7}a$$

$n+\overline{x_2}$의 값은?
(단, 이용 시간의 단위는 시간이고, Z가 표준정규분포를 따르는 확률변수일 때, $\mathrm{P}(0 \le Z \le 1.96) = 0.475$로 계산한다.)

① 121 ② 124 ③ 127
④ 130 ⑤ 133

최상위권 도약 실력 완성 문제

개념 1 표본평균의 평균, 분산, 표준편차

147

표준편차가 16인 어느 모집단에서 크기가 n인 표본을 임의추출할 때, 표본평균 $\overline{X}$의 표준편차가 4 이하가 되도록 하는 n의 최솟값을 구하여라.

148 학교 기출 신유형

어느 모집단의 확률변수 X의 확률질량함수가

$$\mathrm{P}(X=r)={}_{50}\mathrm{C}_r\left(\frac{1}{5}\right)^r\left(\frac{4}{5}\right)^{50-r}\ (r=0,\ 1,\ 2,\ \cdots,\ 50)$$

이다. 이 모집단에서 크기가 8인 표본을 임의추출할 때, 표본평균 $\overline{X}$에 대하여 $\mathrm{E}(\overline{X})+\mathrm{V}(\overline{X})$의 값은?

① 8 ② 9 ③ 10
④ 11 ⑤ 12

149

모평균이 6, 모표준편차가 4인 어떤 모집단에서 크기가 n인 표본을 복원추출할 때, 그 표본평균 $\overline{X}$의 분산이 4라고 한다. $\overline{X}^2+n$의 평균을 구하여라.

150 평가원 기출

숫자 1이 적혀 있는 공 10개, 숫자 2가 적혀 있는 공 20개, 숫자 3이 적혀 있는 공 30개가 들어 있는 주머니가 있다. 이 주머니에서 임의로 한 개의 공을 꺼내어 공에 적혀 있는 수를 확인한 후 다시 넣는다. 이와 같은 시행을 10번 반복하여 확인한 10개의 수의 합을 확률변수 Y라고 하자. 다음은 확률변수 Y의 평균 $\mathrm{E}(Y)$와 분산 $\mathrm{V}(Y)$를 구하는 과정이다.

주머니에 들어 있는 60개의 공을 모집단으로 하자. 이 모집단에서 임의로 한 개의 공을 꺼낼 때, 이 공에 적혀 있는 수를 확률변수 X라고 하면 X의 확률분포, 즉 모집단의 확률분포는 다음 표와 같다.

X	1	2	3	합계
$\mathrm{P}(X=x)$	$\frac{1}{6}$	$\frac{1}{3}$	$\frac{1}{2}$	1

따라서 모평균 m과 모분산 σ^2은

$$m=\mathrm{E}(X)=\frac{7}{3},\ \sigma^2=\mathrm{V}(X)=\boxed{(가)}$$

이다.
모집단에서 크기가 10인 표본을 임의추출하여 구한 표본평균을 $\overline{X}$라고 하면

$$\mathrm{E}(\overline{X})=\frac{7}{3},\ \mathrm{V}(\overline{X})=\boxed{(나)}$$

이다.
주머니에서 n번째 꺼낸 공에 적혀 있는 수를 X_n이라고 하면

$$Y=X_1+X_2+X_3+\cdots+X_{10}=10\overline{X}$$

이므로

$$\mathrm{E}(Y)=\frac{70}{3},\ \mathrm{V}(Y)=\boxed{(다)}$$

이다.

위의 (가), (나), (다)에 알맞은 수를 각각 p, q, r라고 할 때, $p+q+r$의 값은?

① $\frac{31}{6}$ ② $\frac{11}{2}$ ③ $\frac{35}{6}$
④ $\frac{37}{6}$ ⑤ $\frac{13}{2}$

개념 2 표본평균의 확률분포

151

정규분포 $\mathrm{N}(m, \sigma^2)$을 따르는 모집단에서 크기가 n_1, n_2 $(n_1<n_2)$인 표본을 복원추출하였을 때, 그 표본평균을 각각 $\overline{X_1}$, $\overline{X_2}$라고 하자. 표본평균 $\overline{X_1}$, $\overline{X_2}$에 대한 확률분포를 나타내는 함수를 각각 $f(x)$, $g(x)$라고 할 때, 두 함수 $f(x)$, $g(x)$의 그래프의 모양을 위의 그림에서 찾아 적은 것은?

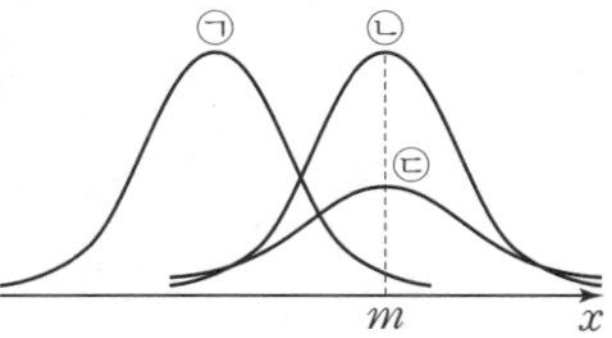

	$f(x)$	$g(x)$
①	㉠	㉡
②	㉡	㉠
③	㉠	㉢
④	㉡	㉢
⑤	㉢	㉡

152

어느 모집단이 정규분포 $\mathrm{N}(25, 4^2)$을 따르고, 이 정규분포의 확률밀도함수 $f(x)$의 그래프와 구간별 확률을 나타내면 다음 그림과 같다.

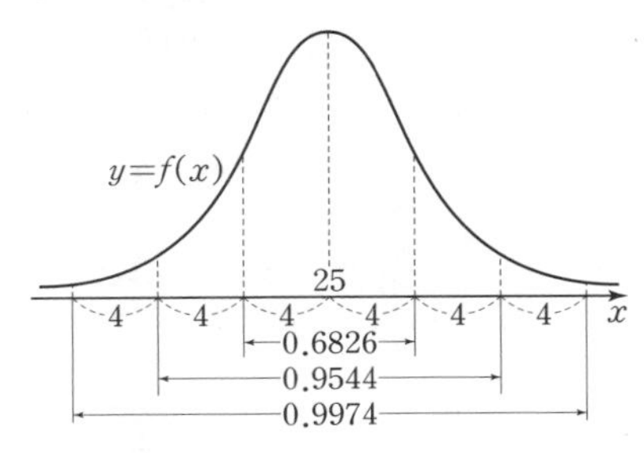

이 모집단에서 크기가 4인 표본을 임의추출할 때, 표본평균 $\overline{X}$에 대하여 $\mathrm{P}(23\le\overline{X}\le29)$의 값은?

① 0.6826 ② 0.8185 ③ 0.84 ④ 0.9544 ⑤ 0.9759

153

어느 학교의 체육 수행평가 점수 X는 평균이 60점, 표준편차가 σ점인 정규분포를 따르고 $\mathrm{P}(50\le X\le70)=0.6826$이다. 이 학교 학생 중에서 4명씩 임의로 모둠을 만들 때, 표본평균 $\overline{X}$에 대하여 $\mathrm{P}(50\le\overline{X}\le70)$의 값을 오른쪽 표준정규분포표를 이용하여 구한 것은?

z	$\mathrm{P}(0\le Z\le z)$
1.0	0.3413
2.0	0.4772
3.0	0.4987

① 0.3830 ② 0.6826 ③ 0.8664 ④ 0.9104 ⑤ 0.9544

154

어떤 모집단의 확률변수 X가 정규분포 $\mathrm{N}(m, 2^2)$을 따르고 이 정규분포의 확률밀도함수 $f(x)$는 모든 실수 x에 대하여 $f(x)=f(60-x)$를 만족시킨다. 이 모집단에서 임의추출한 크기가 n인 표본평균을 $\overline{X}$라고 하자. $\mathrm{P}(X\le26)=\mathrm{P}(\overline{X}\ge32)$가 성립할 때, $\mathrm{P}(28\le\overline{X}\le31)$의 값을 오른쪽 표준정규분포표를 이용하여 구하여라.

z	$\mathrm{P}(0\le Z\le z)$
1.0	0.3413
1.5	0.4332
2.0	0.4772
2.5	0.4938

155 평가원 기출

대중교통을 이용하여 출근하는 어느 지역 직장인의 월 교통비는 평균이 8이고 표준편차가 1.2인 정규분포를 따른다고 한다. 대중교통을 이용하여 출근하는 이 지역 직장인 중 임의추출한 n명의 월 교통비의 표본평균을 $\overline{X}$라고 할 때, $\mathrm{P}(7.76 \le \overline{X} \le 8.24) \ge 0.6826$이 되기 위한 n의 최솟값을 오른쪽 표준정규분포표를 이용하여 구하여라.
(단, 교통비의 단위는 만 원이다.)

z	$\mathrm{P}(0 \le Z \le z)$
0.5	0.1915
1.0	0.3413
1.5	0.4332
2.0	0.4772

156

어느 신발 공장에서 생산하는 운동화 한 켤레의 무게 X는 평균이 m g, 표준편차가 6 g인 정규분포를 따른다고 한다. $\mathrm{P}(2m-a \le X \le a)=0.9544$일 때, 이 공장에서 생산하는 운동화 중에서 임의추출한 9켤레의 운동화 무게의 표본평균을 $\overline{X}$라고 하자.
$\mathrm{P}(|\overline{X}-a+8| \le 1)$의 값을 오른쪽 표준정규분포표를 이용하여 구한 것은? (단, $a>m$)

z	$\mathrm{P}(0 \le Z \le z)$
1.0	0.3413
1.5	0.4332
2.0	0.4772
2.5	0.4938

① 0.0166 ② 0.0440 ③ 0.0606
④ 0.1359 ⑤ 0.1525

157 학교 기출 신유형

평균이 m, 표준편차가 2인 정규분포를 따르는 모집단에서 크기가 n인 표본을 임의추출할 때, 표본평균 $\overline{X}$에 대하여 $f(m)=\mathrm{P}\left(\overline{X} \le 1.96 \times \dfrac{2}{\sqrt{n}}\right)$라고 하자. 이때 $f(0)+f(0.9) \le 1.025$를 만족시키는 n의 최솟값은?
(단, Z가 표준정규분포를 따르는 확률변수일 때, $\mathrm{P}(0 \le Z \le 1.64)=0.450$, $\mathrm{P}(0 \le Z \le 1.96)=0.475$로 계산한다.)

① 36 ② 49 ③ 64
④ 81 ⑤ 100

158 학교 기출 신유형

정규분포 $\mathrm{N}(20,\ 4)$를 따르는 모집단에서 크기가 4인 표본을 임의추출할 때, 표본평균을 $\overline{X}$라고 하자.
$2 \le a \le 8$인 임의의 실수 a에 대하여
$\mathrm{P}(X \ge a)=\mathrm{P}(\overline{X} \ge b)$를 만족시키는 두 실수 a, b의 순서쌍 $(a,\ b)$를 좌표평면 위에 나타낼 때, 점 $(a,\ b)$가 나타내는 도형의 길이는?

① $8\sqrt{2}$ ② $2\sqrt{5}$ ③ $3\sqrt{5}$
④ $2\sqrt{15}$ ⑤ $3\sqrt{15}$

정답과 풀이 081쪽

159

어느 공장에서 만드는 물품의 무게는 평균이 70 mg, 표준편차가 6 mg인 정규분포를 따른다고 한다. 이 공장에서 만드는 물품 중에서 임의추출한 한 개의 무게가 76 mg 이상일 확률을 p_1, 임의추출한 n개의 무게의 평균이 76 mg 이상일 확률을 p_2라고 할 때, $p_1-p_2=0.1359$이다. n의 값을 오른쪽 표준정규분포표를 이용하여 구한 것은?

z	$\mathrm{P}(0\le Z\le z)$
0.5	0.1915
1.0	0.3413
1.5	0.4332
2.0	0.4772
2.5	0.4938
3.0	0.4987

① 4　② 9　③ 16　④ 25　⑤ 36

개념 3 모평균의 추정

160

정규분포 $\mathrm{N}(m, 18^2)$을 따르는 모집단에서 크기가 n인 표본을 임의추출하여 신뢰도 95 %로 모평균 m을 추정할 때, 표본평균 $\overline{X}$에 대하여 $|m-\overline{X}|\le 4$가 되도록 하는 n의 최솟값은?

(단, Z가 표준정규분포를 따르는 확률변수일 때, $\mathrm{P}(|Z|\le 1.96)=0.95$로 계산한다.)

① 76　② 78　③ 80　④ 82　⑤ 84

161

어느 공장에서 생산되는 제품의 무게는 표준편차가 0.5인 정규분포를 따르고, n개의 제품을 임의추출하여 무게를 조사하는 비용을 c원이라고 하면 $c^2=100n$인 관계가 성립한다고 한다. 다음 중 생산된 제품의 무게에 대한 신뢰도 95 %의 신뢰구간의 길이 l과 c 사이의 관계에 대한 그래프로 알맞은 것은?

(단, 무게의 단위는 g이고 Z가 표준정규분포를 따르는 확률변수일 때, $\mathrm{P}(|Z|\le 1.96)=0.95$로 계산한다.)

①
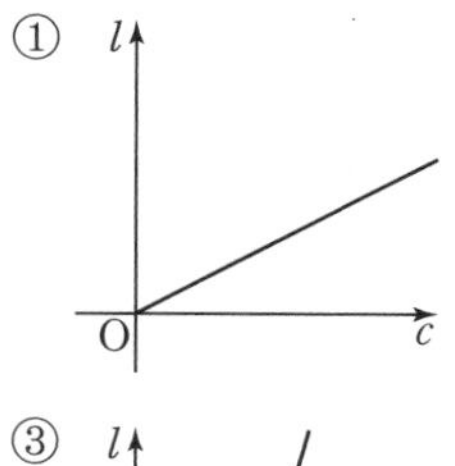

②
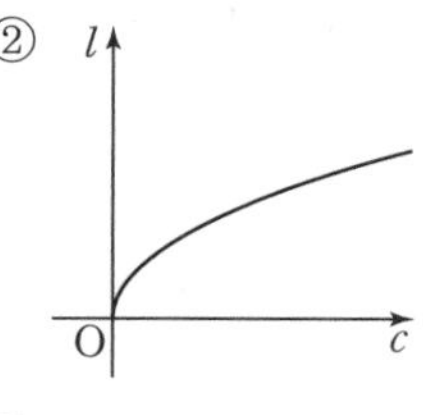

③
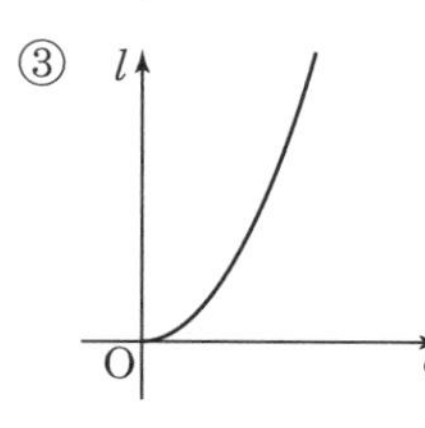

④
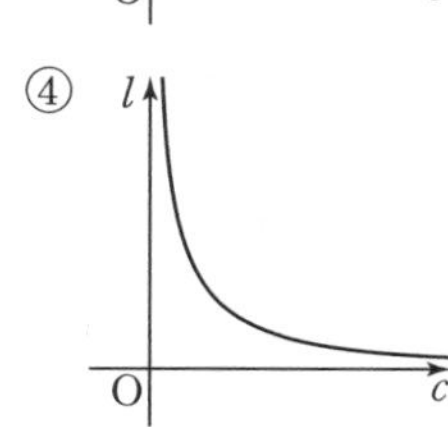

⑤
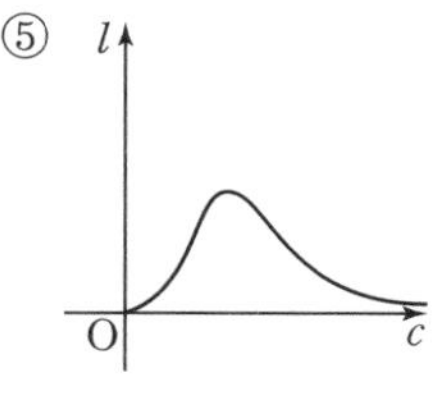

162

정규분포 $\mathrm{N}(m, 1)$을 따르는 모집단에서 크기가 n, $n+200$인 표본을 각각 임의추출하여 같은 신뢰도로 모집단의 평균을 추정할 때, 신뢰구간의 길이를 각각 h_1, h_2라고 하자. $h_1=3h_2$일 때, n의 값을 구하여라.

163 다빈출

정규분포 $N(m, \sigma^2)$을 따르는 모집단에서 표본을 임의추출하여 모평균을 추정하려고 한다. |보기|에서 옳은 것만을 있는 대로 고른 것은?
(단, Z가 표준정규분포를 따르는 확률변수일 때, $P(|Z| \le 1.96) = 0.95$, $P(|Z| \le 2.58) = 0.99$로 계산한다.)

보기

ㄱ. 표본평균 $\overline{X}$의 분산은 표본의 크기에 반비례한다.
ㄴ. 같은 표본을 사용할 때, 신뢰도 99 %의 신뢰구간은 신뢰도 95 %의 신뢰구간을 포함한다.
ㄷ. 신뢰도가 일정할 때, 표본의 크기가 작을수록 신뢰구간의 길이는 짧아진다.

① ㄱ ② ㄴ ③ ㄱ, ㄴ
④ ㄱ, ㄷ ⑤ ㄱ, ㄴ, ㄷ

164

정규분포를 따르는 모집단에서 수지는 크기가 n_1인 표본을 추출하여 신뢰도 95 %로 모평균을 추정하였고, 태오는 크기가 n_2인 표본을 추출하여 신뢰도 99 %로 모평균을 추정하였다. 수지와 태오가 추정한 신뢰구간의 길이가 서로 같을 때, $\frac{n_2}{n_1}$의 값은?
(단, Z가 표준정규분포를 따르는 확률변수일 때, $P(|Z| \le 1.96) = 0.95$, $P(|Z| \le 2.58) = 0.99$로 계산한다.)

① $\sqrt{\frac{258}{196}}$ ② $\frac{258}{196}$ ③ $\left(\frac{258}{196}\right)^2$
④ $\frac{196}{258}$ ⑤ $\left(\frac{196}{258}\right)^2$

165 학교 기출 신유형

정규분포 $N(m, \sigma^2)$을 따르는 모집단에서 크기가 n인 표본을 임의추출하여 신뢰도 α %로 모평균 m을 추정할 때, 신뢰구간의 길이를 $f(n, \alpha)$라고 하자. |보기|에서 옳은 것만을 있는 대로 고른 것은?

보기

ㄱ. $f(n, \alpha) = 2f(4n, \alpha)$
ㄴ. $f(n^2, \alpha) > f(2n, \alpha)$
ㄷ. $\alpha < \beta$이면 $f(n, \alpha) < f(n, \beta)$

① ㄱ ② ㄴ ③ ㄱ, ㄴ
④ ㄱ, ㄷ ⑤ ㄴ, ㄷ

166 평가원 기출

어느 지역 주민들의 하루 여가 활동 시간은 평균이 m분, 표준편차가 σ분인 정규분포를 따른다고 한다. 이 지역 주민 중 16명을 임의추출하여 구한 하루 여가 활동 시간의 표본평균이 75분일 때, 모평균 m에 대한 신뢰도 95 %의 신뢰구간이 $a \le m \le b$이다. 이 지역 주민 중 16명을 다시 임의추출하여 구한 하루 여가 활동 시간의 표본평균이 77분일 때, 모평균 m에 대한 신뢰도 99 %의 신뢰구간이 $c \le m \le d$이다. $d - b = 3.86$을 만족시키는 σ의 값을 구하여라.
(단, Z가 표준정규분포를 따르는 확률변수일 때, $P(|Z| \le 1.96) = 0.95$, $P(|Z| \le 2.58) = 0.99$로 계산한다.)

167

오른쪽 그림과 같이 한 변의 길이가 1인 정육각형의 각 꼭짓점에 시곗바늘이 도는 방향으로 1, 2, 3, 4, 5, 6이 각각 하나씩 적혀 있다. 세 주사위 A, B, C를 동시에 던져서 나온 눈의 수를 해당하는 꼭짓점에 세 점 A, B, C를 대응시킬 때, $\triangle$ABC의 넓이를 확률변수 X라고 하자. E(X)의 값은?

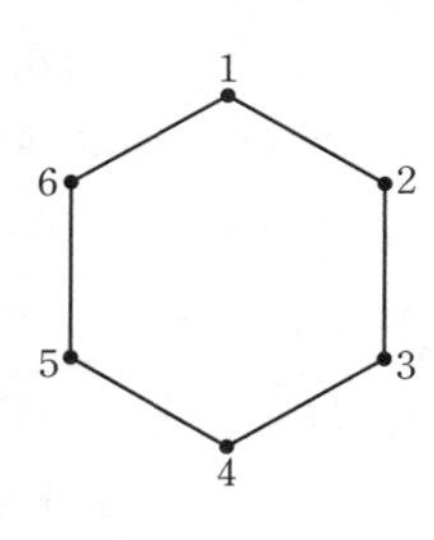

(단, 삼각형이 만들어지지 않으면 $\triangle$ABC의 넓이는 0으로 생각한다.)

① $\frac{\sqrt{3}}{6}$　② $\frac{\sqrt{3}}{4}$　③ $\frac{\sqrt{3}}{3}$
④ $\frac{\sqrt{3}}{2}$　⑤ $\frac{5\sqrt{3}}{6}$

168

빨간색 구슬 3개, 파란색 구슬 2개로 이루어진 팔찌에 구슬 2개를 추가하였다. 이때 추가한 구슬 중에서 빨간색 구슬의 개수는 이항분포 $B\left(2, \frac{1}{2}\right)$을 따른다. 팔찌에 달린 7개의 구슬 중에서 임의로 택한 한 개의 구슬이 파란색일 때, 추가한 구슬이 모두 빨간색이었을 확률은?

(단, 추가하는 구슬의 색은 빨간색과 파란색뿐이다.)

① $\frac{1}{6}$　② $\frac{1}{4}$　③ $\frac{1}{3}$
④ $\frac{1}{2}$　⑤ $\frac{3}{4}$

169

A와 B가 가위바위보를 한 번 할 때 각각 가위, 바위, 보를 낼 확률은 다음 표와 같다.

	가위	바위	보
A	$\frac{1}{5}$	$\frac{3}{5}$	$\frac{1}{5}$
B	$\frac{2}{5}$	$\frac{1}{5}$	$\frac{2}{5}$

A와 B가 가위바위보를 한 번 하여 이기면 4점을 얻고, 비기거나 지면 1점을 얻는 시행을 n회 반복한다. n회의 시행 후 A가 얻는 점수의 합의 기댓값이 1300점일 때, n회의 시행 후 A가 얻는 점수의 합이 1372점 이상일 확률을 오른쪽 표준정규분포표를 이용하여 구한 것은?

z	$P(0 \le Z \le z)$
1.0	0.3413
1.5	0.4332
2.0	0.4772
2.5	0.4938
3.0	0.4987

① 0.0013　② 0.0062　③ 0.0228
④ 0.0668　⑤ 0.1587

170

확률변수 X는 이항분포 $\mathrm{B}\left(n^2, \frac{1}{5}\right)$을 따르고, 확률변수 Z는 표준정규분포 $\mathrm{N}(0, 1)$을 따른다.

$$g(n)=\mathrm{P}\left(\left|\frac{X}{n^2}-\frac{1}{5}\right|<\frac{1}{10}\right)=\mathrm{P}(|Z|<f(n))$$

을 만족시키는 $f(n)$, $g(n)$에 대하여 |보기|에서 옳은 것만을 있는 대로 고른 것은?

보기

ㄱ. n이 한없이 커질 때 $g(n)$의 값은 1에 가까워진다.

ㄴ. 충분히 큰 자연수 n_1, n_2에 대하여 $n_1 \le n_2$이면 $g(n_1) \le g(n_2)$이다.

ㄷ. 충분히 큰 자연수 n에 대하여 $f(2n)=2f(n)$이다.

① ㄴ ② ㄷ ③ ㄱ, ㄴ
④ ㄴ, ㄷ ⑤ ㄱ, ㄴ, ㄷ

171

정규분포 $\mathrm{N}(m, \sigma^2)$을 따르는 모집단에서 크기가 n인 표본을 임의추출하여 얻은 모평균 m에 대한 신뢰도 95 %의 신뢰구간은 $116.84 \le m \le 124.68$이고, 크기가 n^2인 표본을 임의추출하여 얻은 모평균 m에 대한 신뢰도 95 %의 신뢰구간은 $120.28 \le m \le 122.24$이다.
이 모집단에서 크기가 100인 표본을 임의추출하여 얻은 모평균 m에 대한 신뢰도 95 %의 신뢰구간의 길이는?
(단, Z가 표준정규분포를 따르는 확률변수일 때, $\mathrm{P}(|Z| \le 1.96)=0.95$로 계산한다.)

① 0.846 ② 2.185 ③ 2.368
④ 3.136 ⑤ 3.584

제한시간 : 30분

정답과 풀이 086쪽

01

확률변수 X의 평균을 $\mathrm{E}(X)$, 분산을 $\mathrm{V}(X)$라고 하자. 확률변수 $Y=\frac{1}{2}X+5$에 대하여 $\mathrm{E}(Y)=4$, $\mathrm{E}(Y^2)=28$일 때, $\mathrm{E}(X)+\mathrm{V}(X)$의 값은? **[3점]**

① 46 ② 47 ③ 48
④ 49 ⑤ 50

02

이항분포 $\mathrm{B}(4,\ p)$를 따르는 확률변수 X에 대하여 $\mathrm{P}(X=0)=\frac{1}{16}$일 때, p의 값은? (단, $0<p<1$) **[3점]**

① $\frac{1}{16}$ ② $\frac{1}{8}$ ③ $\frac{1}{4}$
④ $\frac{1}{2}$ ⑤ $\frac{3}{4}$

03

연속확률변수 X의 확률밀도함수 $y=f(x)$의 그래프가 오른쪽 그림과 같을 때,

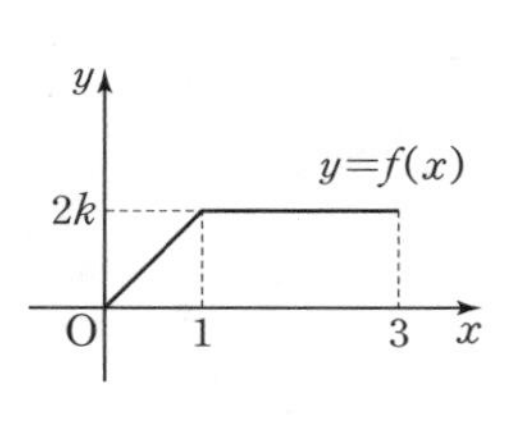

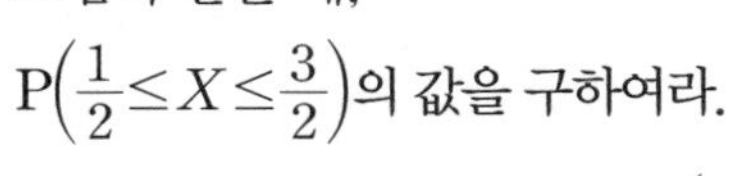
$\mathrm{P}\left(\frac{1}{2}\le X\le\frac{3}{2}\right)$의 값을 구하여라.

(단, k는 상수이다.) **[3점]**

04

정규분포 $\mathrm{N}(m,\ 4)$를 따르는 확률변수 X에 대하여 함수 $g(k)=\mathrm{P}(k-6\le X\le k)$는 $k=8$일 때, 최댓값을 갖는다. 상수 m의 값은? **[3점]**

① 2 ② 3 ③ 4
④ 5 ⑤ 6

05

어떤 모집단의 확률분포표를 표로 나타내면 다음과 같다.

X	1	2	3	합계
$\mathrm{P}(X=x)$	0.5	0.3	0.2	1

이 모집단에서 크기가 2인 표본을 복원추출할 때, 표본평균 $\overline{X}$의 확률분포를 표로 나타내면 다음과 같다.

$\overline{X}$	1	1.5	2	2.5	3	합계
$\mathrm{P}(\overline{X}=\overline{x})$	0.25	a	b	0.12	0.04	1

이때 $1000ab$의 값을 구하여라. **[3점]**

06

확률변수 X의 확률질량함수가

$$P(X=x)=\frac{k}{x(x-1)}\ (x=2,\ 3,\ 4,\ \cdots,\ 9)$$

일 때, 상수 k의 값은? **[4점]**

① $\frac{7}{9}$　② $\frac{7}{8}$　③ $\frac{8}{9}$　④ $\frac{9}{8}$　⑤ $\frac{9}{7}$

07

확률변수 X의 확률분포를 표로 나타내면 다음과 같을 때, $\sigma(5X+3)$의 값을 구하여라. (단, a는 상수이다.) **[4점]**

X	1	2	3	4	5	합계
$P(X=x)$	$\frac{2}{15}$	$\frac{2}{15}$	a	$\frac{4}{15}$	$\frac{1}{15}$	1

08

정규분포 $N(1,\ \sigma^2)$을 따르는 확률변수 X에 대하여

$$P(1-2\sigma\le X\le 1+2\sigma)=a,$$
$$P(1+\sigma\le X\le 1+2\sigma)=b$$

라고 할 때, $P(1-\sigma\le X\le 1+\sigma)$의 값을 a, b로 나타낸 것은? **[4점]**

① $a-b$　② $a-2b$　③ $a-3b$　④ $a+b$　⑤ $a+2b$

09

정규분포 $N(m,\ \sigma^2)$을 따르는 모집단에서 크기가 n인 표본을 임의추출하여 모평균을 추정하려고 한다. 신뢰도 98 %로 추정한 신뢰구간의 길이가 l일 때, 신뢰도 68 %로 추정한 신뢰구간의 길이를 오른쪽 표준정규분포표를 이용하여 구한 것은? **[4점]**

z	$P(0\le Z\le z)$
1.0	0.34
1.5	0.43
2.0	0.48
2.5	0.49

① $\frac{1}{5}l$　② $\frac{2}{5}l$　③ $\frac{3}{5}l$　④ $\frac{4}{5}l$　⑤ $\frac{5}{6}l$

10

어느 항공사 조종사의 비행 시간은 평균이 1400시간, 표준편차가 100시간인 정규분포를 따른다고 한다. 이 항공사 조종사 중에서 n명을 임의추출하여 구한 표본평균을 $\overline{X}$라고 할 때,

$$P\left(\overline{X}\ge 1350+\frac{165}{\sqrt{n}}\right)\ge 0.95$$

를 만족시키는 n의 최솟값은?
(단, Z가 표준정규분포를 따르는 확률변수일 때, $P(0\le Z\le 1.65)=0.45$, $P(0\le Z\le 1.96)=0.475$로 계산한다.) **[4점]**

① 28　② 32　③ 36　④ 40　⑤ 44

실력점검

맞힌 개수	/10개	점수	/35점

미니 모의고사 - 2회

제한시간 : 30분

정답과 풀이 087쪽

01

네 개의 동전을 동시에 던질 때, 나오는 앞면의 개수를 확률변수 X라고 하면 X의 확률질량함수는

$$P(X=k)=\frac{1}{16}\times {}_{n}C_{k}\ (k=0,\ 1,\ 2,\ 3,\ 4)$$

이다. 자연수 n의 값은? **[3점]**

① 4　② 5　③ 6　④ 7　⑤ 8

02

확률변수 X의 평균이 0, 표준편차가 1일 때, 확률변수 $Y=aX+b$의 평균은 5, 표준편차는 10이다. 상수 a, b에 대하여 ab의 값을 구하여라. (단, $a>0$) **[3점]**

03

연속확률변수 X의 확률밀도함수 $y=f(x)$ $(0\le x\le 2)$의 그래프가 오른쪽 그림과 같을 때, 상수 a의 값은? **[3점]**

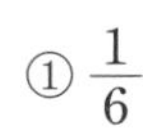

① $\frac{1}{6}$　② $\frac{1}{3}$　③ $\frac{1}{2}$　④ $\frac{2}{3}$　⑤ $\frac{5}{6}$

04

희수가 받는 문자메시지는 3개 중 1개 꼴로 스팸메시지라고 한다. 희수가 받은 문자메시지 72개 중에서 스팸메시지가 28개 이상일 확률을 오른쪽 표준정규분포표를 이용하여 구한 것은? **[3점]**

z	$P(0\le Z\le z)$
0.5	0.19
1.0	0.34
1.5	0.43
2.0	0.48

① 0.02　② 0.07　③ 0.16　④ 0.19　⑤ 0.31

05

평균이 100, 표준편차가 20인 정규분포를 따르는 모집단에서 크기가 n인 표본을 임의추출하여 그 표본평균을 $\overline{X}$라고 하자. 함수 $f(n)=P(100\le \overline{X}\le 120)$에 대하여 $f(4)-f(1)$의 값을 오른쪽 표준정규분포표를 이용하여 구한 것은? **[3점]**

z	$P(0\le Z\le z)$
0.5	0.1915
1.0	0.3413
1.5	0.4332
2.0	0.4772

① 0.0668　② 0.1248　③ 0.1359　④ 0.1498　⑤ 0.2417

06

4개의 동전을 동시에 던져서 앞면이 4개 나오거나 하나도 나오지 않으면 2000원을 받고, 앞면이 2개 나오면 400원을 지불하며 그 외의 경우는 받거나 지불하는 금액이 없다고 할 때, 한 번의 시행에서 받을 수 있는 금액의 기댓값은? **[4점]**

① 50원　② 100원　③ 150원　④ 200원　⑤ 300원

07

어느 호텔에서는 예약된 객실 20개 중 1개 꼴로 사전 통보 없이 객실에 입실하지 않는다고 한다. 이 호텔의 객실은 70개이고 크리스마스에 예약된 객실이 72개일 때, 크리스마스에 객실이 부족하게 될 확률은?
(단, 크리스마스 전까지 사전에 예약을 취소하는 경우는 없고, $0.95^{71}=0.0262$, $0.95^{72}=0.0249$로 계산한다.) **[4점]**

① 0.11886 ② 0.11898 ③ 0.11910
④ 0.11922 ⑤ 0.11934

08

연속확률변수 X의 확률밀도함수 $f(x)\,(-2\le x\le 2)$가 다음 조건을 만족시킬 때, $\mathrm{P}\left(-\frac{7}{5}\le X\le 0\right)$의 값은? **[4점]**

> (가) $f(-x)=f(x)\ \ (0\le x\le 2)$
> (나) $\mathrm{P}\left(0\le X\le \frac{7}{5}\right)=6\mathrm{P}\left(\frac{7}{5}\le X\le 2\right)$

① $\frac{1}{7}$ ② $\frac{2}{7}$ ③ $\frac{3}{7}$
④ $\frac{4}{7}$ ⑤ $\frac{5}{7}$

09

어느 고등학교 학생 1000명의 키는 평균이 170 cm, 표준편차가 5 cm인 정규분포를 이룬다고 한다. 이 학생들 중에서 키가 200번째로 큰 학생의 키를 오른쪽 표준정규분포표를 이용하여 구한 것은? **[4점]**

z	$\mathrm{P}(0\le Z\le z)$
0.53	0.20
0.67	0.25
0.84	0.30
1.04	0.35
1.28	0.40

① 173.6 cm ② 173.8 cm ③ 174 cm
④ 174.2 cm ⑤ 174.6 cm

10

정규분포 $\mathrm{N}(m,\ \sigma^2)$을 따르는 모집단에서 크기가 n인 표본을 임의추출하여 얻은 모평균에 대한 신뢰도 95 %의 신뢰구간이 $100.4\le m\le 139.6$이었다. 같은 표본을 이용하여 얻은 모평균에 대한 신뢰도 99 %의 신뢰구간에 속하는 자연수의 개수를 구하여라.
(단, Z가 표준정규분포를 따르는 확률변수일 때, $\mathrm{P}(0\le Z\le 1.96)=0.475$, $\mathrm{P}(0\le Z\le 2.58)=0.495$로 계산한다.) **[4점]**

실력점검

맞힌 개수	/10개	점수	/35점

표준정규분포표

z	0	1	2	3	4	5	6	7	8	9
0.0	.0000	.0040	.0080	.0120	.0160	.0199	.0239	.0279	.0319	.0359
0.1	.0398	.0438	.0478	.0517	.0557	.0596	.0636	.0675	.0714	.0753
0.2	.0793	.0832	.0871	.0910	.0948	.0987	.1026	.1064	.1103	.1141
0.3	.1179	.1217	.1255	.1293	.1331	.1368	.1406	.1443	.1480	.1517
0.4	.1554	.1591	.1628	.1664	.1700	.1736	.1772	.1808	.1844	.1879
0.5	.1915	.1950	.1985	.2019	.2054	.2088	.2123	.2157	.2190	.2224
0.6	.2257	.2291	.2324	.2357	.2389	.2422	.2454	.2486	.2517	.2549
0.7	.2580	.2611	.2642	.2673	.2704	.2734	.2764	.2794	.2823	.2852
0.8	.2881	.2910	.2939	.2967	.2995	.3023	.3051	.3078	.3106	.3133
0.9	.3159	.3186	.3212	.3238	.3264	.3289	.3315	.3340	.3365	.3389
1.0	.3413	.3438	.3461	.3485	.3508	.3531	.3554	.3577	.3599	.3621
1.1	.3643	.3665	.3686	.3708	.3729	.3749	.3770	.3790	.3810	.3830
1.2	.3849	.3869	.3888	.3907	.3925	.3944	.3962	.3980	.3997	.4015
1.3	.4032	.4049	.4066	.4082	.4099	.4115	.4131	.4147	.4162	.4177
1.4	.4192	.4207	.4222	.4236	.4251	.4265	.4279	.4292	.4306	.4319
1.5	.4332	.4345	.4357	.4370	.4382	.4394	.4406	.4418	.4429	.4441
1.6	.4452	.4463	.4474	.4484	.4495	.4505	.4515	.4525	.4535	.4545
1.7	.4554	.4564	.4573	.4582	.4591	.4599	.4608	.4616	.4625	.4633
1.8	.4641	.4649	.4656	.4664	.4671	.4678	.4686	.4693	.4699	.4706
1.9	.4713	.4719	.4726	.4732	.4738	.4744	.4750	.4756	.4761	.4767
2.0	.4772	.4778	.4783	.4788	.4793	.4798	.4803	.4808	.4812	.4817
2.1	.4821	.4826	.4830	.4834	.4838	.4842	.4846	.4850	.4854	.4857
2.2	.4861	.4864	.4868	.4871	.4875	.4878	.4881	.4884	.4887	.4890
2.3	.4893	.4896	.4898	.4901	.4904	.4906	.4909	.4911	.4913	.4916
2.4	.4918	.4920	.4922	.4925	.4927	.4929	.4931	.4932	.4934	.4936
2.5	.4938	.4940	.4941	.4943	.4945	.4946	.4948	.4949	.4951	.4952
2.6	.4953	.4955	.4956	.4957	.4959	.4960	.4961	.4962	.4963	.4964
2.7	.4965	.4966	.4967	.4968	.4969	.4970	.4971	.4972	.4973	.4974
2.8	.4974	.4975	.4976	.4977	.4977	.4978	.4979	.4979	.4980	.4981
2.9	.4981	.4982	.4982	.4983	.4984	.4984	.4985	.4985	.4986	.4986
3.0	.4987	.4987	.4987	.4988	.4988	.4989	.4989	.4989	.4990	.4990
3.1	.4990	.4991	.4991	.4991	.4992	.4992	.4992	.4992	.4993	.4993
3.2	.4993	.4993	.4994	.4994	.4994	.4994	.4994	.4995	.4995	.4995
3.3	.4995	.4995	.4995	.4996	.4996	.4996	.4996	.4996	.4996	.4997
3.4	.4997	.4997	.4997	.4997	.4997	.4997	.4997	.4997	.4997	.4998

대부분의 사람들은

첫 호흡을 할 때

멀리 달리지 못하다가

어느새 두 번째 호흡을

하고 있음을 발견한다.

자신이 가지고 있는 모든 것을

꿈을 실현하는데 쏟아부어라.

그러면 자신에게서

얼마나 놀라운 힘이 나오는지

알게 될 것이다.

— 윌리엄 제임스(William James)

I 경우의 수

001 ⑤ 002 ② 003 72 004 C 005 ③
006 ③ 007 ④ 008 ③ 009 45 010 ③
011 ③ 012 ④ 013 ③ 014 ② 015 ②
016 420 017 ② 018 251 019 ⑤ 020 ④
021 ② 022 ④ 023 ③ 024 ② 025 ⑤
026 ① 027 ① 028 ④ 029 227 030 ⑤
031 ① 032 ① 033 ③ 034 ③ 035 ⑤
036 ④ 037 ⑤ 038 48 039 ④ 040 ②
041 ② 042 625 043 ⑤ 044 225 045 60
046 ③ 047 704 048 660 049 ③ 050 ②
051 ① 052 ④ 053 ④ 054 141 055 ④
056 ② 057 3090 058 40 059 ⑤ 060 ①
061 ③ 062 35 063 ② 064 15 065 ④
066 ③ 067 ② 068 ③ 069 27 070 ①
071 ② 072 ④ 073 ② 074 ① 075 ③
076 ⑤ 077 ① 078 ① 079 ③ 080 ①
081 42 082 ① 083 80 084 ① 085 ④
086 ④ 087 ⑤ 088 ③ 089 ② 090 ②
091 ④ 092 ① 093 ① 094 ③ 095 ①
096 4 097 ③ 098 ④ 099 ② 100 ③
101 455 102 ⑤ 103 ① 104 ② 105 ④
106 25 107 ②

상위 1% 도전 문제

108 ④ 109 ④ 110 ③ 111 ① 112 ③

미니 모의고사 - 1회

01 ③ 02 ③ 03 ② 04 ② 05 ①
06 50 07 ① 08 ③ 09 ④ 10 ①

미니 모의고사 - 2회

01 ③ 02 ④ 03 ④ 04 ③ 05 ④
06 34 07 ⑤ 08 ① 09 ① 10 ④

II 확률

001 ④ 002 6 003 ⑤ 004 ③ 005 ④
006 $\frac{18}{35}$ 007 ③ 008 ① 009 ② 010 ②
011 ④ 012 ③ 013 ① 014 ③ 015 ④
016 ① 017 ⑤ 018 $\frac{7}{9}$ 019 ⑤ 020 ④
021 ③ 022 ① 023 32 024 ② 025 ①
026 ④ 027 ② 028 ③ 029 ③ 030 ①
031 $\frac{7}{20}$ 032 ② 033 103 034 ③ 035 ③
036 ⑤ 037 $\frac{13}{25}$ 038 ④ 039 ⑤ 040 ③
041 ④ 042 ④ 043 ② 044 4 045 ⑤
046 ⑤ 047 ③ 048 $\frac{595}{729}$ 049 ② 050 89
051 ① 052 ⑤ 053 ⑤ 054 ⑤ 055 ②
056 ④ 057 ④ 058 ① 059 ③ 060 ⑤
061 ① 062 $\frac{1}{5}$ 063 ② 064 ⑤ 065 ④
066 34 067 ⑤ 068 ② 069 ② 070 ④
071 ② 072 $\frac{2}{81}$ 073 ② 074 ② 075 ⑤
076 ⑤ 077 ③ 078 ⑤ 079 ⑤ 080 ①
081 ③ 082 ④ 083 ① 084 $\frac{7}{12}$ 085 $\frac{2}{3}$
086 ④ 087 ② 088 ③ 089 ② 090 ②
091 72 092 ② 093 ① 094 ① 095 ⑤
096 ⑤ 097 ⑤ 098 ④ 099 ③ 100 ①
101 ② 102 47 103 ② 104 ② 105 ③
106 ② 107 ④ 108 ⑤ 109 25 110 ④
111 ① 112 $\frac{4}{625}$ 113 35 114 21 115 ②
116 ④ 117 ③ 118 ③ 119 ④ 120 ⑤
121 43 122 ③

상위 1% 도전 문제

123 49 124 ③ 125 ⑤ 126 ② 127 $\frac{2}{13}$

미니 모의고사 - 1회

01 ⑤ 02 ③ 03 ② 04 ② 05 ④
06 55 07 ④ 08 ④ 09 $\frac{3}{5}$ 10 ②

미니 모의고사 - 2회

01 ① 02 ② 03 ③ 04 ② 05 22
06 ⑤ 07 $\frac{497}{625}$ 08 $\frac{9}{13}$ 09 ② 10 ③

III 통계

001 ③	**002** ③	**003** $\frac{1}{10}$	**004** ①	**005** ④
006 ③	**007** ⑤	**008** ①	**009** ①	**010** ④
011 48	**012** ②	**013** ⑤	**014** ②	**015** ②
016 ④	**017** 100	**018** ②	**019** ②	**020** ③
021 65	**022** ④	**023** ②	**024** 12	**025** ③
026 $\frac{10}{7}$	**027** ①	**028** ⑤	**029** 17	**030** ②
031 ⑤	**032** ②	**033** ③	**034** ②	**035** ④
036 ④	**037** 19	**038** ④	**039** 1	**040** ②
041 ⑤	**042** 25	**043** ④	**044** ③	**045** ③
046 ③	**047** 21점	**048** ⑤	**049** ①	**050** ①
051 $\frac{15}{4}$	**052** ⑤	**053** ②	**054** $\frac{9}{5}$	**055** ④
056 ①	**057** ③	**058** 6	**059** ③	**060** ⑤
061 68	**062** ①	**063** 50	**064** ④	**065** ⑤
066 127	**067** 2	**068** ②	**069** ④	**070** ③
071 $\frac{3}{2}$	**072** ①	**073** ④	**074** ④	**075** 0.5764
076 ⑤	**077** ④	**078** ③	**079** 301	**080** ②
081 ③	**082** ④	**083** 100	**084** ⑤	**085** ①
086 $\frac{9}{4}$	**087** ④	**088** 0.1587	**089** ②	**090** ②
091 ④	**092** ③	**093** ①	**094** 240	**095** ②
096 ①	**097** ④	**098** 1	**099** ④	**100** 20
101 ③	**102** ③	**103** ⑤	**104** ④	**105** ④
106 ②	**107** ①	**108** ①	**109** ③	**110** 32
111 ⑤	**112** ③	**113** ③	**114** 0.6826	**115** ②
116 0.032	**117** ③	**118** ⑤	**119** ①	**120** ②
121 0.8413	**122** 0.9332	**123** ②	**124** ②	**125** ④
126 ②	**127** ④	**128** 0.9759	**129** ③	**130** ①
131 ②	**132** $\frac{7}{8}$	**133** ④	**134** ⑤	**135** 80
136 100	**137** 202	**138** ②	**139** ⑤	**140** ②
141 $52.53 \le m \le 54.49$		**142** 2.064	**143** ④	**144** 3
145 ⑤	**146** ②	**147** 16	**148** ④	**149** 44
150 ④	**151** ⑤	**152** ②	**153** ⑤	**154** 0.8185
155 25	**156** ③	**157** ③	**158** ③	**159** ①
160 ②	**161** ④	**162** 25	**163** ③	**164** ③
165 ④	**166** 12			

상위 1% 도전 문제

167 ②	**168** ①	**169** ③	**170** ⑤	**171** ④

미니 모의고사 - 1회

01 ①	**02** ④	**03** $\frac{7}{20}$	**04** ④	**05** 87
06 ④	**07** $\sqrt{30}$	**08** ②	**09** ②	**10** ⑤

미니 모의고사 - 2회

01 ①	**02** 50	**03** ④	**04** ③	**05** ③
06 ②	**07** ④	**08** ③	**09** ④	**10** 51

풍산자
일등급
유형

정답과 풀이

확률과 통계

I. 경우의 수

01 순열과 조합

001

구하는 경우의 수는 $(6-1)!=5!=5\times4\times3\times2\times1=120$

답 ⑤

다른 풀이

하나의 반찬을 고정시키고 나머지 5가지의 반찬을 일렬로 나열하는 경우의 수를 구해도 된다.

따라서 구하는 경우의 수는 $5!=5\times4\times3\times2\times1=120$

참고

1부터 n까지의 자연수를 차례로 곱한 것을 n의 계승이라 하고, 이것을 기호로 $n!$과 같이 나타낸다. 즉,

$n!=n(n-1)(n-2)\times\cdots\times3\times2\times1$

002

부모 2명을 한 사람으로 생각하여 4명을 원 모양의 탁자에 배열하는 경우의 수는

$(4-1)!=3!=3\times2\times1=6$

이때 각각의 경우에 대하여 부모 2명이 서로 자리를 바꾸는 경우의 수는

$2!=2\times1=2$

따라서 구하는 경우의 수는

$6\times2=12$

답 ②

참고

이웃하게 나열하는 순열의 수는 다음 순서로 구한다.

(i) 이웃하는 것을 하나로 묶어서 나열한다.

(ii) 한 묶음에서 자리를 바꾸는 경우의 수와 (i)의 결과를 곱한다.

003

1학년 학생 2명을 한 사람으로 생각하고, 2학년 학생 3명을 한 사람으로 생각하여 4명의 학생을 원 모양의 탁자에 배열하는 방법의 수는

$(4-1)!=3!=3\times2\times1=6$

이때 각각의 경우에 대하여 1학년 학생끼리 자리를 바꾸는 경우의 수는

$2!=2\times1=2$

2학년 학생끼리 자리를 바꾸는 경우의 수는

$3!=3\times2\times1=6$

따라서 구하는 경우의 수는 $6\times2\times6=72$

답 72

004

접근

다각형에 둘러앉는 경우의 수는 원형으로 둘러앉는 경우의 수에 대하여 서로 다른 기준에 있는 위치의 수를 곱한다.

(i) 6명이 원 모양의 탁자 A에 둘러앉는 경우의 수는

$(6-1)!=5!$

(ii) 원형으로 둘러앉는 한 가지 방법에 대하여 정삼각형 모양의 탁자에서는 오른쪽 그림과 같이 서로 다른 경우가 2가지씩 존재하므로 6명이 정삼각형 모양의 탁자 B에 둘러앉는 경우의 수는 $5!\times2$

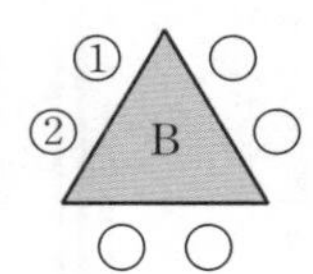

(iii) 원형으로 둘러앉는 한 가지 방법에 대하여 직사각형 모양의 탁자에서는 오른쪽 그림과 같이 서로 다른 경우가 3가지씩 존재하므로 6명이 직사각형 모양의 탁자 C에 둘러앉는 경우의 수는 $5!\times3$

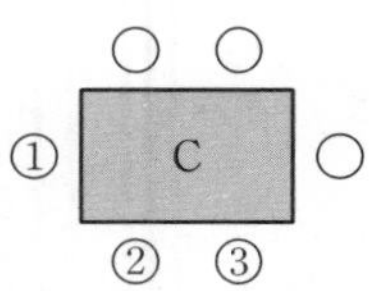

따라서 6명이 둘러앉는 경우의 수가 가장 큰 탁자는 C이다.

답 C

풍쌤 비법

다각형 모양의 탁자에 둘러앉는 경우의 수는 다음 순서로 구한다.

(i) 원형으로 배열하는 경우의 수를 구한다.

(ii) 원형으로 배열하는 한 가지 방법에 대하여 서로 다른 기준에 있는 위치의 수를 구한다.

(iii) (i)의 경우의 수와 (ii)의 경우의 수를 곱한다.

005

파란색을 제외한 5가지의 색을 원형으로 배열한 후, 빨간색이 칠해진 날개의 맞은편 날개에 파란색을 칠하면 되므로 구하는 경우의 수는

$(5-1)!=4!=4\times3\times2\times1=24$

답 ③

006

서로 다른 3개에서 4개를 택하는 중복순열의 수와 같으므로

${}_3\Pi_4=3^4=81$

답 ③

007

X에서 Y로의 함수의 개수는 공역의 원소 3개에서 정의역의 원소 4개를 택하는 중복순열의 수와 같으므로

${}_3\Pi_4=3^4=81$

답 ④

풍쌤 비법

함수 $f: X \longrightarrow Y$에 대하여 $n(X)=a$, $n(Y)=b$일 때, 함수 f의 개수는 ${}_b\Pi_a$

008

일의 자리의 숫자가 0, 2, 4, 6, 8일 때 2의 배수가 되지만 주어진 숫자로 만들어야 하므로 2 또는 4이다.

일의 자리의 숫자가 2 또는 4일 때 2의 배수가 된다.

(i) 일의 자리의 숫자가 2인 경우
천의 자리, 백의 자리, 십의 자리의 숫자를 택하는 경우의 수는 5개의 숫자 중 3개를 택하는 중복순열의 수와 같으므로
$_5\Pi_3=5^3=125$

(ii) 일의 자리의 숫자가 4인 경우
(i)과 같은 방법으로 하면
$_5\Pi_3=5^3=125$

(i), (ii)에서 구하는 경우의 수는
$125+125=250$

답 ③

009

3개의 숫자 1, 2, 3에서 중복을 허락하여 4개를 택해 만들 수 있는 네 자리의 자연수의 개수는 3개의 숫자 중 4개를 택하는 중복순열의 수와 같으므로
$_3\Pi_4=3^4=81$
이때 2300 이상인 자연수의 개수는
(i) 23□□ 꼴 ⇨ $_3\Pi_2=3^2=9$
(ii) 3□□□ 꼴 ⇨ $_3\Pi_3=3^3=27$
(i), (ii)에서 구하는 자연수의 개수는
$81-(9+27)=45$

답 45

다른 풀이

(i) 1□□□ 꼴 ⇨ $_3\Pi_3=3^3=27$
(ii) 21□□ 꼴 ⇨ $_3\Pi_2=3^2=9$
(iii) 22□□ 꼴 ⇨ $_3\Pi_2=3^2=9$
(i), (ii), (iii)에서 구하는 자연수의 개수는 $27+9+9=45$

010

모스 부호를 n번 사용하여 만들 수 있는 신호의 개수는 2개에서 n개를 택하는 중복순열의 수와 같으므로
$_2\Pi_n=2^n$
따라서 모스 부호를 n번 이하로 사용하여 만들 수 있는 신호의 개수는
$_2\Pi_1+{}_2\Pi_2+{}_2\Pi_3+\cdots+{}_2\Pi_n=2+2^2+2^3+\cdots+2^n$
$n=5$일 때
$2+2^2+2^3+2^4+2^5=62<90$
$n=6$일 때
$2+2^2+2^3+2^4+2^5+2^6=126>90$
따라서 모스 부호를 최소한 6번까지 사용해야 한다.

답 ③

다른 풀이

$2^1+2^2+2^3+\cdots+2^n\ge 90$이므로
$\frac{2(2^n-1)}{2-1}\ge 90$, $2^n\ge 46$
$\therefore n\ge 6$

$2^5=32$, $2^6=64$이므로 $n\ge 6$

참고

등비수열의 합 (수학 I)
첫째항이 a, 공비가 r인 등비수열의 첫째항부터 제n항까지의 합을 S라고 하면
(1) $r=1$일 때, $S=na$
(2) $r\ne 1$일 때, $S=\frac{a(r^n-1)}{r-1}=\frac{a(1-r^n)}{1-r}$

011

6개의 문자 b, a, n, a, n, a를 일렬로 나열하는 경우의 수는 a가 3개, n이 2개 있으므로 같은 것이 있는 순열의 수에 의하여
$\frac{6!}{3!\times 2!}=60$

답 ③

012

7개의 문자 e, x, p, r, e, s, s를 일렬로 나열하는 경우의 수는
$\frac{7!}{2!\times 2!}=1260$
x, r를 한 문자 V로 생각하여 6개의 문자 V, e, p, e, s, s를 일렬로 나열하는 경우의 수는
$\frac{6!}{2!\times 2!}=180$
이때 각각의 경우에 대하여 x와 r가 자리를 바꾸는 경우의 수는 2이므로 x와 r가 이웃하도록 나열하는 경우의 수는
$180\times 2=360$
따라서 구하는 경우의 수는
$1260-360=900$

답 ④

다른 풀이

x와 r를 제외한 5개의 문자 e, p, e, s, s를 일렬로 나열하는 경우의 수는 $\frac{5!}{2!\times 2!}=30$
5개의 문자 e, p, e, s, s의 사이사이와 양 끝의 6군데에서 2군데를 택하여 x와 r를 나열하는 경우의 수는 $_6P_2=6\times 5=30$
따라서 구하는 경우의 수는 $30\times 30=900$

013

주어진 숫자로 만들어야 하므로 일의 자리의 숫자는 0 또는 2이다.

일의 자리의 숫자가 0 또는 2일 때 짝수가 된다.

(i) 일의 자리의 숫자가 0인 경우
2, 2, 3, 3, 3이 적혀 있는 카드를 한 줄로 나열하는 경우의 수는
$\frac{5!}{2!\times 3!}=10$

(ii) 일의 자리의 숫자가 2인 경우
0, 2, 3, 3, 3이 적혀 있는 카드를 한 줄로 나열하는 경우의 수는
$\frac{5!}{3!}=20$
이때 맨 앞자리에 0이 오는 경우의 수는 $\frac{4!}{3!}=4$
$\therefore 20-4=16$

(i), (ii)에서 구하는 짝수의 개수는
$10+16=26$

답 ③

014

a, r, d의 순서가 정해져 있으므로 같은 문자 X로 생각하여 5개의 문자 X, X, e, X, m을 일렬로 나열한 후, 첫 번째 X는 a, 두 번째 X는 r, 세 번째 X는 d로 바꾸면 된다.
따라서 구하는 경우의 수는

$\frac{5!}{3!}=20$

답 ②

015

홀수와 짝수를 교대로 나열하려면 오른쪽 그림에서 홀수 1, 3, 3, 3은 홀, 짝수 2, 2, 8은 짝의 위치에 놓으면 된다.

홀	짝	홀	짝	홀	짝	홀

이때 4개의 숫자 1, 3, 3, 3을 일렬로 나열하는 경우의 수는

$\frac{4!}{3!}=4$

3개의 숫자 2, 2, 8을 일렬로 나열하는 경우의 수는

$\frac{3!}{2!}=3$

따라서 구하는 경우의 수는

$4\times3=12$

답 ②

016

1, 5와 짝수 2, 4, 6의 순서가 각각 정해져 있으므로 1, 5를 모두 a로 생각하고, 2, 4, 6을 모두 b로 생각하면 구하는 경우의 수는 a, b, 3, b, a, b, 7을 일렬로 나열하는 경우의 수와 같다.
따라서 구하는 경우의 수는

$\frac{7!}{2!\times3!}=420$

답 420

017

▸ 접근

1계단씩 오르는 횟수와 2계단씩 오르는 횟수를 구하여 이들을 일렬로 나열한다.

1계단씩 오르는 횟수를 x, 2계단씩 오르는 횟수를 y라고 하면
$x+y=7$, $x+2y=10$
$\therefore x=4,\ y=3$
따라서 구하는 경우의 수는 x, x, x, x, y, y, y를 일렬로 나열하는 경우의 수와 같으므로

$\frac{7!}{4!\times3!}=35$

답 ②

018

(i) 4초 만에 도착하는 경우
4초 동안 → 방향으로 4번 움직이면 되므로 이때의 경우의 수는 1

(ii) 5초 만에 도착하는 경우
5초 동안 ↗ 방향으로 1번, ↘ 방향으로 1번, → 방향으로 3번 움직이면 되므로 이때의 경우의 수는

$\frac{5!}{3!}=20$

(iii) 6초 만에 도착하는 경우
6초 동안 ↗ 방향으로 2번, ↘ 방향으로 2번, → 방향으로 2번 움직이면 되므로 이때의 경우의 수는

$\frac{6!}{2!\times2!\times2!}=90$

(iv) 7초 만에 도착하는 경우
7초 동안 ↗ 방향으로 3번, ↘ 방향으로 3번, → 방향으로 1번 움직이면 되므로 이때의 경우의 수는

$\frac{7!}{3!\times3!}=140$

(i) ~ (iv)에서 구하는 경우의 수는
$1+20+90+140=251$

답 251

019

(i) A 지점에서 P 지점까지 최단 거리로 가는 경우의 수는

$\frac{5!}{2!\times3!}=10$

(ii) P 지점에서 B 지점까지 최단 거리로 가는 경우의 수는

$\frac{5!}{4!}=5$

(i), (ii)에서 구하는 경우의 수는
$10\times5=50$

답 ⑤

020

(i) A 지점에서 P 지점까지 최단 거리로 가는 경우의 수는

$\frac{4!}{2!\times2!}=6$

(ii) P 지점에서 B 지점까지 최단 거리로 가는 경우의 수는

$\frac{6!}{3!\times3!}=20$

P 지점에서 Q 지점을 지나 B 지점까지 최단 거리로 가는 경우의 수는

$2!\times\frac{4!}{2!\times2!}=2\times6=12$

이므로 P 지점에서 Q 지점을 지나지 않고 B 지점까지 최단 거리로 가는 경우의 수는
$20-12=8$

(i), (ii)에서 구하는 경우의 수는
$6\times8=48$

답 ④

021

A 지점에서 출발하여 C 지점을 지나지 않고 D 지점도 지나지 않으면서 B 지점까지 최단 거리로 가는 경우의 수는 그림과 같이 P, Q, R 지점을 잡으면 A → P → Q → R → B로 가는 경우의 수와 같다.

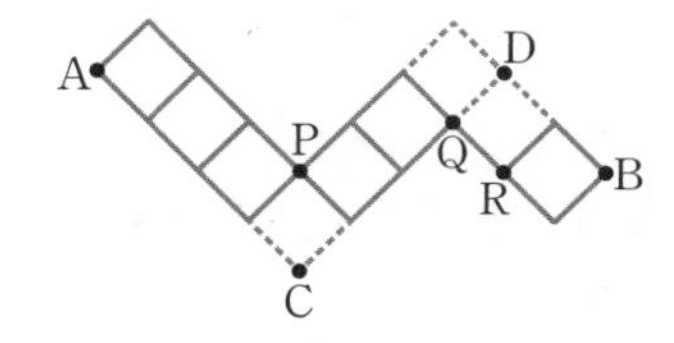

(i) A 지점에서 P 지점까지 최단 거리로 가는 경우의 수는

$\frac{4!}{3!}=4$

(ii) P 지점에서 Q 지점까지 최단 거리로 가는 경우의 수는

$\frac{3!}{2!}=3$

(iii) Q 지점에서 R 지점까지 최단 거리로 가는 경우의 수는 1

(iv) R 지점에서 B 지점까지 최단 거리로 가는 경우의 수는 2

(i)~(iv)에서 구하는 경우의 수는

$4\times3\times1\times2=24$

답 ②

간단 풀이

각 지점을 지날 수 있는 경우의 수를 나타내면 다음 그림과 같다.

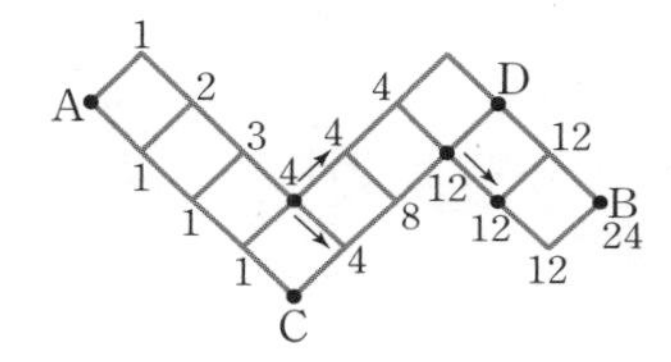

따라서 구하는 경우의 수는 24이다.

022

세 가지 우유를 한 개씩 선택한 후, 세 가지 우유 중에서 5개를 선택하는 중복조합의 수와 같으므로 (8−3=5)

${}_3H_5={}_{3+5-1}C_5={}_7C_5={}_7C_2=\frac{7\times6}{2\times1}=21$

답 ④

023

4부터 8까지의 5개의 자연수 중에서 3개의 자연수를 뽑는 중복조합의 수와 같으므로

${}_5H_3={}_{5+3-1}C_3={}_7C_3=\frac{7\times6\times5}{3\times2\times1}=35$

답 ③

참고

뽑은 3개의 수를 $4\le a\le b\le c\le8$을 만족시키도록 대응시키는 방법은 1가지이다.

024

$x_1<x_2$이면 $f(x_1)\le f(x_2)$이므로 $X=\{1, 2, 3, 4\}$의 원소 x의 값이 커지면 그에 대응하는 $Y=\{1, 2, 3, 4, 5\}$의 원소 $f(x)$의 값은 크거나 같다는 것을 의미한다.

즉, 5개의 수 1, 2, 3, 4, 5 중에서 중복을 허락하여 4개를 뽑아 크기가 작은 것부터 순서대로 $f(1)$, $f(2)$, $f(3)$, $f(4)$에 대응시키면 된다.

따라서 구하는 함수 f의 개수는

${}_5H_4={}_{5+4-1}C_4={}_8C_4=\frac{8\times7\times6\times5}{4\times3\times2\times1}=70$

답 ②

풍쌤 비법

함수 $f: X \longrightarrow Y$에 대하여 $n(X)=a$, $n(Y)=b$일 때, $x_1<x_2$이면 $f(x_1)\le f(x_2)$인 함수 f의 개수는 ${}_bH_a$

025

(i) 같은 종류의 사탕 5개를 3명에게 남김없이 나누어 주는 경우의 수는 서로 다른 3개에서 5개를 택하는 중복조합의 수와 같으므로

${}_3H_5={}_{3+5-1}C_5={}_7C_5={}_7C_2$

$=\frac{7\times6}{2\times1}=21$

(ii) 같은 종류의 껌 3개를 3명에게 남김없이 나누어 주는 경우의 수는 서로 다른 3개에서 3개를 택하는 중복조합의 수와 같으므로

${}_3H_3={}_{3+3-1}C_3={}_5C_3={}_5C_2$

$=\frac{5\times4}{2\times1}=10$

(iii) 같은 종류의 초콜릿 2개를 3명에게 남김없이 나누어 주는 경우의 수는 서로 다른 3개에서 2개를 택하는 중복조합의 수와 같으므로

${}_3H_2={}_{3+2-1}C_2={}_4C_2$

$=\frac{4\times3}{2\times1}=6$

(i), (ii), (iii)에서 구하는 경우의 수는

$21\times10\times6=1260$

답 ⑤

026

접근

주스, 커피, 콜라 중에서 $n(n>3)$개를 선택하는 경우의 수가 중복조합임을 이용하여 n의 값을 구한다.

주스, 커피, 콜라 중에서 $n(n>3)$개를 선택하는 경우의 수는 주스, 커피, 콜라 중에서 n개를 선택하는 중복조합의 수와 같으므로

${}_3H_n={}_{3+n-1}C_n={}_{n+2}C_2=28$

$\frac{(n+2)(n+1)}{2\times1}=28$

$(n+1)(n+2)=7\times8 \qquad \therefore n=6$

주스, 커피, 콜라를 적어도 하나씩 포함하여 6개를 선택하는 경우의 수는 주스, 커피, 콜라를 1개씩 선택한 후, 주스, 커피, 콜라 중에서 3개를 선택하는 중복조합의 수와 같으므로 (6−3=3)

$_3H_3={}_{3+3-1}C_3={}_5C_3={}_5C_2$

$=\dfrac{5\times4}{2\times1}=10$

답 ①

027

$(x+y+z)^4$의 전개식에서 서로 다른 항의 개수는 3개의 문자 x, y, z에서 4개를 뽑는 중복조합의 수와 같으므로

$_3H_4={}_{3+4-1}C_4={}_6C_4={}_6C_2$

$=\dfrac{6\times5}{2\times1}=15$

$(a+b)^4$의 전개식에서 서로 다른 항의 개수는 2개의 문자 a, b에서 4개를 뽑는 중복조합의 수와 같으므로

$_2H_4={}_{2+4-1}C_4={}_5C_4={}_5C_1=5$

따라서 구하는 항의 개수는

$15\times5=75$

답 ①

참고

x, y, z 중에서 중복을 허락하여 4개를 택한 경우가 x, x, y, y이고, a, b 중에서 중복을 허락하여 4개를 택한 경우가 a, b, b, b일 때, $x^2y^2ab^3$의 항이 생긴다.

즉, 각각의 중복조합의 수에 대하여 서로 다른 항이 한 개씩 만들어진다.

028

숫자 4가 한 개 이하가 되는 경우는 숫자 4를 택하지 않거나 1개 택하는 두 가지 경우가 있다.

(i) 숫자 4를 택하지 않는 경우

숫자 1, 2, 3에서 5개를 택하는 중복조합의 수와 같으므로

$_3H_5={}_{3+5-1}C_5={}_7C_5={}_7C_2$

$=\dfrac{7\times6}{2\times1}=21$

(ii) 숫자 4를 1개 택하는 경우

숫자 1, 2, 3에서 4개를 택하는 중복조합의 수와 같으므로

$_3H_4={}_{3+4-1}C_4={}_6C_4={}_6C_2$

$=\dfrac{6\times5}{2\times1}=15$

(i), (ii)에서 구하는 경우의 수는

$21+15=36$

답 ④

029

음이 아닌 정수 x, y, z의 모든 순서쌍 (x, y, z)의 개수는 3개의 문자 x, y, z에서 15개를 뽑는 중복조합의 수와 같으므로

$m={}_3H_{15}={}_{3+15-1}C_{15}={}_{17}C_{15}$

$={}_{17}C_2=\dfrac{17\times16}{2\times1}=136$

양의 정수 x, y, z의 모든 순서쌍 (x, y, z)의 개수는 3개의 문자 x, y, z에서 12개를 뽑는 중복조합의 수와 같으므로 ($15-3=12$)

$n={}_3H_{12}={}_{3+12-1}C_{12}$

$={}_{14}C_{12}={}_{14}C_2=\dfrac{14\times13}{2\times1}=91$

$\therefore m+n=136+91=227$

답 227

참고

$x+y+z=15$를 만족시키는 양의 정수 x, y, z의 모든 순서쌍 (x, y, z)의 개수는

$x=x'+1$, $y=y'+1$, $z=z'+1$ (x', y', z'은 음이 아닌 정수)로 놓았을 때

$(x'+1)+(y'+1)+(z'+1)=15$에서 $x'+y'+z'=12$이므로 $x'+y'+z'=12$를 만족시키는 음이 아닌 정수 x', y', z'의 순서쌍 (x', y', z')의 개수와 같다.

030

양의 정수 a, b, c, d에 대하여

$a+b+c=12-3d$, $a+b+c\ge3$ ($a\ge1$, $b\ge1$, $c\ge1$)

이므로 $12-3d\ge3$

$\therefore d\le3$

이때 d는 양의 정수이므로

$d=1$ 또는 $d=2$ 또는 $d=3$

(i) $d=1$일 때

$a+b+c=9$를 만족시키는 양의 정수 a, b, c의 순서쌍 (a, b, c)의 개수는

$_3H_6={}_{3+6-1}C_6={}_8C_6={}_8C_2$ ($9-3=6$)

$=\dfrac{8\times7}{2\times1}=28$

(ii) $d=2$일 때

$a+b+c=6$을 만족시키는 양의 정수 a, b, c의 순서쌍 (a, b, c)의 개수는

$_3H_3={}_{3+3-1}C_3={}_5C_3={}_5C_2$ ($6-3=3$)

$=\dfrac{5\times4}{2\times1}=10$

(iii) $d=3$일 때

$a+b+c=3$을 만족시키는 양의 정수 a, b, c의 순서쌍 (a, b, c)의 개수는

$_3H_0={}_{3+0-1}C_0={}_2C_0=1$ ($3-3=0$)

(i), (ii), (iii)에서 구하는 모든 순서쌍 (a, b, c, d)의 개수는

$28+10+1=39$

답 ⑤

031

a, b, c, d, e 중에서 0이 되는 2개를 선택하는 경우의 수는

$_5C_2=\dfrac{5\times4}{2\times1}=10$

a, b, c, d, e 중에서 0이 되는 2개를 제외한 나머지 음이 아닌 세 정수를 X, Y, Z라고 하면 $X+Y+Z=8$을 만족시키는 자연수 X, Y, Z의 모든 순서쌍 (X, Y, Z)의 개수는

$_3H_5={}_{3+5-1}C_5={}_7C_5={}_7C_2$ ($8-3=5$)

$=\dfrac{7\times6}{2\times1}=21$

따라서 구하는 순서쌍의 개수는

$10\times21=210$

답 ①

032

1학년 학생 4명이 원 모양의 탁자에 둘러앉는 경우의 수는

$(4-1)!=3!=6$

1학년 학생들 사이사이 4개의 자리에 3명을 앉히는 경우의 수는

${}_4P_3=24$

따라서 구하는 경우의 수는

$6\times24=144$

답 ①

033

▸ 접근

1부터 6까지의 자연수 중에서 두 수의 합이 4 이하인 경우에 대하여 이 두 수의 번호를 가진 학생이 마주 보도록 6명을 원형으로 배열하는 경우의 수를 구한다.

마주 보는 두 학생의 번호의 합이 4 이하인 경우는 1, 2 또는 1, 3이다.

(i) 마주 보는 두 학생의 번호가 1번과 2번인 경우

1번을 제외한 5명의 학생을 원형으로 배열한 후, 2번의 맞은편에 1번이 앉으면 된다.

└ 2번의 자리가 결정되면 1번의 자리는 2번과 마주 보는 자리에 고정된다.

따라서 이때의 경우의 수는

$(5-1)!=4!=24$

(ii) 마주 보는 두 학생의 번호가 1번과 3번인 경우

1번을 제외한 5명의 학생을 원형으로 배열한 후, 3번의 맞은편에 1번이 앉으면 된다.

따라서 이때의 경우의 수는

$(5-1)!=4!=24$

(i), (ii)에서 구하는 경우의 수는

$24+24=48$

답 ③

다른 풀이

1번의 맞은편에는 2번 또는 3번이 앉아야 한다.

1번이 앉고 1번의 맞은편에 학생이 앉는 경우의 수는 2이고, 나머지 4자리 중 4명이 앉는 경우의 수는

${}_4P_4=4!=24$

따라서 구하는 경우의 수는

$2\times24=48$

034

(i) 할머니와 할아버지 사이에 3명의 가족이 앉는 경우

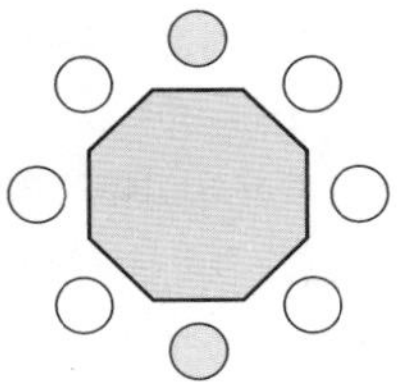

오른쪽 그림과 같이 색칠한 곳에 할머니와 할아버지가 앉는 경우의 수는 1

나머지 자리에 6명의 가족이 앉는 경우의 수는 6!

따라서 이때의 경우의 수는

6!

(ii) 할머니와 할아버지 사이에 4명의 가족이 앉는 경우

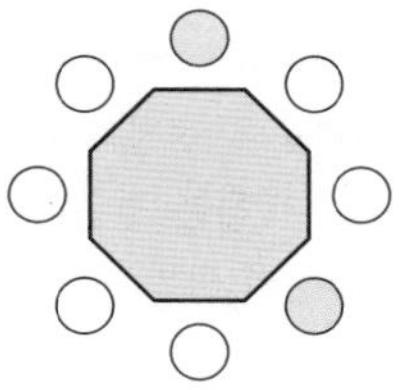

오른쪽 그림과 같이 색칠한 곳에 할머니와 할아버지가 앉는 경우의 수는 2

나머지 자리에 6명의 가족이 앉는 경우의 수는 6!

따라서 이때의 경우의 수는

$2\times6!$

(i), (ii)에서 구하는 경우의 수는

$6!+2\times6!=3\times6!$

답 ③

035

정사각뿔의 밑면을 색칠하는 경우의 수는 7

정사각뿔의 네 개의 옆면에 색을 칠하는 방법의 수는 밑면에 칠한 색을 제외한 6가지 색에서 4가지 색을 택하여 원형으로 배열하는 경우의 수와 같으므로

${}_6C_4\times(4-1)!={}_6C_2\times3!=90$

따라서 구하는 경우의 수는

$7\times90=630$

답 ⑤

036

▸ 접근

짝수가 2, 4, 6의 3개이므로 짝수가 1개, 2개, 3개인 경우로 나누어 구한다.

1부터 7까지의 자연수 중에서 홀수는 1, 3, 5, 7의 4개이고 짝수는 2, 4, 6의 3개이다.

(i) 짝수가 1개인 경우

2, 4, 6의 3개 중에서 1개를 택하는 경우의 수는 3

짝수 1개와 홀수 1, 3, 5, 7을 원형으로 배열하는 경우의 수는

$(5-1)!=4!=24$

따라서 이때의 경우의 수는 $3\times24=72$

(ii) 짝수가 2개인 경우

2, 4, 6의 3개 중에서 2개를 택하는 경우의 수는

${}_3C_2={}_3C_1=3$

홀수 1, 3, 5, 7의 4개 중에서 3개를 택하는 경우의 수는

${}_4C_3={}_4C_1=4$

짝수 2개와 홀수 3개를 원형으로 배열할 때 짝수가 적혀 있는 공끼리는 서로 이웃하지 않게 배열하는 경우의 수는

$(3-1)!\times{}_3P_2=2!\times6=12$

└ 먼저 홀수 3개를 원형으로 배열한 후 홀수 사이의 3군데 중에서 2군데를 택한다.

따라서 이때의 경우의 수는 $3\times4\times12=144$

(i), (ii)에서 구하는 경우의 수는

$72+144=216$

답 ④

참고

짝수가 3개인 경우에 짝수가 적혀 있는 공끼리 서로 이웃하지 않게 배열할 수 없으므로 짝수는 3개 사용할 수 없다.

037

한가운데 정사각형을 칠하는 경우의 수는 10

한가운데 정사각형을 칠한 색을 제외한 9가지 색 중에서 8가지의 색을 택하는 경우의 수는 ${}_9C_8=9$

8가지의 색을 원형으로 배열하는 경우의 수는

$(8-1)!=7!$

그런데 8가지의 색을 원형으로 배열하는 한 가지 방법에 대하여 다음 그림과 같이 서로 다른 경우가 2가지씩 존재한다.

①	②	③
⑧		④
⑦	⑥	⑤

⑧	①	②
⑦		③
⑥	⑤	④

따라서 구하는 경우의 수는

$10\times9\times7!\times2=180\times7!$

$\therefore a=180$

답 ⑤

038

조건 (가)에 의하여 같은 성별끼리 2명씩 조를 만들어야 하는데 여학생은 2명뿐이므로 여학생 조는 결정되어 있다. 따라서 6명의 학생을 2명씩 3개 조로 만드는 경우의 수는 남학생 4명을 2개 조로 만드는 경우의 수와 같으므로

${}_4C_2\times{}_2C_2\times\frac{1}{2!}=3$

또, 조건 (나)에서 서로 다른 두 개의 조 사이에 반드시 한 자리를 비워 두어야 하므로 3개의 조를 원탁에 앉히고 각 조 사이에 빈 자리를 1개씩 끼워 넣으면 된다.

이때 경우의 수는 원순열이므로 $(3-1)!=2!=2$

그런데 같은 조끼리는 자리를 바꿀 수 있으므로 이 경우의 수는

$2\times2\times2=8$

따라서 구하는 경우의 수는

$3\times2\times8=48$

답 48

참고

서로 다른 n개의 물건을 p개, q개, r개$(p+q+r=n)$의 세 묶음으로 나누는 경우의 수는

(1) p, q, r가 모두 다른 수일 때

${}_nC_p\times{}_{n-p}C_q\times{}_rC_r$

(2) p, q, r 중 어느 두 수가 같을 때

${}_nC_p\times{}_{n-p}C_q\times{}_rC_r\times\frac{1}{2!}$

(3) p, q, r의 세 수가 모두 같을 때

${}_nC_p\times{}_{n-p}C_q\times{}_rC_r\times\frac{1}{3!}$

039

네 자리의 자연수가 홀수이려면 일의 자리의 숫자가 홀수이어야 한다.

일의 자리의 숫자를 택하는 경우의 수는 3

천의 자리의 숫자를 택하는 경우의 수는 5

└ 천의 자리에 0이 올 수 없으므로 1, 2, 3, 4, 5의 5가지

백의 자리, 십의 자리를 택하는 경우의 수는 0, 1, 2, 3, 4, 5 중에서 2개를 택하는 중복순열의 수와 같으므로

${}_6\Pi_2=6^2=36$

따라서 구하는 홀수의 개수는

$5\times36\times3=540$

답 ④

다른 풀이

여섯 개의 숫자 0, 1, 2, 3, 4, 5 중에서 중복을 허락하여 3개의 숫자를 택하는 경우의 수에서 천의 자리에 0이 오는 경우의 수를 제외하면

$({}_6\Pi_3-{}_6\Pi_2)\times3=(216-36)\times3=540$

└ 일의 자리의 숫자를 택하는 경우의 수

040

3개의 숫자 2, 4, 6에서 중복을 허락하여 만들 수 있는 네 자리의 자연수의 개수는

${}_3\Pi_4=3^4=81$

이 중에서 2가 포함되지 않은 자연수의 개수는

${}_2\Pi_4=2^4=16$

4가 포함되지 않은 자연수의 개수는

${}_2\Pi_4=2^4=16$

2와 4가 모두 포함되지 않은 자연수의 개수는

${}_1\Pi_4=1^4=1$

따라서 2와 4가 모두 포함되어 있는 자연수의 개수는

$81-16-16+1=50$

답 ②

041

두 수의 합이 짝수가 되려면 두 수가 모두 짝수이거나 두 수가 모두 홀수이어야 한다.

(i) 백의 자리의 수와 일의 자리의 수가 모두 짝수인 경우

2, 4 중에서 2개를 택하는 중복순열의 수는

${}_2\Pi_2=2^2=4$

천의 자리, 십의 자리를 택하는 경우의 수는 1, 2, 3, 4, 5 중에서 2개를 택하는 중복순열의 수와 같으므로

${}_5\Pi_2=5^2=25$

따라서 이때의 경우의 수는 $4\times25=100$

(ii) 백의 자리의 수와 일의 자리의 수가 모두 홀수인 경우

1, 3, 5 중에서 2개를 택하는 중복순열의 수는

${}_3\Pi_2=3^2=9$

천의 자리, 십의 자리를 택하는 경우의 수는 1, 2, 3, 4, 5 중에서 2개를 택하는 중복순열의 수와 같으므로

${}_5\Pi_2=5^2=25$

따라서 이때의 경우의 수는 $9\times25=225$

(i), (ii)에서 구하는 경우의 수는

$100+225=325$

답 ②

042

접근
4명의 학생을 정의역, 2층부터 6층을 공역으로 하는 함수를 생각한다.

4명의 학생을 각각 A, B, C, D라고 하면 구하는 경우의 수는 집합 $\{A, B, C, D\}$에서 집합 $\{2, 3, 4, 5, 6\}$으로의 함수의 개수와 같으므로
$_5\Pi_4=5^4=625$

답 625

043

집합 $\{1, 2, 3, 4, 5\}$의 각 원소는 세 집합 A, B, $(A\cup B)^C$ 중 반드시 한 집합에만 속해야 한다.
따라서 구하는 순서쌍 (A, B)의 개수는 서로소인 세 집합 A, B, $(A\cup B)^C$ 중에서 5개를 택하는 중복순열의 수와 같으므로
$_3\Pi_5=3^5=243$

답 ⑤

참고
서로소
두 집합 A와 B에 공통인 원소가 하나도 없을 때, 즉 $A\cap B=\varnothing$일 때, 두 집합 A와 B는 서로소라고 한다.

044

접근
$1\le a$, b, c, $d\le 6$이고 (a, b, c의 최솟값)$>d$이므로 $d=1$, 2, 3, 4, 5일 때로 나누어서 생각한다.

$d=1$일 때, 순서쌍 (a, b, c)의 개수는 2, 3, 4, 5, 6 중에서 3개를 택하는 중복순열의 수와 같으므로 $_5\Pi_3=5^3$
$d=2$일 때, 순서쌍 (a, b, c)의 개수는 3, 4, 5, 6 중에서 3개를 택하는 중복순열의 수와 같으므로 $_4\Pi_3=4^3$
같은 방법으로
$d=3$일 때, $_3\Pi_3=3^3$
$d=4$일 때, $_2\Pi_3=2^3$
$d=5$일 때, $_1\Pi_3=1^3$
따라서 구하는 모든 순서쌍 (a, b, c, d)의 개수는
$1^3+2^3+3^3+4^3+5^3=1+8+27+64+125=225$

답 225

다른 풀이

$$1^3+2^3+3^3+4^3+5^3=\left\{\frac{5(5+1)}{2}\right\}^2=15^2=225$$

참고
자연수의 거듭제곱의 합 (수학 I)
(1) $1+2+3+\cdots+n=\sum_{k=1}^{n}k=\frac{n(n+1)}{2}$
(2) $1^2+2^2+3^2+\cdots+n^2=\sum_{k=1}^{n}k^2=\frac{n(n+1)(2n+1)}{6}$
(3) $1^3+2^3+3^3+\cdots+n^3=\sum_{k=1}^{n}k^3=\left\{\frac{n(n+1)}{2}\right\}^2$

045

서로 다른 과일 4개를 남김없이 서로 다른 바구니 3개에 나누어 넣는 경우의 수는 $_3\Pi_4=3^4=81$
이때 한 바구니에 과일이 4개 들어가는 경우와 두 바구니에 과일이 2개씩 들어가는 경우는 넣은 과일의 개수가 1인 바구니가 없으므로 이들을 제외해야 한다.
(i) 한 바구니에 과일이 4개 들어가는 경우
서로 다른 세 바구니 중 과일을 넣을 한 바구니를 선택하는 경우의 수는
$_3C_1=3$
선택한 바구니에 과일 4개를 모두 넣는 경우의 수는 1
따라서 이때의 경우의 수는 $3\times1=3$
(ii) 두 바구니에 과일이 2개씩 들어가는 경우
서로 다른 세 바구니 중 과일을 넣을 두 바구니를 선택하는 경우의 수는
$_3C_2={}_3C_1=3$
선택한 두 바구니에 과일 4개를 2개씩 나누어 넣는 경우의 수는
$_4C_2\times{}_2C_2=6\times1=6$
따라서 이때의 경우의 수는 $3\times6=18$
(i), (ii)에서 구하는 경우의 수는
$81-(3+18)=60$

답 60

다른 풀이
(i) 각 바구니에 과일이 1개, 1개, 2개 들어가는 경우
서로 다른 과일 4개를 1개, 1개, 2개로 나누는 경우의 수는
$_4C_1\times{}_3C_1\times{}_2C_2\times\frac{1}{2!}=4\times3\times1\times\frac{1}{2}=6$
나누어진 과일을 바구니에 넣는 경우의 수는
$3!=3\times2\times1=6$
따라서 이때의 경우의 수는 $6\times6=36$
(ii) 각 바구니에 과일이 1개, 3개, 0개 들어가는 경우
서로 다른 과일 4개를 1개, 3개, 0개로 나누는 경우의 수는
$_4C_1\times{}_3C_3=4\times1=4$
나누어진 과일을 바구니에 넣는 경우의 수는
$3!=3\times2\times1=6$
따라서 이때의 경우의 수는 $4\times6=24$
(i), (ii)에서 구하는 경우의 수는
$36+24=60$

046

조건 (나)에 의하여 $f(1)$, $f(2)$의 값이 될 수 있는 경우의 수는 5, 6, 7에서 2개를 뽑는 중복순열의 수와 같으므로
$_3\Pi_2=3^2=9$
조건 (다)에 의하여 $f(4)$, $f(5)$의 값이 될 수 있는 경우의 수는 7, 8, 9에서 2개를 뽑는 중복순열의 수와 같으므로
$_3\Pi_2=3^2=9$
따라서 구하는 함수의 개수는
$9\times9=81$

답 ③

047

특수문자가 1개 또는 2개 포함된 경우로 나누어 생각한다.

(i) 특수문자가 1개인 경우

사용할 특수문자 1개를 선택하는 경우의 수는 2이고, 선택된 특수문자를 일렬로 나열된 4개의 자리 중 한 곳에 놓은 경우의 수는 4이므로 특수문자 1개를 선택하여 놓는 경우의 수는

$2\times4=8$

4개의 숫자에서 중복을 허락하여 3개를 선택한 후 나머지 3개의 자리에 일렬로 나열하는 경우의 수는

${}_4\Pi_3=4^3=64$

따라서 특수문자가 1개인 암호의 개수는

$8\times64=512$

(ii) 특수문자가 2개인 경우

4개의 자리 중 2곳을 선택하여 특수문자 2개를 일렬로 나열하는 경우의 수는

${}_4P_2=4\times3=12$

4개의 숫자에서 중복을 허락하여 2개를 선택한 후 나머지 2개의 자리에 일렬로 나열하는 경우의 수는

${}_4\Pi_2=4^2=16$

따라서 특수문자가 2개인 암호의 개수는

$12\times16=192$

(i), (ii)에서 구하는 암호의 개수는

$512+192=704$

답 704

048

7개의 문자 a, a, b, b, c, d, e를 일렬로 나열하는 경우의 수는

$\dfrac{7!}{2!\times2!}=1260$

(i) a끼리 이웃하는 경우

a, a를 한 문자 X로 생각하여 6개의 문자 X, b, b, c, d, e를 일렬로 나열하는 경우의 수는

$\dfrac{6!}{2!}=360$

(ii) b끼리 이웃하는 경우

b, b를 한 문자 Y로 생각하여 6개의 문자 a, a, Y, c, d, e를 일렬로 나열하는 경우의 수는

$\dfrac{6!}{2!}=360$

(iii) a끼리, b끼리 동시에 이웃하는 경우

X, Y, c, d, e를 일렬로 나열하는 경우의 수는

$5!=120$

(i), (ii), (iii)에서 같은 문자끼리 이웃하는 경우의 수는

$360+360-120=600$

따라서 같은 문자끼리 이웃하지 않도록 나열하는 경우의 수는

$1260-600=660$

답 660

049

(i) 3개의 a와 b, c, d 중에서 2개를 택하는 경우 (${}_3C_2$)

$\dfrac{5!}{3!}\times{}_3C_2=20\times3=60$

(ii) 3개의 a와 b, b 또는 3개의 a와 c, c 또는 3개의 a와 d, d를 택하는 경우

a, a, a, b, b를 일렬로 나열하는 경우의 수는

$\dfrac{5!}{3!\times2!}=10$

마찬가지로 a, a, a, c, c와 a, a, a, d, d를 일렬로 나열하는 경우의 수도 각각 10이다.

따라서 이때의 경우의 수는

$10+10+10=30$

(i), (ii)에서 구하는 경우의 수는

$60+30=90$

답 ③

050

▶ 접근

네 자연수의 합이 8, 곱이 3의 배수인 네 개의 수를 구한 후, 이들을 나열하는 경우의 수를 구한다.

네 자연수의 합이 8인 경우는

1, 1, 1, 5 또는 1, 1, 2, 4 또는 1, 1, 3, 3 또는 1, 2, 2, 3 또는 2, 2, 2, 2

이 중에서 네 자연수의 곱이 3의 배수인 경우는

1, 1, 3, 3 또는 1, 2, 2, 3

(i) 1, 1, 3, 3인 경우

1, 1, 3, 3을 일렬로 나열하는 경우의 수는

$\dfrac{4!}{2!\times2!}=6$

(ii) 1, 2, 2, 3인 경우

1, 2, 2, 3을 일렬로 나열하는 경우의 수는

$\dfrac{4!}{2!}=12$

(i), (ii)에서 모든 순서쌍 (a, b, c, d)의 개수는

$6+12=18$

답 ②

051

$f(a)+f(b)+f(c)+f(d)=6$을 만족시키는 $f(a)$, $f(b)$, $f(c)$, $f(d)$의 값은 $(1, 1, 1, 3)$ 또는 $(1, 1, 2, 2)$이다.

(i) 1, 1, 1, 3을 일렬로 나열하는 경우의 수는

$\dfrac{4!}{3!}=4$

(ii) 1, 1, 2, 2를 일렬로 나열하는 경우의 수는

$\dfrac{4!}{2!\times2!}=6$

(i), (ii)에서 구하는 함수 f의 개수는

$4+6=10$

답 ①

052

(i) □□□□04인 경우

1, 2, 2, 3을 일렬로 나열하는 경우의 수는

$\frac{4!}{2!}=12$

(ii) □□□□12인 경우

0, 2, 3, 4를 일렬로 나열하는 경우의 수는

$4!=24$

이때 맨 앞자리에 0이 오는 경우의 수는

$3!=6$

따라서 이때의 경우의 수는 $24-6=18$

(iii) □□□□20인 경우

1, 2, 3, 4를 일렬로 나열하는 경우의 수는

$4!=24$

(iv) □□□□24인 경우

0, 1, 2, 3을 일렬로 나열하는 경우의 수는

$4!=24$

이때 맨 앞자리에 0이 오는 경우의 수는

$3!=6$

따라서 이때의 경우의 수는 $24-6=18$

(v) □□□□32인 경우

0, 1, 2, 4를 일렬로 나열하는 경우의 수는

$4!=24$

이때 맨 앞자리에 0이 오는 경우의 수는

$3!=6$

따라서 이때의 경우의 수는 $24-6=18$

(vi) □□□□40인 경우

1, 2, 2, 3을 일렬로 나열하는 경우의 수는

$\frac{4!}{2!}=12$

(i)~(vi)에서 구하는 경우의 수는

$12+18+24+18+18+12=102$

답 ④

참고

4의 배수가 되려면 끝의 두 자리가 00 또는 4의 배수이어야 한다.

053

0부터 9까지의 자연수 중에서 서로 다른 두 개의 숫자를 선택하는 경우의 수는

${}_{10}C_2=\frac{10\times9}{2\times1}=45$

이때 선택된 두 숫자를 a, b라고 하면 네 자리의 비밀번호를 만들기 위하여 a, b를 나열하는 경우는 다음과 같다.

(i) a, b, b, b를 일렬로 나열하는 경우의 수는

$\frac{4!}{3!}=4$

(ii) a, a, b, b를 일렬로 나열하는 경우의 수는

$\frac{4!}{2!\times2!}=6$

(iii) a, a, a, b를 일렬로 나열하는 경우의 수는

$\frac{4!}{3!}=4$

따라서 구하는 비밀번호의 개수는

$45\times(4+6+4)=630$

답 ④

간단 풀이

a, b를 사용하여 만들 수 있는 네 자리의 수는 $2^4=16$(개)

a만을 사용하거나 b만을 사용하여 만들 수 있는 네 자리의 수는 2가지이다.

따라서 구하는 비밀번호의 개수는 $45\times(16-2)=630$

054

A, B 두 사람이 가위바위보를 1번 하였을 때, 비길 경우 5개씩 가져가므로 10개를 가져가고, 한 사람이 이기고 다른 한 사람이 질 경우 7개와 3개를 가져가므로 10개를 가져간다. 즉, 1번에 10개의 구슬을 사용한다.

30개씩 나누어 가지게 되는 경우는 다음 4가지 경우이다.

(i) 두 사람이 6번 모두 비기는 경우의 수는 1

(ii) A가 1승 1패 4무인 경우의 수는

(승, 패, 무, 무, 무, 무)를 일렬로 나열하는 경우의 수와 같으므로 $\frac{6!}{4!}=30$

(iii) A가 2승 2패 2무인 경우의 수는

(승, 승, 패, 패, 무, 무)를 일렬로 나열하는 경우의 수와 같으므로 $\frac{6!}{2!\times2!\times2!}=90$

(iv) A가 3승 3패인 경우의 수는

(승, 승, 승, 패, 패, 패)를 일렬로 나열하는 경우의 수와 같으므로 $\frac{6!}{3!\times3!}=20$

따라서 구하는 경우의 수는 $1+30+90+20=141$

답 141

참고

A의 승, 패, 무가 각각 x, y, $6-x-y$번 이라고 하면

A가 가지게 되는 구슬의 수는

$7x+3y+5(6-x-y)=2x-2y+30 \quad \therefore x=y$

따라서 승, 패의 수가 같아야 한다.

055

접근

반드시 지나야 하는 지점을 찾아 경우의 수를 구한다.

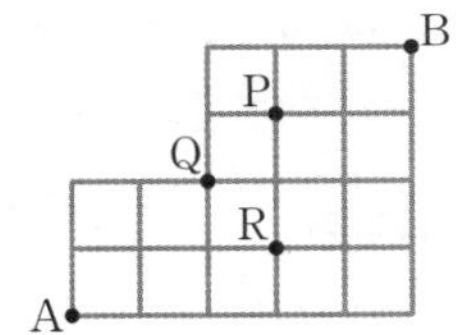

오른쪽 그림과 같이 두 지점 Q, R를 잡으면 A 지점에서 출발하여 P 지점을 지나 B 지점까지 최단 거리로 가는 방법은

A → Q → P → B, A → R → P → B

(i) A → Q → P → B인 경우의 수는

$\frac{4!}{2!\times2!}\times2\times\frac{3!}{2!}=6\times2\times3=36$

(ii) A → R → P → B인 경우의 수는

$\frac{4!}{3!}\times1\times\frac{3!}{2!}=4\times1\times3=12$

(i), (ii)에서 구하는 경우의 수는

$36+12=48$

답 ④

다른 풀이

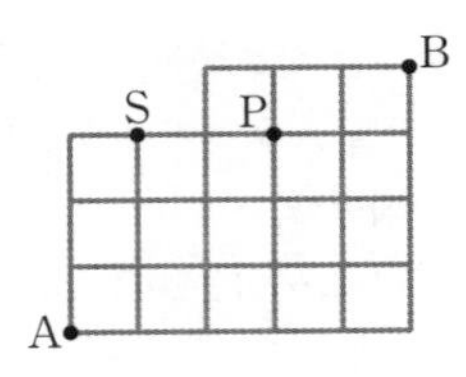

오른쪽 그림과 같이 S지점을 잡으면 A 지점에서 S 지점을 지나 P 지점까지 최단 거리로 가는 경우의 수는

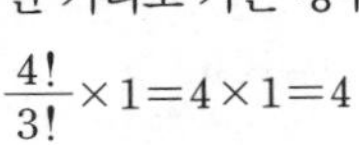

$\frac{4!}{3!}\times1=4\times1=4$

A 지점에서 P 지점까지 최단 거리로 가는 경우의 수는

$\frac{6!}{3!\times3!}=20$

P 지점에서 B 지점까지 최단 거리로 가는 경우의 수는

$\frac{3!}{2!}=3$

따라서 구하는 경우의 수는

$(20-4)\times3=48$

056

오른쪽 그림과 같이 세 지점 P, Q, R를 잡으면 A 지점에서 출발하여 B 지점까지 최단 거리로 가는 방법은

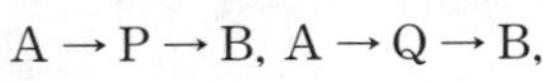

$A\to P\to B$, $A\to Q\to B$, $A\to R\to B$

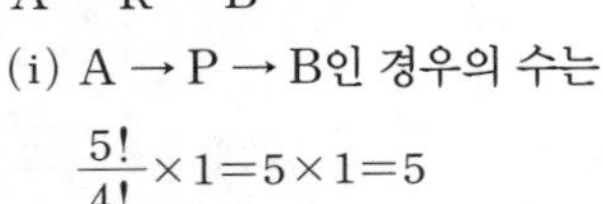

(i) $A\to P\to B$인 경우의 수는

$\frac{5!}{4!}\times1=5\times1=5$

(ii) $A\to Q\to B$인 경우의 수는

$\frac{5!}{4!}\times\frac{4!}{3!}=5\times4=20$

(iii) $A\to R\to B$인 경우의 수는

$1\times1=1$

(i), (ii), (iii)에서 구하는 경우의 수는

$5+20+1=26$

답 ②

057

상희와 민수가 동시에 출발하여 같은 속도로 이동하면 만날 수 있는 곳은 오른쪽 그림에서 P, Q, R, S, T 지점이다.

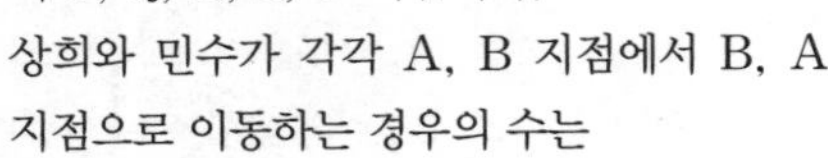

상희와 민수가 각각 A, B 지점에서 B, A 지점으로 이동하는 경우의 수는

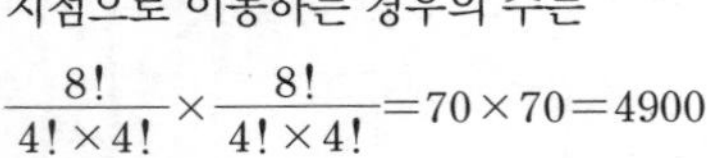

$\frac{8!}{4!\times4!}\times\frac{8!}{4!\times4!}=70\times70=4900$

이때 상희와 민수가 만나는 경우의 수를 구하면

(i) P 또는 T 지점에서 만나는 경우의 수는

$1+1=2$

(ii) Q 또는 S 지점에서 만나는 경우의 수는

$2\times\left(\frac{4!}{3!}\times\frac{4!}{3!}\right)\times\left(\frac{4!}{3!}\times\frac{4!}{3!}\right)=2\times4^4=512$

(iii) R 지점에서 만나는 경우의 수는

$\left(\frac{4!}{2!\times2!}\times\frac{4!}{2!\times2!}\right)\times\left(\frac{4!}{2!\times2!}\times\frac{4!}{2!\times2!}\right)$

$=6^4=1296$

(i), (ii), (iii)에서 $2+512+1296=1810$

따라서 구하는 경우의 수는

$4900-1810=3090$

답 3090

058

구하는 경우의 수는 산책로의 각 지점 사이의 거리가 같으므로 선분으로 연결하여 생각해도 된다. 이때 최단 거리로 도착해야 하므로 지나가지 않는 부분을 점선으로 나타내면 다음 그림과 같다.

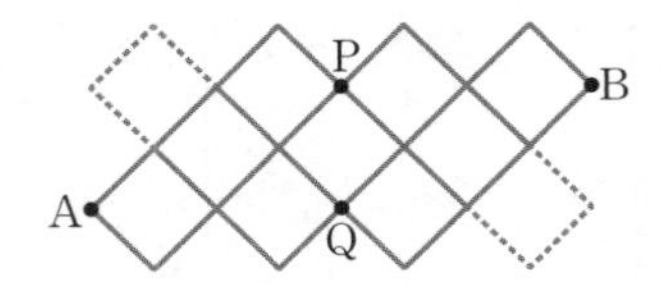

A 지점에서 출발하여 최단 거리로 B 지점에 도착하려면 P 지점 또는 Q 지점 중 한 지점을 반드시 지나야 한다.

(i) $A\to P\to B$인 경우의 수는

$\frac{4!}{3!}\times\left(\frac{4!}{2!\times2!}-1\right)=4\times5=20$ (1: ╱╲╲로 가는 경우)

(ii) $A\to Q\to B$인 경우의 수는

$\left(\frac{4!}{2!\times2!}-1\right)\times\frac{4!}{3!}=5\times4=20$ (1: ╲╲╱로 가는 경우)

(i), (ii)에서 구하는 경우의 수는

$20+20=40$

답 40

간단 풀이

각 지점을 지날 수 있는 경우의 수를 나타내면 다음 그림과 같다.

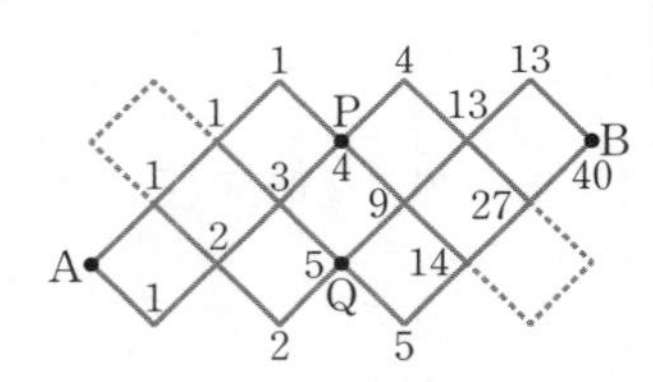

따라서 구하는 경우의 수는 40이다.

059

꼭짓점 A에서 꼭짓점 B까지 최단 거리로 가는 경우의 수는

$\frac{8!}{3!\times2!\times3!}=560$

$A\to C\to D\to B$로 가는 경우의 수는

$\frac{3!}{2!}\times1\times\frac{4!}{2!\times2!}=3\times1\times6=18$

따라서 구하는 경우의 수는

$560-18=542$

답 ⑤

참고

오른쪽 그림과 같은 직육면체에서 오른쪽으로 한 칸 가는 것을 a, 뒤쪽으로 한 칸 가는 것을 b, 위쪽으로 한 칸 가는 것을 c라고 할 때, 꼭짓점 A에서 꼭짓점 B까지 최단거리로 가는 경우의 수는 a, a, a, b, b, c, c, c를 일렬로 나열하는 경우의 수와 같다.

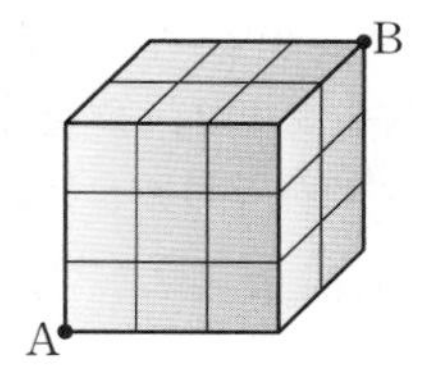

060

선택하는 복숭아의 개수를 x, 참외의 개수를 y, 자두의 개수를 z라고 하면 적어도 1개의 자두를 포함하여 10개의 과일을 선택해야 하므로

$x+y+z=10$ (단, $0\le x\le 7$, $0\le y\le 9$, $1\le z\le 10$)
└ 자두는 적어도 1개 포함해야 한다.

$z=z'+1(0\le z'\le 9)$로 놓으면

$x+y+(z'+1)=10$

$\therefore x+y+z'=9$

위의 식을 만족시키는 음이 아닌 정수 x, y, z'의 모든 순서쌍 (x, y, z')의 개수는

$_3H_9={}_{3+9-1}C_9={}_{11}C_9={}_{11}C_2=\frac{11\times 10}{2\times 1}=55$

이때 $0\le x\le 7$이므로 $x=9$, $y=0$, $z'=0$ 또는 $x=8$, $y=0$, $z'=1$ 또는 $x=8$, $y=1$, $z'=0$인 경우는 제외해야 한다.

따라서 구하는 경우의 수는

$55-3=52$

답 ①

061

같은 종류의 사탕 4개를 두 주머니에 넣는 경우의 수는

$_2H_4={}_{2+4-1}C_4={}_5C_4={}_5C_1=5$

같은 종류의 구슬 6개를 두 주머니에 넣는 경우의 수는

$_2H_6={}_{2+6-1}C_6={}_7C_6={}_7C_1=7$

따라서 같은 종류의 사탕 4개와 같은 종류의 구슬 6개를 서로 다른 두 주머니에 넣는 경우의 수는

$5\times 7=35$

이때 어느 주머니에도 1개 이상의 사탕 또는 구슬을 넣어야 하므로 빈 주머니가 있는 경우를 생각하자.

두 주머니 중 어느 하나에만 넣는 경우의 수는

$_2C_1=2$

따라서 구하는 경우의 수는

$35-2=33$

답 ③

062

서로 다른 종류의 주스 4개를 같은 종류의 상자 4개에 넣는 경우의 수는 1

┌ 같은 종류의 상자에 서로 다른 종류의 주스를 넣었으므로 4개의 상자는 서로 다른 상자가 된다.

서로 다른 종류의 주스가 들어 있는 4개의 상자에 커피가 1개 이상 들어가야 하므로 상자에 커피를 1개씩 미리 넣고 나머지 4개의 커피를 4개의 상자에 넣으면 된다.

$8-4=4$ ┘

따라서 구하는 경우의 수는

$_4H_4={}_{4+4-1}C_4={}_7C_4={}_7C_3$

$=\frac{7\times 6\times 5}{3\times 2\times 1}=35$

답 35

063

$f(a)\le f(b)<f(c)\le f(d)$를 만족시키는 함수 f의 개수는 $f(a)\le f(b)\le f(c)\le f(d)$를 만족시키는 함수의 개수에서 $f(a)\le f(b)=f(c)\le f(d)$를 만족시키는 함수의 개수를 빼면 된다.

$f(a)\le f(b)\le f(c)\le f(d)$를 만족시키는 함수 f의 개수는 서로 다른 5개에서 4개를 택하는 중복조합의 수와 같으므로

$_5H_4={}_{5+4-1}C_4={}_8C_4=\frac{8\times 7\times 6\times 5}{4\times 3\times 2\times 1}=70$

$f(a)\le f(b)=f(c)\le f(d)$를 만족시키는 함수 f의 개수는 서로 다른 5개에서 3개를 택하는 중복조합의 수와 같으므로

$_5H_3={}_{5+3-1}C_3={}_7C_3=\frac{7\times 6\times 5}{3\times 2\times 1}=35$

따라서 조건을 만족시키는 함수 f의 개수는

$70-35=35$

답 ②

064

접근

$f(1)<f(2)$이므로 $f(1)$의 값이 1, 2, 3일 때로 나누어 $f(2)$, $f(3)$, $f(4)$의 값이 될 수 있는 경우의 수를 구한다.

(i) $f(1)=1$일 때

$f(2)$, $f(3)$, $f(4)$의 값이 될 수 있는 경우의 수는 2, 3, 4 중에서 중복을 허락하여 3개를 택한 후, 크기순으로 $f(2)$, $f(3)$, $f(4)$의 값을 결정하면 되므로

$_3H_3={}_{3+3-1}C_3={}_5C_3={}_5C_2=\frac{5\times 4}{2\times 1}=10$

(ii) $f(1)=2$일 때

$f(2)$, $f(3)$, $f(4)$의 값이 될 수 있는 경우의 수는 3, 4 중에서 중복을 허락하여 3개를 택한 후, 크기순으로 $f(2)$, $f(3)$, $f(4)$의 값을 결정하면 되므로

$_2H_3={}_{2+3-1}C_3={}_4C_3={}_4C_1=4$

(iii) $f(1)=3$일 때

$f(2)=4$, $f(3)=4$, $f(4)=4$이어야 하므로 이때의 경우의 수는 1

(i), (ii), (iii)에서 조건을 만족시키는 함수 f의 개수는

$10+4+1=15$

답 15

065

검은 공 3개와 흰 공 2개를 ●○●○●로 나열하거나 검은 공 2개와 흰 공 3개를 ○●○●○로 나열하면 색깔의 변화가 4번 생긴다.

(ⅰ) ●○●○●로 나열하는 경우

●이 있는 3곳에 검은 공 3개를, ○이 있는 2곳에 흰 공 6개를 각각 중복을 허락하여 나열하면 되므로 이때의 경우의 수는

$_3H_3\times{}_2H_6={}_{3+3-1}C_3\times{}_{2+6-1}C_6={}_5C_3\times{}_7C_6={}_5C_2\times{}_7C_1$

$=10\times7=70$

(ⅱ) ○●○●○로 나열하는 경우

●이 있는 2곳에 검은 공 4개를, ○이 있는 3곳에 흰 공 5개를 각각 중복을 허락하여 나열하면 되므로 이때의 경우의 수는

$_2H_4\times{}_3H_5={}_{2+4-1}C_4\times{}_{3+5-1}C_5={}_5C_4\times{}_7C_5={}_5C_1\times{}_7C_2$

$=5\times21=105$

(ⅰ), (ⅱ)에서 구하는 경우의 수는

$70+105=175$

답 ④

066

x, y, z가 자연수이므로 $3\le x+y+z\le6$

(ⅰ) $x+y+z=3$일 때

자연수 x, y, z의 순서쌍 (x, y, z)의 개수는

$_3H_0={}_{3+0-1}C_0={}_2C_0=1$

└ $3-3=0$

(ⅱ) $x+y+z=4$일 때

자연수 x, y, z의 순서쌍 (x, y, z)의 개수는

$_3H_1={}_{3+1-1}C_1={}_3C_1=3$

└ $4-3=1$

(ⅲ) $x+y+z=5$일 때

자연수 x, y, z의 순서쌍 (x, y, z)의 개수는

$_3H_2={}_{3+2-1}C_2={}_4C_2=\frac{4\times3}{2\times1}=6$

└ $5-3=2$

(ⅳ) $x+y+z=6$일 때

자연수 x, y, z의 순서쌍 (x, y, z)의 개수는

$_3H_3={}_{3+3-1}C_3={}_5C_3={}_5C_2=\frac{5\times4}{2\times1}=10$

└ $6-3=3$

(ⅰ)~(ⅳ)에서 구하는 모든 순서쌍 (x, y, z)의 개수는

$1+3+6+10=20$

답 ③

067

$x=x'-1$, $y=y'+1$, $z=z'+2$(x', y', z'은 음이 아닌 정수)로 놓으면 $x+y+z=10$에서

$(x'-1)+(y'+1)+(z'+2)=10$

$\therefore x'+y'+z'=8$

따라서 모든 순서쌍 (x, y, z)의 개수는 $x'+y'+z'=8$을 만족시키는 음이 아닌 정수 x', y', z'의 순서쌍 (x', y', z')의 개수와 같으므로

$_3H_8={}_{3+8-1}C_8={}_{10}C_8={}_{10}C_2=\frac{10\times9}{2\times1}=45$

답 ②

068

조건 (가)에서 $a\times b\times c$는 홀수이므로 a, b, c는 모두 홀수이어야 한다.

조건 (나)에서 a, b, c는 10 이하의 홀수이고 $a\le b\le c$이므로 1, 3, 5, 7, 9의 5개의 홀수 중에서 중복을 허락하여 3개를 택한 후, 크기 순으로 a, b, c를 결정하면 된다.

따라서 구하는 모든 순서쌍 (a, b, c)의 개수는

$_5H_3={}_7C_3=\frac{7\times6\times5}{3\times2\times1}=35$

답 ③

069

조건 (가)에서 $x+y=7-z$

조건 (나)에 의하여 $0<7-z<7$

$\therefore 0<z<7$

└ z는 음이 아닌 정수이므로 $z=1, 2, 3, 4, 5, 6$

(ⅰ) $z=1$일 때

$x+y=6$이므로 음이 아닌 정수 x, y의 순서쌍 (x, y)의 개수는

$_2H_6={}_{2+6-1}C_6={}_7C_6={}_7C_1=7$

(ⅱ) $z=2$일 때

$x+y=5$이므로 음이 아닌 정수 x, y의 순서쌍 (x, y)의 개수는

$_2H_5={}_{2+5-1}C_5={}_6C_5={}_6C_1=6$

(ⅲ) $z=3$일 때

$x+y=4$이므로 음이 아닌 정수 x, y의 순서쌍 (x, y)의 개수는

$_2H_4={}_{2+4-1}C_4={}_5C_4={}_5C_1=5$

(ⅳ) $z=4$일 때

$x+y=3$이므로 음이 아닌 정수 x, y의 순서쌍 (x, y)의 개수는

$_2H_3={}_{2+3-1}C_3={}_4C_3={}_4C_1=4$

(ⅴ) $z=5$일 때

$x+y=2$이므로 음이 아닌 정수 x, y의 순서쌍 (x, y)의 개수는

$_2H_2={}_{2+2-1}C_2={}_3C_2={}_3C_1=3$

(ⅵ) $z=6$일 때

$x+y=1$이므로 음이 아닌 정수 x, y의 순서쌍 (x, y)의 개수는

$_2H_1={}_{2+1-1}C_1={}_2C_1=2$

(ⅰ)~(ⅵ)에서 구하는 모든 순서쌍 (x, y, z)의 개수는

$7+6+5+4+3+2=27$

답 27

다른 풀이

조건 (가)를 만족시키는 음이 아닌 정수 x, y, z의 모든 순서쌍 (x, y, z)의 개수는

$_3H_7={}_{3+7-1}C_7={}_9C_7={}_9C_2=\frac{9\times8}{2\times1}=36$

이 중에서 조건 (나)를 만족시키지 않는 경우는 $x+y=0$, $x+y=7$일 때이다.

(ⅰ) $x+y=0$, $z=7$일 때

$x+y=0$을 만족시키는 음이 아닌 정수 x, y의 순서쌍 (x, y)의 개수는 1

└ $x=0$, $y=0$

(ⅱ) $x+y=7$, $z=0$일 때

$x+y=7$을 만족시키는 음이 아닌 정수 x, y의 순서쌍 (x, y)의 개수는

$_2H_7={}_{2+7-1}C_7={}_8C_7={}_8C_1=8$

따라서 구하는 모든 순서쌍 (x, y, z)의 개수는

$36-(1+8)=27$

070

접근

$|x|=x'$, $|y|=y'$으로 놓고 주어진 조건을 이용하여 x', y'의 값의 범위를 구한다.

조건 (나)에서 $xy\neq0$이므로 $x\neq0$, $y\neq0$

$|x|=x'$, $|y|=y'$으로 놓으면 $x'\geq0$, $y'\geq0$

그런데 $x'\neq0$, $y'\neq0$이므로

$x'\geq1$, $y'\geq1$ ← $x\neq0$, $y\neq0$이므로 $x'\neq0$, $y'\neq0$

$x'=X+1$, $y'=Y+1$ (X, Y는 음이 아닌 정수)로 놓으면 조건 (다)에서 $|z|=z$이므로 $|x|+|y|+|z|=10$에서

$(X+1)+(Y+1)+z=10$

$\therefore X+Y+z=8$

따라서 모든 순서쌍 (x, y, z)의 개수는 $X+Y+z=8$을 만족시키는 음이 아닌 정수 X, Y, z의 순서쌍 (X, Y, z)의 개수와 같으므로

$${}_3H_8={}_{3+8-1}C_8={}_{10}C_8={}_{10}C_2=\frac{10\times9}{2\times1}=45$$

이때 x, y의 부호를 정하는 경우의 수는 $2\times2=4$

따라서 구하는 모든 순서쌍 (x, y, z)의 개수는

$45\times4=180$

답 ①

071

$a=2^{x_1}\times3^{y_1}$, $b=2^{x_2}\times3^{y_2}$, $c=2^{x_3}\times3^{y_3}$, $d=2^{x_4}\times3^{y_4}$이라고 하면

$x_1+x_2+x_3+x_4=n$, $y_1+y_2+y_3+y_4=n$

(단, $i=1, 2, 3, 4$에 대하여 x_i, y_i는 음이 아닌 정수이다.)

이때 $a+b+c+d$가 짝수이므로 a, b, c, d가 모두 짝수이거나 a, b, c, d 중에서 2개만 짝수이다.

(i) a, b, c, d가 모두 짝수인 경우

a, b, c, d가 모두 2 이상인 짝수이므로 x_1, x_2, x_3, x_4는 모두 자연수이다. 이때 순서쌍 (x_1, x_2, x_3, x_4)의 개수는 ${}_4H_{n-4}$

y_1, y_2, y_3, y_4는 음이 아닌 정수이므로 순서쌍 (y_1, y_2, y_3, y_4)의 개수는 ${}_4H_n$

따라서 순서쌍 $(x_1, x_2, x_3, x_4, y_1, y_2, y_3, y_4)$의 개수는 순서쌍 (x_1, x_2, x_3, x_4)의 개수와 순서쌍 (y_1, y_2, y_3, y_4)의 개수를 곱하면 되므로 ${}_4H_{\boxed{(가)\ n-4}}\times{}_4H_n$ …… ㉠

(ii) a, b, c, d 중에서 2개만 짝수인 경우

x_1, x_2, x_3, x_4 중에서 자연수가 2개이고 0이 2개이므로 x_1, x_2, x_3, x_4 중에서 자연수 2개를 택하는 경우의 수는 ${}_4C_2$

여기서 선택된 두 자연수를 x_1, x_2라고 하면

$x_1+x_2=n$

이므로 순서쌍 (x_1, x_2)의 개수는 ${}_2H_{n-2}$

따라서 순서쌍 (x_1, x_2, x_3, x_4)의 개수는

${}_4C_2\times\boxed{(나)\ {}_2H_{n-2}}$

이때 a, b, c, d 중에서 짝수인 두 수가 정해지면 나머지 두 수는 홀수이고 홀수인 두 수는 1이 될 수 없으므로 순서쌍 (y_1, y_2, y_3, y_4)의 개수는

${}_4H_{\boxed{(다)\ n-2}}$

따라서 순서쌍 $(x_1, x_2, x_3, x_4, y_1, y_2, y_3, y_4)$의 개수는

${}_4C_2\times\boxed{(나)\ {}_2H_{n-2}}\times{}_4H_{\boxed{(다)\ n-2}}$ …… ㉡

(i), (ii)에 의하여 구하는 경우의 수는 ㉠+㉡이다.

따라서 $f(n)=n-4$, $g(n)={}_2H_{n-2}$, $h(n)=n-2$이므로

$f(6)=6-4=2$, $g(7)={}_2H_{7-2}={}_2H_5={}_6C_5={}_6C_1=6$,

$h(8)=8-2=6$

$\therefore f(6)+g(7)+h(8)=2+6+6=14$

답 ②

02 이항정리

072

$(1+2x)^6$의 전개식의 일반항은

${}_6C_r1^{6-r}(2x)^r={}_6C_r2^rx^r$ (단, $r=0, 1, 2, \cdots, 6$)

x^5항은 $r=5$일 때이므로 x^5의 계수는

${}_6C_52^5=6\times32=192$

답 ④

참고

m, n이 자연수일 때

(1) $a^ma^n=a^{m+n}$

(2) $(a^m)^n=a^{mn}$

(3) $(ab)^n=a^nb^n$

(4) $\left(\frac{b}{a}\right)^n=\frac{b^n}{a^n}$ (단, $a\neq0$)

073

$\left(x+\frac{1}{2x}\right)^4$의 전개식의 일반항은

${}_4C_rx^{4-r}\left(\frac{1}{2x}\right)^r={}_4C_r\left(\frac{1}{2}\right)^rx^{4-2r}$ (단, $r=0, 1, 2, 3, 4$)

← $x^{4-r}\left(\frac{1}{2x}\right)^r=x^{4-r}\times\left(\frac{1}{2}\right)^r\times\left(\frac{1}{x}\right)^r=\left(\frac{1}{2}\right)^r\times x^{4-r}\times x^{-r}=\left(\frac{1}{2}\right)^rx^{4-2r}$

x^2항은 $4-2r=2$일 때이므로 $r=1$

따라서 x^2의 계수는

${}_4C_1\times\frac{1}{2}=4\times\frac{1}{2}=2$

답 ②

참고

$a\neq0$이고 n이 자연수일 때

(1) $a^0=1$

(2) $a^{-n}=\frac{1}{a^n}$

074

$\left(ax+\frac{1}{x}\right)^5$의 전개식의 일반항은

${}_5C_r(ax)^{5-r}\left(\frac{1}{x}\right)^r={}_5C_ra^{5-r}x^{5-2r}$ (단, $r=0, 1, 2, \cdots, 5$)

← $(ax)^{5-r}\left(\frac{1}{x}\right)^r=a^{5-r}x^{5-r}\times\left(\frac{1}{x}\right)^r=a^{5-r}\times x^{5-r}\times x^{-r}=a^{5-r}x^{5-2r}$

x항은 $5-2r=1$일 때이므로 $r=2$

이때 x의 계수가 ${}_5C_2a^3=10a^3$이므로 $10a^3=80$

$a^3=8$, $a^3-8=0$ $\therefore a=2$

← $(a-2)(a^2+2a+4)=0$

답 ①

075

접근
지수법칙을 이용하여 먼저 주어진 다항식을 간단히 한다.

$$\left(x-\frac{1}{\sqrt{x}}\right)^6\left(x+\frac{1}{\sqrt{x}}\right)^6=\left\{\left(x-\frac{1}{\sqrt{x}}\right)\left(x+\frac{1}{\sqrt{x}}\right)\right\}^6=\left(x^2-\frac{1}{x}\right)^6$$

이므로 $\left(x-\frac{1}{\sqrt{x}}\right)^6\left(x+\frac{1}{\sqrt{x}}\right)^6$의 일반항은

${}_6C_r(x^2)^{6-r}\left(-\frac{1}{x}\right)^r={}_6C_r(-1)^r x^{12-3r}$ (단, $r=0, 1, 2, \cdots, 6$)

$(x^2)^{6-r}\left(-\frac{1}{x}\right)^r=x^{12-2r}\times\left(-\frac{1}{x}\right)^r$
$=(-1)^r\times x^{12-2r}\times x^{-r}=(-1)^r x^{12-3r}$

x^3항은 $12-3r=3$일 때이므로 $r=3$

따라서 x^3의 계수는 ${}_6C_3(-1)^3=-\frac{6\times5\times4}{3\times2\times1}=-20$

답 ③

076

$(x+2)^5$의 전개식의 일반항은

${}_5C_r2^r x^{5-r}$ (단, $r=0, 1, 2, 3, 4, 5$) …… ㉠

$(x+2)^5(x+3)=x(x+2)^5+3(x+2)^5$의 전개식에서 x^3항은 x와 ㉠의 x^2항, 3과 ㉠의 x^3항이 곱해질 때 나타난다.

(i) ㉠에서 x^2항은 $5-r=2$일 때이므로 $r=3$
따라서 ㉠의 x^2항은 ${}_5C_32^3x^2=80x^2$

(ii) ㉠에서 x^3항은 $5-r=3$일 때이므로 $r=2$
따라서 ㉠의 x^3항은 ${}_5C_22^2x^3=40x^3$

(i), (ii)에서 구하는 x^3의 계수는

$80+3\times40=200$

답 ⑤

077

이항계수의 성질에 의하여

${}_{20}C_1+{}_{20}C_3+{}_{20}C_5+\cdots+{}_{20}C_{19}=2^{20-1}=2^{19}$

답 ①

078

$(1+x)^n={}_nC_0+{}_nC_1x+{}_nC_2x^2+\cdots+{}_nC_nx^n$의 양변에 $n=10$, $x=5$를 대입하면

$6^{10}={}_{10}C_0+{}_{10}C_1\times5+{}_{10}C_2\times5^2+\cdots+{}_{10}C_{10}\times5^{10}$

$6^{10}=(2\times3)^{10}=2^{10}\times3^{10}$이므로 $a=2^{10}$

답 ①

079

$(1+x)^n={}_nC_0+{}_nC_1x+{}_nC_2x^2+\cdots+{}_nC_nx^n$의 양변에 $x=3$을 대입하면

$4^n={}_nC_0+{}_nC_1\times3+{}_nC_2\times3^2+\cdots+{}_nC_n\times3^n$

이때 $4^n=2^{10}$이므로 $2^{2n}=2^{10}$

따라서 $2n=10$이므로 $n=5$

답 ③

080

${}_{n-1}C_{r-1}+{}_{n-1}C_r={}_nC_r$ ($r=1, 2, 3, \cdots, n-1$)이므로

${}_4C_1+{}_5C_2+{}_6C_3+{}_7C_4+{}_8C_5+{}_9C_6$
$=({}_4C_0+{}_4C_1+{}_5C_2+{}_6C_3+{}_7C_4+{}_8C_5+{}_9C_6)-{}_4C_0$
$=({}_5C_1+{}_5C_2+{}_6C_3+{}_7C_4+{}_8C_5+{}_9C_6)-1$
$=({}_6C_2+{}_6C_3+{}_7C_4+{}_8C_5+{}_9C_6)-1$
$=({}_7C_3+{}_7C_4+{}_8C_5+{}_9C_6)-1$
$=({}_8C_4+{}_8C_5+{}_9C_6)-1$
$=({}_9C_5+{}_9C_6)-1$
$={}_{10}C_6-1$
$={}_{10}C_4-1$
$=\frac{10\times9\times8\times7}{4\times3\times2\times1}-1$
$=210-1=209$

답 ①

풍쌤 비법

파스칼의 삼각형에서 이항계수의 성질

(1) 각 단계의 양 끝에 있는 수는 모두 1이다.
➡ ${}_nC_0=1$, ${}_nC_n=1$

(2) 각 단계의 배열은 좌우대칭이다.
➡ ${}_nC_r={}_nC_{n-r}$ (단, $r=0, 1, 2, \cdots, n$)

(3) 각 단계에서 이웃하는 두 수의 합은 그 다음 단계에서 두 수의 중앙에 있는 수와 같다.
➡ ${}_nC_r={}_{n-1}C_{r-1}+{}_{n-1}C_r$ (단, $r=1, 2, 3, \cdots, n-1$)

081

접근
${}_nC_r={}_{n-1}C_{r-1}+{}_{n-1}C_r$ ($r=1, 2, 3, \cdots, n-1$)를 이용하여 색칠한 부분의 모든 수의 합을 구한다.

${}_nC_r={}_{n-1}C_{r-1}+{}_{n-1}C_r$ ($r=1, 2, 3, \cdots, n-1$)이므로

${}_2C_1+{}_2C_2+{}_3C_2+{}_3C_3+\cdots+{}_8C_7+{}_8C_8$
$={}_3C_2+{}_4C_3+{}_5C_4+{}_6C_5+{}_7C_6+{}_8C_7+{}_9C_8$
$={}_3C_1+{}_4C_1+{}_5C_1+{}_6C_1+{}_7C_1+{}_8C_1+{}_9C_1$
$=3+4+5+6+7+8+9=42$

답 42

다른 풀이

${}_2C_2+{}_3C_3+{}_4C_4+\cdots+{}_8C_8=1+1+1+\cdots+1=7$

${}_2C_1+{}_3C_2+{}_4C_3+\cdots+{}_8C_7={}_2C_1+{}_3C_1+{}_4C_1+\cdots+{}_8C_1$
$=2+3+4+\cdots+8=35$

따라서 색칠한 부분의 모든 수의 합은 $7+35=42$

082

$\left(ax^2+\frac{1}{x^2}\right)^6$의 전개식의 일반항은

${}_6C_r(ax^2)^{6-r}\left(\frac{1}{x^2}\right)^r={}_6C_ra^{6-r}x^{12-4r}$ (단, $r=0, 1, 2, \cdots, 6$)

$(ax^2)^{6-r}\left(\frac{1}{x^2}\right)^r=a^{6-r}\times x^{12-2r}\times x^{-2r}$
$=a^{6-r}x^{12-4r}$

상수항은 $12-4r=0$일 때이므로 $r=3$
이때 상수항은 ${}_6C_3 a^3=20a^3$이므로
$20a^3=160$, $a^3=8$
$\therefore a=2$

답 ①

083

$(x+a)^5$의 전개식의 일반항은
${}_5C_r x^{5-r}a^r$ (단, $r=0, 1, 2, \cdots, 5$)
x^3항은 $5-r=3$일 때이므로 $r=2$
이때 x^3의 계수는 ${}_5C_2 a^2=10a^2$이므로 $10a^2=40$
$a^2=4$ $\therefore a=2$ ($\because a>0$)
$(x+2)^5$의 전개식의 일반항은 ${}_5C_r x^{5-r}2^r$
x^2항은 $5-r=2$일 때이므로 $r=3$
따라서 x^2의 계수는
${}_5C_3 2^3=10\times 8=80$

답 80

084

$(x+a)^8$의 전개식의 일반항은
${}_8C_r x^{8-r}a^r$ (단, $r=0, 1, 2, \cdots, 8$)
x^2항은 $8-r=2$일 때이므로 $r=6$
x^2의 계수는 ${}_8C_6 a^6=28a^6$
x^3항은 $8-r=3$일 때이므로 $r=5$
x^3의 계수는 ${}_8C_5 a^5=56a^5$
이때 x^2의 계수와 x^3의 계수가 같으므로
$28a^6=56a^5$
$\therefore a=2$ ($\because a\neq 0$)

답 ①

085

$(x+2)^5$의 전개식의 일반항은
${}_5C_r x^{5-r}2^r$ (단, $r=0, 1, 2, \cdots, 5$)
x^2항은 $5-r=2$일 때이므로 $r=3$
이때 $(x+2)^5$의 전개식에서 x^2의 계수는
${}_5C_3 2^3=80$
$(ax+1)^6$의 전개식의 일반항은
${}_6C_s (ax)^{6-s}={}_6C_s a^{6-s}x^{6-s}$ (단, $s=0, 1, 2, \cdots, 6$)
x^2항은 $6-s=2$일 때이므로 $s=4$
이때 $(ax+1)^6$의 전개식에서 x^2의 계수는
${}_6C_4 a^2=15a^2$
따라서 $15a^2=80$이므로 $a^2=\frac{16}{3}$

답 ④

086

접근
x, x^2, x^4의 계수를 구한 후, 세 수가 주어진 순서대로 등비수열을 이룰 조건을 이용한다.

$(2x+a)^6$의 전개식의 일반항은
${}_6C_r (2x)^{6-r}a^r={}_6C_r 2^{6-r}a^r x^{6-r}$ (단, $r=0, 1, 2, \cdots, 6$)
x항은 $6-r=1$일 때이므로 $r=5$
x의 계수는 ${}_6C_5 2a^5=12a^5$
x^2항은 $6-r=2$일 때이므로 $r=4$
x^2의 계수는 ${}_6C_4 2^2a^4=60a^4$
x^4항은 $6-r=4$일 때이므로 $r=2$
x^4의 계수는 ${}_6C_2 2^4a^2=240a^2$
x, x^2, x^4의 계수가 이 순서대로 등비수열을 이루므로
$(60a^4)^2=12a^5\times 240a^2$, $3600a^8=2880a^7$
$\therefore a=\frac{4}{5}$ ($\because a\neq 0$)

답 ④

참고
등비중항 (수학 I)
0이 아닌 세 수 a, b, c가 이 순서대로 등비수열을 이루면
$b^2=ac$ ⬅ b는 a, c의 등비중항

087

$\left(x+\frac{1}{x}\right)^6$의 전개식의 일반항은
${}_6C_r x^{6-r}\left(\frac{1}{x}\right)^r={}_6C_r x^{6-2r}$ (단, $r=0, 1, 2, \cdots, 6$) …… ㉠
$(x^2+2)\left(x+\frac{1}{x}\right)^6=x^2\left(x+\frac{1}{x}\right)^6+2\left(x+\frac{1}{x}\right)^6$의 전개식에서 상수항은 x^2과 ㉠의 $\frac{1}{x^2}$항, 2와 ㉠의 상수항이 곱해질 때 나타난다.
(i) ㉠에서 $\frac{1}{x^2}$항은 $6-2r=-2$일 때이므로 $r=4$
따라서 상수항은 $x^2\times{}_6C_4\frac{1}{x^2}={}_6C_4=15$
(ii) ㉠에서 상수항은 $6-2r=0$일 때이므로 $r=3$
따라서 상수항은 $2\times{}_6C_3=40$
(i), (ii)에서 구하는 상수항은
$15+40=55$

답 ⑤

088

$(x+3)^3$의 전개식의 일반항은
${}_3C_r x^{3-r}3^r={}_3C_r 3^r x^{3-r}$ (단, $r=0, 1, 2, 3$)
$(1+2x)^4$의 전개식의 일반항은
${}_4C_s (2x)^s={}_4C_s 2^s x^s$ (단, $s=0, 1, 2, 3, 4$)
따라서 $(x+3)^3(1+2x)^4$의 전개식의 일반항은
${}_3C_r 3^r x^{3-r}\times{}_4C_s 2^s x^s={}_3C_r\times{}_4C_s 3^r 2^s x^{3-r+s}$
(단, $r=0, 1, 2, 3$, $s=0, 1, 2, 3, 4$)
x항은 $3-r+s=1$일 때이므로 $r-s=2$
$r-s=2$를 만족시키는 순서쌍 (r, s)는 $(2, 0)$ 또는 $(3, 1)$이므로
x의 계수는
${}_3C_2\times{}_4C_0\times 3^2\times 2^0+{}_3C_3\times{}_4C_1\times 3^3\times 2^1$
$=27+216=243$

답 ③

> **풍쌤 비법**
> 다항식 $(ax+b)^p(cx+d)^q$의 전개식의 일반항은
> $(ax+b)^p$의 전개식의 일반항 ${}_pC_r(ax)^{p-r}b^r$과
> $(cx+d)^q$의 전개식의 일반항 ${}_qC_s(cx)^{q-s}d^s$의 곱이다.
> 즉, ${}_pC_r(ax)^{p-r}b^r \times {}_qC_s(cx)^{q-s}d^s$이다.
> (단, $r=0, 1, 2, \cdots, p$, $s=0, 1, 2, \cdots, q$)

089

$(x+1)^n$의 전개식의 일반항은

${}_nC_rx^r$ (단, $r=0, 1, 2, \cdots, n$)

x^4항은 $r=4$일 때이므로 x^4의 계수는 ${}_nC_4$

$(x+1)$, $(x+1)^2$, $(x+1)^3$에서는 x^4 항이 나올 수 없으므로 주어진 식에서 x^4의 계수는

${}_4C_4+{}_5C_4+{}_6C_4=1+5+15=21$

답 ②

090

$(x+2)^{10}=(2+x)^{10}$이므로 전개식의 일반항은

${}_{10}C_r2^{10-r}x^r$ (단, $r=0, 1, 2, \cdots, 10$)

x^n의 계수는 ${}_{10}C_n2^{10-n}$

x^{n+1}의 계수는 ${}_{10}C_{n+1}2^{9-n}$

x^n의 계수가 x^{n+1}의 계수보다 작게 되려면

${}_{10}C_n2^{10-n}<{}_{10}C_{n+1}2^{9-n}$, ${}_{10}C_n \times 2<{}_{10}C_{n+1}$

$$\frac{10!}{n!(10-n)!}\times 2<\frac{10!}{(n+1)!(9-n)!}$$

$2(n+1)<10-n$, $3n<8$ $\quad\therefore n<\frac{8}{3}$

따라서 자연수 n의 최댓값은 2이다.

답 ②

091

$\left(x^2+\frac{1}{x}\right)^{n+1}$의 전개식의 일반항은

${}_{n+1}C_r(x^2)^{n+1-r}\left(\frac{1}{x}\right)^r={}_{n+1}C_rx^{2n+2-3r}$ (단, $r=0, 1, 2, \cdots, n+1$)

$\frac{1}{x^{n-5}}$항은 $2n+2-3r=-(n-5)$일 때이므로 ($\frac{1}{x^{n-5}}=x^{-(n-5)}$)

$3r=3n-3$ $\quad\therefore r=n-1$

따라서 $\frac{1}{x^{n-5}}$의 계수는

$$a_n={}_{n+1}C_{n-1}={}_{n+1}C_2=\frac{n(n+1)}{2}$$

$$\begin{aligned}\therefore \sum_{n=1}^{19}\frac{1}{a_n}&=\sum_{n=1}^{19}\frac{2}{n(n+1)}=2\sum_{n=1}^{19}\left(\frac{1}{n}-\frac{1}{n+1}\right)\\&=2\left\{\left(1-\frac{1}{2}\right)+\left(\frac{1}{2}-\frac{1}{3}\right)+\cdots+\left(\frac{1}{19}-\frac{1}{20}\right)\right\}\\&=\frac{19}{10}\end{aligned}$$

답 ④

> **참고**
> 분수 꼴로 된 수열의 합 (수학 I)
> 부분분수로 변형하여 전개하면 연속적으로 소거된다.
> $\frac{1}{AB}=\frac{1}{B-A}\left(\frac{1}{A}-\frac{1}{B}\right)$ (단, $A\neq B$)

092

$(x+a^2)^n$의 전개식의 일반항은

${}_nC_rx^r(a^2)^{n-r}$

이 전개식에서 x^{n-1} 항은 $r=n-1$일 때이므로 x^{n-1}의 계수는

${}_nC_{n-1}(a^2)^{n-(n-1)}={}_nC_1a^2=a^2n$ ······ ㉠

한편 $(x^2-2a)(x+a)^n=x^2(x+a)^n-2a(x+a)^n$에서

$x^2(x+a)^n$의 전개식의 일반항은

$x^2\times{}_nC_rx^ra^{n-r}={}_nC_rx^{r+2}a^{n-r}$

이 전개식에서 x^{n-1} 항은 $r+2=n-1$일 때이므로 $r=n-3$

따라서 x^{n-1}의 계수는

$$\begin{aligned}{}_nC_{n-3}a^{n-(n-3)}&={}_nC_3a^3=\frac{n(n-1)(n-2)}{3\times2\times1}\times a^3\\&=\boxed{(가)\ \frac{n(n-1)(n-2)}{6}}\times a^3\end{aligned}$$

또, $2a(x+a)^n$의 전개식의 일반항은

$2a\times{}_nC_rx^ra^{n-r}=2{}_nC_rx^ra^{n-r+1}$

이 전개식에서 x^{n-1} 항은 $r=n-1$일 때이므로 x^{n-1}의 계수는

$2{}_nC_{n-1}a^{n-(n-1)+1}=2{}_nC_1a^2=2a^2n$

따라서 $(x^2-2a)(x+a)^n$의 전개식에서 x^{n-1}의 계수는

$\boxed{(가)\ \frac{n(n-1)(n-2)}{6}}\times a^3-2a^2n$ ······ ㉡

이때 두 다항식 $(x+a^2)^n$과 $(x^2-2a)(x+a)^n$의 전개식에서 x^{n-1}의 계수가 같아야 하므로 ㉠, ㉡에 의하여

$a^2n=\boxed{(가)\ \frac{n(n-1)(n-2)}{6}}\times a^3-2a^2n$이고

이 식을 정리하여 a를 n에 대한 식으로 나타내면

$3a^2n=\frac{n(n-1)(n-2)}{6}\times a^3$에서

$3=\frac{(n-1)(n-2)}{6}\times a$ ($\because a>0$, $n\geq4$)

$$\therefore a=\frac{18}{\boxed{(나)\ (n-1)(n-2)}}$$

여기서 a는 자연수이므로 $(n-1)(n-2)$는 18의 연속한 양의 약수이어야 한다. 이때 18의 양의 약수는 1, 2, 3, 6, 9, 18이고 연속한 양의 약수는 1, 2 또는 2, 3인데 $n-1=2$, $n-2=1$이면 $n=3$이므로 $n\geq4$를 만족시키지 않는다.

즉, $n-1=3$, $n-2=2$에서 $n=\boxed{(다)\ 4}$이다.

따라서 $f(n)=\frac{n(n-1)(n-2)}{6}$, $g(n)=(n-1)(n-2)$, $k=4$

이므로

$$\begin{aligned}f(k)+g(k)&=f(4)+g(4)\\&=\frac{4\times3\times2}{6}+3\times2\\&=4+6=10\end{aligned}$$

답 ①

093

${}_{2n}C_0+{}_{2n}C_1+{}_{2n}C_2+{}_{2n}C_3+\cdots+{}_{2n}C_{2n}=2^{2n}$이므로

${}_{2n}C_0+{}_{2n}C_2+{}_{2n}C_4+\cdots+{}_{2n}C_{2n}=2^{2n-1}$

이때 $512=2^9$이므로　$2n-1=9$

$\therefore n=5$

답 ①

094

$N={}_9C_2+{}_9C_4+{}_9C_6+{}_9C_8$

$=({}_9C_0+{}_9C_2+{}_9C_4+{}_9C_6+{}_9C_8)-{}_9C_0$

$=2^{9-1}-1$

$=2^8-1$

$=(2^4-1)(2^4+1)$

$=15\times17=3\times5\times17$

따라서 N의 양의 약수의 개수는

$2\times2\times2=8$

답 ③

참고

자연수 N이 $N=p^lq^mr^n$ (p, q, r는 서로 다른 소수, l, m, n은 자연수)의 꼴로 소인수분해될 때

(1) 양의 약수의 개수: $(l+1)(m+1)(n+1)$

(2) 양의 약수의 총합:

$(1+p+\cdots+p^l)(1+q+\cdots+q^m)(1+r+\cdots+r^n)$

095

$9^2\times{}_4C_1+9^3\times{}_4C_2+9^4\times{}_4C_3+9^5\times{}_4C_4$

$=9({}_4C_1\times9+{}_4C_2\times9^2+{}_4C_3\times9^3+{}_4C_4\times9^4)$

$=9({}_4C_0+{}_4C_1\times9+{}_4C_2\times9^2+{}_4C_3\times9^3+{}_4C_4\times9^4)-9\times{}_4C_0$

$=9(1+9)^4-9$

$=9\times10^4-9=89991$

답 ①

096

$f(n)={}_{2n+1}C_{n+1}+{}_{2n+1}C_{n+2}+{}_{2n+1}C_{n+3}+\cdots+{}_{2n+1}C_{2n+1}$ …… ㉠

이때 ${}_nC_r={}_nC_{n-r}$ $(r=0, 1, 2, \cdots, n)$이므로

${}_{2n+1}C_{n+1}={}_{2n+1}C_{(2n+1)-(n+1)}={}_{2n+1}C_n$,

${}_{2n+1}C_{n+2}={}_{2n+1}C_{(2n+1)-(n+2)}={}_{2n+1}C_{n-1}$,

${}_{2n+1}C_{n+3}={}_{2n+1}C_{(2n+1)-(n+3)}={}_{2n+1}C_{n-2}$,

⋮

${}_{2n+1}C_{2n+1}={}_{2n+1}C_{(2n+1)-(2n+1)}={}_{2n+1}C_0$

㉠에서

$f(n)={}_{2n+1}C_n+{}_{2n+1}C_{n-1}+{}_{2n+1}C_{n-2}+\cdots+{}_{2n+1}C_0$ …… ㉡

㉠+㉡을 하면

$2f(n)={}_{2n+1}C_0+{}_{2n+1}C_1+{}_{2n+1}C_2+\cdots+{}_{2n+1}C_n$
$+{}_{2n+1}C_{n+1}+{}_{2n+1}C_{n+2}+\cdots+{}_{2n+1}C_{2n+1}$

$=2^{2n+1}$

$\therefore f(n)=2^{2n}$

$f(m)=256$에서　$2^{2m}=2^8$

$2m=8$　　$\therefore m=4$

답 4

097

$(1+3)^{10}$과 $(1-3)^{10}$을 이항정리를 이용하여 나타내면

$(1+3)^{10}={}_{10}C_0+{}_{10}C_1\times3+{}_{10}C_2\times3^2+{}_{10}C_3\times3^3+$
$\cdots+{}_{10}C_9\times3^9+{}_{10}C_{10}\times3^{10}$

$(1-3)^{10}={}_{10}C_0+{}_{10}C_1\times(-3)+{}_{10}C_2\times(-3)^2$
$+{}_{10}C_3\times(-3)^3+\cdots+{}_{10}C_9\times(-3)^9+{}_{10}C_{10}\times(-3)^{10}$

이므로

$(1+3)^{10}-(1-3)^{10}$

$=2({}_{10}C_1\times3+{}_{10}C_3\times3^3+{}_{10}C_5\times3^5+{}_{10}C_7\times3^7+{}_{10}C_9\times3^9)$

$\therefore S=3\times{}_{10}C_1+3^3\times{}_{10}C_3+3^5\times{}_{10}C_5+3^7\times{}_{10}C_7+3^9\times{}_{10}C_9$

$=\dfrac{(1+3)^{10}-(1-3)^{10}}{2}$

$=\dfrac{4^{10}-2^{10}}{2}$

$=2^{19}-2^9=2^9(2^{10}-1)$ ← $2^{10}-1$은 홀수이므로 2로 나누어떨어지지 않는다.

따라서 S는 2^1, 2^2, $\cdots$, 2^9으로 나누어떨어지므로 자연수 n의 최댓값은 9이다.

답 ③

098

동호회 회원 12명 중에서 $2n$명의 회원을 택하는 경우의 수는

$f(n)={}_{12}C_{2n}$이므로

$f(1)+f(2)+f(3)+f(4)+f(5)+f(6)$

$={}_{12}C_2+{}_{12}C_4+{}_{12}C_6+{}_{12}C_8+{}_{12}C_{10}+{}_{12}C_{12}$

$=({}_{12}C_0+{}_{12}C_2+{}_{12}C_4+\cdots+{}_{12}C_{12})-{}_{12}C_0$

$=2^{12-1}-{}_{12}C_0=2^{11}-1$

$=2047$

답 ④

099

접근

부분집합 중 두 원소 1, 2를 모두 포함해야 하므로 나머지 18개의 원소 중 짝수 개의 원소를 포함시켜야 한다.

집합 A의 부분집합 중 두 원소 1, 2를 모두 포함하고 원소의 개수가 짝수인 부분집합의 개수는 집합 $\{3, 4, 5, \cdots, 20\}$의 부분집합 중 원소의 개수가 짝수인 부분집합의 개수와 같다.

따라서 구하는 부분집합의 개수는

${}_{18}C_0+{}_{18}C_2+{}_{18}C_4+\cdots+{}_{18}C_{16}+{}_{18}C_{18}$

$=2^{18-1}=2^{17}$

답 ②

100

서로 다른 15개의 음료수 중에서 8개 이상의 음료수를 택하는 경우의 수는

${}_{15}C_8+{}_{15}C_9+{}_{15}C_{10}+\cdots+{}_{15}C_{15}$

이때 ${}_{15}C_r={}_{15}C_{15-r}$ $(r=0, 1, 2, \cdots, 15)$이므로

${}_{15}C_8+{}_{15}C_9+{}_{15}C_{10}+\cdots+{}_{15}C_{15}$

$={}_{15}C_7+{}_{15}C_6+{}_{15}C_5+\cdots+{}_{15}C_0$

$=\dfrac{1}{2}({}_{15}C_0+{}_{15}C_1+{}_{15}C_2+\cdots+{}_{15}C_{15})$

$=\dfrac{1}{2}\times2^{15}=2^{14}$

답 ③

101

빨간색, 파란색, 노란색 색연필을 적어도 하나씩 포함하여 15개 이하의 색연필을 선택하는 방법의 수는 먼저 빨간색, 파란색, 노란색 색연필을 각각 1개씩 선택하고 남은 12개의 색연필을 중복을 허락하여 12개 이하로 선택하는 방법의 수와 같다.

$\therefore {}_3H_0+{}_3H_1+{}_3H_2+\cdots+{}_3H_{12}$

$={}_2C_0+{}_3C_1+{}_4C_2+\cdots+{}_{14}C_{12}$

$={}_3C_0+{}_3C_1+{}_4C_2+\cdots+{}_{14}C_{12}$ ($\because {}_2C_0={}_3C_0$)

$={}_4C_1+{}_4C_2+\cdots+{}_{14}C_{12}$ ($\because {}_nC_r={}_{n-1}C_{r-1}+{}_{n-1}C_r$)

$\vdots$

$={}_{14}C_{11}+{}_{14}C_{12}={}_{15}C_{12}$

$={}_{15}C_3=\dfrac{15\times14\times13}{3\times2\times1}=455$

답 455

다른 풀이

3개의 색연필을 중복을 허락하여 k개 선택하는 방법의 수는

${}_3H_k={}_{3+k-1}C_k={}_{k+2}C_k={}_{k+2}C_2$이고 $0\le k\le12$이므로

$$\sum_{k=0}^{12}{}_{k+2}C_2={}_2C_2+{}_3C_2+{}_4C_2+\cdots+{}_{14}C_2$$
$$={}_2C_2+\left(\frac{3\times2}{2}+\frac{4\times3}{2}+\cdots+\frac{14\times13}{2}\right)$$
$$=1+\sum_{k=1}^{12}\frac{(k+2)(k+1)}{2}$$
$$=1+\frac{1}{2}\sum_{k=1}^{12}(k^2+3k+2)$$
$$=1+\frac{1}{2}\left(\frac{12\times13\times25}{6}+3\times\frac{12\times13}{2}+2\times12\right)$$
$$=1+325+117+12$$
$$=455$$

참고

$\sum$의 기본 성질 (수학 I)

c가 상수일 때

(1) $\sum_{k=1}^{n}(a_k\pm b_k)=\sum_{k=1}^{n}a_k\pm\sum_{k=1}^{n}b_k$ (복부호동순)

(2) $\sum_{k=1}^{n}ca_k=c\sum_{k=1}^{n}a_k$

(3) $\sum_{k=1}^{n}c=cn$

102

$101^8=(1+100)^8$이므로

$(1+x)^n={}_nC_0+{}_nC_1x+{}_nC_2x^2+\cdots+{}_nC_nx^n$의 양변에 $x=100$, $n=8$을 대입하면

$$(1+100)^8={}_8C_0+{}_8C_1\times100+{}_8C_2\times100^2+\cdots+{}_8C_8\times100^8$$
$$={}_8C_0+{}_8C_1\times100+100^2({}_8C_2+{}_8C_3\times100+\cdots+{}_8C_8\times100^6)$$
$$=1+800+100^2({}_8C_2+{}_8C_3\times100+\cdots+{}_8C_8\times100^6)$$
$$=801+100^2({}_8C_2+{}_8C_3\times100+\cdots+{}_8C_8\times100^6)$$

이때 $100^2({}_8C_2+{}_8C_3\times100+\cdots+{}_8C_8\times100^6)$은 10000의 배수이므로 $a=8$, $b=0$, $c=1$

$\therefore a+b+c=8+0+1=9$

답 ⑤

103

$11^{10}=(1+10)^{10}$이므로

$(1+x)^n={}_nC_0+{}_nC_1x+{}_nC_2x^2+\cdots+{}_nC_nx^n$의 양변에 $x=10$, $n=10$을 대입하면

$11^{10}={}_{10}C_0+{}_{10}C_1\times10+{}_{10}C_2\times10^2+\cdots+{}_{10}C_{10}\times10^{10}$

이때 $10^2=50\times2$이므로 세 번째 항 이후로는 50으로 나누어떨어진다. 따라서 11^{10}을 50으로 나누었을 때의 나머지는 ${}_{10}C_0+{}_{10}C_1\times10$을 50으로 나누었을 때의 나머지와 같다.

${}_{10}C_0+{}_{10}C_1\times10=1+10\times10=101=50\times2+1$이므로 11^{10}을 50으로 나누었을 때의 나머지는 1이다.

답 ①

104

$(1+12)^7={}_7C_0+{}_7C_1\times12+{}_7C_2\times12^2+\cdots+{}_7C_7\times12^7$

이때 ${}_7C_1$, ${}_7C_2$, $\cdots$, ${}_7C_6$은 7의 배수이므로

$(1+12)^7={}_7C_0+7k+{}_7C_7\times12^7$ (k는 자연수)으로 놓으면

$(1+12)^7=1+7k+12^7$

$=12^7+(7k+1)$

즉, $(1+12)^7$째 되는 날은 12^7째 되는 날보다 $(7k+1)$일이 더 지나야 한다.

따라서 일요일에서 $(7k+1)$일이 지난 후의 요일인 월요일이다.

답 ②

105

${}_{2k}C_0+{}_{2k}C_2+{}_{2k}C_4+{}_{2k}C_6+\cdots+{}_{2k}C_{2k}=2^{2k-1}$이므로

${}_{2k}C_2+{}_{2k}C_4+{}_{2k}C_6+\cdots+{}_{2k}C_{2k}=2^{2k-1}-1$

$=2\times4^{k-1}-1$

$$\therefore f(5)=\sum_{k=1}^{5}({}_{2k}C_2+{}_{2k}C_4+{}_{2k}C_6+\cdots+{}_{2k}C_{2k})$$
$$=\sum_{k=1}^{5}(2\times4^{k-1}-1)$$
$$=2\times\frac{4^5-1}{4-1}-5$$
$$=2\times341-5=677$$

답 ④

다른 풀이

$$f(5)=\sum_{k=1}^{5}({}_{2k}C_2+{}_{2k}C_4+{}_{2k}C_6+\cdots+{}_{2k}C_{2k})$$
$$={}_2C_2+({}_4C_2+{}_4C_4)+({}_6C_2+{}_6C_4+{}_6C_6)+({}_8C_2+{}_8C_4+{}_8C_6+{}_8C_8)+({}_{10}C_2+{}_{10}C_4+{}_{10}C_6+{}_{10}C_8+{}_{10}C_{10})$$
$$=1+(6+1)+(15+15+1)+(28+70+28+1)+(45+210+210+45+1)$$
$$=677$$

106

${}_nC_1+{}_nC_2+{}_nC_3+\cdots+{}_nC_n$

$=({}_nC_0+{}_nC_1+{}_nC_2+\cdots+{}_nC_n)-{}_nC_0$

$=2^n-1$

2^n-1이 3의 배수가 되기 위해서는 2^n을 3으로 나누었을 때 나머지가 1이어야 한다.

따라서 3으로 나눈 나머지가 1인 수는 2^2, 2^4, 2^6, $\cdots$, 2^{50}이므로 구하는 n의 개수는 25이다.

답 25

다른 풀이

$n=1$일 때, $2-1=1$
$n=2$일 때, $2^2-1=3$ ⇦ 3의 배수
$n=3$일 때, $2^3-1=7$
$n=4$일 때, $2^4-1=15$ ⇦ 3의 배수
$n=5$일 때, $2^5-1=31$
$n=6$일 때, $2^6-1=63$ ⇦ 3의 배수
⋮
이때 $n=2, 4, 6, \cdots$, 즉 n이 짝수일 때 2^n-1이 3의 배수가 된다.
따라서 구하는 n의 개수는 25이다.

107

3 이상의 자연수 n에 대하여 $\frac{(1+x)^n}{x^{n-2}}$의 전개식에서 상수항은 $(1+x)^n$의 전개식에서 x^{n-2}의 계수와 같다.
$(1+x)^n$의 전개식의 일반항은
${}_nC_rx^r$(단, $r=0, 1, 2, \cdots, n$)
x^{n-2}항은 $r=n-2$일 때이므로 x^{n-2}의 계수는 ${}_nC_{n-2}$
따라서 $\frac{(1+x)^3}{x}+\frac{(1+x)^4}{x^2}+\frac{(1+x)^5}{x^3}+\cdots+\frac{(1+x)^{10}}{x^8}$의 전개식에서 상수항은

$${}_3C_1+{}_4C_2+{}_5C_3+{}_6C_4+\cdots+{}_{10}C_8$$
$$=-1+{}_4C_1+{}_4C_2+{}_5C_3+{}_6C_4+\cdots+{}_{10}C_8 \quad (\because {}_3C_1+1={}_4C_1)$$
$$=-1+{}_5C_2+{}_5C_3+{}_6C_4+\cdots+{}_{10}C_8$$
$$=-1+{}_6C_3+{}_6C_4+\cdots+{}_{10}C_8$$
$$=-1+{}_7C_4+\cdots+{}_{10}C_8$$
$$=\cdots=-1+{}_{11}C_8$$
$$=-1+{}_{11}C_3$$
$$=-1+165=164$$

답 ②

상위 1% 도전 문제

108

변으로 연결된 두 수의 곱이 짝수가 되려면 짝수는 적어도 4개 이상이어야 한다.

(i) 짝수가 4개인 경우
짝수 2, 4, 6, 8, 10 중 4개를 택하고 홀수 3, 5, 7, 9 중 3개를 택하는 경우의 수는
${}_5C_4\times{}_4C_3=5\times4=20$
이 각각에 대하여 짝수를 먼저 원형으로 배열한 후 그 사이에 홀수를 배열하면 되므로 구하는 경우의 수는
$(4-1)!\times{}_4P_3=3!\times{}_4P_3=6\times24=144$
따라서 이때의 경우의 수는
$20\times144=2880$

(ii) 짝수가 5개인 경우
짝수 2, 4, 6, 8, 10 중 5개를 택하고 홀수 3, 5, 7, 9 중 2개를 택하는 경우의 수는
${}_5C_5\times{}_4C_2=1\times6=6$
이 각각에 대하여 짝수를 먼저 원형으로 배열한 후 그 사이에 홀수를 배열하면 되므로 구하는 경우의 수는
$(5-1)!\times{}_5P_2=4!\times{}_5P_2=24\times20=480$
따라서 이때의 경우의 수는
$6\times480=2880$

(i), (ii)에서 구하는 경우의 수는
$2880+2880=5760$

답 ④

참고
4개의 짝수를 원형으로 배열한 후 짝수 사이의 4곳 중 3곳에 홀수를 3개 배열한다. 배열된 수의 사이가 일정하도록 이동하면 정칠각형의 각 꼭짓점에 놓이게 된다. 이때 서로 위치를 바꾸지 않으므로 경우의 수는 변함이 없다.

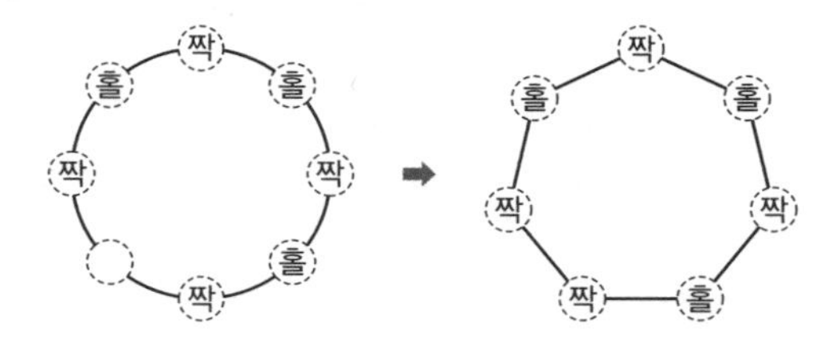

109

$f(2)\geq1$, $f(3)\geq1$이므로 $f(2)+f(3)\geq2$
따라서 조건 (가)에 의하여
$f(2)+f(3)=2$ 또는 $f(2)+f(3)=3$
└ 6의 약수는 1, 2, 3, 6이지만 $f(2)+f(3)\geq2$이고 6은 X의 원소가 아니므로 $f(2)+f(3)$의 값은 2 또는 3이다.

(i) $f(2)+f(3)=2$인 경우
$f(2)=1$, $f(3)=1$
조건 (나)에 의하여 $f(1)=1$
조건 (다)에 의하여 $f(4)$, $f(5)$의 값이 될 수 있는 경우의 수는 1, 2, 3, 4, 5에서 중복을 허락하여 2개를 뽑는 중복순열의 수와 같으므로 ${}_5\Pi_2=5^2=25$
따라서 이 경우의 함수 f의 개수는 25이다.

(ii) $f(2)+f(3)=3$인 경우
$f(2)=1$, $f(3)=2$ 또는 $f(2)=2$, $f(3)=1$

ⓐ $f(2)=1$, $f(3)=2$일 때
조건 (나)에 의하여 $f(1)=1$
조건 (다)에 의하여 $f(4)$, $f(5)$의 값이 될 수 있는 경우의 수는 2, 3, 4, 5에서 중복을 허락하여 2개를 뽑는 중복순열의 수와 같으므로 ${}_4\Pi_2=4^2=16$
따라서 이 경우의 함수 f의 개수는 16이다.

ⓑ $f(2)=2$, $f(3)=1$일 때
조건 (나)에 의하여 $f(1)$의 값이 될 수 있는 경우는 1, 2의 2가지이다. 조건 (다)에 의하여 $f(4)$, $f(5)$의 값이 될 수 있는 경우의 수는 1, 2, 3, 4, 5에서 중복을 허락하여 2개를 뽑는 중복순열의 수와 같으므로 ${}_5\Pi_2=5^2=25$
따라서 이 경우의 함수 f의 개수는 $2\times25=50$

(i), (ii)에 의하여 구하는 함수 f의 개수는

$25+(16+50)=91$

답 ④

110

오른쪽으로 가는 것을 →, 위쪽으로 가는 것을 ↑로 나타낼 때, →|↑|→|↑|→로 나열하거나 ↑|→|↑|→|↑로 나열하면 방향을 바꾸는 횟수가 4번이 된다.

(i) →|↑|→|↑|→로 나열하는 경우

→이 있는 3곳에 → 3개를 중복을 허락하여 나열하고, ↑이 있는 2곳에 ↑ 3개를 중복을 허락하여 나열하면 되므로 이때의 경우의 수는

${}_{3}H_{3}\times{}_{2}H_{3}={}_{5}C_{3}\times{}_{4}C_{3}=10\times4=40$

(ii) ↑|→|↑|→|↑로 나열하는 경우

→이 있는 2곳에 → 4개를 중복을 허락하여 나열하고, ↑이 있는 3곳에 ↑ 2개를 중복을 허락하여 나열하면 되므로 이때의 경우의 수는

${}_{2}H_{4}\times{}_{3}H_{2}={}_{5}C_{4}\times{}_{4}C_{2}=5\times6=30$

(i), (ii)에서 구하는 경우의 수는

$40+30=70$

답 ③

참고

P 지점에서 출발하여 Q 지점까지 최단 거리로 갈 때 예를 들어

→→|↑↑↑|→|↑↑|→→→

와 같이 →이 6개, ↑이 5개 있어야 한다.

111

$f(x+1)=x+x^2+x^3+\cdots+x^{10}$에서 $x+1=t$로 놓으면

$f(t)=(t-1)+(t-1)^2+(t-1)^3+\cdots+(t-1)^{10}$

$\therefore f(x)=(x-1)+(x-1)^2+(x-1)^3+\cdots+(x-1)^{10}$

$(x-1)^8$, $(x-1)^9$, $(x-1)^{10}$의 일반항은 각각

${}_{8}C_{r_1}x^{r_1}(-1)^{8-r_1}$ (단, $r_1=0, 1, 2, \cdots, 8$)

${}_{9}C_{r_2}x^{r_2}(-1)^{9-r_2}$ (단, $r_2=0, 1, 2, \cdots, 9$)

${}_{10}C_{r_3}x^{r_3}(-1)^{10-r_3}$ (단, $r_3=0, 1, 2, \cdots, 10$)

a_8, a_9는 각각 x^8의 계수와 x^9의 계수이므로

$r_1=r_2=r_3=8$일 때, $a_8={}_{8}C_{8}-{}_{9}C_{8}+{}_{10}C_{8}$

$r_2=r_3=9$일 때, $a_9={}_{9}C_{9}-{}_{10}C_{9}$

${}_{n-1}C_{r-1}+{}_{n-1}C_{r}={}_{n}C_{r}$에서

${}_{n-1}C_{r}-{}_{n}C_{r}=-{}_{n-1}C_{r-1}$ …… ㉠

${}_{n}C_{r}-{}_{n-1}C_{r}={}_{n-1}C_{r-1}$ …… ㉡

이므로

$$\begin{aligned}a_8+a_9&=({}_{8}C_{8}-{}_{9}C_{8}+{}_{10}C_{8})+({}_{9}C_{9}-{}_{10}C_{9})\\&=(-{}_{8}C_{7}+{}_{10}C_{8})+(-{}_{9}C_{8})\ (\because ㉠)\\&=-{}_{8}C_{7}+({}_{10}C_{8}-{}_{9}C_{8})\\&=-{}_{8}C_{7}+{}_{9}C_{7}\ (\because ㉡)\\&={}_{8}C_{6}\ (\because ㉡)\\&={}_{8}C_{2}\end{aligned}$$

답 ①

112

$(1+x)^{12}={}_{12}C_0+{}_{12}C_1x+{}_{12}C_2x^2+\cdots+{}_{12}C_{12}x^{12}$

$(1-x)^{12}={}_{12}C_0-{}_{12}C_1x+{}_{12}C_2x^2-\cdots+{}_{12}C_{12}x^{12}$

$(1+x)^{12}(1-x)^{12}$의 전개식에서 x^{12}의 계수는

$${}_{12}C_0\times{}_{12}C_{12}-{}_{12}C_1\times{}_{12}C_{11}+{}_{12}C_2\times{}_{12}C_{10}-\cdots-{}_{12}C_{11}\times{}_{12}C_1+{}_{12}C_{12}\times{}_{12}C_0$$

$$={}_{12}C_0\times{}_{12}C_0-{}_{12}C_1\times{}_{12}C_1+{}_{12}C_2\times{}_{12}C_2-\cdots-{}_{12}C_{11}\times{}_{12}C_{11}+{}_{12}C_{12}\times{}_{12}C_{12}$$

$=({}_{12}C_0)^2-({}_{12}C_1)^2+({}_{12}C_2)^2-\cdots-({}_{12}C_{11})^2+({}_{12}C_{12})^2$ …… ㉠

$(1-x^2)^{12}$의 전개식의 일반항은

${}_{12}C_s(-x^2)^s={}_{12}C_s(-1)^sx^{2s}$ (단, $s=0, 1, 2, \cdots, 12$)

이때 x^{12}항은 $s=6$일 때이므로 $(1-x^2)^{12}$의 전개식에서 x^{12}의 계수는

${}_{12}C_6(-1)^6={}_{12}C_6$ …… ㉡

$(1-x^2)^{12}=(1+x)^{12}(1-x)^{12}$이므로 ㉠과 ㉡은 서로 같다.

$\therefore ({}_{12}C_0)^2-({}_{12}C_1)^2+({}_{12}C_2)^2-\cdots-({}_{12}C_{11})^2+({}_{12}C_{12})^2={}_{12}C_6$

답 ③

미니 모의고사 - 1회

01

10가지의 색 중에서 정오각형의 내부를 칠할 5가지의 색을 선택하는 경우의 수는 ${}_{10}C_5$

선택한 5가지의 색으로 정오각형의 내부를 칠하는 경우의 수는

$(5-1)!=4!$

나머지 5가지의 색을 정오각형과 원 사이의 5개의 영역에 칠하는 경우의 수는 $5!$

따라서 구하는 경우의 수는

${}_{10}C_5\times4!\times5!=\dfrac{10!}{5!\times5!}\times4!\times5!=\dfrac{10!}{5}$

답 ③

02

4의 약수는 1, 2, 4이다.

이때 각 자리의 모든 수의 합이 10이 되는 경우는 각 자리의 수가 (4, 4, 1, 1) 또는 (4, 2, 2, 2)이어야 한다.

(i) 4, 4, 1, 1로 만들 수 있는 네 자리의 자연수는

$\dfrac{4!}{2!\times2!}=6$

(ii) 4, 2, 2, 2로 만들 수 있는 네 자리의 자연수는

$\dfrac{4!}{3!}=4$

(i), (ii)에서 구하는 자연수의 개수는

$6+4=10$

답 ③

03

ㄱ은 옳다.

함수 f의 개수는 공역의 원소 4개 중에서 3개를 택하는 중복순열의 수와 같으므로

${}_4\Pi_3=4^3=64$

ㄴ은 옳지 않다.

함수 f 중에서 일대일함수의 개수는 공역의 원소 4개 중에서 3개를 택하는 순열의 수와 같으므로

${}_4P_3=4\times3\times2=24$

ㄷ도 옳지 않다.

$f(a)<f(b)<f(c)$를 만족시키는 함수 f의 개수는 공역의 원소 4개 중에서 3개를 택하여 크기가 작은 것부터 순서대로 $f(a)$, $f(b)$, $f(c)$에 대응시키면 되므로

${}_4C_3=4$

ㄹ도 옳다.

$f(a)\le f(b)\le f(c)$를 만족시키는 함수 f의 개수는 공역의 원소 4개 중에서 중복을 허락하여 3개를 택하여 크기가 작은 것부터 순서대로 $f(a)$, $f(b)$, $f(c)$에 대응시키면 되므로

${}_4H_3={}_6C_3=20$

따라서 옳은 것은 ㄱ, ㄹ이다.

답 ②

04

$(x+2y)^5$의 전개식의 일반항은

${}_5C_r x^{5-r}(2y)^r={}_5C_r 2^r x^{5-r}y^r$ (단, $r=0, 1, 2, \cdots, 5$)

x^3y^2항은 $r=2$일 때이므로 x^3y^2의 계수는

${}_5C_2 2^2=10\times4=40$

답 ②

05

$\left(5x+\dfrac{1}{125}\right)^{15}$의 전개식의 일반항은

${}_{15}C_r(5x)^{15-r}\left(\dfrac{1}{125}\right)^r={}_{15}C_r 5^{15-4r}x^{15-r}$ (단, $r=0, 1, 2, \cdots, 15$)

$(5x)^{15-r}\left(\dfrac{1}{125}\right)^r=5^{15-r}\times x^{15-r}\times\left(\dfrac{1}{5}\right)^{3r}$

$=5^{15-r}\times x^{15-r}\times 5^{-3r}=5^{15-4r}x^{15-r}$

이때 각 항의 계수가 ${}_{15}C_r 5^{15-4r}$이므로 계수가 정수가 되려면 $15-4r$가 음이 아닌 정수이어야 한다.

$\therefore r=0, 1, 2, 3$

따라서 계수가 정수인 항의 개수는 4이다.

답 ①

06

4명의 학생들이 축구, 농구, 테니스 중에서 한 개씩을 선택하는 모든 경우의 수는 축구, 농구, 테니스 중에서 중복을 허락하여 4개를 선택하는 중복순열의 수와 같으므로

${}_3\Pi_4=3^4=81$

4명의 학생들이 선택한 스포츠 종목이 축구를 포함하지 않는 경우의 수는 ${}_2\Pi_4=16$

4명의 학생들이 선택한 스포츠 종목이 농구를 포함하지 않는 경우의 수는 ${}_2\Pi_4=16$

4명의 학생들이 선택한 스포츠 종목이 축구와 농구를 모두 포함하지 않는 경우의 수는 1

따라서 구하는 경우의 수는

$81-(16+16-1)=50$

답 50

07

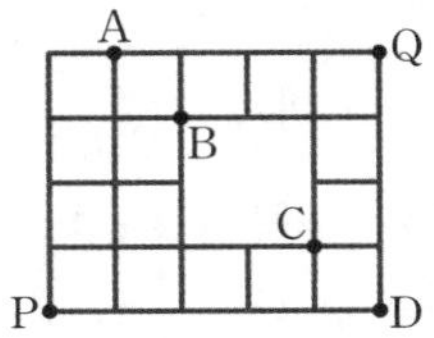

오른쪽 그림과 같이 네 지점 A, B, C, D를 잡으면 P 지점에서 출발하여 Q 지점까지 최단 거리로 가는 방법은

P → A → Q, P → B → Q,
P → C → Q, P → D → Q

(i) P → A → Q인 경우의 수는

$\dfrac{5!}{4!}\times1=5$

(ii) P → B → Q인 경우의 수는

$\dfrac{5!}{2!\times3!}\times\dfrac{4!}{3!}=10\times4=40$

(iii) P → C → Q인 경우의 수는

$\dfrac{5!}{4!}\times\dfrac{4!}{3!}=5\times4=20$

(iv) P → D → Q인 경우의 수는

$1\times1=1$

(i)~(iv)에서 구하는 경우의 수는

$5+40+20+1=66$

답 ①

08

x, y, a, b, c가 자연수이므로

$x+y=3$, $a+b+c=11$ 또는 $x+y=11$, $a+b+c=3$

(i) $x+y=3$, $a+b+c=11$일 때

$x+y=3$을 만족시키는 자연수 x, y의 순서쌍 (x, y)의 개수는

${}_2H_1={}_2C_1=2$

$a+b+c=11$을 만족시키는 자연수 a, b, c의 순서쌍 (a, b, c)의 개수는

${}_3H_8={}_{10}C_8={}_{10}C_2=45$

따라서 이때의 순서쌍 (x, y, a, b, c)의 개수는

$2\times45=90$

(ii) $x+y=11$, $a+b+c=3$일 때

$x+y=11$을 만족시키는 자연수 x, y의 순서쌍 (x, y)의 개수는

${}_2H_9={}_{10}C_9={}_{10}C_1=10$

$a+b+c=3$을 만족시키는 자연수 a, b, c의 순서쌍 (a, b, c)의 개수는 $(1, 1, 1)$의 1

따라서 이때의 순서쌍 (x, y, a, b, c)의 개수는

$10\times1=10$

(i), (ii)에서 구하는 모든 순서쌍 (x, y, a, b, c)의 개수는

$90+10=100$

답 ③

09

$(x+2)^5$의 전개식의 일반항은

${}_5C_r x^{5-r} 2^r = {}_5C_r 2^r x^{5-r}$ (단, $r=0, 1, 2, \cdots, 5$) …… ㉠

$\left(x-\frac{1}{x^2}\right)^2(x+2)^5=\left(x^2-\frac{2}{x}+\frac{1}{x^4}\right)(x+2)^5$

$=x^2(x+2)^5-\frac{2}{x}(x+2)^5+\frac{1}{x^4}(x+2)^5$

이므로 주어진 식의 전개식에서 x항은 $-\frac{2}{x}$와 ㉠의 x^2항, $\frac{1}{x^4}$과 ㉠의 x^5항이 곱해질 때 나타난다.

(i) ㉠에서 x^2항은 $5-r=2$일 때이므로 $r=3$

따라서 x항은 $-\frac{2}{x}\times{}_5C_3 2^3 x^2=-160x$

(ii) ㉠에서 x^5항은 $5-r=5$일 때이므로 $r=0$

따라서 x항은 $\frac{1}{x^4}\times{}_5C_0 x^5=x$

(i), (ii)에서 x항은 $-160x+x=-159x$

따라서 x의 계수는 -159이다.

답 ④

10

$S={}_{22}C_2+{}_{22}C_6+{}_{22}C_{10}+{}_{22}C_{14}+{}_{22}C_{18}+{}_{22}C_{22}$ …… ㉠

라고 하면

${}_{22}C_r={}_{22}C_{22-r}$ $(0\le r\le 22)$이므로

$S={}_{22}C_{20}+{}_{22}C_{16}+{}_{22}C_{12}+{}_{22}C_8+{}_{22}C_4+{}_{22}C_0$ …… ㉡

㉠+㉡을 하면

$2S={}_{22}C_0+{}_{22}C_2+{}_{22}C_4+{}_{22}C_6+\cdots+{}_{22}C_{22}=2^{22-1}=2^{21}$

$\therefore S=2^{20}$

답 ①

미니 모의고사 - 2회

01

4200보다 큰 자연수의 개수는

(i) 42□□ 꼴 ⇨ ${}_5\Pi_2=5^2=25$

(ii) 5□□□ 꼴 ⇨ ${}_5\Pi_3=5^3=125$

(i), (ii)에서 구하는 자연수의 개수는

$25+125=150$

답 ③

02

a, a, a, b, b를 일렬로 나열한 후, 이들 문자의 사이사이와 양 끝의 6자리 중 3자리를 택하여 c를 나열하면 된다.

a, a, a, b, b를 일렬로 나열하는 경우의 수는

$\frac{5!}{3!\times 2!}=10$

6자리 중 3자리를 택하는 경우의 수는

${}_6C_3=\frac{6\times5\times4}{3\times2\times1}=20$

따라서 구하는 경우의 수는

$10\times20=200$

답 ④

03

(i) 사과를 1개씩 나누어 주고 남은 2개를 A, B, C에게 나누어 주는 경우의 수는

${}_3H_2={}_4C_2=6$

(ii) 배 4개를 2개, 1개, 1개의 3개의 조로 나누고 이것을 A, B, C에게 나누어 주는 경우의 수는

${}_4C_2\times{}_2C_1\times\frac{1}{2!}\times3!=36$

(${}_4C_2\times{}_2C_1\times\frac{1}{2!}$: 3개의 조로 나누는 경우의 수, $3!$: A, B, C에게 나누어 주는 경우의 수)

(i), (ii)에서 구하는 경우의 수는

$6\times36=216$

답 ④

04

$(x^5-2x+1)^5$의 전개식에서 x^4의 계수는 $(-2x+1)^5$의 전개식에서 x^4의 계수와 같다.

따라서 x^4의 계수는

${}_5C_4\times(-2)^4\times1=5\times16=80$

답 ③

05

${}_3C_3={}_4C_4$, ${}_{n-1}C_{r-1}+{}_{n-1}C_r={}_nC_r$이므로

${}_3C_3+{}_4C_3+{}_5C_3+{}_6C_3+\cdots+{}_{11}C_3+{}_{12}C_3$

$={}_4C_4+{}_4C_3+{}_5C_3+{}_6C_3+\cdots+{}_{11}C_3+{}_{12}C_3$

$={}_5C_4+{}_5C_3+{}_6C_3+\cdots+{}_{11}C_3+{}_{12}C_3$

$={}_6C_4+{}_6C_3+\cdots+{}_{11}C_3+{}_{12}C_3$

$={}_7C_4+{}_7C_3+\cdots+{}_{11}C_3+{}_{12}C_3$

$\vdots$

$={}_{12}C_4+{}_{12}C_3={}_{13}C_4$

답 ④

06

x, z의 값 중에서 작지 않은 값이 y의 값보다 커야 하므로 y의 값을 기준으로 순서쌍 (x, y, z)의 개수를 구한다.

1, 2, 3, 4의 4개의 숫자 중에서 중복을 허락하여 x, z의 값이 될 수 있는 숫자 2개를 선택하는 경우의 수는

${}_4\Pi_2=4^2=16$

(i) $y=1$인 경우

x, z 중에서 2 이상인 수가 있어야 하므로

$x=1, z=1$이 될 수 없다.

따라서 이때의 경우의 수는

$16-1=15$

(ⅱ) $y=2$인 경우

x, z 중에서 3 이상인 수가 있어야 하므로

x, z는 1 또는 2가 될 수 없다.

따라서 이때의 경우의 수는

$16-{}_2\Pi_2=16-4=12$

(ⅲ) $y=3$인 경우

x, z 중에서 4 이상인 수가 있어야 하므로

x, z는 1 또는 2 또는 3이 될 수 없다.

따라서 이때의 경우의 수는

$16-{}_3\Pi_2=16-9=7$

(ⅳ) $y=4$인 경우

주어진 조건을 만족시키는 순서쌍 (x, y, z)는 존재하지 않는다.

(ⅰ)~(ⅳ)에서 구하는 모든 순서쌍 (x, y, z)의 개수는

$15+12+7=34$

답 34

07

C, D, E를 모두 Y로 생각하여 나열한 후 조건 (나)에 맞게 각 자리에 C, D, E를 세우면 된다.

A, B는 묶어서 X로, C, D, E는 같은 문자 Y로 생각하자.

남은 두 명의 학생을 F, G라고 하면 X, Y, Y, Y, F, G를 일렬로 나열하는 경우의 수는

$\frac{6!}{3!}=120$

이때 각각의 경우에 대하여 A와 B가 서로 자리를 바꾸는 경우의 수는 2

따라서 구하는 경우의 수는

$120\times2=240$

답 ⑤

08

$\{1+(-1)\}^{10}={}_{10}C_0-{}_{10}C_1+{}_{10}C_2-{}_{10}C_3+{}_{10}C_4-{}_{10}C_5+{}_{10}C_6-{}_{10}C_7+{}_{10}C_8-{}_{10}C_9+{}_{10}C_{10}$

이므로

${}_{10}C_1+{}_{10}C_2-{}_{10}C_3+{}_{10}C_4-{}_{10}C_5+{}_{10}C_6-{}_{10}C_7+{}_{10}C_8-{}_{10}C_9$

$=({}_{10}C_0-{}_{10}C_1+{}_{10}C_2-{}_{10}C_3+{}_{10}C_4-{}_{10}C_5+{}_{10}C_6-{}_{10}C_7+{}_{10}C_8-{}_{10}C_9+{}_{10}C_{10})-{}_{10}C_0+2\times{}_{10}C_1-{}_{10}C_{10}$

$=0-1+2\times10-1$

$=18$

답 ①

09

$4^{2021}+6^{2021}=(5-1)^{2021}+(5+1)^{2021}$이므로

$(5-1)^{2021}$

$={}_{2021}C_0\times5^{2021}-{}_{2021}C_1\times5^{2020}+{}_{2021}C_2\times5^{2019}-\cdots+{}_{2021}C_{2020}\times5-{}_{2021}C_{2021}$ ⋯⋯ ㉠

$(5+1)^{2021}$

$={}_{2021}C_0\times5^{2021}+{}_{2021}C_1\times5^{2020}+{}_{2021}C_2\times5^{2019}+\cdots+{}_{2021}C_{2020}\times5+{}_{2021}C_{2021}$ ⋯⋯ ㉡

㉠+㉡을 하면

$4^{2021}+6^{2021}$

$=2({}_{2021}C_0\times5^{2021}+{}_{2021}C_2\times5^{2019}+\cdots+{}_{2021}C_{2018}\times5^3+{}_{2021}C_{2020}\times5)$

$=5\{2({}_{2021}C_0\times5^{2020}+{}_{2021}C_2\times5^{2018}+\cdots+{}_{2021}C_{2018}\times5^2+{}_{2021}C_{2020})\}$

$=10({}_{2021}C_0\times5^{2020}+{}_{2021}C_2\times5^{2018}+\cdots+{}_{2021}C_{2018}\times5^2+{}_{2021}C_{2020})$

따라서 $4^{2021}+6^{2021}$을 10으로 나누었을 때의 나머지는 0이다.

답 ①

간단 풀이

4^n의 일의 자리는 n이 홀수이면 4, n이 짝수이면 6이다.

따라서 4^{2021}의 일의 자리의 수는 4이다.

6^n의 일의 자리는 항상 6이므로 6^{2021}의 일의 자리의 수는 6이다.

즉, $4^{2021}+6^{2021}$의 일의 자리의 수는 0이므로 $4^{2021}+6^{2021}$은 10의 배수이다.

따라서 $4^{2021}+6^{2021}$을 10으로 나누었을 때의 나머지는 0이다.

10

$(1+x)^n$(n은 자연수)의 전개식의 일반항은

${}_nC_rx^r$ $(r=0, 1, 2, \cdots, n)$

이므로 x^5의 계수와 x^6의 계수는 각각 ${}_nC_5$, ${}_nC_6$

다항식 $(1+x)+(1+x)^2+(1+x)^3+\cdots+(1+x)^{10}$에서 x^5의 계수는

${}_5C_5+{}_6C_5+{}_7C_5+{}_8C_5+{}_9C_5+{}_{10}C_5$

$={}_6C_6+{}_6C_5+{}_7C_5+{}_8C_5+{}_9C_5+{}_{10}C_5$

$={}_7C_6+{}_7C_5+{}_8C_5+{}_9C_5+{}_{10}C_5$

$={}_8C_6+{}_8C_5+{}_9C_5+{}_{10}C_5$

$={}_9C_6+{}_9C_5+{}_{10}C_5$

$={}_{10}C_6+{}_{10}C_5={}_{11}C_6$

또, x^6의 계수는

${}_6C_6+{}_7C_6+{}_8C_6+{}_9C_6+{}_{10}C_6$

$={}_7C_7+{}_7C_6+{}_8C_6+{}_9C_6+{}_{10}C_6$

$={}_8C_7+{}_8C_6+{}_9C_6+{}_{10}C_6$

$={}_9C_7+{}_9C_6+{}_{10}C_6$

$={}_{10}C_7+{}_{10}C_6={}_{11}C_7$

따라서 주어진 다항식에서 x^5의 계수와 x^6의 계수의 합은

${}_{11}C_6+{}_{11}C_7={}_{12}C_7$

답 ④

다른 풀이

주어진 다항식은 첫째항이 $(1+x)$이고 공비가 $(1+x)$인 등비수열의 첫째항부터 제10항까지의 합이므로

$(1+x)+(1+x)^2+(1+x)^3+\cdots+(1+x)^{10}$

$=\frac{(1+x)\{(1+x)^{10}-1\}}{(1+x)-1}$

$=\frac{(1+x)^{11}-(1+x)}{x}$

주어진 다항식에서 x^5의 계수는 다항식 $(1+x)^{11}$의 전개식에서 x^6의 계수와 같으므로 ${}_{11}C_6$

또, x^6의 계수는 다항식 $(1+x)^{11}$의 전개식에서 x^7의 계수와 같으므로 ${}_{11}C_7$

따라서 주어진 다항식에서 x^5의 계수와 x^6의 계수의 합은

${}_{11}C_6+{}_{11}C_7={}_{12}C_7$

Ⅱ. 확률

03 확률의 뜻과 덧셈정리

001

① $S=\{1, 2, 3, 4, 5, 6, 7, 8\}$이므로 $n(S)=8$
② $A=\{2, 3, 5, 7\}$이므로 $n(A)=4$
③ $B=\{1, 2, 5\}$이므로 $n(B)=3$
④ $A\cap B=\{2, 5\}$이므로 $A\cap B\neq\varnothing$
⑤ 근원사건은 $\{1\}, \{2\}, \{3\}, \cdots, \{8\}$의 8개이다.
따라서 옳지 않은 것은 ④이다.

답 ④

002

$A=\{1, 2, 4\}$, $B=\{2, 4, 6\}$이므로
$A\cup B=\{1, 2, 4, 6\}$, $A\cap B=\{2, 4\}$
$\therefore n(A\cup B)+n(A\cap B)=4+2=6$

답 6

003

ㄱ은 옳다.
$A=\{2, 4, 6, 8, 10\}$이므로 $A=S$
ㄴ도 옳다.
$B=\{2\}$이므로 $A\cap B=\{2\}$ $\therefore A\cap B=B$
ㄷ은 옳지 않다.
$C=\{2, 6\}$이므로 $B\cap C=\{2\}$ $\therefore B\cap C=B$
ㄹ도 옳다.
$B^C=\{4, 6, 8, 10\}$이므로 $n(B^C)=4$
따라서 옳은 것은 ㄱ, ㄴ, ㄹ이다.

답 ⑤

004

ㄱ. $\{1, 2, 4, 8\}$
ㄴ. $\{2, 3, 5, 7\}$
ㄷ. $\{2, 4, 6, 8, 10\}$
ㄹ. $\{3, 6, 9\}$
따라서 서로 배반사건인 것은 ㄱ과 ㄹ이다.
└ 교집합의 원소가 없는 두 집합을 찾는다.

답 ③

005

서로 다른 두 개의 주사위를 동시에 던질 때, 일어날 수 있는 모든 경우의 수는 $6\times6=36$
두 눈의 수가 같은 경우는
$(1, 1), (2, 2), (3, 3), (4, 4), (5, 5), (6, 6)$의 6가지
따라서 구하는 확률은 $\frac{6}{36}=\frac{1}{6}$

답 ④

006

흰 공 3개, 검은 공 4개가 들어 있는 주머니에서 임의로 3개의 공을 동시에 꺼내는 경우의 수는
${}_7C_3=35$
흰 공 1개, 검은 공 2개를 꺼내는 경우의 수는
${}_3C_1\times{}_4C_2=3\times6=18$
따라서 구하는 확률은 $\frac{18}{35}$

답 $\frac{18}{35}$

007

원 위의 8개의 점 중에서 세 점을 택하여 삼각형을 만드는 경우의 수는 ${}_8C_3=56$
오른쪽 그림과 같이 원의 중심 O를 지나는 한 지름에서 만들 수 있는 직각삼각형은 6개이고, 지름은 모두 4개이므로 만들 수 있는 직각삼각형의 개수는

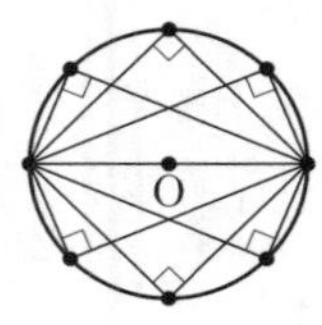

$6\times4=24$
따라서 구하는 확률은 $\frac{24}{56}=\frac{3}{7}$

답 ③

참고
반원에 대한 원주각의 크기는 90°이므로 원의 지름의 양 끝점과 호 위의 한 점을 연결하면 직각삼각형이 된다.

008

매일 x자루의 불량품이 나온다고 하면
$\frac{x}{1000000}=0.0003$
$\therefore x=1000000\times0.0003=300$
따라서 300자루의 불량품이 나온다고 예상할 수 있다.

답 ①

009

ㄱ은 옳지 않다.
임의의 사건 A에 대하여 $0\le P(A)\le1$
ㄴ은 옳다.
$P(S)=1$, $P(\varnothing)=0$이므로 $P(S)+P(\varnothing)=1$
ㄷ도 옳지 않다.
$0\le P(A)\le1$, $0\le P(B)\le1$이므로
$0\le P(A)+P(B)\le2$
따라서 옳은 것은 ㄴ이다.

답 ②

010

$A\cup B=A\cup(A^C\cap B)$이고 $A\cap(A^C\cap B)=\varnothing$이므로
$P(A\cup B)=P(A)+P(A^C\cap B)$

$\therefore P(A)=P(A\cup B)-P(A^C\cap B)$

$=\frac{3}{4}-\frac{2}{5}=\frac{7}{20}$

답 ②

011

두 사건 A, B가 서로 배반사건이므로

$A\cap B=\varnothing$ $\quad\therefore A\subset B^C$, $B\subset A^C$

따라서 $P(A\cap B^C)=P(A)=\frac{1}{3}$, $P(A^C\cap B)=P(B)=\frac{2}{5}$이므로

$P(A\cup B)=P(A)+P(B)=\frac{1}{3}+\frac{2}{5}=\frac{11}{15}$

답 ④

참고

전체집합 U의 두 부분집합 A, B에 대하여 $A\cap B=\varnothing$이면

(1) $A-B=A$이므로 $\quad A\cap B^C=A$

$\therefore A\subset B^C$

(2) $B-A=B$이므로 $\quad B\cap A^C=B$

$\therefore B\subset A^C$

012

10개의 공 중에서 한 개의 공을 꺼내는 경우의 수는 10

공에 적혀 있는 수가 2의 배수인 사건을 A, 3의 배수인 사건을 B라고 하면

$A=\{2, 4, 6, 8, 10\}$, $B=\{3, 6, 9\}$, $A\cap B=\{6\}$

$\therefore P(A)=\frac{5}{10}=\frac{1}{2}$, $P(B)=\frac{3}{10}$, $P(A\cap B)=\frac{1}{10}$

따라서 구하는 확률은

$P(A\cup B)=P(A)+P(B)-P(A\cap B)$

$=\frac{1}{2}+\frac{3}{10}-\frac{1}{10}=\frac{7}{10}$

답 ③

다른 풀이

공에 적혀 있는 수가 2의 배수 또는 3의 배수인 사건을 C라고 하면

$C=\{2, 3, 4, 6, 8, 9, 10\}$

따라서 구하는 확률은 $\frac{7}{10}$

풍쌤 비법

(1) 두 사건 A, B가 서로 배반사건이 아니면

➡ $P(A\cup B)=P(A)+P(B)-P(A\cap B)$

(2) 두 사건 A, B가 서로 배반사건이면

➡ $P(A\cup B)=P(A)+P(B)$

013

서로 다른 두 개의 주사위를 동시에 던질 때, 일어날 수 있는 모든 경우의 수는 $6\times6=36$

두 눈의 수의 합이 10 이상인 사건을 A, 두 눈의 수가 같은 사건을 B라고 하면

$A=\{(4, 6), (5, 5), (5, 6), (6, 4), (6, 5), (6, 6)\}$

$B=\{(1, 1), (2, 2), (3, 3), (4, 4), (5, 5), (6, 6)\}$

$A\cap B=\{(5, 5), (6, 6)\}$

$\therefore P(A)=\frac{6}{36}=\frac{1}{6}$, $P(B)=\frac{6}{36}=\frac{1}{6}$,

$P(A\cap B)=\frac{2}{36}=\frac{1}{18}$

따라서 구하는 확률은

$P(A\cup B)=P(A)+P(B)-P(A\cap B)$

$=\frac{1}{6}+\frac{1}{6}-\frac{1}{18}=\frac{5}{18}$

답 ①

014

흰 공 6개, 검은 공 4개가 들어 있는 주머니에서 임의로 2개의 공을 동시에 꺼내는 경우의 수는 ${}_{10}C_2$

공의 색깔이 모두 같으려면 모두 흰 공 또는 모두 검은 공이어야 한다.

이때 모두 흰 공인 사건을 A, 모두 검은 공인 사건을 B라고 하면

$P(A)=\frac{{}_6C_2}{{}_{10}C_2}=\frac{15}{45}=\frac{1}{3}$, $P(B)=\frac{{}_4C_2}{{}_{10}C_2}=\frac{6}{45}=\frac{2}{15}$

두 사건 A, B는 서로 배반사건이므로 구하는 확률은

$P(A\cup B)=P(A)+P(B)$

$=\frac{1}{3}+\frac{2}{15}=\frac{7}{15}$

답 ③

015

$P(A\cap B^C)=P(A-B)=P(A)-P(A\cap B)=\frac{1}{4}$

$P(A)=\frac{2}{3}$이므로 $\quad\frac{2}{3}-P(A\cap B)=\frac{1}{4}$

$\therefore P(A\cap B)=\frac{5}{12}$

$\therefore P(A^C\cup B^C)=P((A\cap B)^C)$

$=1-P(A\cap B)=1-\frac{5}{12}=\frac{7}{12}$

답 ④

다른 풀이

$P(A\cap B)=P(A)-P(A\cap B^C)$

$=\frac{2}{3}-\frac{1}{4}=\frac{5}{12}$

$\therefore P(A^C\cup B^C)=P((A\cap B)^C)$

$=1-P(A\cap B)$

$=1-\frac{5}{12}=\frac{7}{12}$

016

$P(A^C\cup B^C)=P((A\cap B)^C)=1-P(A\cap B)=\frac{2}{3}$이므로

$P(A\cap B)=\frac{1}{3}$

$P(A\cap B^C)=P(A)-P(A\cap B)=P(A)-\frac{1}{3}=\frac{1}{5}$이므로

$P(A)=\frac{1}{5}+\frac{1}{3}=\frac{8}{15}$

$\therefore P(A^C)=1-P(A)=1-\frac{8}{15}=\frac{7}{15}$

답 ①

017

빨간 공 3개, 파란 공 3개가 들어 있는 주머니에서 임의로 2개의 공을 동시에 꺼내는 경우의 수는 $_{6}C_{2}$

적어도 한 개는 파란 공인 사건을 A라고 하면, 사건 A의 여사건 A^{C}은 2개 모두 빨간 공인 사건이므로

$P(A^{C})=\frac{_{3}C_{2}}{_{6}C_{2}}=\frac{3}{15}=\frac{1}{5}$

따라서 구하는 확률은

$P(A)=1-P(A^{C})=1-\frac{1}{5}=\frac{4}{5}$

답 ⑤

풍쌤 비법

(적어도 하나가 ~일 확률)
=1−(모두 ~가 아닐 확률)

018

남학생 5명, 여학생 5명 중에서 회장 1명, 부회장 1명을 뽑는 경우의 수는 $_{10}P_{2}$

회장, 부회장 중 적어도 한 명은 남학생인 사건을 A라고 하면, 사건 A의 여사건 A^{C}은 회장, 부회장이 모두 여학생인 사건이므로

$P(A^{C})=\frac{_{5}P_{2}}{_{10}P_{2}}=\frac{20}{90}=\frac{2}{9}$

따라서 구하는 확률은

$P(A)=1-P(A^{C})=1-\frac{2}{9}=\frac{7}{9}$

답 $\frac{7}{9}$

019

서로 다른 두 개의 주사위를 동시에 던질 때, 일어날 수 있는 모든 경우의 수는 $6\times6=36$

적어도 하나는 짝수의 눈이 나오는 사건을 A라고 하면, 사건 A의 여사건 A^{C}은 모두 홀수의 눈이 나오는 사건이므로

$A^{C}=\{(1, 1), (1, 3), (1, 5), (3, 1), (3, 3), (3, 5), (5, 1), (5, 3), (5, 5)\}$

$\therefore P(A^{C})=\frac{9}{36}=\frac{1}{4}$

따라서 구하는 확률은

$P(A)=1-P(A^{C})=1-\frac{1}{4}=\frac{3}{4}$

답 ⑤

간단 풀이

홀수는 1, 3, 5이므로 주사위를 한 번 던질 때, 홀수의 눈이 나올 확률은 $\frac{3}{6}=\frac{1}{2}$

$\therefore P(A^{C})=\frac{1}{2}\times\frac{1}{2}=\frac{1}{4}$

따라서 구하는 확률은

$P(A)=1-P(A^{C})=1-\frac{1}{4}=\frac{3}{4}$

020

7개의 문자 r, a, i, n, b, o, w를 일렬로 나열하는 경우의 수는 $7!$

양 끝에 적어도 한 개의 모음이 오는 사건을 A라고 하면, 사건 A의 여사건 A^{C}은 양 끝에 모두 자음이 오는 사건이다.

양 끝에 모두 자음이 오는 경우의 수는

$_{4}P_{2}\times5!$

└ r, n, b, w 중에서 2개를 선택하여 양 끝에 놓는 경우의 수

$\therefore P(A^{C})=\frac{_{4}P_{2}\times5!}{7!}=\frac{2}{7}$

따라서 구하는 확률은

$P(A)=1-P(A^{C})=1-\frac{2}{7}=\frac{5}{7}$

답 ④

021

$S=\{1, 2, 3, 4, 5, 6\}$, $A=\{1, 2\}$, $B=\{1, 3, 5\}$, $C=\{2, 4, 6\}$

ㄱ은 옳지 않다.

$A\cup B=\{1, 2, 3, 5\}$이므로 $n(A\cup B)=4$

ㄴ은 옳다.

$A^{C}=\{3, 4, 5, 6\}$이므로 $n(A^{C})=4$

ㄷ도 옳지 않다.

$A^{C}\cap B=\{3, 5\}$이므로 A^{C}과 B는 서로 배반사건이 아니다.

ㄹ도 옳다.

$B\cap C=\varnothing$이므로 B와 C는 서로 배반사건이다.

따라서 옳은 것은 ㄴ, ㄹ이다.

답 ③

풍쌤 비법

표본공간 S의 두 사건 A, B에 대하여

(1) 합사건 ➡ 합집합 ➡ $A\cup B$
(2) 곱사건 ➡ 교집합 ➡ $A\cap B$
(3) 여사건 ➡ 여집합 ➡ A^{C}

022

표본공간을 S라고 하면

$S=\{1, 2, 3, 4, 5, 6, 7, 8\}$, $A=\{2, 4, 6, 8\}$, $B=\{2, 3, 5, 7\}$

사건 A와 배반인 사건은 사건 A^{C}의 부분집합이고, 사건 B와 배반인 사건은 사건 B^{C}의 부분집합이므로 두 사건 A, B와 모두 배반인 사건은 사건 $A^{C}\cap B^{C}$의 부분집합이다.

$A^{C}=\{1, 3, 5, 7\}$, $B^{C}=\{1, 4, 6, 8\}$이므로

$A^{C}\cap B^{C}=\{1\}$

따라서 두 사건 A, B와 모두 배반인 사건의 개수는

$2^{1}=2$

답 ①

다른 풀이

두 사건 A, B와 모두 배반인 사건의 개수는 S의 부분집합 중 2, 3, 4, 5, 6, 7, 8을 포함하지 않은 것의 개수와 같으므로

$2^{8-7}=2$ └ $A\cup B$의 원소

풍쌤 비법

표본공간 S의 사건 A에 대하여
사건 A와 서로 배반인 사건 ➡ 여사건 A^C의 부분집합

023

동전의 앞면을 H, 뒷면을 T라 하고 한 개의 동전을 세 번 던지는 시행에서 표본공간을 S라고 하면

$S=\{$HHH, HHT, HTH, THH, HTT, THT, TTH, TTT$\}$

$A=\{$HHT, HTH, THH$\}$

$A^C=\{$HHH, HTT, THT, TTH, TTT$\}$

따라서 사건 A와 배반인 사건의 개수는

$2^5=32$

답 32

다른 풀이

사건 A와 배반인 사건의 개수는 S의 부분집합 중 HHT, HTH, THH를 포함하지 않은 것의 개수와 같으므로

$2^{8-3}=32$

024

접근

두 사건 A^C과 B가 서로 배반사건이 되어야 하므로 $A^C\cap B=\varnothing$을 만족시키도록 n의 값을 구한다.

표본공간을 S라고 하면

$S=\{1, 2, 3, 4, 5, 6\}$

두 사건 A^C과 B가 서로 배반사건이 되려면 $A^C\cap B=\varnothing$, 즉 $B\subset A$이어야 한다.

따라서 조건을 만족시키는 n의 값을 구하면

$n=4$ 또는 $n=5$ 또는 $n=6$

이므로 모든 n의 값의 합은

$4+5+6=15$

답 ②

참고

$A^C\cap B=\varnothing$이면 $B-A=\varnothing$ $\quad\therefore B\subset A$

다른 풀이

$A^C=\{x\,|\,x>n$, n은 6 이하의 자연수$\}$이므로 두 사건 A^C과 B가 서로 배반사건이 되려면 $A^C\cap B=\varnothing$이어야 한다.

따라서 조건을 만족시키는 n의 값을 구하면 $n=4$ 또는 $n=5$ 또는 $n=6$

025

한 개의 주사위를 두 번 던질 때, 일어날 수 있는 모든 경우의 수는

$6\times6=36$

두 직선 $y=\frac{a}{2}x-1$과 $y=bx+1$이 서로 평행하려면 $\frac{a}{2}=b$, 즉 $a=2b$이어야 한다.

따라서 a, b의 순서쌍 (a, b)는 $(2, 1)$, $(4, 2)$, $(6, 3)$의 3개이므로 구하는 확률은 $\frac{3}{36}=\frac{1}{12}$

답 ①

참고

두 직선의 위치 관계

두 직선 $y=mx+n$, $y=m'x+n'$에 대하여

(1) 평행하다. $\Longleftrightarrow m=m'$, $n\neq n'$

(2) 수직이다. $\Longleftrightarrow mm'=-1$

(3) 만난다. $\Longleftrightarrow m\neq m'$

(4) 일치한다. $\Longleftrightarrow m=m'$, $n=n'$

026

숫자 1, 2, 3을 중복을 허락하여 만들 수 있는 네 자리의 자연수의 개수는 ${}_3\Pi_4=3^4=81$

이때 2200보다 큰 수는 22□□, 23□□, 3□□□ 꼴이다.

(i) 22□□ 꼴 ⇨ ${}_3\Pi_2=3^2=9$

(ii) 23□□ 꼴 ⇨ ${}_3\Pi_2=3^2=9$

(iii) 3□□□ 꼴 ⇨ ${}_3\Pi_3=3^3=27$

(i), (ii), (iii)에서 구하는 자연수의 개수는

$9+9+27=45$

따라서 구하는 확률은

$\frac{45}{81}=\frac{5}{9}$

답 ④

027

6명이 원 모양의 탁자에 둘러앉는 경우의 수는

$(6-1)!=5!$

A, B를 한 명으로 생각하여 5명이 원 모양의 탁자에 둘러앉는 경우의 수는

$(5-1)!=4!$

이때 A와 B가 자리를 바꾸는 경우의 수는 2이므로 A, B가 서로 이웃하도록 원 모양의 탁자에 둘러앉는 경우의 수는 $4!\times2$

따라서 구하는 확률은

$\frac{4!\times2}{5!}=\frac{2}{5}$

답 ②

028

X에서 Y로의 함수 f의 개수는 ${}_3\Pi_4=3^4=81$

$f(a)\leq f(b)\leq f(c)\leq f(d)$를 만족시키는 함수 f의 개수는 서로 다른 3개에서 중복을 허락하여 4개를 택하는 중복조합의 수와 같으므로

${}_3H_4={}_6C_4={}_6C_2=15$

따라서 구하는 확률은

$\frac{15}{81}=\frac{5}{27}$

답 ③

029

> 접근
> 이차방정식이 중근을 가질 조건을 이용하여 a, b, c 사이의 관계식을 구한 후, 순서쌍 (a, b, c)의 개수를 구한다.

한 개의 주사위를 세 번 던질 때, 일어날 수 있는 모든 경우의 수는
$6\times6\times6=216$
이차방정식 $ax^2+bx+c=0$이 중근을 가지려면
$ax^2+bx+c=0$의 판별식을 D라고 할 때 $D=b^2-4ac=0$, 즉 $b^2=4ac$이어야 한다.
b의 값에 따른 $b^2=4ac$를 만족시키는 a, c의 순서쌍 (a, c)를 구하면 다음과 같다.
(i) $b=2$일 때 $(1, 1)$ ← $2^2=4ac$이므로 $ac=1$
(ii) $b=4$일 때 $(1, 4)$, $(2, 2)$, $(4, 1)$ ← $4^2=4ac$이므로 $ac=4$
(iii) $b=6$일 때 $(3, 3)$ ← $6^2=4ac$이므로 $ac=9$
(i), (ii), (iii)에서 순서쌍 (a, b, c)의 개수는
$1+3+1=5$
따라서 구하는 확률은 $\frac{5}{216}$

답 ③

참고
b의 값이 1, 3, 5이면 b^2은 홀수이고 $4ac$는 짝수이므로 이 경우는 생각하지 않는다.

030

7개의 숫자 2, 3, 4, 4, 4, 5, 5를 일렬로 나열하는 경우의 수는
$\frac{7!}{3!\times2!}=420$
홀수와 짝수를 교대로 나열하려면

짝	홀	짝	홀	짝	홀	짝

오른쪽 그림과 같이 짝수 2, 4, 4, 4는 [짝]의 위치에, 홀수 3, 5, 5는 [홀]의 위치에 놓으면 된다.
이때 4개의 숫자 2, 4, 4, 4를 일렬로 나열하는 경우의 수는
$\frac{4!}{3!}=4$
3개의 숫자 3, 5, 5를 일렬로 나열하는 경우의 수는
$\frac{3!}{2!}=3$
즉, 홀수와 짝수가 교대로 나열되는 경우의 수는
$4\times3=12$
따라서 구하는 확률은
$\frac{12}{420}=\frac{1}{35}$

답 ①

031

$A=\{2, 4, 6, \cdots, 20\}$, $B=\{2, 2^2, 2^3, \cdots, 2^{10}\}$
이므로 두 원소 a, b $(a\in A, b\in B)$의 순서쌍 (a, b)의 개수는
$10\times10=100$
집합 A의 원소를 3으로 나누었을 때의 나머지가 0, 1, 2인 집합을 각각 A_0, A_1, A_2라고 하면
$A_0=\{6, 12, 18\}$
$A_1=\{4, 10, 16\}$
$A_2=\{2, 8, 14, 20\}$
집합 B의 원소를 3으로 나누었을 때의 나머지가 1, 2인 집합을 각각 B_1, B_2라고 하면 (나머지가 0인 경우는 없다.)
$B_1=\{2^2, 2^4, 2^6, 2^8, 2^{10}\}$
$B_2=\{2, 2^3, 2^5, 2^7, 2^9\}$
따라서 $a+b$가 3의 배수가 되는 경우는 다음과 같다.
(i) $a\in A_1$, $b\in B_2$일 때
순서쌍 (a, b)의 개수는 $3\times5=15$
(ii) $a\in A_2$, $b\in B_1$일 때
순서쌍 (a, b)의 개수는 $4\times5=20$
(i), (ii)에 의하여 $a+b$가 3의 배수가 되는 경우의 수는
$15+20=35$
따라서 구하는 확률은
$\frac{35}{100}=\frac{7}{20}$

답 $\frac{7}{20}$

032

4개의 공이 들어 있는 주머니에서 한 개의 공을 꺼내는 시행을 4번 반복하는 경우의 수는 ${}_4\Pi_4=4^4=256$
네 자연수의 합이 6인 경우는
1, 1, 1, 3 또는 1, 1, 2, 2
이 중에서 네 자연수의 곱이 3의 배수인 경우는
1, 1, 1, 3
1, 1, 1, 3을 일렬로 나열하는 경우의 수는
$\frac{4!}{3!}=4$
따라서 구하는 확률은
$\frac{4}{256}=\frac{1}{64}$

답 ②

033

다섯 개의 숫자 0, 1, 2, 3, 4를 중복을 허락하여 만들 수 있는 네 자리의 자연수의 개수는
$4\times{}_5\Pi_3=500$
(a_1에는 0을 제외한 4개를, a_2, a_3, a_4에는 5개의 숫자를 중복 사용할 수 있다.)
자연수 $a_1a_2a_3a_4$가 $a_1<a_2<a_3$, $a_3>a_4$를 만족시켜야 하므로 a_3이 가장 큰 수이다.
$\therefore a_3=3$ 또는 $a_3=4$
(i) $a_3=3$인 경우
$a_1<a_2<a_3$이므로 $a_1=1$, $a_2=2$
a_4는 0, 1, 2 중 하나이므로 3가지
(ii) $a_3=4$인 경우
a_1, a_2는 1, 2, 3 중 2개의 수를 택하여 큰 수는 a_2에, 작은 수는 a_1에 대응시키면 되므로 ${}_3C_2=3$
a_4는 0, 1, 2, 3 중 하나이므로 4가지
즉, 구하는 경우의 수는 $3\times4=12$
(i), (ii)에서 조건을 만족시키는 경우의 수는
$3+12=15$
이므로 구하는 확률은

$\frac{15}{500}=\frac{3}{100}$

따라서 $p=100$, $q=3$이므로

$p+q=100+3=103$

답 103

034

$P(A\cup B)=P(A)+P(B)-P(A\cap B)$에서

$$P(A\cap B)=P(A)+P(B)-P(A\cup B)$$
$$=\frac{3}{4}+\frac{2}{5}-P(A\cup B)$$
$$=\frac{23}{20}-P(A\cup B)$$

이때 $P(A\cup B)\ge P(A)$, $P(A\cup B)\ge P(B)$, $P(A\cup B)\le 1$이므로

$\frac{3}{4}\le P(A\cup B)\le 1$, $-1\le -P(A\cup B)\le -\frac{3}{4}$

└ $P(B)<P(A)$이므로 $P(A)=\frac{3}{4}$을 이용

$\frac{3}{20}\le \frac{23}{20}-P(A\cup B)\le \frac{2}{5}$

└ $P(A\cap B)$

따라서 $M=\frac{2}{5}$, $m=\frac{3}{20}$이므로

$M+m=\frac{2}{5}+\frac{3}{20}=\frac{11}{20}$

답 ③

035

흰 공 5개와 빨간 공 3개가 들어 있는 주머니에서 4개의 공을 동시에 꺼내는 경우의 수는 ${}_8C_4$

흰 공이 3개, 검은 공이 1개인 사건을 A, 흰 공이 4개인 사건을 B라고 하면

$P(A)=\frac{{}_5C_3\times{}_3C_1}{{}_8C_4}=\frac{30}{70}=\frac{3}{7}$

$P(B)=\frac{{}_5C_4}{{}_8C_4}=\frac{5}{70}=\frac{1}{14}$

두 사건 A, B는 서로 배반사건이므로 구하는 확률은

$$P(A\cup B)=P(A)+P(B)$$
$$=\frac{3}{7}+\frac{1}{14}=\frac{1}{2}$$

답 ③

036

숫자 1, 3, 3, 5, 5를 일렬로 나열하여 만들 수 있는 다섯 자리의 자연수의 개수는 $\frac{5!}{2!\times 2!}=30$

소수는 3, 5이므로 십의 자리의 숫자가 3인 사건을 A, 십의 자리의 숫자가 5인 사건을 B라고 하자.

(i) 십의 자리의 숫자가 3인 경우

남은 1, 3, 5, 5를 일렬로 나열하는 경우의 수는 $\frac{4!}{2!}=12$

$\therefore P(A)=\frac{12}{30}=\frac{2}{5}$

(ii) 십의 자리의 숫자가 5인 경우

남은 1, 3, 3, 5를 일렬로 나열하는 경우의 수는 $\frac{4!}{2!}=12$

$\therefore P(B)=\frac{12}{30}=\frac{2}{5}$

두 사건 A, B는 서로 배반사건이므로 구하는 확률은

$$P(A\cup B)=P(A)+P(B)$$
$$=\frac{2}{5}+\frac{2}{5}=\frac{4}{5}$$

답 ⑤

037

50 이하의 자연수의 개수는 50

5의 배수인 사건을 A, 십의 자리의 숫자가 10의 약수인 사건을 B라고 하자.

(i) 5의 배수인 경우의 수는 10이므로

$P(A)=\frac{10}{50}=\frac{1}{5}$

(ii) 십의 자리의 숫자가 10의 약수인 경우

십의 자리의 숫자가 1, 2인 경우 일의 자리에 올 수 있는 숫자는 0, 1, 2, 3, …, 9의 10가지이므로 경우의 수는

$2\times 10=20$

십의 자리의 숫자가 5인 경우는 50의 1가지이다.

$\therefore P(B)=\frac{20+1}{50}=\frac{21}{50}$

(iii) 5의 배수이면서 십의 자리의 숫자가 10의 약수인 경우

10, 15, 20, 25, 50의 5가지

$\therefore P(A\cap B)=\frac{5}{50}=\frac{1}{10}$

따라서 구하는 확률은

$$P(A\cup B)=P(A)+P(B)-P(A\cap B)$$
$$=\frac{1}{5}+\frac{21}{50}-\frac{1}{10}=\frac{13}{25}$$

답 $\frac{13}{25}$

038

접근

A가 맨 앞에서부터 두 번째 이내에 서려면 첫 번째 서거나 두 번째 서야 한다.

5명을 일렬로 세우는 경우의 수는 $5!=120$

A가 맨 앞에서부터 두 번째 이내에 서려면 첫 번째 서거나 두 번째 서야 한다.

A가 첫 번째에 서는 사건을 A, 두 번째에 서는 사건을 B라고 하자.

(i) A가 첫 번째에 서는 경우

A와 B는 서로 이웃해야 하므로 B는 두 번째에 서야 한다.

이때 나머지 3명을 일렬로 세우면 되므로 경우의 수는

$3!=6$

$\therefore P(A)=\frac{6}{120}=\frac{1}{20}$

(ii) A가 두 번째에 서는 경우

A와 B는 서로 이웃해야 하므로 B는 첫 번째에 서거나 세 번째에 서야 한다.

B가 첫 번째에 서는 경우의 수는 나머지 3명을 일렬로 세우면 되므로 $3!=6$

B가 세 번째 서는 경우의 수도 같은 방법으로

$3!=6$

$\therefore P(B)=\frac{6+6}{120}=\frac{1}{10}$

두 사건 A, B는 서로 배반사건이므로 구하는 확률은

$P(A\cup B)=P(A)+P(B)$

$=\frac{1}{20}+\frac{1}{10}=\frac{3}{20}$

답 ④

039

9개의 공이 들어 있는 주머니에서 임의로 3개의 공을 동시에 꺼내는 경우의 수는 ${}_9C_3=84$

세 수의 합이 짝수가 되려면 꺼낸 공에 적혀 있는 수가

(짝수, 홀수, 홀수) 또는 (짝수, 짝수, 짝수)

이어야 한다.

(짝수, 홀수, 홀수)를 꺼내는 사건을 A, (짝수, 짝수, 짝수)를 꺼내는 사건을 B라고 하자.

(i) (짝수, 홀수, 홀수)를 꺼내는 경우

짝수 4개 중 1개, 홀수 5개 중 2개를 꺼내는 경우의 수는

${}_4C_1\times{}_5C_2=4\times10=40$

$\therefore P(A)=\frac{40}{84}=\frac{10}{21}$

(ii) (짝수, 짝수, 짝수)를 꺼내는 경우

짝수 4개 중 3개를 꺼내는 경우의 수는

${}_4C_3=4$

$\therefore P(B)=\frac{4}{84}=\frac{1}{21}$

두 사건 A, B는 서로 배반사건이므로 구하는 확률은

$P(A\cup B)=P(A)+P(B)$

$=\frac{10}{21}+\frac{1}{21}=\frac{11}{21}$

답 ⑤

040

집합 A의 원소의 개수는 100

$10x^2-7ax+a^2=0$, $(2x-a)(5x-a)=0$

$\therefore x=\frac{a}{2}$ 또는 $x=\frac{a}{5}$

따라서 주어진 이차방정식이 정수인 해를 가지려면 a가 2의 배수이거나 5의 배수이어야 한다.

집합 A의 원소 중 2의 배수는 50개, 5의 배수는 20개, 10의 배수는 10개이므로 a가 2의 배수일 사건을 A, 5의 배수일 사건을 B라고 하면

$P(A)=\frac{50}{100}=\frac{1}{2}$, $P(B)=\frac{20}{100}=\frac{1}{5}$, $P(A\cap B)=\frac{10}{100}=\frac{1}{10}$

따라서 구하는 확률은

$P(A\cup B)=P(A)+P(B)-P(A\cap B)$

$=\frac{1}{2}+\frac{1}{5}-\frac{1}{10}=\frac{3}{5}$

답 ③

041

X에서 Y로의 함수 f의 개수는 ${}_3\Pi_4$

$f(a)=-1$인 사건을 A, $f(b)=1$인 사건을 B라고 하면

X의 원소 b, c, d에 Y의 원소를 대응시키는 경우의 수

$P(A)=\frac{{}_3\Pi_3}{{}_3\Pi_4}=\frac{3^3}{3^4}=\frac{1}{3}$

$P(B)=\frac{{}_3\Pi_3}{{}_3\Pi_4}=\frac{3^3}{3^4}=\frac{1}{3}$

$P(A\cap B)=\frac{{}_3\Pi_2}{{}_3\Pi_4}=\frac{3^2}{3^4}=\frac{1}{9}$

따라서 구하는 확률은

$P(A\cup B)=P(A)+P(B)-P(A\cap B)$

$=\frac{1}{3}+\frac{1}{3}-\frac{1}{9}=\frac{5}{9}$

답 ④

042

서로 다른 두 개의 주사위를 동시에 던질 때, 나올 수 있는 모든 경우의 수는 $6\times6=36$

두 수 x, y가 부등식 $x\le y$를 만족시키는 사건을 A, 부등식 $xy\ge15$를 만족시키는 사건을 B라고 하자.

(i) $x\le y$인 경우

$x\le y$를 만족시키는 순서쌍 (x, y)의 개수는

${}_6H_2={}_7C_2=21$

$\therefore P(A)=\frac{21}{36}=\frac{7}{12}$

(ii) $xy\ge15$인 경우

$xy\ge15$를 만족시키는 순서쌍 (x, y)는

(3, 5), (3, 6), (4, 4), (4, 5), (4, 6), (5, 3), (5, 4), (5, 5), (5, 6), (6, 3), (6, 4), (6, 5), (6, 6)

의 13개이므로

$P(B)=\frac{13}{36}$

(iii) $x\le y$, $xy\ge15$인 경우

$x\le y$, $xy\ge15$를 모두 만족시키는 순서쌍 (x, y)는

(3, 5), (3, 6), (4, 4), (4, 5), (4, 6), (5, 5), (5, 6), (6, 6)

의 8개이므로

$P(A\cap B)=\frac{8}{36}=\frac{2}{9}$

(i), (ii), (iii)에서 구하는 확률은

$P(A\cup B)=P(A)+P(B)-P(A\cap B)$

$=\frac{7}{12}+\frac{13}{36}-\frac{2}{9}=\frac{13}{18}$

답 ④

간단 풀이

$x>y$이고 $xy<15$인 순서쌍 (x, y)는

(6, 1), (6, 2), (5, 1), (5, 2), (4, 1), (4, 2), (4, 3), (3, 1), (3, 2), (2, 1)의 10개이므로

$P(A\cup B)=1-P((A\cup B)^C)$

$=1-P(A^C\cap B^C)$

$=1-\frac{10}{36}=\frac{26}{36}=\frac{13}{18}$

043

6명의 학생이 하루에 한 명씩 6일 동안 봉사 활동 순번을 정하는 모든 경우의 수는 $6!$

첫째 날에 남학생이 봉사 활동을 하는 사건을 A, 여섯째 날에 남학생이 봉사 활동을 하는 사건을 B라고 하자.

(i) 첫째 날에 남학생이 봉사 활동을 하는 경우
첫째 날에 남학생을 한 명 선택하고 나머지 5명을 5일에 배정해 주면 되므로 ${}_2C_1 \times 5!$

$\therefore P(A)=\frac{{}_2C_1 \times 5!}{6!}=\frac{2}{6}=\frac{1}{3}$

(ii) 여섯째 날에 남학생이 봉사 활동을 하는 경우
여섯째 날에 남학생을 한 명 선택하고 나머지 5명을 5일에 배정해 주면 되므로 ${}_2C_1 \times 5!$

$\therefore P(B)=\frac{{}_2C_1 \times 5!}{6!}=\frac{2}{6}=\frac{1}{3}$

(iii) 첫째 날과 여섯째 날에 모두 남학생이 봉사 활동을 하는 경우
첫째 날과 여섯째 날에 남학생을 한 명씩 배정하고 나머지 4명을 4일에 배정해 주면 되므로 $2! \times 4!$

$\therefore P(A \cap B)=\frac{2! \times 4!}{6!}=\frac{1}{15}$

따라서 구하는 확률은

$P(A \cup B)=P(A)+P(B)-P(A \cap B)$

$=\frac{1}{3}+\frac{1}{3}-\frac{1}{15}=\frac{3}{5}$

답 ②

다른 풀이

6명의 학생이 하루에 한 명씩 6일 동안 봉사 활동 순번을 정하는 모든 경우의 수는 $6!$

첫째 날 또는 여섯째 날에 남학생이 봉사 활동을 하는 사건을 D라고 하면, 사건 D의 여사건 D^C은 첫째 날과 여섯째 날에 여학생이 봉사 활동을 하는 사건이다.

4명의 여학생 중 첫째 날과 여섯째 날에 봉사 활동을 하는 여학생을 정하는 경우의 수는 ${}_4P_2$이고, 이 각각에 대하여 나머지 4명의 학생이 둘째 날부터 다섯째 날까지 봉사 활동을 하는 순번을 정하는 경우의 수는 $4!$이므로 첫째 날과 여섯째 날에 여학생이 봉사 활동을 하는 순번을 정하는 경우의 수는 ${}_4P_2 \times 4!$

$\therefore P(D)=1-P(D^C)=1-\frac{{}_4P_2 \times 4!}{6!}=1-\frac{2}{5}=\frac{3}{5}$

044

빨간 공이 3개, 파란 공이 n개 들어 있는 주머니에서 임의로 2개의 공을 동시에 꺼내는 경우의 수는

${}_{n+3}C_2=\frac{(n+3)(n+2)}{2}$

적어도 한 개는 빨간 공이 나오는 사건을 A라고 하면, 사건 A의 여사건 A^C은 2개 모두 파란 공이 나오는 사건이다.

2개 모두 파란 공이 나오는 경우의 수는 ${}_nC_2=\frac{n(n-1)}{2}$이므로

$P(A^C)=\frac{n(n-1)}{(n+3)(n+2)}$

$\therefore P(A)=1-P(A^C)$

$=1-\frac{n(n-1)}{(n+3)(n+2)}=\frac{5}{7}$

$\frac{n(n-1)}{(n+3)(n+2)}=\frac{2}{7}$, $7n(n-1)=2(n+3)(n+2)$

$5n^2-17n-12=0$, $(5n+3)(n-4)=0$

$\therefore n=4$ ($\because$ n은 자연수)

답 4

풍쌤 비법

어떤 사건의 확률을 구하는 것보다 그 여사건의 확률을 구하는 것이 더 쉬울 때, 여사건의 확률을 이용하면 편리하다.

➡ $P(A)=1-P(A^C)$

045

원 모양의 탁자에 7명이 둘러앉는 경우의 수는

$(7-1)!=6!$

적어도 2명의 남학생이 서로 이웃하도록 앉는 사건을 A라고 하면, 사건 A의 여사건 A^C은 어느 두 남학생도 이웃하지 않게 앉는 사건이다.

여학생 4명이 원 모양의 탁자에 둘러앉는 경우의 수는

$(4-1)!=3!$

여학생 사이사이에 남학생이 앉는 경우의 수는

${}_4P_3$

└ 여학생 사이사이의 4곳 중에서 남학생이 앉을 3곳을 택한다.

즉, 어느 두 남학생도 이웃하지 않게 앉는 경우의 수는 $3! \times {}_4P_3$이므로

$P(A^C)=\frac{3! \times {}_4P_3}{6!}=\frac{1}{5}$

따라서 구하는 확률은

$P(A)=1-P(A^C)=1-\frac{1}{5}=\frac{4}{5}$

답 ⑤

046

여학생 2명과 남학생 4명이 6개의 의자에 각각 한 명씩 앉는 경우의 수는 $6!$

적어도 한 여학생이 좌석 번호가 짝수인 의자에 앉는 사건을 A라고 하면, 사건 A의 여사건 A^C은 여학생 2명 모두 좌석 번호가 홀수인 의자에 앉는 사건이다.

여학생 2명 모두 좌석 번호가 홀수인 의자에 앉는 경우의 수는

${}_3P_2 \times 4!$

└ 1, 3, 5번 중에서 2개를 택하여 여학생 2명이 앉고 나머지 4개의 의자에 남학생이 앉으면 된다.

$\therefore P(A^C)=\frac{{}_3P_2 \times 4!}{6!}=\frac{1}{5}$

따라서 구하는 확률은

$P(A)=1-P(A^C)=1-\frac{1}{5}=\frac{4}{5}$

답 ⑤

047

● 모양의 스티커 3장, ★ 모양의 스티커 2장, ♥ 모양의 스티커 2장을 일렬로 나열하는 경우의 수는

$\frac{7!}{3!\times2!\times2!}=210$

● 모양의 스티커 2장만 이웃하는 사건을 A라고 하면, 사건 A의 여사건 A^C은 ● 모양의 스티커가 이웃하지 않거나 ● 모양의 스티커 3장이 모두 이웃하는 사건이다.

(i) ● 모양의 스티커가 이웃하지 않는 경우

★ 모양의 스티커 2장, ♥ 모양의 스티커 2장을 일렬로 나열한 후, 이들 사이사이와 양 끝의 5자리 중 3자리를 택하여 ● 모양의 스티커를 나열하면 되므로

$\frac{4!}{2!\times2!}\times{}_5C_3=6\times10=60$

(ii) ● 모양의 스티커 3장이 모두 이웃하는 경우

● 모양의 스티커 3장을 X로 생각하여 X, ★ 모양의 스티커 2장, ♥ 모양의 스티커 2장을 일렬로 나열하면 되므로

$\frac{5!}{2!\times2!}=30$

(i), (ii)에서 ● 모양의 스티커가 이웃하지 않거나 ● 모양의 스티커 3장이 모두 이웃하는 경우의 수는

$60+30=90$

$\therefore P(A^C)=\frac{90}{210}=\frac{3}{7}$

따라서 구하는 확률은

$P(A)=1-P(A^C)=1-\frac{3}{7}=\frac{4}{7}$

답 ③

048

각 자리의 숫자가 0이 아닌 세 자리의 자연수는 백의 자리, 십의 자리, 일의 자리에 각각 1부터 9까지의 숫자 중 하나가 와야 한다. 이 경우의 수는 서로 다른 9개에서 3개를 택하는 중복순열의 수와 같으므로

${}_9\Pi_3=9^3=729$

각 자리의 수의 곱이 6 이상의 짝수인 사건을 A라고 하면, 사건 A의 여사건 A^C은 각 자리의 숫자가 모두 홀수이거나 각 자리의 수의 곱이 2 또는 4인 사건이다.

(i) 각 자리의 숫자가 모두 홀수인 경우

다섯 개의 수 1, 3, 5, 7, 9에서 중복을 허락하여 3개의 수를 선택하는 중복순열의 수와 같으므로

${}_5\Pi_3=5^3=125$

(ii) 각 자리의 수의 곱이 2인 경우

세 수 2, 1, 1을 일렬로 나열하는 경우의 수와 같으므로

$\frac{3!}{2!}=3$

(iii) 각 자리의 수의 곱이 4인 경우

세 수 4, 1, 1 또는 2, 2, 1을 일렬로 나열하는 경우의 수와 같으므로

$\frac{3!}{2!}+\frac{3!}{2!}=6$

(i), (ii), (iii)에서 $P(A^C)=\frac{125+3+6}{729}=\frac{134}{729}$

따라서 구하는 확률은

$P(A)=1-P(A^C)=1-\frac{134}{729}=\frac{595}{729}$

답 $\frac{595}{729}$

049

접근

방정식 $f(x)=0$의 해를 구한 후, $f(a)f(b)f(c)\neq0$을 만족시키는 a, b, c의 값을 구한다.

한 개의 주사위를 세 번 던질 때, 일어날 수 있는 모든 경우의 수는

$6\times6\times6=216$

$x^3-4x^2+5x-2=0$에서 $(x-1)^2(x-2)=0$

$\therefore x=1$ 또는 $x=2$

$f(a)f(b)f(c)=0$인 사건을 A라고 하면 사건 A의 여사건 A^C은 $f(a)f(b)f(c)\neq0$이다.

$f(a)f(b)f(c)\neq0$에서 $f(a)\neq0$이고 $f(b)\neq0$이고 $f(c)\neq0$이므로 이때 a, b, c가 가질 수 있는 값은 3, 4, 5, 6 중의 하나이다.

$\therefore P(A^C)=\frac{4\times4\times4}{216}=\frac{64}{216}=\frac{8}{27}$

따라서 구하는 확률은

$P(A)=1-P(A^C)=1-\frac{8}{27}=\frac{19}{27}$

답 ②

050

방정식 $a+b+c=9$를 만족시키는 음이 아닌 정수 a, b, c의 모든 순서쌍 (a, b, c)의 개수는 서로 다른 3개에서 중복을 허락하여 9개를 택하는 조합의 수와 같으므로 모든 경우의 수는

${}_3H_9={}_{11}C_9={}_{11}C_2=55$

$a<2$ 또는 $b<2$인 사건을 A라고 하면, 사건 A의 여사건 A^C은 $a\geq2$이고 $b\geq2$이므로

$a=a'+2$, $b=b'+2$(a', b'은 음이 아닌 정수)

라고 하면

$a'+2+b'+2+c=9$ $\therefore a'+b'+c=5$

$a'+b'+c=5$를 만족시키는 음이 아닌 정수 a', b', c의 모든 순서쌍 (a', b', c)의 개수는

${}_3H_5={}_7C_5={}_7C_2=21$

$\therefore P(A^C)=\frac{21}{55}$

따라서 구하는 확률은

$P(A)=1-P(A^C)=1-\frac{21}{55}=\frac{34}{55}$

이므로 $p=55$, $q=34$

$\therefore p+q=55+34=89$

답 89

051

6개의 문자 a, a, b, b, c, d를 일렬로 나열하는 경우의 수는

$\frac{6!}{2!\times2!}=180$

같은 문자끼리 이웃하지 않도록 나열하는 사건을 A라고 하면, 사건 A의 여사건 A^C은 같은 문자끼리 이웃하도록 나열하는 사건이다.

(i) a끼리 이웃하는 경우

a, a를 한 문자 X로 생각하여 5개의 문자 X, b, b, c, d를 일렬로 나열하는 경우의 수는

$\frac{5!}{2!}=60$

(ii) b끼리 이웃하는 경우

b, b를 한 문자 Y로 생각하여 5개의 문자 a, a, Y, c, d를 일렬로 나열하는 경우의 수는

$\frac{5!}{2!}=60$

(iii) a끼리, b끼리 동시에 이웃하는 경우

X, Y, c, d를 일렬로 나열하는 경우의 수는

$4!=24$

(i), (ii), (iii)에서 같은 문자끼리 이웃하는 경우의 수는

$60+60-24=96$

$\therefore \mathrm{P}(A^C)=\frac{96}{180}=\frac{8}{15}$

따라서 구하는 확률은

$\mathrm{P}(A)=1-\mathrm{P}(A^C)=1-\frac{8}{15}=\frac{7}{15}$

답 ①

052

함수 f 중에서 임의로 한 개의 함수를 택할 때, 치역의 원소의 개수가 3 이상인 사건을 A라고 하면 사건 A의 여사건 A^C은 함수 f 중에서 임의로 한 개의 함수를 택할 때, 치역의 원소의 개수가 2 이하인 사건이다.

$f(1)=a$, $f(4)=b$, $f(5)=c$, $f(6)=d$라고 하면 모든 함숫값의 합이 15이고 $f(2)=2$, $f(3)=3$이므로

$a+b+c+d=10$ (단, a, b, c, d는 1 이상 6 이하의 자연수이다.)

이때 $a=a'+1$, $b=b'+1$, $c=c'+1$, $d=d'+1$로 놓으면

$a'+b'+c'+d'=6$

(단, a', b', c', d'은 5 이하의 음이 아닌 정수이다.)

따라서 함수 f의 개수는 4개에서 중복을 허락하여 6개를 뽑는 조합의 수에서 순서쌍 (a', b', c', d')이 $(6, 0, 0, 0)$, $(0, 6, 0, 0)$, $(0, 0, 6, 0)$, $(0, 0, 0, 6)$인 4가지를 빼야 하므로

a', b', c', d'은 5 이하의 음이 아닌 정수

${}_4\mathrm{H}_6-4={}_9\mathrm{C}_6-4={}_9\mathrm{C}_3-4$

$=84-4=80$

한편 $f(2)=2$, $f(3)=3$이므로 치역의 원소의 개수가 1인 경우는 없고, 치역의 원소의 개수가 2인 경우는 a, b, c, d의 값이 각각 2 또는 3이면서 $a+b+c+d=10$을 만족시키는 경우이므로

2, 2, 3, 3을 일렬로 나열하는 경우의 수와 같다.

즉, $\frac{4!}{2!\times 2!}=6$이므로

$\mathrm{P}(A^C)=\frac{6}{80}=\frac{3}{40}$

따라서 구하는 확률은

$\mathrm{P}(A)=1-\mathrm{P}(A^C)=1-\frac{3}{40}=\frac{37}{40}$

답 ⑤

04 조건부확률

053

$\mathrm{P}(B|A)=\frac{\mathrm{P}(A\cap B)}{\mathrm{P}(A)}$이므로

$$\mathrm{P}(A)=\frac{\mathrm{P}(A\cap B)}{\mathrm{P}(B|A)}=\frac{\frac{1}{6}}{\frac{1}{3}}=\frac{1}{2}$$

답 ⑤

054

두 사건 A, B가 서로 배반사건이므로

$A\cap B=\varnothing$, $B\subset A^C$

$\therefore B\cap A^C=B$

$$\therefore \mathrm{P}(B|A^C)=\frac{\mathrm{P}(B\cap A^C)}{\mathrm{P}(A^C)}=\frac{\mathrm{P}(B)}{1-\mathrm{P}(A)}$$

$$=\frac{\frac{2}{3}}{1-\frac{1}{5}}=\frac{\frac{2}{3}}{\frac{4}{5}}=\frac{5}{6}$$

답 ⑤

055

$\mathrm{P}(A|B)=\frac{\mathrm{P}(A\cap B)}{\mathrm{P}(B)}$, $\mathrm{P}(B|A)=\frac{\mathrm{P}(A\cap B)}{\mathrm{P}(A)}$이므로

$$\mathrm{P}(B)=\frac{\mathrm{P}(A\cap B)}{\mathrm{P}(A|B)}=\frac{\frac{1}{20}}{\frac{1}{5}}=\frac{1}{4}$$

$$\mathrm{P}(A)=\frac{\mathrm{P}(A\cap B)}{\mathrm{P}(B|A)}=\frac{\frac{1}{20}}{\frac{1}{3}}=\frac{3}{20}$$

$\therefore \mathrm{P}(A\cup B)=\mathrm{P}(A)+\mathrm{P}(B)-\mathrm{P}(A\cap B)$

$=\frac{3}{20}+\frac{1}{4}-\frac{1}{20}=\frac{7}{20}$

답 ②

056

6의 약수의 눈이 나오는 사건을 A, 홀수의 눈이 나오는 사건을 B라고 하면

$A=\{1, 2, 3, 6\}$, $B=\{1, 3, 5\}$, $A\cap B=\{1, 3\}$

$\mathrm{P}(A)=\frac{4}{6}=\frac{2}{3}$, $\mathrm{P}(A\cap B)=\frac{2}{6}=\frac{1}{3}$

따라서 구하는 확률은

$$\mathrm{P}(B|A)=\frac{\mathrm{P}(A\cap B)}{\mathrm{P}(A)}=\frac{\frac{1}{3}}{\frac{2}{3}}=\frac{1}{2}$$

답 ④

간단 풀이

$\mathrm{P}(B|A)=\frac{n(A\cap B)}{n(A)}=\frac{2}{4}=\frac{1}{2}$

057

AB형인 학생을 택하는 사건을 A, 남학생을 택하는 사건을 B라고 하면

$\mathrm{P}(A)=\frac{25}{100}=\frac{1}{4}$, $\mathrm{P}(A\cap B)=\frac{10}{100}=\frac{1}{10}$

└ AB형인 남학생을 택하는 사건

따라서 구하는 확률은

$$\mathrm{P}(B|A)=\frac{\mathrm{P}(A\cap B)}{\mathrm{P}(A)}=\frac{\frac{1}{10}}{\frac{1}{4}}=\frac{2}{5}$$

답 ④

058

임의로 선택한 한 명이 박물관 A를 선택한 사건을 A, 이 학생이 1학년 학생일 사건을 B라고 하면

$\mathrm{P}(A)=\frac{24}{32}=\frac{3}{4}$, $\mathrm{P}(A\cap B)=\frac{9}{32}$

└ 1학년 학생이 박물관 A를 선택하는 사건

따라서 구하는 확률은

$$\mathrm{P}(B|A)=\frac{\mathrm{P}(A\cap B)}{\mathrm{P}(A)}=\frac{\frac{9}{32}}{\frac{3}{4}}=\frac{3}{8}$$

답 ①

간단 풀이

$$\mathrm{P}(B|A)=\frac{n(A\cap B)}{n(A)}=\frac{9}{24}=\frac{3}{8}$$

059

주머니 A, B에서 뽑은 공이 각각 흰 공, 검은 공인 사건을 X, 주머니 A, B에서 뽑은 공이 각각 검은 공, 흰 공인 사건을 Y, 주머니 A, B에서 뽑은 공이 서로 다른 색인 사건을 Z라고 하면

$\mathrm{P}(X)=\frac{{}_2\mathrm{C}_1\times{}_2\mathrm{C}_1}{{}_4\mathrm{C}_1\times{}_5\mathrm{C}_1}=\frac{4}{20}=\frac{1}{5}$,

$\mathrm{P}(Y)=\frac{{}_2\mathrm{C}_1\times{}_3\mathrm{C}_1}{{}_4\mathrm{C}_1\times{}_5\mathrm{C}_1}=\frac{6}{20}=\frac{3}{10}$

이므로

$$\mathrm{P}(Z)=\mathrm{P}(X\cup Y)=\mathrm{P}(X)+\mathrm{P}(Y)$$
$$=\frac{1}{5}+\frac{3}{10}=\frac{1}{2}$$

한편 $\mathrm{P}(X\cap Z)=\mathrm{P}(X)$이므로 구하는 확률은

$$\mathrm{P}(X|Z)=\frac{\mathrm{P}(X\cap Z)}{\mathrm{P}(Z)}=\frac{\frac{1}{5}}{\frac{1}{2}}=\frac{2}{5}$$

답 ③

060

$\mathrm{P}(A)=1-\mathrm{P}(A^C)=1-\frac{2}{5}=\frac{3}{5}$이므로

$$\mathrm{P}(A\cap B)=\mathrm{P}(A)\mathrm{P}(B|A)$$
$$=\frac{3}{5}\times\frac{1}{6}=\frac{1}{10}$$

답 ⑤

061

첫 번째에 검은 공을 꺼내는 사건을 A, 두 번째에 검은 공을 꺼내는 사건을 B라고 하면

$\mathrm{P}(A)=\frac{6}{10}=\frac{3}{5}$, $\mathrm{P}(B|A)=\frac{5}{9}$

따라서 구하는 확률은

$$\mathrm{P}(A\cap B)=\mathrm{P}(A)\mathrm{P}(B|A)$$
$$=\frac{3}{5}\times\frac{5}{9}=\frac{1}{3}$$

답 ①

062

현진이가 2가 적혀 있는 카드를 선택하는 사건을 A, 병준이가 3이 적혀 있는 카드를 선택하는 사건을 B라고 하면

$\mathrm{P}(A)=\frac{3}{6}=\frac{1}{2}$, $\mathrm{P}(B|A)=\frac{2}{5}$

따라서 구하는 확률은

$$\mathrm{P}(A\cap B)=\mathrm{P}(A)\mathrm{P}(B|A)$$
$$=\frac{1}{2}\times\frac{2}{5}=\frac{1}{5}$$

답 $\frac{1}{5}$

063

접근

주머니에서 흰 공을 꺼내고 주사위를 던져 3 미만의 눈이 나오는 경우와 주머니에서 검은 공을 꺼내고 정사면체를 던져 3 미만의 눈이 나오는 경우로 나누어 생각한다.

주머니에서 흰 공을 꺼내는 사건을 W, 3 미만의 눈이 나오는 사건을 E라고 하자. └ 주머니에서 검은 공을 꺼내는 사건은 W^C

(i) 주머니에서 흰 공을 꺼내고, 주사위를 던져 3 미만의 눈이 나올 확률은

$$\mathrm{P}(W\cap E)=\frac{3}{5}\times\frac{2}{6}=\frac{1}{5}$$

(ii) 주머니에서 검은 공을 꺼내고, 정사면체를 던져 3 미만의 눈이 나올 확률은

$$\mathrm{P}(W^C\cap E)=\frac{2}{5}\times\frac{2}{4}=\frac{1}{5}$$

(i), (ii)에서 구하는 확률은

$$\mathrm{P}(E)=\mathrm{P}(W\cap E)+\mathrm{P}(W^C\cap E)$$
$$=\frac{1}{5}+\frac{1}{5}=\frac{2}{5}$$

답 ②

풍쌤 비법

$A\cap B$와 $A\cap B^C$은 서로 배반사건이므로

$\mathrm{P}(A)=\mathrm{P}(A\cap B)+\mathrm{P}(A\cap B^C)$

064

주머니 A에서 흰 공을 꺼내는 사건을 W, 주머니 B에서 흰 공을 꺼내는 사건을 E라고 하자. └ 주머니 A에서 검은 공을 꺼내는 사건은 W^C

(ⅰ) 주머니 A에서 흰 공을 꺼내고, 주머니 B에서 흰 공을 꺼낼 확률은

$P(W\cap E)=\frac{2}{5}\times\frac{3}{4+2}=\frac{1}{5}$

(ⅱ) 주머니 A에서 검은 공을 꺼내고, 주머니 B에서 흰 공을 꺼낼 확률은

$P(W^{C}\cap E)=\frac{3}{5}\times\frac{3+1}{4+1}=\frac{12}{25}$

(ⅰ), (ⅱ)에서 구하는 확률은

$P(E)=P(W\cap E)+P(W^{C}\cap E)$

$=\frac{1}{5}+\frac{12}{25}=\frac{17}{25}$

답 ⑤

065

기계 A에서 제품을 생산하는 사건을 A, 기계 B에서 제품을 생산하는 사건을 B, 불량품이 나오는 사건을 E라고 하자.

(ⅰ) 기계 A에서 불량품이 나올 확률은

$P(A\cap E)=P(A)P(E|A)$

$=0.4\times0.05=0.02$

(ⅱ) 기계 B에서 불량품이 나올 확률은

$P(B\cap E)=P(B)P(E|B)$

$=0.6\times0.08=0.048$

(ⅰ), (ⅱ)에서 불량품이 나올 확률은

$P(E)=P(A\cap E)+P(B\cap E)$

└ $A\cap E$와 $B\cap E$는 서로 배반사건이다.

$=0.02+0.048=0.068$

따라서 구하는 확률은

$P(B|E)=\frac{P(B\cap E)}{P(E)}=\frac{0.048}{0.068}=\frac{12}{17}$

답 ④

풍쌤 비법

두 사건 A, B에 대하여 두 사건 $A\cap B$와 $A\cap B^{C}$은 서로 배반사건이므로

$P(B|A)=\frac{P(A\cap B)}{P(A)}=\frac{P(A\cap B)}{P(A\cap B)+P(A\cap B^{C})}$

066

얻은 점수가 5점 이상인 사건을 A, 주사위를 한 번만 던지는 사건을 B라고 하자.

(ⅰ) 1회의 시행에서 5 이상의 눈이 나오는 경우

1회의 시행으로 5점 이상의 점수를 얻어야 하므로

$P(A\cap B)=\frac{2}{6}=\frac{1}{3}$

(ⅱ) 1회의 시행에서 5보다 작은 눈이 나오는 경우

주사위를 한 번 더 던져서 5 이상의 눈이 나와야 하므로

$P(A\cap B^{C})=\frac{4}{6}\times\frac{2}{6}=\frac{2}{9}$

(ⅰ), (ⅱ)에서 5점 이상의 점수를 얻을 확률은

$P(A)=P(A\cap B)+P(A\cap B^{C})$

$=\frac{1}{3}+\frac{2}{9}=\frac{5}{9}$

따라서 구하는 확률은

$P(B|A)=\frac{P(A\cap B)}{P(A)}=\frac{\frac{1}{3}}{\frac{5}{9}}=\frac{3}{5}$

이때 $p=5$, $q=3$이므로

$p^2+q^2=5^2+3^2=34$

답 34

067

$P(A)=1-P(A^{C})=1-\frac{2}{3}=\frac{1}{3}$

두 사건 A와 B가 서로 독립이므로

$P(A\cap B)=P(A)P(B)$

$\frac{1}{6}=\frac{1}{3}P(B)$ $\quad\therefore P(B)=\frac{1}{2}$

답 ⑤

068

두 사건 A와 B가 서로 독립이므로

$P(A\cap B)=P(A)P(B)$

$\therefore P(A\cup B)=P(A)+P(B)-P(A\cap B)$

$=P(A)+P(B)-P(A)P(B)$

$\frac{3}{4}=P(A)+\frac{2}{3}-\frac{2}{3}P(A)$, $\frac{1}{3}P(A)=\frac{1}{12}$

$\therefore P(A)=\frac{1}{4}$

답 ②

069

두 사건 A와 B가 서로 독립이므로

$P(A)=P(A|B)=\frac{1}{3}$

두 사건 A와 B가 서로 독립이면 A와 B^{C}도 서로 독립이므로

$P(A\cap B^{C})=P(A)P(B^{C})=\frac{1}{6}$

$\frac{1}{3}P(B^{C})=\frac{1}{6}$, $P(B^{C})=\frac{1}{2}$

$\therefore P(B)=1-P(B^{C})=1-\frac{1}{2}=\frac{1}{2}$

답 ②

070

표본공간을 S라고 하면

$S=\{1, 2, 3, 4, 5, 6\}$

이므로

$A=\{1, 2, 3, 6\}$, $B=\{1, 3, 5\}$, $C=\{2, 3, 5\}$

$A\cap B=\{1, 3\}$, $B\cap C=\{3, 5\}$, $A\cap C=\{2, 3\}$

ㄱ. $P(A\cap B)=\frac{2}{6}=\frac{1}{3}$

$P(A)P(B)=\frac{4}{6}\times\frac{3}{6}=\frac{1}{3}$

$\therefore P(A\cap B)=P(A)P(B)$ (독립)

ㄴ. $P(B\cap C)=\frac{2}{6}=\frac{1}{3}$

$P(B)P(C)=\frac{3}{6}\times\frac{3}{6}=\frac{1}{4}$

$\therefore$ $\mathrm{P}(B\cap C)\neq\mathrm{P}(B)\mathrm{P}(C)$ (종속)

ㄷ. $\mathrm{P}(A\cap C)=\frac{2}{6}=\frac{1}{3}$

$\mathrm{P}(A)\mathrm{P}(C)=\frac{4}{6}\times\frac{3}{6}=\frac{1}{3}$

$\therefore$ $\mathrm{P}(A\cap C)=\mathrm{P}(A)\mathrm{P}(C)$ (독립)

따라서 두 사건이 서로 독립인 것은 ㄱ, ㄷ이다.

답 ④

071

두 학생 A, B가 합격하는 사건을 각각 A, B라고 하면 두 사건 A와 B는 서로 독립이다.

(i) 학생 A만 합격할 확률은

$\mathrm{P}(A\cap B^C)=\mathrm{P}(A)\mathrm{P}(B^C)$

$=\frac{8}{9}\times\frac{1}{10}=\frac{4}{45}$

(ii) 학생 B만 합격할 확률은

$\mathrm{P}(A^C\cap B)=\mathrm{P}(A^C)\mathrm{P}(B)$

$=\frac{1}{9}\times\frac{9}{10}=\frac{1}{10}$

따라서 구하는 확률은

$\frac{4}{45}+\frac{1}{10}=\frac{17}{90}$

답 ②

풍쌤 비법

두 사건 A, B가 서로 독립이면 사건 A^C과 B, 사건 A와 B^C은 각각 서로 독립이다.

072

재성이가 이긴 게임을 ○, 진 게임을 ×로 나타낼 때, 네 번째 게임에서 재성이가 우승하기 위해서는 ○×○○이어야 한다.

이때 각 게임은 서로 독립이므로 구하는 확률은

$\frac{1}{3}\times\frac{2}{3}\times\frac{1}{3}\times\frac{1}{3}=\frac{2}{81}$

답 $\frac{2}{81}$

073

동아리 A에 속할 사건을 A, 야구를 선호할 사건을 E라고 하면 두 사건 A, E가 서로 독립이므로

$b=\mathrm{P}(A\cap E)=\mathrm{P}(A)\mathrm{P}(E)=\frac{2}{7}\times\frac{1}{4}=\frac{1}{14}$

$a+b=\frac{2}{7}$에서 $a=\frac{2}{7}-\frac{1}{14}=\frac{3}{14}$

$a+c=\frac{3}{4}$에서 $c=\frac{3}{4}-\frac{3}{14}=\frac{15}{28}$

$\therefore b+c=\frac{1}{14}+\frac{15}{28}=\frac{17}{28}$

답 ②

074

주사위를 한 번 던질 때, 소수의 눈이 나올 확률은

$\frac{3}{6}=\frac{1}{2}$

따라서 구하는 확률은

${}_5\mathrm{C}_3\left(\frac{1}{2}\right)^3\left(\frac{1}{2}\right)^2=\frac{10}{32}=\frac{5}{16}$

답 ②

075

10점 과녁에 2발 이상 맞히는 사건을 A라고 하면, 사건 A의 여사건 A^C은 10점 과녁에 2발 미만 맞히는 사건이다.

(i) 5발을 쏘았을 때, 10점 과녁에 한 발도 맞히지 못할 확률은

${}_5\mathrm{C}_0\left(\frac{1}{2}\right)^0\left(\frac{1}{2}\right)^5=\frac{1}{32}$

(ii) 5발을 쏘았을 때, 10점 과녁에 1발을 맞힐 확률은

${}_5\mathrm{C}_1\left(\frac{1}{2}\right)^1\left(\frac{1}{2}\right)^4=\frac{5}{32}$

(i), (ii)에서 10점 과녁에 2발 미만 맞힐 확률은

$\mathrm{P}(A^C)=\frac{1}{32}+\frac{5}{32}=\frac{3}{16}$

따라서 구하는 확률은

$\mathrm{P}(A)=1-\mathrm{P}(A^C)=1-\frac{3}{16}=\frac{13}{16}$

답 ⑤

076

동전 한 개를 5번 던질 때 횟수의 곱이 4가 되려면 앞면이 1번, 뒷면이 4번 나오거나 앞면이 4번, 뒷면이 1번 나와야 한다.

(i) 앞면이 1번, 뒷면이 4번 나올 확률은

${}_5\mathrm{C}_1\left(\frac{1}{2}\right)^1\left(\frac{1}{2}\right)^4=\frac{5}{32}$

(ii) 앞면이 4번, 뒷면이 1번 나올 확률은

${}_5\mathrm{C}_4\left(\frac{1}{2}\right)^4\left(\frac{1}{2}\right)^1=\frac{5}{32}$

따라서 구하는 확률은

$\frac{5}{32}+\frac{5}{32}=\frac{5}{16}$

답 ⑤

077

(i) 주사위를 던져서 4의 약수의 눈이 나오고 동전을 2개 던져서 앞면이 한 번 나올 확률은

$\frac{3}{6}\times{}_2\mathrm{C}_1\left(\frac{1}{2}\right)^1\left(\frac{1}{2}\right)^1=\frac{1}{2}\times\frac{2}{4}=\frac{1}{4}$

(ii) 주사위를 던져서 4의 약수의 눈이 나오지 않고 동전을 3개 던져서 앞면이 한 번 나올 확률은

$\frac{3}{6}\times{}_3\mathrm{C}_1\left(\frac{1}{2}\right)^1\left(\frac{1}{2}\right)^2=\frac{1}{2}\times\frac{3}{8}=\frac{3}{16}$

(i), (ii)에서 구하는 확률은

$\frac{1}{4}+\frac{3}{16}=\frac{7}{16}$

답 ③

078

네 번째 경기에서 우승팀이 결정되려면 우승팀은 3번의 경기에서 2번 이기고 마지막 네 번째 경기에서도 이겨야 한다.

(i) A팀이 우승팀이 될 확률은

$${}_3C_2\left(\frac{1}{2}\right)^2\left(\frac{1}{2}\right)^1\times\frac{1}{2}=\frac{3}{8}\times\frac{1}{2}=\frac{3}{16}$$

(ii) B팀이 우승팀이 될 확률은

$${}_3C_2\left(\frac{1}{2}\right)^2\left(\frac{1}{2}\right)^1\times\frac{1}{2}=\frac{3}{8}\times\frac{1}{2}=\frac{3}{16}$$

따라서 구하는 확률은

$$\frac{3}{16}+\frac{3}{16}=\frac{3}{8}$$

답 ⑤

079

접근

주사위를 5번 던졌을 때, 오른쪽으로 1만큼 움직인 횟수와 왼쪽으로 1만큼 움직인 횟수를 구한다.

한 개의 주사위를 한 번 던질 때, 짝수의 눈이 나올 확률은 $\frac{1}{2}$, 홀수의 눈이 나올 확률은 $\frac{1}{2}$이다.

오른쪽으로 1만큼 움직인 횟수를 a, 왼쪽으로 1만큼 움직인 횟수를 b라고 하면

$a+b=5$, $a-b=1$ (원점에 있던 좌표가 1로 움직였으므로 좌표의 변화는 1이다.)

위의 두 식을 연립하여 풀면

$a=3$, $b=2$

따라서 점 P의 좌표가 1일 확률은

$${}_5C_3\left(\frac{1}{2}\right)^3\left(\frac{1}{2}\right)^2=\frac{10}{32}=\frac{5}{16}$$

답 ⑤

080

흰 공 2개와 검은 공 4개가 들어 있는 주머니에서 임의로 한 개의 공을 꺼낼 때, 흰 공을 꺼낼 확률은 $\frac{2}{6}=\frac{1}{3}$, 검은 공을 꺼낼 확률은 $\frac{4}{6}=\frac{2}{3}$이다.

5회의 시행에서 흰 공이 나오는 횟수를 a, 검은 공이 나오는 횟수를 b라고 하면

$a+b=5$, $2a+3b=12$

위의 두 식을 연립하여 풀면

$a=3$, $b=2$

따라서 구하는 확률은

$${}_5C_3\left(\frac{1}{3}\right)^3\left(\frac{2}{3}\right)^2=\frac{40}{243}$$

답 ①

081

다항식 $f(x)$가 $x-1$로 나누어떨어지려면 $f(1)=0$이어야 하므로

$f(1)=a_1+a_2+a_3+\cdots+a_6=0$

즉, 동전을 6번 던질 때 앞면이 3번, 뒷면이 3번 나와야 한다.

따라서 구하는 확률은

$${}_6C_3\left(\frac{1}{2}\right)^3\left(\frac{1}{2}\right)^3=\frac{20}{64}=\frac{5}{16}$$

답 ③

참고

인수정리

다항식 $f(x)$가 $x-a$로 나누어떨어질 필요충분조건은

$f(a)=0$

082

상자 A에서 꺼낸 공 중 적어도 한 개가 흰 공인 사건을 E, 상자 B에서 꺼낸 공이 흰 공인 사건을 F라고 하면

$$P(E)=1-\frac{{}_3C_2}{{}_5C_2}=1-\frac{3}{10}=\frac{7}{10}$$

($\frac{{}_3C_2}{{}_5C_2}$: 상자 A에서 임의로 꺼낸 2개의 공이 모두 검은 공일 확률)

$$P(E\cap F)=\frac{{}_2C_2}{{}_5C_2}\times\frac{3+2}{7}+\frac{{}_3C_1\times{}_2C_1}{{}_5C_2}\times\frac{3+1}{7}$$

(앞 항: 상자 A에서 흰 공 2개를 꺼내어 상자 B로 넣은 후, 상자 B에서 흰 공 1개를 꺼낼 확률)

(뒤 항: 상자 A에서 흰 공 1개, 검은 공 1개를 꺼내어 상자 B로 넣은 후, 상자 B에서 흰 공 1개를 꺼낼 확률)

$$=\frac{1}{10}\times\frac{5}{7}+\frac{6}{10}\times\frac{4}{7}$$

$$=\frac{29}{70}$$

따라서 구하는 확률은

$$P(F|E)=\frac{P(E\cap F)}{P(E)}=\frac{\frac{29}{70}}{\frac{7}{10}}=\frac{29}{49}$$

답 ④

083

2장의 카드에 적혀 있는 두 수의 합이 짝수인 사건을 A, 주머니 A에서 꺼낸 카드에 적혀 있는 수가 홀수인 사건을 B라고 하면

(두 수의 합이 짝수: (짝수)+(짝수) 또는 (홀수)+(홀수))

$$P(A)=\frac{2}{4}\times\frac{2}{4}+\frac{2}{4}\times\frac{2}{4}=\frac{1}{2}$$

$$P(A\cap B)=\frac{2}{4}\times\frac{2}{4}=\frac{1}{4}$$

따라서 구하는 확률은

$$P(B|A)=\frac{P(A\cap B)}{P(A)}=\frac{\frac{1}{4}}{\frac{1}{2}}=\frac{1}{2}$$

답 ①

084

A가 던진 주사위에서 3의 배수의 눈이 나오는 사건을 A, A가 이기는 사건을 B라고 하면

$$P(A)=\frac{2}{6}=\frac{1}{3}$$

$$P(A\cap B)=\frac{1}{6}\times\frac{2}{6}+\frac{1}{6}\times\frac{5}{6}=\frac{1}{18}+\frac{5}{36}$$

($\frac{2}{6}$: B가 던진 주사위의 눈이 1, 2이어야 한다.)

($\frac{5}{6}$: B가 던진 주사위의 눈이 1, 2, 3, 4, 5이어야 한다.)

$$=\frac{7}{36}$$

따라서 구하는 확률은

$$P(B|A)=\frac{P(A\cap B)}{P(A)}=\frac{\frac{7}{36}}{\frac{1}{3}}=\frac{7}{12}$$

답 $\frac{7}{12}$

085

10개의 공 중에서 임의로 3개의 공을 동시에 꺼내는 경우의 수는

${}_{10}C_3=120$

$a+b+c$가 짝수인 사건을 A, a가 홀수인 사건을 B라고 하자.

└ a, b, c가 모두 짝수이거나 하나만 짝수이어야 한다.

a, b, c가 모두 짝수인 경우의 수는 ${}_5C_3=10$

a, b, c 중 하나만 짝수인 경우의 수는

${}_5C_1\times{}_5C_2=5\times10=50$

$\therefore P(A)=\frac{10+50}{120}=\frac{1}{2}$

이때 a가 홀수인 경우는 1, 3, 5, 7이다. ($\because a<b<c$)

(i) $a=1$인 경우의 수는

${}_4C_1\times{}_5C_1=4\times5=20$

└ 2, 3, ⋯, 10 중에서 홀수 하나, 짝수 하나를 택한다.

(ii) $a=3$인 경우의 수는

${}_3C_1\times{}_4C_1=3\times4=12$

└ 4, 5, ⋯, 10 중에서 홀수 하나, 짝수 하나를 택한다.

(iii) $a=5$인 경우의 수는

${}_2C_1\times{}_3C_1=2\times3=6$

└ 6, 7, ⋯, 10 중에서 홀수 하나, 짝수 하나를 택한다.

(iv) $a=7$인 경우의 수는

${}_1C_1\times{}_2C_1=1\times2=2$

└ 8, 9, 10 중에서 홀수 하나, 짝수 하나를 택한다.

(i)~(iv)에서 $a+b+c$가 짝수이면서 a가 홀수인 경우의 수는

$20+12+6+2=40$

$\therefore P(A\cap B)=\frac{40}{120}=\frac{1}{3}$

따라서 구하는 확률은

$$P(B|A)=\frac{P(A\cap B)}{P(A)}=\frac{\frac{1}{3}}{\frac{1}{2}}=\frac{2}{3}$$

답 $\frac{2}{3}$

086

임의로 뽑은 한 명이 한라산 등반을 희망하는 사건을 A, 설악산 등반을 희망하는 사건을 B라고 하면

$P(A)=\frac{54}{100}=\frac{27}{50}$

$P(A\cap B)=\frac{30}{100}=\frac{3}{10}$

$\therefore p_1=P(B|A)=\frac{P(A\cap B)}{P(A)}$

$=\frac{\frac{3}{10}}{\frac{27}{50}}=\frac{5}{9}$

또, $P(B)=\frac{60}{100}=\frac{3}{5}$, $P(A^C\cap B)=\frac{30}{100}=\frac{3}{10}$이므로

$p_2=P(A^C|B)=\frac{P(A^C\cap B)}{P(B)}$

$=\frac{\frac{3}{10}}{\frac{3}{5}}=\frac{1}{2}$

$\therefore p_1-p_2=\frac{5}{9}-\frac{1}{2}=\frac{1}{18}$

답 ④

087

주어진 조건을 표로 나타내면 다음과 같다.

(단위: 명)

구분	남학생	여학생	합계
긍정적인 평가	$250\times0.4=100$	$200\times0.55=110$	210
부정적인 평가	$250-100=150$	$200-110=90$	240
합계	250	200	450

선택한 한 사람이 상품에 대하여 긍정적인 평가를 하는 사건을 A, 남학생인 사건을 B라고 하면

$P(A)=\frac{210}{450}=\frac{7}{15}$, $P(A\cap B)=\frac{100}{450}=\frac{2}{9}$

따라서 구하는 확률은

$$P(B|A)=\frac{P(A\cap B)}{P(A)}=\frac{\frac{2}{9}}{\frac{7}{15}}=\frac{10}{21}$$

답 ②

간단 풀이

긍정적인 평가를 한 남학생 수는 $250\times0.4=100$

긍정적인 평가를 한 여학생 수는 $200\times0.55=110$

따라서 구하는 확률은

$\frac{100}{100+110}=\frac{10}{21}$

088

주어진 조건을 표로 나타내면 다음과 같다.

(단위: 명)

가수	남학생	여학생	합계
A	$100-40=60$	40	100
B	$120-55=65$	55	120
합계	125	95	220

두 가수 A, B를 모두 선호하는 여학생 수는

$95-70=25$

두 가수 A, B를 모두 선호하는 남학생 수는

$125-100=25$

임의로 한 명을 뽑을 때, 두 가수 A, B를 모두 선호하는 사건을 E, 여학생을 선택하는 사건을 F라고 하면, 구하는 확률은

$P(F|E)=\frac{P(E\cap F)}{P(E)}$

$=\frac{25}{25+25}=\frac{1}{2}$

└ 사건 E가 일어나는 경우의 수를 $n(E)$라고 하면 $\frac{n(E\cap F)}{n(E)}$와 같다.

답 ③

089

주어진 조건을 표로 나타내면 다음과 같다.

(단위: %)

구분	남자	여자	합계
어른	$75-40=35$	$60\times\frac{2}{3}=40$	75
어린이	$40-35=5$	$60-40=20$	25
합계	40	$100-40=60$	100

승객 중에서 한 명을 뽑을 때, 어린이인 사건을 A, 남자인 사건을 B라고 하면

$\mathrm{P}(A)=\frac{25}{100}=\frac{1}{4}$, $\mathrm{P}(A\cap B)=\frac{5}{100}=\frac{1}{20}$

따라서 구하는 확률은

$$\mathrm{P}(B|A)=\frac{\mathrm{P}(A\cap B)}{\mathrm{P}(A)}=\frac{\frac{1}{20}}{\frac{1}{4}}=\frac{1}{5}$$

답 ②

090

민호네 반에서 한 명을 뽑을 때, 확률과 통계를 선택한 학생인 사건을 A, 여학생인 사건을 B라 하고, 확률과 통계를 선택한 여학생 수를 a라고 하면

$\mathrm{P}(A)=\frac{12+a}{38}$, $\mathrm{P}(A\cap B)=\frac{a}{38}$

$\mathrm{P}(B|A)=\frac{\mathrm{P}(A\cap B)}{\mathrm{P}(A)}=\frac{5}{11}$이므로

$\frac{\frac{a}{38}}{\frac{12+a}{38}}=\frac{5}{11}$, $\frac{a}{12+a}=\frac{5}{11}$ $\quad\therefore a=10$

따라서 주어진 조건을 표로 나타내면 다음과 같다.

(단위: 명)

구분	남학생	여학생	합계
확률과 통계	12	10	$12+10=22$
미적분	$20-12=8$	$18-10=8$	$8+8=16$
합계	20	18	38

민호네 반에서 한 명을 뽑을 때, 미적분을 선택한 학생인 사건은 A^C, 남학생인 사건은 B^C이므로

$\mathrm{P}(A^C)=\frac{16}{38}=\frac{8}{19}$, $\mathrm{P}(A^C\cap B^C)=\frac{8}{38}=\frac{4}{19}$

따라서 구하는 확률은

$$\mathrm{P}(B^C|A^C)=\frac{\mathrm{P}(A^C\cap B^C)}{\mathrm{P}(A^C)}=\frac{\frac{4}{19}}{\frac{8}{19}}=\frac{1}{2}$$

답 ②

091

30대 이용자의 수는 $(60-a)+b=60-a+b$(명)

도서관 이용자 300명 중에서 30대가 차지하는 비율이 12 %이므로

$\frac{60-a+b}{300}=\frac{12}{100}$

$60-a+b=36$

$\therefore a-b=24$ $\quad\cdots\cdots$ ㉠

도서관 이용자 300명 중에서 임의로 선택한 1명이 남성일 사건을 A, 20대일 사건을 B, 30대일 사건을 C라고 하자.

도서관 이용자 300명 중에서 임의로 선택한 1명이 남성일 때, 이 이용자가 20대일 확률을 p_1이라고 하면

$$p_1=\mathrm{P}(B|A)=\frac{\mathrm{P}(A\cap B)}{\mathrm{P}(A)}=\frac{\frac{a}{300}}{\frac{200}{300}}=\frac{a}{200}$$

또, 도서관 이용자 300명 중에서 임의로 선택한 1명이 여성일 때, 이 이용자가 30대일 확률을 p_2라고 하면

$$p_2=\mathrm{P}(C|A^C)=\frac{\mathrm{P}(A^C\cap C)}{\mathrm{P}(A^C)}=\frac{\frac{b}{300}}{\frac{100}{300}}=\frac{b}{100}$$

이때 $p_1=p_2$이므로 $\frac{a}{200}=\frac{b}{100}$에서 $\quad a=2b$ $\quad\cdots\cdots$ ㉡

㉠, ㉡을 연립하여 풀면

$a=48$, $b=24$

$\therefore a+b=48+24=72$

답 72

092

A가 흰 공 1개와 검은 공 1개를 꺼내는 사건을 A, B가 흰 공 2개 또는 검은 공 2개를 꺼내는 사건을 B라고 하면

$\mathrm{P}(A)=\frac{{}_5\mathrm{C}_1\times{}_6\mathrm{C}_1}{{}_{11}\mathrm{C}_2}=\frac{6}{11}$

$\mathrm{P}(B|A)=\frac{{}_4\mathrm{C}_2}{{}_9\mathrm{C}_2}+\frac{{}_5\mathrm{C}_2}{{}_9\mathrm{C}_2}=\frac{1}{6}+\frac{5}{18}=\frac{4}{9}$

따라서 구하는 확률은

$\mathrm{P}(A\cap B)=\mathrm{P}(A)\mathrm{P}(B|A)$

$=\frac{6}{11}\times\frac{4}{9}=\frac{8}{33}$

답 ②

093

갑이 당첨 제비를 뽑는 사건을 A, 을이 당첨 제비를 뽑는 사건을 B라고 하면

$\mathrm{P}(A)=\frac{n}{15}$, $\mathrm{P}(B|A)=\frac{n-1}{14}$

$\therefore \mathrm{P}(A\cap B)=\mathrm{P}(A)\mathrm{P}(B|A)=\frac{n}{15}\times\frac{n-1}{14}$

$\mathrm{P}(A\cap B)=\frac{1}{7}$이므로 $\quad\frac{n}{15}\times\frac{n-1}{14}=\frac{1}{7}$

$n^2-n-30=0$, $(n+5)(n-6)=0$

$\therefore n=6$ ($\because n$은 자연수)

답 ①

094

내일 비가 내리는 사건을 A, 내일 경기에서 이기는 사건을 B라고 하면

$\mathrm{P}(A)=0.3$, $\mathrm{P}(B|A)=0.7$, $\mathrm{P}(B|A^C)=0.5$

(i) 내일 비가 내릴 때

이 팀이 내일 경기에서 이길 확률은

$P(A\cap B)=P(A)P(B|A)$

$=0.3\times0.7=0.21$

(ii) 내일 비가 내리지 않을 때

이 팀이 내일 경기에서 이길 확률은

$P(A^C\cap B)=P(A^C)P(B|A^C)$

$=(1-0.3)\times0.5=0.35$

(i), (ii)에서 구하는 확률은

$P(B)=P(A\cap B)+P(A^C\cap B)$

$=0.21+0.35=0.56$

답 ①

095

접근

갑이 첫 번째, 세 번째, 다섯 번째에 처음으로 빨간 공을 꺼내야 갑이 이기게 된다.

빨간 공을 꺼내는 경우를 ○, 파란 공을 꺼내는 경우를 ×로 나타낼 때, 갑이 이기기 위해서는 ○, ××○, ××××○이어야 한다.

(i) ○인 경우

갑이 이길 확률은 $\frac{3}{7}$

(ii) ××○인 경우

갑이 이길 확률은

$\frac{4}{7}\times\frac{3}{6}\times\frac{3}{5}=\frac{6}{35}$

(iii) ××××○인 경우

갑이 이길 확률은

$\frac{4}{7}\times\frac{3}{6}\times\frac{2}{5}\times\frac{1}{4}\times1=\frac{1}{35}$

(i), (ii), (iii)에서 구하는 확률은

$\frac{3}{7}+\frac{6}{35}+\frac{1}{35}=\frac{22}{35}$

답 ⑤

096

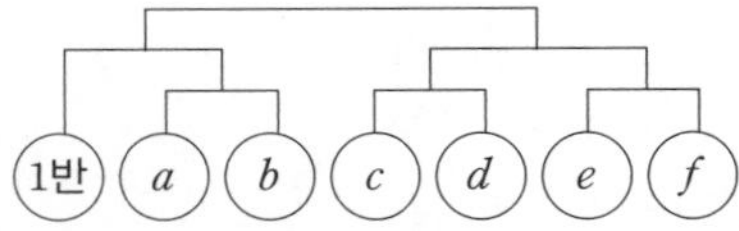

(i) 2반이 a 또는 b에 배정되는 경우

2반이 한 번만 이기면 되므로 이 경우의 확률은

$\frac{2}{6}\times\frac{1}{2}=\frac{1}{6}$

(ii) 2반이 c, d, e, f 중 하나에 배정되는 경우

1반이 한 번 이기고, 2반이 2번 이기면 되므로 이 경우의 확률은

$\frac{4}{6}\times\frac{1}{2}\times\frac{1}{2}\times\frac{1}{2}=\frac{1}{12}$

(i), (ii)는 서로 배반사건이므로 구하는 확률은

$\frac{1}{6}+\frac{1}{12}=\frac{1}{4}$

답 ⑤

097

(i) 1회에서 시행을 멈출 확률은

1회에 3이 적혀 있는 공이 나와야 하므로

$\frac{2}{6}=\frac{1}{3}$

(ii) 2회에서 시행을 멈출 확률은

(1회, 2회)에 공에 적혀 있는 숫자가 (1, 2), (2, 1)이어야 하므로

$\frac{2}{6}\times\frac{2}{5}+\frac{2}{6}\times\frac{2}{5}=\frac{4}{15}$

(iii) 3회에서 시행을 멈출 확률은

(1회, 2회, 3회)에 공에 적혀 있는 숫자가 (1, 3, 2), (2, 3, 1)이어야 하므로

$\frac{2}{6}\times\frac{2}{5}\times\frac{2}{4}+\frac{2}{6}\times\frac{2}{5}\times\frac{2}{4}=\frac{2}{15}$

(i), (ii), (iii)에서 구하는 확률은

$\frac{1}{3}+\frac{4}{15}+\frac{2}{15}=\frac{11}{15}$

답 ⑤

참고

(3, 3)은 두 수의 합이 3의 배수이지만 1회에 3이 나온 경우이므로 제외시킨다.

(1, 2, 3), (2, 1, 3)은 세 수의 합이 3의 배수이지만 2회까지의 합이 3의 배수이므로 제외시킨다.

(3, 1, 2), (3, 2, 1)도 세 수의 합이 3의 배수이지만 1회에 3이 나온 경우이므로 제외시킨다.

098

임의로 택한 한 사람이 거짓말을 하는 사건을 A, 거짓말 탐지기가 거짓말을 한 사람으로 판단하는 사건을 B라고 하면

$P(A)=\frac{10}{100}=0.1$, $P(A^C)=1-0.1=0.9$

$P(B|A)=0.99$, $P(B|A^C)=0.04$

(i) 임의로 택한 한 사람이 거짓말을 한 사람이고, 거짓말 탐지기가 거짓말을 한 사람으로 판단할 확률은

$P(A\cap B)=P(A)P(B|A)$

$=0.1\times0.99=0.099$

(ii) 임의로 택한 한 사람이 진실을 말하고, 거짓말 탐지기가 거짓말을 한 사람으로 판단할 확률은

$P(A^C\cap B)=P(A^C)P(B|A^C)$

$=0.9\times0.04=0.036$

(i), (ii)는 서로 배반사건이므로 구하는 확률은

$P(B)=P(A\cap B)+P(A^C\cap B)=0.099+0.036=0.135$

답 ④

099

상자 A를 택하는 사건을 A, 상자 B를 택하는 사건을 B, 흰 공이 1개, 검은 공이 1개가 나오는 사건을 E라고 하자.

(i) 상자 A에서 흰 공 1개, 검은 공 1개가 나오는 경우

$P(A\cap E)=P(A)P(E|A)$

$=\frac{1}{2}\times\frac{{}_3C_1\times{}_3C_1}{{}_6C_2}$

$=\frac{1}{2}\times\frac{9}{15}=\frac{3}{10}$

(ii) 상자 B에서 흰 공 1개, 검은 공 1개가 나오는 경우

$P(B\cap E)=P(B)P(E|B)$

$=\frac{1}{2}\times\frac{{}_3C_1\times{}_2C_1}{{}_5C_2}$

$=\frac{1}{2}\times\frac{6}{10}=\frac{3}{10}$

(i), (ii)에서 흰 공 1개, 검은 공 1개가 나올 확률은

$P(E)=\frac{3}{10}+\frac{3}{10}=\frac{3}{5}$

따라서 구하는 확률은

$P(B|E)=\frac{P(B\cap E)}{P(E)}=\frac{\frac{3}{10}}{\frac{3}{5}}=\frac{1}{2}$

답 ③

100

우산을 잃어버리는 사건을 E, 친구 집에서 우산을 잃어버리는 사건을 A라고 하자.

(i) 편의점에서 우산을 잃어버렸을 확률은 $\frac{1}{4}$

(ii) 편의점에서 잃어버리지 않고, 친구 집에서 우산을 잃어버렸을 확률은

$\frac{3}{4}\times\frac{1}{4}=\frac{3}{16}$

(iii) 편의점과 친구 집에서 잃어버리지 않고, 빵집에서 우산을 잃어버렸을 확률은

$\frac{3}{4}\times\frac{3}{4}\times\frac{1}{4}=\frac{9}{64}$

(i), (ii), (iii)에서

$P(E)=\frac{1}{4}+\frac{3}{16}+\frac{9}{64}=\frac{37}{64}$

$P(A\cap E)=\frac{3}{16}$

따라서 구하는 확률은

$P(A|E)=\frac{P(A\cap E)}{P(E)}=\frac{\frac{3}{16}}{\frac{37}{64}}=\frac{12}{37}$

답 ①

101

임의로 택한 한 사람이 폐암에 걸린 사건을 A, 폐암에 걸렸다고 진단받는 사건을 B라고 하면

$P(A)=\frac{10}{100}=\frac{1}{10}$, $P(A^C)=1-\frac{1}{10}=\frac{9}{10}$

$P(B|A)=\frac{80}{100}=\frac{4}{5}$, $P(B|A^C)=\frac{5}{100}=\frac{1}{20}$

(i) 임의로 택한 한 사람이 폐암에 걸린 사람이고, 이 사람이 폐암에 걸렸다고 진단받을 확률은

$P(A\cap B)=P(A)P(B|A)$

$=\frac{1}{10}\times\frac{4}{5}=\frac{2}{25}$

(ii) 임의로 택한 한 사람이 폐암에 걸리지 않은 사람이고, 이 사람이 폐암에 걸렸다고 진단받을 확률은

$P(A^C\cap B)=P(A^C)P(B|A^C)$

$=\frac{9}{10}\times\frac{1}{20}=\frac{9}{200}$

(i), (ii)에서 폐암에 걸렸다고 진단받을 확률은

$P(B)=\frac{2}{25}+\frac{9}{200}=\frac{1}{8}$

따라서 구하는 확률은

$P(A|B)=\frac{P(A\cap B)}{P(B)}$

$=\frac{\frac{2}{25}}{\frac{1}{8}}=\frac{16}{25}$

답 ②

102

점심에 한식을 선택하는 사건을 A, 저녁에 양식을 선택하는 사건을 B라고 하면

$P(A)=\frac{60}{100}=\frac{3}{5}$, $P(B|A^C)=\frac{25}{100}=\frac{1}{4}$

또, $P(B^C|A)=\frac{3}{10}$이므로

$P(B|A)=1-P(B^C|A)=1-\frac{3}{10}=\frac{7}{10}$

$\therefore P(A|B)=\frac{P(A\cap B)}{P(B)}$

$=\frac{P(A\cap B)}{P(A\cap B)+P(A^C\cap B)}$

$=\frac{P(A)P(B|A)}{P(A)P(B|A)+P(A^C)P(B|A^C)}$

$=\frac{\frac{3}{5}\times\frac{7}{10}}{\frac{3}{5}\times\frac{7}{10}+\frac{2}{5}\times\frac{1}{4}}=\frac{21}{26}$

따라서 $p=26$, $q=21$이므로

$p+q=26+21=47$

답 47

간단 풀이

주어진 조건을 표로 나타내면 다음과 같다.

(단위: %)

구분	저녁 한식	저녁 양식	합계
점심 한식	$60\times0.3=18$	$60-18=42$	60
점심 양식	$40-10=30$	$40\times0.25=10$	40
합계	$18+30=48$	$42+10=52$	100

따라서 구하는 확률은

$P(A|B)=\frac{P(A\cap B)}{P(B)}$

$=\frac{42}{52}=\frac{21}{26}$

이므로 $p=26$, $q=21$

$\therefore p+q=26+21=47$

참고

$P(B|A)=\frac{P(B\cap A)}{P(A)}$

$=\frac{P(A)-P(B^C\cap A)}{P(A)}$

$=1-\frac{P(B^C\cap A)}{P(A)}$

$=1-P(B^C|A)$

103

$$\mathrm{P}(A\cup B)=\mathrm{P}(A)+\mathrm{P}(B)-\mathrm{P}(A\cap B)$$
$$=\mathrm{P}(A)+\mathrm{P}(B)-\frac{1}{9}$$
$$=m-\frac{1}{9}$$

이므로 $\mathrm{P}(A)+\mathrm{P}(B)=m$

또, 두 사건 A, B가 서로 독립이므로

$$\mathrm{P}(A\cap B)=\mathrm{P}(A)\mathrm{P}(B)=\frac{1}{9}$$

$0<\mathrm{P}(A)\le 1$, $0<\mathrm{P}(B)\le 1$이므로 산술평균과 기하평균의 관계에 의하여

$$m=\mathrm{P}(A)+\mathrm{P}(B)\ge 2\sqrt{\mathrm{P}(A)\mathrm{P}(B)}$$
$$=2\sqrt{\frac{1}{9}}=\frac{2}{3}$$ (단, 등호는 $\mathrm{P}(A)=\mathrm{P}(B)$일 때 성립한다.)

따라서 실수 m의 최솟값은 $\frac{2}{3}$이다.

답 ②

참고

산술평균과 기하평균의 관계

$a>0$, $b>0$일 때 $a+b\ge 2\sqrt{ab}$

(단, 등호는 $a=b$일 때 성립한다.)

104

ㄱ은 옳다.

$\mathrm{P}(A|B^C)=\frac{\mathrm{P}(A\cap B^C)}{\mathrm{P}(B^C)}=\mathrm{P}(A)$이므로

$\mathrm{P}(A\cap B^C)=\mathrm{P}(A)\mathrm{P}(B^C)$

이때

$\mathrm{P}(A\cap B^C)=\mathrm{P}(A)-\mathrm{P}(A\cap B)$,

$\mathrm{P}(A)\mathrm{P}(B^C)=\mathrm{P}(A)\{1-\mathrm{P}(B)\}$
$=\mathrm{P}(A)-\mathrm{P}(A)\mathrm{P}(B)$

이므로

$\mathrm{P}(A\cap B)=\mathrm{P}(A)\mathrm{P}(B)$

따라서 두 사건 A, B는 서로 독립이다.

ㄴ도 옳다.

두 사건 A, B가 배반사건이면 $A\cap B=\varnothing$

$\therefore\ \mathrm{P}(B|A)=\frac{\mathrm{P}(A\cap B)}{\mathrm{P}(A)}=\frac{\mathrm{P}(\varnothing)}{\mathrm{P}(A)}=0$

ㄷ은 옳지 않다.

두 사건 A, B가 서로 독립이면

$\mathrm{P}(A\cap B)=\mathrm{P}(A)\mathrm{P}(B)$

이때 $\mathrm{P}(A)\mathrm{P}(B)\neq 0$이므로 $\mathrm{P}(A\cap B)\neq 0$

$\therefore\ A\cap B\neq\varnothing$

즉, 두 사건 A, B는 배반사건이 아니다.

따라서 옳은 것은 ㄱ, ㄴ이다.

답 ②

105

각 대결을 하는 사건은 서로 독립이므로 안타를 치는 경우를 ○, 안타를 치지 못하는 경우를 ×로 나타낼 때, 2회 이상 안타를 치는 경우는 다음의 네 가지로 분류할 수 있다.

A 투수	B 투수	확률
○○	×	$0.2\times0.2\times0.9=0.036$
○×	○	$0.2\times0.8\times0.1=0.016$
×○	○	$0.8\times0.2\times0.1=0.016$
○○	○	$0.2\times0.2\times0.1=0.004$

따라서 구하는 확률은

$0.036+0.016+0.016+0.004=0.072$

답 ③

106

세 학생 A, B, C가 시험에서 합격하는 사건을 각각 A, B, C라고 하면 A, B, C와 각각의 여사건은 모두 서로 독립이다.

(i) A, B만 합격할 확률은

$$\mathrm{P}(A\cap B\cap C^C)=\mathrm{P}(A)\mathrm{P}(B)\mathrm{P}(C^C)$$
$$=\frac{2}{3}\times a\times\left(1-\frac{2}{5}\right)$$
$$=\frac{2}{5}a$$

(ii) B, C만 합격할 확률은

$$\mathrm{P}(A^C\cap B\cap C)=\mathrm{P}(A^C)\mathrm{P}(B)\mathrm{P}(C)$$
$$=\left(1-\frac{2}{3}\right)\times a\times\frac{2}{5}$$
$$=\frac{2}{15}a$$

(iii) A, C만 합격할 확률은

$$\mathrm{P}(A\cap B^C\cap C)=\mathrm{P}(A)\mathrm{P}(B^C)\mathrm{P}(C)$$
$$=\frac{2}{3}\times(1-a)\times\frac{2}{5}$$
$$=\frac{4}{15}-\frac{4}{15}a$$

(i), (ii), (iii)에서 두 명만 합격할 확률은

$$\frac{2}{5}a+\frac{2}{15}a+\frac{4}{15}-\frac{4}{15}a=\frac{4}{15}a+\frac{4}{15}$$

따라서 $\frac{4}{15}a+\frac{4}{15}=\frac{2}{5}$이므로

$\frac{4}{15}a=\frac{2}{15}$ $\quad\therefore\ a=\frac{1}{2}$

답 ②

107

A가 자유투를 성공하는 사건을 A, B가 자유투를 성공하는 사건을 B라고 하면 두 사건 A와 B는 서로 독립이다.

(i) A만 자유투를 성공할 확률은

$\mathrm{P}(A\cap B^C)=\mathrm{P}(A)\mathrm{P}(B^C)$ ← A와 B^C은 서로 독립이다.

$=0.9\times(1-0.8)=0.18$

(ii) B만 자유투를 성공할 확률은

$\mathrm{P}(A^C\cap B)=\mathrm{P}(A^C)\mathrm{P}(B)$ ← A^C과 B는 서로 독립이다.

$=(1-0.9)\times0.8=0.08$

(i), (ii)에서 한 사람만 자유투를 성공할 확률은

$\mathrm{P}(A\cap B^C)+\mathrm{P}(A^C\cap B)=0.18+0.08=0.26$

따라서 구하는 확률은

$$\frac{P(A\cap B^C)}{P(A\cap B^C)+P(A^C\cap B)}=\frac{0.18}{0.26}=\frac{18}{26}=\frac{9}{13}$$

답 ④

108

표본공간을 S라고 하면 $n(S)=12$

$A=\{4, 8, 12\}$이므로 $n(A)=3$

두 사건 A와 X가 서로 독립이므로

$P(X)=P(X|A)$

$\frac{n(X)}{n(S)}=\frac{n(A\cap X)}{n(A)}$

$\therefore n(X)=\frac{n(A\cap X)}{n(A)}\times n(S)$

$=\frac{2}{3}\times 12=8$

즉, 사건 X는 $n(A\cap X)=2$, $n(A^C\cap X)=6$을 만족시켜야 하므로 집합 A의 원소 중 2개, 집합 A^C의 원소 중 6개를 원소로 하는 집합이다.

($n(X)-n(A\cap X)=8-2=6$)

($n(A^C)=12-3=9$)

따라서 사건 X의 개수는

${}_3C_2\times{}_9C_6=3\times 84=252$

답 ⑤

109

▶ 접근

상자 A에서 꺼낸 공이 흰 공일 사건과 상자 B에서 꺼낸 공이 흰 공일 사건이 서로 독립임을 이용한다.

상자 A에서 꺼낸 공이 흰 공인 사건을 X, 상자 B에서 꺼낸 공이 흰 공인 사건을 Y라고 하자.

(i) 상자 A, B에서 모두 흰 공이 나오는 경우

두 사건 X, Y는 서로 독립이므로

$P(X\cap Y)=P(X)P(Y)$

$=\frac{a}{100}\times\frac{100-2a}{100}$

$=\frac{a}{100}\left(1-\frac{2a}{100}\right)$

(ii) 상자 A, B에서 모두 검은 공이 나오는 경우

두 사건 X^C, Y^C은 서로 독립이므로

$P(X^C\cap Y^C)=P(X^C)P(Y^C)$

$=\frac{100-a}{100}\times\frac{2a}{100}$

$=\frac{2a}{100}\left(1-\frac{a}{100}\right)$

(i), (ii)에서 같은 색의 공이 나올 확률이

$\frac{a}{100}\left(1-\frac{2a}{100}\right)+\frac{2a}{100}\left(1-\frac{a}{100}\right)$

이므로 $\frac{a}{100}=p$로 놓으면

$p(1-2p)+2p(1-p)=\frac{1}{2}$

$8p^2-6p+1=0$, $(4p-1)(2p-1)=0$

$\therefore p=\frac{1}{4}$ 또는 $p=\frac{1}{2}$

따라서 $p=\frac{1}{4}$일 때, $\frac{a}{100}=\frac{1}{4}$에서 $a=25$

$p=\frac{1}{2}$일 때, $\frac{a}{100}=\frac{1}{2}$에서 $a=50$

이때 $a=50$이면 상자 B에는 흰 공이 없으므로 조건을 만족시키지 않는다.

$\therefore a=25$

답 25

110

두 팀이 이길 확률이 서로 같으므로 매 경기에서 A팀이 이길 확률은 $\frac{1}{2}$이다.

이때 A팀이 우승하려면 나머지 4경기에서 2경기를 이겨야 하므로 A팀이 이기는 경우를 ○, 지는 경우를 ×로 나타낼 때,

○○, ○×○, ×○○, ○××○, ×○×○, ××○○

이어야 한다.

(i) ○○인 경우

A팀이 이길 확률은

$\frac{1}{2}\times\frac{1}{2}=\frac{1}{4}$

(ii) ○×○, ×○○인 경우

A팀이 이길 확률은

$2\times\left(\frac{1}{2}\times\frac{1}{2}\times\frac{1}{2}\right)=\frac{1}{4}$

(iii) ○××○, ×○×○, ××○○인 경우

A팀이 이길 확률은

$3\times\left(\frac{1}{2}\times\frac{1}{2}\times\frac{1}{2}\times\frac{1}{2}\right)=\frac{3}{16}$

(i), (ii), (iii)에서 구하는 확률은

$\frac{1}{4}+\frac{1}{4}+\frac{3}{16}=\frac{11}{16}$

답 ④

111

(i) 5번의 대회에서 한 번도 우승하지 못할 확률은

${}_5C_0\left(\frac{2}{3}\right)^0\left(\frac{1}{3}\right)^5=\frac{1}{243}$

(ii) 5번의 대회에서 한 번 우승할 확률은

${}_5C_1\left(\frac{2}{3}\right)^1\left(\frac{1}{3}\right)^4=\frac{10}{243}$

(i), (ii)에서 구하는 확률은

$1-\left(\frac{1}{243}+\frac{10}{243}\right)=\frac{232}{243}$

답 ①

참고

(~ 이상인 확률)=1−(~ 미만일 확률)

112

1차와 2차 면접에서 모두 합격해야 입사할 수 있고 1차와 2차의 면접은 서로 독립이므로 한 명이 입사할 확률은

$\frac{1}{2}\times\frac{2}{5}=\frac{1}{5}$

따라서 5명의 지원자 중 4명만 입사할 확률은

${}_5C_4\left(\frac{1}{5}\right)^4\left(\frac{4}{5}\right)^1=\frac{4}{625}$

답 $\frac{4}{625}$

113

주사위를 던져서 6의 약수의 눈이 나올 확률은 $\frac{4}{6}=\frac{2}{3}$

(i) 주사위를 던져서 6의 약수의 눈이 나오고 동전 2개를 던질 때, 앞면이 나온 횟수와 뒷면이 나온 횟수가 같을 확률은

$\frac{2}{3}\times{}_2C_1\left(\frac{1}{2}\right)^1\left(\frac{1}{2}\right)^1=\frac{2}{3}\times\frac{2}{4}=\frac{1}{3}$

(ii) 주사위를 던져서 6의 약수의 눈이 나오지 않고 동전을 4개 던질 때, 앞면이 나온 횟수와 뒷면이 나온 횟수가 같을 확률은

$\frac{1}{3}\times{}_4C_2\left(\frac{1}{2}\right)^2\left(\frac{1}{2}\right)^2=\frac{1}{3}\times\frac{6}{16}=\frac{1}{8}$

(i), (ii)에서 구하는 확률은

$\frac{1}{3}+\frac{1}{8}=\frac{11}{24}$

따라서 $p=24$, $q=11$이므로

$p+q=24+11=35$

답 35

114

접근

게임 횟수와 게임에서 얻은 점수를 이용하여 4의 약수의 눈이 나오는 횟수와 4의 약수가 아닌 눈이 나오는 횟수를 구한다.

주사위를 던져서 4의 약수의 눈이 나올 확률은 $\frac{3}{6}=\frac{1}{2}$

4의 약수의 눈이 나오는 횟수를 m, 4의 약수가 아닌 눈이 나오는 횟수를 n이라고 하면

$m+n=6$, $2m-n=6$ ← 얻는 점수가 $8-2=6$이어야 한다.

위의 두 식을 연립하여 풀면

$m=4$, $n=2$

따라서 8점이 될 확률은

${}_6C_4\left(\frac{1}{2}\right)^4\left(\frac{1}{2}\right)^2=15\times\left(\frac{1}{2}\right)^6$

이므로 $a=15$, $b=6$

$\therefore a+b=15+6=21$

답 21

115

주사위를 던져서 소수의 눈이 나올 확률은 $\frac{3}{6}=\frac{1}{2}$, 동전을 던져서 앞면이 나올 확률은 $\frac{1}{2}$이다.

$0\le a\le 6$, $0\le b\le 3$(a, b는 음이 아닌 정수)이므로 $a-b=4$를 만족시키는 a, b의 순서쌍 (a, b)는 $(6, 2)$, $(5, 1)$, $(4, 0)$이다.

(i) 순서쌍 (a, b)가 $(6, 2)$일 확률은

${}_6C_6\left(\frac{1}{2}\right)^6\left(\frac{1}{2}\right)^0\times{}_3C_2\left(\frac{1}{2}\right)^2\left(\frac{1}{2}\right)^1=\frac{1}{64}\times\frac{3}{8}=\frac{3}{512}$

(ii) 순서쌍 (a, b)가 $(5, 1)$일 확률은

${}_6C_5\left(\frac{1}{2}\right)^5\left(\frac{1}{2}\right)^1\times{}_3C_1\left(\frac{1}{2}\right)^1\left(\frac{1}{2}\right)^2=\frac{3}{32}\times\frac{3}{8}=\frac{9}{256}$

(iii) 순서쌍 (a, b)가 $(4, 0)$일 확률은

${}_6C_4\left(\frac{1}{2}\right)^4\left(\frac{1}{2}\right)^2\times{}_3C_0\left(\frac{1}{2}\right)^0\left(\frac{1}{2}\right)^3=\frac{15}{64}\times\frac{1}{8}=\frac{15}{512}$

(i), (ii), (iii)에서 구하는 확률은

$\frac{3}{512}+\frac{9}{256}+\frac{15}{512}=\frac{9}{128}$

답 ②

116

동전의 뒷면의 개수를 r라고 하면 주사위에서 나오는 눈의 수는 $6-r$이다. (단, $r=0, 1, 2, 3, 4, 5$)

동전의 뒷면이 r개 나올 확률은

$\frac{1}{6}\times{}_6C_r\left(\frac{1}{2}\right)^r\left(\frac{1}{2}\right)^{6-r}=\frac{{}_6C_r}{6\times2^6}=\frac{{}_6C_r}{384}$

↳ $\frac{1}{6}$: 주사위에서 나온 눈의 수가 $6-r$인 확률

따라서 구하는 확률은

$\frac{{}_6C_0+{}_6C_1+{}_6C_2+{}_6C_3+{}_6C_4+{}_6C_5}{384}$

$=\frac{2^6-1}{384}=\frac{21}{128}$

답 ④

참고

${}_6C_0+{}_6C_1+{}_6C_2+{}_6C_3+{}_6C_4+{}_6C_5+{}_6C_6=2^6$

117

(i) 도나 개가 나올 확률은

${}_4C_1\left(\frac{1}{2}\right)^1\left(\frac{1}{2}\right)^3+{}_4C_2\left(\frac{1}{2}\right)^2\left(\frac{1}{2}\right)^2=\frac{1}{4}+\frac{3}{8}=\frac{5}{8}$

(ii) 걸이 나올 확률은

${}_4C_3\left(\frac{1}{2}\right)^3\left(\frac{1}{2}\right)^1=\frac{1}{4}$

(iii) 윷이나 모가 나올 확률은

${}_4C_4\left(\frac{1}{2}\right)^4\left(\frac{1}{2}\right)^0+{}_4C_0\left(\frac{1}{2}\right)^0\left(\frac{1}{2}\right)^4=\frac{1}{16}+\frac{1}{16}=\frac{1}{8}$

3번 던져서 3점을 얻으려면 -1점은 1번, 0점은 0번, 2점은 2번 나와야 하므로 구하는 확률은

$\frac{3!}{2!}\times\frac{5}{8}\times\left(\frac{1}{8}\right)^2=\frac{15}{512}$

답 ③

118

접근

점 P에서 시계 방향으로 몇 칸 움직여야 점 D에 위치하는지 알아본다.

동전을 6번 던져서 앞면이 나온 횟수를 $a(0\le a\le 6)$라고 하면 뒷면이 나온 횟수는 $6-a$이므로 점 P가 시계 방향으로 움직인 거리는

$a\times2+(6-a)\times1=a+6$ $\therefore 6\le a+6\le 12$

이때 점 P가 점 D에 위치하려면 점 A에서 시계 방향으로 2개의 변을 이동한 점에 위치해야 하므로 점 P는 시계 방향으로 7 또는 12만큼 움직여야 한다.

(i) 점 P가 시계 방향으로 7만큼 움직이는 경우

$a+6=7$이므로 $a=1$

앞면이 1번 나올 확률은

${}_6C_1\left(\frac{1}{2}\right)^1\left(\frac{1}{2}\right)^5=\frac{6}{64}=\frac{3}{32}$

(ii) 점 P가 시계 방향으로 12만큼 움직이는 경우

$a+6=12$이므로 $a=6$

앞면이 6번 나올 확률은

$$ {}_6C_6\left(\frac{1}{2}\right)^6\left(\frac{1}{2}\right)^0=\frac{1}{64} $$

(i), (ii)에서 구하는 확률은

$$ \frac{3}{32}+\frac{1}{64}=\frac{7}{64} $$

답 ③

119

앞면을 H, 뒷면을 T라고 하자.

(i) 앞면이 2번 나오는 경우

2개의 H와 3개의 T를 일렬로 나열하는 경우의 수는

$$ \frac{5!}{2!\times 3!}=10 $$

이때 앞면이 연속하여 나오지 않는 경우의 수는 ${}_4C_2=6$이므로

└ 3개의 T를 나열한 후, T의 사이사이와 양 끝의 4곳 중에 2곳을 택하여 H를 나열한다.

구하는 확률은

$$ (10-6)\times\left(\frac{1}{2}\right)^5=4\times\left(\frac{1}{2}\right)^5 $$

(ii) 앞면이 3번 나오는 경우

3개의 H와 2개의 T를 일렬로 나열하는 경우의 수는

$$ \frac{5!}{3!\times 2!}=10 $$

이때 앞면이 연속하여 나오지 않는 경우의 수는 1이므로 구하는

└ HTHTH

확률은

$$ (10-1)\times\left(\frac{1}{2}\right)^5=9\times\left(\frac{1}{2}\right)^5 $$

(iii) 앞면이 4번 이상 나오는 경우

조건 (나)를 항상 만족시키므로 이 경우의 확률은

$$ {}_5C_4\left(\frac{1}{2}\right)^4\left(\frac{1}{2}\right)^1+{}_5C_5\left(\frac{1}{2}\right)^5\left(\frac{1}{2}\right)^0=6\times\left(\frac{1}{2}\right)^5 $$

(i), (ii), (iii)에서 구하는 확률은

$$ (4+9+6)\times\left(\frac{1}{2}\right)^5=\frac{19}{32} $$

답 ④

120

한 개의 주사위를 던져서 4 이하의 눈이 나올 확률은 $\frac{4}{6}=\frac{2}{3}$, 5 이상의 눈이 나올 확률은 $\frac{2}{6}=\frac{1}{3}$이다.

주사위를 6번 던졌을 때 4 이하의 눈이 나오는 횟수를 a, 5 이상의 눈이 나오는 횟수를 b라고 하면

$a+b=6$, $-a+b\geq -4$ $\quad\therefore a\leq 5$

└ $6-10=-4$

이때 a, b의 순서쌍 (a, b)는

$(0, 6)$, $(1, 5)$, $(2, 4)$, $(3, 3)$, $(4, 2)$, $(5, 1)$

따라서 구하는 확률은

$$ {}_6C_0\left(\frac{2}{3}\right)^0\left(\frac{1}{3}\right)^6+{}_6C_1\left(\frac{2}{3}\right)^1\left(\frac{1}{3}\right)^5+{}_6C_2\left(\frac{2}{3}\right)^2\left(\frac{1}{3}\right)^4+{}_6C_3\left(\frac{2}{3}\right)^3\left(\frac{1}{3}\right)^3 $$
$$ +{}_6C_4\left(\frac{2}{3}\right)^4\left(\frac{1}{3}\right)^2+{}_6C_5\left(\frac{2}{3}\right)^5\left(\frac{1}{3}\right)^1 $$
$$ =1-{}_6C_6\left(\frac{2}{3}\right)^6\left(\frac{1}{3}\right)^0 $$
$$ =1-\frac{64}{729}=\frac{665}{729} $$

답 ⑤

참고

$$ {}_6C_0\left(\frac{2}{3}\right)^0\left(\frac{1}{3}\right)^6+{}_6C_1\left(\frac{2}{3}\right)^1\left(\frac{1}{3}\right)^5+{}_6C_2\left(\frac{2}{3}\right)^2\left(\frac{1}{3}\right)^4 $$
$$ +{}_6C_3\left(\frac{2}{3}\right)^3\left(\frac{1}{3}\right)^3+{}_6C_4\left(\frac{2}{3}\right)^4\left(\frac{1}{3}\right)^2+{}_6C_5\left(\frac{2}{3}\right)^5\left(\frac{1}{3}\right)^1+{}_6C_6\left(\frac{2}{3}\right)^6\left(\frac{1}{3}\right)^0 $$
$$ =\left(\frac{2}{3}+\frac{1}{3}\right)^6=1 $$

121

동전을 던지는 횟수만큼 x축의 방향으로 점 P는 이동하므로

$a=6$

이때 b의 값은 뒷면이 나오는 횟수와 같으므로 $\quad 0\leq b\leq 6$

따라서 $a+b$가 3의 배수가 되는 경우는 b가 0, 3, 6일 때이다.

(i) $b=0$일 때

$$ {}_6C_0\left(\frac{1}{2}\right)^0\left(\frac{1}{2}\right)^6 $$

└ 앞면이 나오는 횟수가 6, 뒷면이 나오는 횟수가 0

(ii) $b=3$일 때

$$ {}_6C_3\left(\frac{1}{2}\right)^3\left(\frac{1}{2}\right)^3 $$

└ 앞면이 나오는 횟수가 3, 뒷면이 나오는 횟수가 3

(iii) $b=6$일 때

$$ {}_6C_6\left(\frac{1}{2}\right)^6\left(\frac{1}{2}\right)^0 $$

└ 앞면이 나오는 횟수가 0, 뒷면이 나오는 횟수가 6

(i), (ii), (iii)에서 구하는 확률은

$$ {}_6C_0\left(\frac{1}{2}\right)^0\left(\frac{1}{2}\right)^6+{}_6C_3\left(\frac{1}{2}\right)^3\left(\frac{1}{2}\right)^3+{}_6C_6\left(\frac{1}{2}\right)^6\left(\frac{1}{2}\right)^0=\frac{11}{32} $$

이므로 $\quad p=32$, $q=11$

$\therefore\ p+q=32+11=43$

답 43

122

한 개의 주사위를 던져서 3 이상의 눈이 나올 확률은 $\frac{4}{6}=\frac{2}{3}$, 2 이하의 눈이 나올 확률은 $\frac{2}{6}=\frac{1}{3}$이다.

점 P가 점 B로 이동하는 사건을 X, 점 P가 점 A를 지나지 않는 사건을 Y라고 하면

$$ P(X)={}_5C_3\left(\frac{2}{3}\right)^3\left(\frac{1}{3}\right)^2=\frac{80}{243} $$

이때 점 P가 점 A를 반드시 거쳐 점 B(3, 2)로 이동할 확률은

$$ {}_3C_2\left(\frac{2}{3}\right)^2\left(\frac{1}{3}\right)^1\times{}_2C_1\left(\frac{2}{3}\right)^1\left(\frac{1}{3}\right)^1=\frac{16}{81} $$

이므로

$$ P(X\cap Y)=\frac{80}{243}-\frac{16}{81}=\frac{32}{243} $$

따라서 구하는 확률은

$$ P(Y|X)=\frac{P(X\cap Y)}{P(X)}=\frac{\frac{32}{243}}{\frac{80}{243}}=\frac{2}{5} $$

답 ③

상위 1% 도전 문제

123

(i) 반지름의 길이가 1 cm인 동전이 한 장의 타일 위에 완전히 놓일 때 동전의 중심이 존재하는 부분은 오른쪽 그림의 색칠한 부분과 같으므로 이때의 확률은

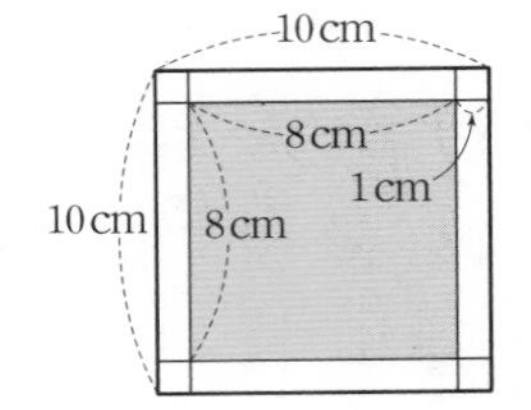

$\frac{8\times8}{10\times10}=\frac{16}{25}$

(ii) 반지름의 길이가 1 cm인 동전이 두 장의 타일 위에 걸칠 때 동전의 중심이 존재하는 부분은 오른쪽 그림의 색칠한 부분과 같으므로 이때의 확률은

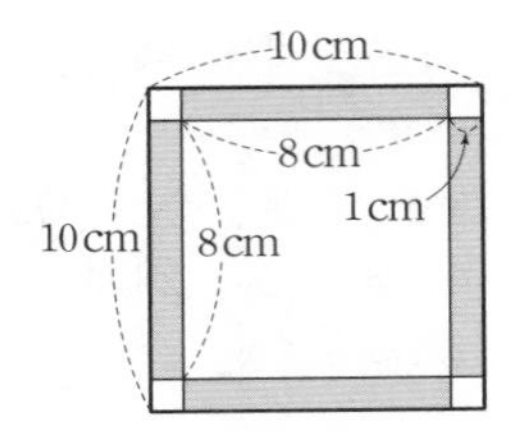

$\frac{4\times(8\times1)}{10\times10}=\frac{8}{25}$

(i), (ii)에서 동전이 한 장의 타일 위에 완전히 놓일 때의 확률과 두 장의 타일 위에 걸칠 때의 확률의 합은

$\frac{16}{25}+\frac{8}{25}=\frac{24}{25}$

따라서 $p=25$, $q=24$이므로

$p+q=25+24=49$

답 49

124

방정식 $x+y+z+w=8$을 만족시키는 음이 아닌 정수 x, y, z, w의 모든 순서쌍 (x, y, z, w)의 개수는

${}_4\mathrm{H}_8={}_{11}\mathrm{C}_8={}_{11}\mathrm{C}_3=165$

$(x-2)(y+z-5)=0$에서 $x=2$ 또는 $y+z=5$

순서쌍 (x, y, z, w)가 $x=2$를 만족시키는 사건을 A, $y+z=5$를 만족시키는 사건을 B라고 하자.

(i) $x=2$인 경우

$x+y+z+w=8$에서 $x=2$이므로 $y+z+w=6$

$y+z+w=6$을 만족시키는 음이 아닌 정수 y, z, w의 모든 순서쌍 (y, z, w)의 개수는

${}_3\mathrm{H}_6={}_8\mathrm{C}_6={}_8\mathrm{C}_2=28$

즉, 이때의 경우의 수는 $1\times28=28$

$\therefore \mathrm{P}(A)=\frac{28}{165}$

(ii) $y+z=5$인 경우

$x+y+z+w=8$에서 $y+z=5$이므로 $x+w=3$

$y+z=5$를 만족시키는 음이 아닌 정수 y, z의 모든 순서쌍 (y, z)의 개수는

${}_2\mathrm{H}_5={}_6\mathrm{C}_5=6$

$x+w=3$을 만족시키는 음이 아닌 정수 x, w의 모든 순서쌍 (x, w)의 개수는

${}_2\mathrm{H}_3={}_4\mathrm{C}_3=4$

즉, 이때의 경우의 수는 $6\times4=24$

$\therefore \mathrm{P}(B)=\frac{24}{165}=\frac{8}{55}$

(iii) $x=2$이고 $y+z=5$인 경우

$x+y+z+w=8$에서 $x=2$이고 $y+z=5$이면 $w=1$

$y+z=5$를 만족시키는 음이 아닌 정수 y, z의 모든 순서쌍 (y, z)의 개수는

${}_2\mathrm{H}_5={}_6\mathrm{C}_5=6$

즉, 이때의 경우의 수는 $1\times6\times1=6$

$\therefore \mathrm{P}(A\cap B)=\frac{6}{165}=\frac{2}{55}$

(i), (ii), (iii)에서 구하는 확률은

$\mathrm{P}(A\cup B)=\mathrm{P}(A)+\mathrm{P}(B)-\mathrm{P}(A\cap B)$

$=\frac{28}{165}+\frac{8}{55}-\frac{2}{55}=\frac{46}{165}$

답 ③

125

$p_1=1$이므로 $a=1$

$p_2=1-$(두 번 모두 앞면이 나올 확률)

$=1-\frac{1}{4}=\frac{3}{4}$

$\therefore b=\frac{3}{4}$

p_{n+2}는 다음의 두 가지 경우로 나누어 구한다.

(i) $(n+2)$번째에 앞면이 나오는 경우

앞면이 2번 이상 연속하여 나오지 않아야 하므로 $(n+1)$번째에는 뒷면, $(n+2)$번째에는 앞면이 나와야 한다.

따라서 이때의 확률은

$p_n\times\frac{1}{2}\times\frac{1}{2}=\frac{1}{4}p_n$

(ii) $(n+2)$번째에 뒷면이 나오는 경우

$p_{n+1}\times\frac{1}{2}=\frac{1}{2}p_{n+1}$

(i), (ii)에서

$p_{n+2}=\frac{1}{4}p_n+\frac{1}{2}p_{n+1}$ $\therefore c=\frac{1}{4}$, $d=\frac{1}{2}$

$\therefore a+b+c+d=1+\frac{3}{4}+\frac{1}{4}+\frac{1}{2}=\frac{5}{2}$

답 ⑤

126

세 신호등 A, B, C에 걸려서 정지하는 사건을 각각 A, B, C라 하고 신호등의 정지 신호에 걸려 목적지에 늦게 도착하는 사건을 E라고 하면

$\mathrm{P}(A)=\frac{20}{60}=\frac{1}{3}$, $\mathrm{P}(B)=\frac{30}{60}=\frac{1}{2}$, $\mathrm{P}(C)=\frac{20}{60}=\frac{1}{3}$

$\mathrm{P}(A^C)=1-\frac{1}{3}=\frac{2}{3}$, $\mathrm{P}(B^C)=1-\frac{1}{2}=\frac{1}{2}$,

$\mathrm{P}(C^C)=1-\frac{1}{3}=\frac{2}{3}$

이때 한 번이라도 정지 신호에 걸리면 목적지에 늦게 도착하게 되므로

$\mathrm{P}(E)=\mathrm{P}(A\cup B\cup C)$

$=1-\mathrm{P}((A\cup B\cup C)^C)$

$=1-\mathrm{P}(A^C\cap B^C\cap C^C)$

$=1-\mathrm{P}(A^C)\mathrm{P}(B^C)\mathrm{P}(C^C)$

$=1-\frac{2}{3}\times\frac{1}{2}\times\frac{2}{3}=\frac{7}{9}$

신호등 A에 걸려서 목적지에 늦게 도착할 확률은

$P(A\cap E)=P(A)=\frac{1}{3}$

한 번이라도 정지 신호에 걸리면 목적지에 늦게 도착하게 되므로 $P(A\cap E)=P(A)$

따라서 구하는 확률은

$$P(A|E)=\frac{P(A\cap E)}{P(E)}=\frac{\frac{1}{3}}{\frac{7}{9}}=\frac{3}{7}$$

답 ②

127

점 P가 시행 7회째에 직선 $x+y=8$ 위로 이동하는 사건을 X, 시행 3회째에 점 Q(3, 3)을 지나는 사건을 Y라고 하자.

두 동전 A, B를 동시에 던지는 시행을 7회 반복하였을 때, 동전 A, B가 앞면이 각각 a번, b번 나왔다고 하면 점 P가 원점에서 출발하여

x좌표는 $0+1\times a+(-1)\times(7-a)=2a-7$ (단, $0\le a\le 7$)

y좌표는 $0+1\times b+(-1)\times(7-b)=2b-7$ (단, $0\le b\le 7$)

점 P가 이동한 점이 직선 $x+y=8$ 위에 있으므로

$(2a-7)+(2b-7)=8 \quad \therefore a+b=11$ ...... ㉠

㉠을 만족시키는 정수 a, b의 순서쌍 (a, b)는

(7, 4), (6, 5), (5, 6), (4, 7)

두 동전 A, B가 앞면이 각각 a번, b번 나올 확률은

$${}_7C_a\left(\frac{1}{2}\right)^7\times{}_7C_b\left(\frac{1}{2}\right)^7=\frac{{}_7C_a\times{}_7C_b}{2^{14}}$$

따라서 점 P가 시행을 7회 반복한 후 직선 $x+y=8$ 위로 이동할 확률은

$$P(X)=\frac{{}_7C_7\times{}_7C_4+{}_7C_6\times{}_7C_5+{}_7C_5\times{}_7C_6+{}_7C_4\times{}_7C_7}{2^{14}}$$
$$=\frac{2({}_7C_7\times{}_7C_4+{}_7C_6\times{}_7C_5)}{2^{14}}$$
$$=\frac{2(1\times35+7\times21)}{2^{14}}=\frac{91}{2^{12}}$$

한편 3회 반복 시행 후 점 P가 점 Q로 이동하려면 동전 A, B가 모두 앞면만 나와야 하고, 점 Q로 이동한 점 P가 4회 더 시행 후 직선 $x+y=8$ 위에 있어야 한다.

시행을 4회 반복하였을 때, 두 동전 A, B가 앞면이 각각 c번, d번 나왔다고 하면 점 P가 점 Q에서 출발하여

x좌표는 $3+1\times c+(-1)\times(4-c)=2c-1$ (단, $0\le c\le 4$)

y좌표는 $3+1\times d+(-1)\times(4-d)=2d-1$ (단, $0\le d\le 4$)

점 P가 이동한 점이 직선 $x+y=8$ 위에 있으므로

$(2c-1)+(2d-1)=8$

$\therefore c+d=5$ ...... ㉡

㉡을 만족시키는 정수 c, d의 순서쌍 (c, d)는

(4, 1), (3, 2), (2, 3), (1, 4)

동전 A가 앞면이 3번 나온 후 c번 나오고, 동전 B가 앞면이 3번 나온 후 d번 나올 확률은

$$\left(\frac{1}{2}\right)^3\times{}_4C_c\left(\frac{1}{2}\right)^4\times\left(\frac{1}{2}\right)^3\times{}_4C_d\left(\frac{1}{2}\right)^4=\frac{{}_4C_c\times{}_4C_d}{2^{14}}$$

따라서 점 P가 시행을 3회 반복한 후 점 Q(3, 3)으로 이동한 후 7회째에 직선 $x+y=8$ 위로 이동할 확률은

$$P(X\cap Y)=\frac{{}_4C_4\times{}_4C_1+{}_4C_3\times{}_4C_2+{}_4C_2\times{}_4C_3+{}_4C_1\times{}_4C_4}{2^{14}}$$
$$=\frac{2({}_4C_4\times{}_4C_1+{}_4C_3\times{}_4C_2)}{2^{14}}$$
$$=\frac{2(1\times4+4\times6)}{2^{14}}=\frac{7}{2^{11}}$$

따라서 구하는 확률은

$$P(Y|X)=\frac{P(X\cap Y)}{P(X)}=\frac{\frac{7}{2^{11}}}{\frac{91}{2^{12}}}=\frac{2}{13}$$

답 $\frac{2}{13}$

미니 모의고사 - 1회

01

서로 다른 두 개의 주사위를 동시에 던질 때, 일어날 수 있는 모든 경우의 수는 $6\times6=36$

서로 다른 두 개의 주사위를 동시에 던질 때, 나오는 눈의 수의 합이 10 이상인 사건을 A, 5의 배수인 사건을 B라고 하면

$A=\{(4, 6), (5, 5), (5, 6), (6, 4), (6, 5), (6, 6)\}$

$B=\{(1, 4), (2, 3), (3, 2), (4, 1), (4, 6), (5, 5), (6, 4)\}$

$A\cap B=\{(4, 6), (5, 5), (6, 4)\}$

이므로

$P(A)=\frac{6}{36}=\frac{1}{6}$, $P(B)=\frac{7}{36}$, $P(A\cap B)=\frac{3}{36}=\frac{1}{12}$

따라서 구하는 확률은

$$P(A\cup B)=P(A)+P(B)-P(A\cap B)=\frac{1}{6}+\frac{7}{36}-\frac{1}{12}=\frac{5}{18}$$

답 ⑤

02

$P(A^C)=1-P(A)=\frac{3}{5}$이므로 $P(A)=\frac{2}{5}$

$P(A^C\cap B)=P(B)-P(A\cap B)=\frac{1}{3}$

$$\therefore P(A\cup B)=P(A)+P(B)-P(A\cap B)=\frac{2}{5}+\frac{1}{3}=\frac{11}{15}$$

답 ③

03

주사위를 던져서 소수가 나오는 사건을 A, 짝수가 나오는 사건을 B라고 하면 $A=\{2, 3, 5\}$, $B=\{2, 4, 6\}$, $A\cap B=\{2\}$이므로

$P(A)=\frac{3}{6}=\frac{1}{2}$, $P(A\cap B)=\frac{1}{6}$

따라서 구하는 확률은

$$P(B|A)=\frac{P(B\cap A)}{P(A)}=\frac{\frac{1}{6}}{\frac{1}{2}}=\frac{1}{3}$$

답 ②

간단 풀이

주사위를 던져서 소수의 눈이 나오는 사건은 $\{2, 3, 5\}$이고 이 중 짝수는 2이므로 구하는 확률은 $\frac{1}{3}$이다.

04

ㄱ은 옳다.

$P(B)=P(A\cap B)+P(A^C\cap B)$

두 사건 A, B가 서로 독립이므로

$P(A\cap B)=P(A)P(B)$

또, 두 사건 A와 B가 서로 독립이면 A^C과 B가 서로 독립이므로

$P(A^C\cap B)=P(A^C)P(B)$

$\therefore P(B)=P(A)P(B)+P(A^C)P(B)$

ㄴ은 옳지 않다.

두 사건 A, B가 서로 독립이므로 $P(A|B)=P(A)$

두 사건 A와 B^C이 서로 독립이므로 $P(A|B^C)=P(A)$

이때 $P(A)\neq\frac{1}{2}$이면 $P(A)\neq 1-P(A)$이므로

$P(A|B^C)\neq 1-P(A|B)$

ㄷ도 옳다.

$\{1-P(A)\}\{1-P(B)\}=P(A^C)P(B^C)$

$1-P(A\cup B)=P((A\cup B)^C)=P(A^C\cap B^C)$

이때 A^C과 B^C이 서로 독립이므로

$P(A^C\cap B^C)=P(A^C)P(B^C)$

$\therefore \{1-P(A)\}\{1-P(B)\}=1-P(A\cup B)$

ㄹ도 옳지 않다.

$P(A\cup B)=P(A)+P(B)-P(A\cap B)$

두 사건 A, B가 서로 독립이므로

$P(A\cap B)=P(A)P(B)\neq 0$

$\therefore P(A\cup B)\neq P(A)+P(B)$

따라서 옳은 것은 ㄱ, ㄷ이다.

답 ②

간단 풀이

ㄷ. $\{1-P(A)\}\{1-P(B)\}$

$=1-P(A)-P(B)+P(A)P(B)$

$=1-\{P(A)+P(B)-P(A)P(B)\}$

$=1-\{P(A)+P(B)-P(A\cap B)\}$

$=1-P(A\cup B)$

05

(i) 갑이 당첨 제비를 뽑고, 을도 당첨 제비를 뽑을 확률은

$\frac{2}{10}\times\frac{1}{9}=\frac{1}{45}$

(ii) 갑이 당첨 제비가 아닌 것을 뽑고, 을이 당첨 제비를 뽑을 확률은

$\frac{8}{10}\times\frac{2}{9}=\frac{8}{45}$

(i), (ii)에서 구하는 확률은

$\frac{1}{45}+\frac{8}{45}=\frac{9}{45}=\frac{1}{5}$

답 ④

06

한 개의 주사위를 두 번 던질 때, 일어날 수 있는 모든 경우의 수는

$6\times 6=36$

$x^2-ax+b=0$의 판별식을 D라고 할 때, 이 방정식이 실근을 가지려면

$D=a^2-4b\geq 0 \quad \therefore a^2\geq 4b$

b의 값에 따른 $a^2\geq 4b$를 만족시키는 a, b의 순서쌍 (a, b)를 구하면 다음과 같다.

(i) $b=1$일 때

$a^2\geq 4$이므로 순서쌍 (a, b)의 개수는 $(2, 1)$, $(3, 1)$, $(4, 1)$, $(5, 1)$, $(6, 1)$의 5이다.

(ii) $b=2$일 때

$a^2\geq 8$이므로 순서쌍 (a, b)의 개수는 $(3, 2)$, $(4, 2)$, $(5, 2)$, $(6, 2)$의 4이다.

(iii) $b=3$일 때

$a^2\geq 12$이므로 순서쌍 (a, b)의 개수는 $(4, 3)$, $(5, 3)$, $(6, 3)$의 3이다.

(iv) $b=4$일 때

$a^2\geq 16$이므로 순서쌍 (a, b)의 개수는 $(4, 4)$, $(5, 4)$, $(6, 4)$의 3이다.

(v) $b=5$일 때

$a^2\geq 20$이므로 순서쌍 (a, b)의 개수는 $(5, 5)$, $(6, 5)$의 2이다.

(vi) $b=6$일 때

$a^2\geq 24$이므로 순서쌍 (a, b)의 개수는 $(5, 6)$, $(6, 6)$의 2이다.

(i)~(vi)에서 순서쌍 (a, b)의 개수는

$5+4+3+3+2+2=19$

따라서 구하는 확률은 $\frac{19}{36}$이므로 $p=36$, $q=19$

$\therefore p+q=36+19=55$

답 55

07

35와 서로소가 되려면 5의 배수도 아니고 7의 배수도 아니어야 한다. 5의 배수도 아니고 7의 배수도 아닌 사건을 A라고 하면, 사건 A의 여사건 A^C은 5의 배수이거나 7의 배수인 사건이다.

1부터 100까지의 자연수 중에서 5의 배수의 개수는 20, 7의 배수의 개수는 14, 5의 배수이고 7의 배수, 즉 35의 배수의 개수는 2이므로

$n(A^C)=20+14-2=32$

$\therefore P(A^C)=\frac{32}{100}=\frac{8}{25}$

따라서 구하는 확률은

$P(A)=1-P(A^C)=1-\frac{8}{25}=\frac{17}{25}$

답 ④

08

두 수의 곱이 짝수인 경우는

(짝수, 짝수), (짝수, 홀수), (홀수, 짝수)

이다.

두 수의 곱이 짝수인 사건을 A라고 하면, 사건 A의 여사건인 A^C은 A, B에서 모두 홀수가 나오는 사건이므로

$\mathrm{P}(A^C)=\frac{3}{5}\times\frac{3}{5}=\frac{9}{25}$

따라서 구하는 확률은

$\mathrm{P}(A)=1-\mathrm{P}(A^C)=1-\frac{9}{25}=\frac{16}{25}$

답 ④

09

현빈이가 사탕을 모두 가져갈 확률을 p라고 하자.

(i) 현빈이가 두 번 연속하여 이기는 경우

$\frac{1}{2}\times\frac{1}{2}=\frac{1}{4}$

(ii) 현빈이가 첫 번째 게임에서 이기고 두 번째 게임에서 지는 경우
현빈이와 민준이가 가진 사탕의 개수가 맨 처음의 상태와 같으므로

$\frac{1}{2}\times\frac{1}{2}\times p=\frac{1}{4}p$

(iii) 현빈이가 첫 번째 게임에서 지는 경우
현빈이와 민준이가 가진 사탕의 개수가 처음과 반대인 경우이므로

$\frac{1}{2}\times(1-p)$

(i), (ii), (iii)에서 구하는 확률은

$p=\frac{1}{4}+\frac{1}{4}p+\frac{1}{2}\times(1-p),\ \frac{5}{4}p=\frac{3}{4}\qquad\therefore p=\frac{3}{5}$

답 $\frac{3}{5}$

10

서로 다른 두 개의 주사위를 동시에 던질 때, 일어날 수 있는 모든 경우의 수는 $6\times6=36$

나오는 눈의 수의 합이 7인 경우는

(1, 6), (2, 5), (3, 4), (4, 3), (5, 2), (6, 1)

의 6가지이므로 눈의 수의 합이 7일 확률은

$\frac{6}{36}=\frac{1}{6}$

(i) 나온 눈의 수의 합이 7이고 한 개의 동전을 4번 던지는 경우
동전의 앞면이 나온 횟수가 뒷면이 나온 횟수보다 많으려면 앞면이 3번, 뒷면이 1번 또는 앞면이 4번 나와야 하므로

${}_4\mathrm{C}_3\left(\frac{1}{2}\right)^3\left(\frac{1}{2}\right)^1+{}_4\mathrm{C}_4\left(\frac{1}{2}\right)^4\left(\frac{1}{2}\right)^0$

따라서 구하는 확률은

$\frac{1}{6}\times\left\{{}_4\mathrm{C}_3\left(\frac{1}{2}\right)^3\left(\frac{1}{2}\right)^1+{}_4\mathrm{C}_4\left(\frac{1}{2}\right)^4\left(\frac{1}{2}\right)^0\right\}=\frac{5}{96}$

(ii) 나온 눈의 수의 합이 7이 아니고 한 개의 동전을 3번 던지는 경우
동전의 앞면이 나온 횟수가 뒷면이 나온 횟수보다 많을 확률은 앞면이 2번, 뒷면이 1번 또는 앞면이 3번 나와야 하므로

${}_3\mathrm{C}_2\left(\frac{1}{2}\right)^2\left(\frac{1}{2}\right)^1+{}_3\mathrm{C}_3\left(\frac{1}{2}\right)^3\left(\frac{1}{2}\right)^0$

따라서 구하는 확률은

$\frac{5}{6}\times\left\{{}_3\mathrm{C}_2\left(\frac{1}{2}\right)^2\left(\frac{1}{2}\right)^1+{}_3\mathrm{C}_3\left(\frac{1}{2}\right)^3\left(\frac{1}{2}\right)^0\right\}=\frac{5}{12}$

(i), (ii)에서 구하는 확률은

$\frac{5}{96}+\frac{5}{12}=\frac{45}{96}=\frac{15}{32}$

답 ②

미니 모의고사 - 2회

01

4쌍의 부부, 즉 8명이 원 모양의 탁자에 일정한 간격으로 둘러앉는 경우의 수는 $(8-1)!=7!$

남녀가 교대로 앉는 경우의 수는 $(4-1)!\times4!=3!\times4!$

따라서 구하는 확률은 $\frac{3!\times4!}{7!}=\frac{1}{35}$

답 ①

02

두 사건 A, B가 서로 배반사건이므로 $A\cap B=\varnothing$

따라서 $\mathrm{P}(A\cup B)=\mathrm{P}(A)+\mathrm{P}(B)$이므로

$\frac{4}{5}=\frac{1}{5}+\mathrm{P}(B)$, $\mathrm{P}(B)=\frac{3}{5}$

$\therefore\ \mathrm{P}(B^C)=1-\mathrm{P}(B)=\frac{2}{5}$

답 ②

03

320명의 학생 중 선택한 한 명이 미적분을 선택한 사건을 A, 이 학생이 남학생일 사건을 B라고 하면

$\mathrm{P}(A)=\frac{189}{320}$, $\mathrm{P}(A\cap B)=\frac{90}{320}$ ← 남학생이 미적분을 선택하는 사건

따라서 구하는 확률은

$$\mathrm{P}(B|A)=\frac{\mathrm{P}(A\cap B)}{\mathrm{P}(A)}=\frac{\frac{90}{320}}{\frac{189}{320}}=\frac{90}{189}=\frac{10}{21}$$

답 ③

간단 풀이

$\mathrm{P}(B|A)=\frac{n(A\cap B)}{n(A)}=\frac{90}{189}=\frac{10}{21}$

04

두 사람 A, B가 가위바위보를 할 때, 나올 수 있는 모든 경우의 수는 $3\times3=9$

비기는 경우의 수는 (가위, 가위), (바위, 바위), (보, 보)의 3이므로 비길 확률은 $\frac{3}{9}=\frac{1}{3}$

따라서 구하는 확률은 $\frac{1}{3}\times\frac{1}{3}\times\left(1-\frac{1}{3}\right)=\frac{2}{27}$

답 ②

05

(i) 5명의 환자 중 4명의 환자가 완치될 확률은

$${}_5C_4\left(\frac{4}{5}\right)^4\left(\frac{1}{5}\right)^1=\frac{5\times4^4}{5^5}=\frac{2^8}{5^4}$$

(ii) 5명의 환자 중 5명의 환자가 완치될 확률은

$${}_5C_5\left(\frac{4}{5}\right)^5\left(\frac{1}{5}\right)^0=\frac{4^5}{5^5}=\frac{2^{10}}{5^5}$$

(i), (ii)에서 구하는 확률은 $\frac{2^8}{5^4}+\frac{2^{10}}{5^5}=\frac{9\times2^8}{5^5}$

$a=5$, $b=9$, $c=8$일 때, $a+b+c$의 값은 최소가 되므로 구하는 최솟값은 $a+b+c=5+9+8=22$

답 22

06

중복을 허락하여 1, 2, 3, 4, 5에서 네 개의 숫자를 택해 일렬로 나열한 네 자리의 자연수의 개수는

${}_5\Pi_4=5^4=625$

두 수의 합이 짝수가 되려면 두 수가 모두 짝수이거나 두 수가 모두 홀수이어야 한다.

(i) 백의 자리의 숫자와 일의 자리의 숫자가 모두 짝수인 경우

중복을 허락하여 2, 4에서 2개를 택하는 경우의 수는

${}_2\Pi_2=2^2=4$

천의 자리, 십의 자리를 택하는 경우의 수는 중복을 허락하여 1, 2, 3, 4, 5에서 2개를 택하는 중복순열의 수와 같으므로

${}_5\Pi_2=5^2=25$

따라서 구하는 경우의 수는 $4\times25=100$

(ii) 백의 자리의 숫자와 일의 자리의 숫자가 모두 홀수인 경우

중복을 허락하여 1, 3, 5에서 2개를 택하는 경우의 수는

${}_3\Pi_2=3^2=9$

천의 자리, 십의 자리를 택하는 경우의 수는 중복을 허락하여 1, 2, 3, 4, 5에서 2개를 택하는 중복순열의 수와 같으므로

${}_5\Pi_2=5^2=25$

따라서 구하는 경우의 수는 $9\times25=225$

(i), (ii)에서 구하는 수의 개수는 $100+225=325$

따라서 구하는 확률은

$$\frac{325}{625}=\frac{13}{25}$$

답 ⑤

간단 풀이

1, 2, 3, 4, 5를 중복 사용 가능하고, 각 자리의 숫자를 택하는 사건은 서로 독립이다.

(홀수)+(홀수)=(짝수), (짝수)+(짝수)=(짝수)이므로

$$\frac{3}{5}\times\frac{3}{5}+\frac{2}{5}\times\frac{2}{5}=\frac{13}{25}$$

07

집합 $X=\{a, b, c, d\}$에서 집합 $Y=\{-2, -1, 0, 1, 2\}$로의 함수 f의 개수는

${}_5\Pi_4=5^4$

$f(a)f(b)f(c)=0$ 또는 $f(d)\le0$이 성립하는 사건을 A라고 하면, 사건 A의 여사건 A^C은 $f(a)f(b)f(c)\ne0$이고 $f(d)>0$인 사건이다.

$f(d)>0$인 경우의 수는 2

└ $f(d)=1$ 또는 $f(d)=2$

$f(a)f(b)f(c)\ne0$, 즉 $f(a)\ne0$, $f(b)\ne0$, $f(c)\ne0$인 경우의 수는 ${}_4\Pi_3=4^3$

└ 함숫값이 -2 또는 -1 또는 1 또는 2

$$\therefore\ \mathrm{P}(A^C)=\frac{4^3\times2}{5^4}=\frac{128}{625}$$

따라서 구하는 확률은

$$\mathrm{P}(A)=1-\mathrm{P}(A^C)=1-\frac{128}{625}=\frac{497}{625}$$

답 $\frac{497}{625}$

08

처음에 흰 공이 나오는 사건을 A, 처음에 빨간 공이 나오는 사건을 B, 첫 번째 공과 세 번째 공의 색이 같은 사건을 E라고 하자.

(i) 첫 번째에 흰 공이 나오고 세 번째도 흰 공이 나올 확률은

$$\mathrm{P}(A\cap E)=\frac{3}{6}\times\frac{3}{5}\times\frac{2}{4}=\frac{3}{20}$$

(ii) 첫 번째에 빨간 공이 나오고 세 번째도 빨간 공이 나올 확률은

$$\mathrm{P}(B\cap E)=\frac{2}{6}\times\frac{4}{5}\times\frac{1}{4}=\frac{1}{15}$$

(i), (ii)에서 첫 번째 공과 세 번째 공의 색이 같을 확률은

$$\mathrm{P}(E)=\mathrm{P}(A\cap E)+\mathrm{P}(B\cap E)=\frac{3}{20}+\frac{1}{15}=\frac{13}{60}$$

└ 검은 공은 1개뿐이므로 첫 번째와 세 번째 모두 검은 공이 나오는 경우는 없다.

따라서 구하는 확률은

$$\mathrm{P}(A|E)=\frac{\mathrm{P}(A\cap E)}{\mathrm{P}(E)}=\frac{\frac{3}{20}}{\frac{13}{60}}=\frac{9}{13}$$

답 $\frac{9}{13}$

09

첫 번째와 세 번째 나온 숫자의 합이 5인 경우는 (2, 3), (3, 2)이고, 짝수는 2의 1개이다.

(i) 2, 2, 3의 순서로 나올 확률은

$$\frac{2}{6}\times\frac{2}{6}\times\frac{3}{6}=\frac{1}{18}$$

(ii) 3, 2, 2의 순서로 나올 확률은

$$\frac{3}{6}\times\frac{2}{6}\times\frac{2}{6}=\frac{1}{18}$$

따라서 구하는 확률은

$$\frac{1}{18}+\frac{1}{18}=\frac{1}{9}$$

답 ②

10

(i) 앞면이 나온 동전이 1개이고, 이때 1의 눈이 1번 나올 확률은

$${}_2C_1\left(\frac{1}{2}\right)^1\left(\frac{1}{2}\right)^1\times\frac{1}{6}=\frac{1}{2}\times\frac{1}{6}=\frac{1}{12}$$

(ii) 앞면이 나온 동전이 2개이고, 이때 1의 눈이 1번 나올 확률은

$${}_2C_2\left(\frac{1}{2}\right)^2\left(\frac{1}{2}\right)^0\times{}_2C_1\left(\frac{1}{6}\right)^1\left(\frac{5}{6}\right)^1=\frac{1}{4}\times\frac{5}{18}=\frac{5}{72}$$

(i), (ii)에서 구하는 확률은

$$\frac{1}{12}+\frac{5}{72}=\frac{11}{72}$$

답 ③

Ⅲ. 통계

05 확률분포

001

③ 어떤 학생이 등교하는 데 걸리는 시간을 X분이라고 하면 확률변수 X가 가질 수 있는 값은 $X \geq 0$인 모든 실수이므로 이산확률변수가 아니다.

답 ③

002

확률의 총합은 1이므로

$\left(a+\frac{2}{3}\right)+a+\left(a+\frac{1}{6}\right)=1,\ 3a+\frac{5}{6}=1$

$3a=\frac{1}{6} \qquad \therefore a=\frac{1}{18}$

$$\begin{aligned}\therefore P(X\geq 2)&=P(X=2)+P(X=3)\\&=a+a+\frac{1}{6}=2a+\frac{1}{6}\\&=2\times\frac{1}{18}+\frac{1}{6}\\&=\frac{5}{18}\end{aligned}$$

답 ③

003

확률의 총합은 1이므로

$\left(k+\frac{1}{6}\right)+\left(k+\frac{1}{12}\right)+k+\left(k+\frac{1}{12}\right)+\left(k+\frac{1}{6}\right)=1$

$5k+\frac{1}{2}=1,\ 5k=\frac{1}{2} \qquad \therefore k=\frac{1}{10}$

답 $\frac{1}{10}$

004

확률의 총합은 1이므로

$\frac{1}{a}+\frac{2}{a}+\frac{3}{a}+\cdots+\frac{10}{a}=1$

$\frac{55}{a}=1 \qquad \therefore a=55$

$$\begin{aligned}&\therefore P(1\leq X\leq 5)\\&=P(X=1)+P(X=2)+P(X=3)+P(X=4)+P(X=5)\\&=\frac{1}{55}+\frac{2}{55}+\frac{3}{55}+\frac{4}{55}+\frac{5}{55}=\frac{3}{11}\end{aligned}$$

답 ①

005

확률변수 X가 가질 수 있는 값은 3, 4, 5이고, 그 확률은 각각

$P(X=3)=\frac{{}_2C_2}{{}_5C_3}=\frac{1}{10},\ P(X=4)=\frac{{}_3C_2}{{}_5C_3}=\frac{3}{10},$

$P(X=5)=\frac{{}_4C_2}{{}_5C_3}=\frac{3}{5}$

$$\begin{aligned}\therefore P(X\leq 4)&=P(X=3)+P(X=4)\\&=\frac{1}{10}+\frac{3}{10}=\frac{2}{5}\end{aligned}$$

답 ④

006

접근

5 이상의 눈이 나오는 횟수를 x, 4 이하의 눈이 나오는 횟수를 y로 놓고, 독립시행의 확률을 이용한다.

게임을 5번 할 때 5 이상의 눈이 나오는 횟수를 x, 4 이하의 눈이 나오는 횟수를 y라고 하면

$x+y=5$ …… ㉠

이때 얻은 총점수가 8점이려면

$2x+y=8$ …… ㉡

㉠, ㉡을 연립하여 풀면 $x=3,\ y=2$

한 개의 주사위를 한 번 던질 때, 5 이상의 눈이 나올 확률은

$\frac{2}{6}=\frac{1}{3}$이므로

$P(X=8)={}_5C_3\times\left(\frac{1}{3}\right)^3\times\left(\frac{2}{3}\right)^2=\frac{40}{243}$

답 ③

참고

독립시행의 확률

어떤 시행에서 사건 A가 일어날 확률을 p라고 할 때, 이 시행을 n회 반복한 독립시행에서 사건 A가 r회 일어날 확률은

${}_nC_r p^r(1-p)^{n-r}$ (단, $r=0,\ 1,\ 2,\ \cdots,\ n$)

007

확률의 총합은 1이므로

$\frac{1}{8}+a+5a+a=1,\ 7a=\frac{7}{8} \qquad \therefore a=\frac{1}{8}$

$\therefore E(X)=(-1)\times\frac{1}{8}+0\times\frac{1}{8}+1\times\frac{5}{8}+2\times\frac{1}{8}=\frac{3}{4}$

답 ⑤

008

확률의 총합은 1이므로

$\frac{1}{2}+\frac{1}{4}+b=1,\ b+\frac{3}{4}=1 \qquad \therefore b=\frac{1}{4}$

$E(X)=4$이므로

$a\times\frac{1}{2}+4\times\frac{1}{4}+8\times\frac{1}{4}=4$

$\frac{a}{2}+3=4,\ \frac{a}{2}=1 \qquad \therefore a=2$

$$\begin{aligned}\therefore V(X)&=E(X^2)-\{E(X)\}^2\\&=\left(2^2\times\frac{1}{2}+4^2\times\frac{1}{4}+8^2\times\frac{1}{4}\right)-4^2\\&=22-16=6\end{aligned}$$

답 ①

009

확률의 총합은 1이므로

$\frac{1}{a}+\frac{2}{a}+\frac{3}{a}+\frac{4}{a}=1$

$\frac{10}{a}=1 \quad \therefore a=10$

따라서 X의 확률분포를 표로 나타내면 다음과 같다.

X	1	2	3	4	합계
$\mathrm{P}(X=x)$	$\frac{1}{10}$	$\frac{2}{10}$	$\frac{3}{10}$	$\frac{4}{10}$	1

$\mathrm{E}(X)=1\times\frac{1}{10}+2\times\frac{2}{10}+3\times\frac{3}{10}+4\times\frac{4}{10}$

$=\frac{1}{10}(1^2+2^2+3^2+4^2)=3$

$\mathrm{E}(X^2)=1^2\times\frac{1}{10}+2^2\times\frac{2}{10}+3^2\times\frac{3}{10}+4^2\times\frac{4}{10}$

$=\frac{1}{10}(1^3+2^3+3^3+4^3)=10$

$\therefore \mathrm{V}(X)=\mathrm{E}(X^2)-\{\mathrm{E}(X)\}^2=10-3^2=1$

$\therefore \sigma(X)=\sqrt{\mathrm{V}(X)}=1$

답 ①

010

확률변수 X가 가질 수 있는 값은 0, 1, 2, 3이므로 X의 확률분포를 표로 나타내면 다음과 같다.

X	0	1	2	3	합계
$\mathrm{P}(X=x)$	$\frac{1}{6}$	$\frac{1}{3}$	$\frac{1}{3}$	$\frac{1}{6}$	1

$\mathrm{E}(X)=0\times\frac{1}{6}+1\times\frac{1}{3}+2\times\frac{1}{3}+3\times\frac{1}{6}=\frac{3}{2}$

$\mathrm{E}(X^2)=0^2\times\frac{1}{6}+1^2\times\frac{1}{3}+2^2\times\frac{1}{3}+3^2\times\frac{1}{6}=\frac{19}{6}$

$\therefore \mathrm{V}(X)=\mathrm{E}(X^2)-\{\mathrm{E}(X)\}^2=\frac{19}{6}-\left(\frac{3}{2}\right)^2=\frac{11}{12}$

답 ④

풍쌤 비법

이산확률변수에 대한 활용 문제에서 평균, 분산, 표준편차를 구할 때는 확률분포를 표로 나타내어 본다.

011

확률의 총합은 1이므로

$a+b+c=1$ …… ㉠

$\mathrm{E}(X)=2$이므로

$1\times a+2\times b+3\times c=2$

$\therefore a+2b+3c=2$ …… ㉡

$\sigma(X)=\frac{1}{2}$이므로 $\mathrm{V}(X)=\left(\frac{1}{2}\right)^2=\frac{1}{4}$

$\mathrm{V}(X)=\mathrm{E}(X^2)-\{\mathrm{E}(X)\}^2$에서

$\mathrm{E}(X^2)=\mathrm{V}(X)+\{\mathrm{E}(X)\}^2=\frac{1}{4}+2^2=\frac{17}{4}$

이므로

$1^2\times a+2^2\times b+3^2\times c=\frac{17}{4}$

$\therefore a+4b+9c=\frac{17}{4}$ …… ㉢

㉠, ㉡, ㉢을 연립하여 풀면

$a=\frac{1}{8},\ b=\frac{3}{4},\ c=\frac{1}{8}$

$\therefore \frac{b}{ac}=\frac{\frac{3}{4}}{\frac{1}{8}\times\frac{1}{8}}=48$

답 48

012

꺼낸 동전의 금액을 X원이라고 할 때, 확률변수 X의 확률분포를 표로 나타내면 다음과 같다.

X	50	100	500	합계
$\mathrm{P}(X=x)$	$\frac{2}{5}$	$\frac{2}{5}$	$\frac{1}{5}$	1

$\mathrm{E}(X)=50\times\frac{2}{5}+100\times\frac{2}{5}+500\times\frac{1}{5}=160$

따라서 확률변수 X의 기댓값은 160원이다.

답 ②

013

$\mathrm{P}(X=2)=1-\mathrm{P}(X=0)$에서 $\mathrm{P}(X=0)+\mathrm{P}(X=2)=1$이므로 X의 확률분포를 다음과 같이 표로 나타낼 수 있다.

(단, a, b는 상수이다.)

X	0	2	합계
$\mathrm{P}(X=x)$	a	b	1

$\mathrm{E}(X)=0\times a+2\times b=2b$

$\mathrm{E}(X^2)=0^2\times a+2^2\times b=4b$

$\mathrm{V}(X)=\mathrm{E}(X^2)-\{\mathrm{E}(X)\}^2=4b-(2b)^2=4b-4b^2$

이때 $\{\mathrm{E}(X)\}^2=2\mathrm{V}(X)$에서

$4b^2=2\times(4b-4b^2)$, $4b^2=8b(1-b)$

$b=2(1-b)$, $3b=2$ — $0<\mathrm{P}(X=2)<1$에서 $b\neq0$

$\therefore b=\frac{2}{3}$

따라서 $\mathrm{V}(X)=4\times\frac{2}{3}-4\times\left(\frac{2}{3}\right)^2=\frac{8}{9}$이므로

$\sigma(X)=\sqrt{\mathrm{V}(X)}=\sqrt{\frac{8}{9}}=\frac{2\sqrt{2}}{3}$

답 ⑤

014

전체 경우의 수는 $2\times2\times2=8$

(i) 0점을 얻는 경우

(앞, 뒤, 앞), (뒤, 앞, 뒤)의 2가지

(ii) 1점을 얻는 경우

(앞, 앞, 뒤), (뒤, 앞, 앞), (뒤, 뒤, 앞), (앞, 뒤, 뒤)의 4가지

(iii) 3점을 얻는 경우

(앞, 앞, 앞), (뒤, 뒤, 뒤)의 2가지

따라서 $\mathrm{P}(X=0)=\frac{2}{8}=\frac{1}{4}$, $\mathrm{P}(X=1)=\frac{4}{8}=\frac{1}{2}$,

$\mathrm{P}(X=3)=\frac{2}{8}=\frac{1}{4}$이므로 확률변수 X의 확률분포를 표로 나타내

면 다음과 같다.

X	0	1	3	합계
$P(X=x)$	$\frac{1}{4}$	$\frac{1}{2}$	$\frac{1}{4}$	1

$E(X)=0\times\frac{1}{4}+1\times\frac{1}{2}+3\times\frac{1}{4}=\frac{5}{4}$

$E(X^2)=0^2\times\frac{1}{4}+1^2\times\frac{1}{2}+3^2\times\frac{1}{4}=\frac{11}{4}$

$\therefore V(X)=E(X^2)-\{E(X)\}^2$

$=\frac{11}{4}-\left(\frac{5}{4}\right)^2=\frac{19}{16}$

답 ②

015

$E(X)=1\times\frac{1}{8}+3\times\frac{3}{8}+5\times\frac{3}{8}+7\times\frac{1}{8}=4$

$E(X^2)=1^2\times\frac{1}{8}+3^2\times\frac{3}{8}+5^2\times\frac{3}{8}+7^2\times\frac{1}{8}=19$

$V(X)=E(X^2)-\{E(X)\}^2=19-4^2=3$

$\therefore V(Y)=V(4X+5)=4^2V(X)=16\times3=48$

답 ②

016

확률의 총합은 1이므로

$\left(a+\frac{1}{5}\right)+\left(a+\frac{1}{3}\right)+4a+a=1$

$7a+\frac{8}{15}=1,\ 7a=\frac{7}{15}\qquad\therefore a=\frac{1}{15}$

$E(X)=2\times\left(\frac{1}{15}+\frac{1}{5}\right)+4\times\left(\frac{1}{15}+\frac{1}{3}\right)+8\times\frac{4}{15}+16\times\frac{1}{15}$

$=\frac{16}{3}$

이므로

$E(6X-5)=6E(X)-5=6\times\frac{16}{3}-5=27$

답 ④

017

확률변수 X의 확률분포를 표로 나타내면 다음과 같다.

X	2	3	4	5	합계
$P(X=x)$	$\frac{1}{10}$	$\frac{1}{5}$	$\frac{3}{10}$	$\frac{2}{5}$	1

$E(X)=2\times\frac{1}{10}+3\times\frac{1}{5}+4\times\frac{3}{10}+5\times\frac{2}{5}=4$

$E(X^2)=2^2\times\frac{1}{10}+3^2\times\frac{1}{5}+4^2\times\frac{3}{10}+5^2\times\frac{2}{5}=17$

$V(X)=E(X^2)-\{E(X)\}^2=17-4^2=1$

$\therefore V(Y)=V(10X+4)=10^2V(X)=100\times1=100$

답 100

018

$Y=\frac{3}{4}X+9$에서 $\frac{3}{4}X=Y-9\qquad\therefore X=\frac{4}{3}Y-12$

$\therefore E(X)=E\left(\frac{4}{3}Y-12\right)=\frac{4}{3}E(Y)-12$

$=\frac{4}{3}\times18-12=12$

답 ②

019

$E(X)=3,\ E(Y)=4$이므로

$E(Y)=E\left(\frac{X+a}{b}\right)=\frac{1}{b}E(X)+\frac{a}{b}=\frac{3}{b}+\frac{a}{b}=4$

$\therefore 3+a=4b$ ...... ㉠

$V(X)=16,\ V(Y)=4$이므로

$V(Y)=V\left(\frac{X+a}{b}\right)=\frac{1}{b^2}V(X)=\frac{16}{b^2}=4$

$b^2=4\qquad\therefore b=2\ (\because b>0)$

$b=2$를 ㉠에 대입하면 $3+a=8\qquad\therefore a=5$

$\therefore a+b=7$

답 ②

020

확률의 총합은 1이므로

$a^2+\frac{1}{2}a+\frac{1}{2}=1,\ 2a^2+a-1=0$

$(2a-1)(a+1)=0\qquad\therefore a=\frac{1}{2}\ (\because a>0)$

따라서 확률변수 X의 확률분포를 표로 나타내면 다음과 같다.

X	1000	2000	3000	합계
$P(X=x)$	$\frac{1}{4}$	$\frac{1}{4}$	$\frac{1}{2}$	1

$E(X)=1000\times\frac{1}{4}+2000\times\frac{1}{4}+3000\times\frac{1}{2}=2250$

$\therefore E(aX-25)=E\left(\frac{1}{2}X-25\right)=\frac{1}{2}E(X)-25$

$=\frac{1}{2}\times2250-25=1100$

답 ③

021

확률변수 X가 가질 수 있는 값은 0, 1, 2, 3, 4, 5

두 개의 주사위를 던져서 나온 눈의 수를 a, b라고 하면 (a, b)에 대하여

(i) $X=0$인 경우
(1, 1), (2, 2), (3, 3), (4, 4), (5, 5), (6, 6)의 6가지

(ii) $X=1$인 경우
(1, 2), (2, 3), (3, 4), (4, 5), (5, 6), (6, 5), (5, 4), (4, 3), (3, 2), (2, 1)의 10가지

(iii) $X=2$인 경우
(1, 3), (2, 4), (3, 5), (4, 6), (6, 4), (5, 3), (4, 2), (3, 1)의 8가지

(iv) $X=3$인 경우
(1, 4), (2, 5), (3, 6), (4, 1), (5, 2), (6, 3)의 6가지

(v) $X=4$인 경우
(1, 5), (2, 6), (5, 1), (6, 2)의 4가지

(vi) $X=5$인 경우
(1, 6), (6, 1)의 2가지

따라서 확률변수 X의 확률분포를 표로 나타내면 다음과 같다.

X	0	1	2	3	4	5	합계
$\mathrm{P}(X=x)$	$\frac{1}{6}$	$\frac{5}{18}$	$\frac{2}{9}$	$\frac{1}{6}$	$\frac{1}{9}$	$\frac{1}{18}$	1

$$\mathrm{E}(X)=0\times\frac{1}{6}+1\times\frac{5}{18}+2\times\frac{2}{9}+3\times\frac{1}{6}+4\times\frac{1}{9}+5\times\frac{1}{18}$$
$$=\frac{35}{18}$$

$\therefore \mathrm{E}(36X-5)=36\mathrm{E}(X)-5=36\times\frac{35}{18}-5=65$

답 65

022

확률변수 X가 가질 수 있는 값은 0, 1, 2, 3이고, 그 확률은 각각

$\mathrm{P}(X=0)=\frac{{}_3\mathrm{C}_0\times{}_3\mathrm{C}_3}{{}_6\mathrm{C}_3}=\frac{1}{20}$

$\mathrm{P}(X=1)=\frac{{}_3\mathrm{C}_1\times{}_3\mathrm{C}_2}{{}_6\mathrm{C}_3}=\frac{9}{20}$

$\mathrm{P}(X=2)=\frac{{}_3\mathrm{C}_2\times{}_3\mathrm{C}_1}{{}_6\mathrm{C}_3}=\frac{9}{20}$

$\mathrm{P}(X=3)=\frac{{}_3\mathrm{C}_3\times{}_3\mathrm{C}_0}{{}_6\mathrm{C}_3}=\frac{1}{20}$

따라서 확률변수 X의 확률분포를 표로 나타내면 다음과 같다.

X	0	1	2	3	합계
$\mathrm{P}(X=x)$	$\frac{1}{20}$	$\frac{9}{20}$	$\frac{9}{20}$	$\frac{1}{20}$	1

$\mathrm{E}(X)=0\times\frac{1}{20}+1\times\frac{9}{20}+2\times\frac{9}{20}+3\times\frac{1}{20}=\frac{3}{2}$

$\mathrm{E}(X^2)=0^2\times\frac{1}{20}+1^2\times\frac{9}{20}+2^2\times\frac{9}{20}+3^2\times\frac{1}{20}=\frac{27}{10}$

$\mathrm{V}(X)=\mathrm{E}(X^2)-\{\mathrm{E}(X)\}^2=\frac{27}{10}-\left(\frac{3}{2}\right)^2=\frac{9}{20}$

$$\begin{aligned}\therefore \mathrm{E}(Y)+\mathrm{V}(Y)&=\mathrm{E}(10X+3)+\mathrm{V}(10X+3)\\&=10\mathrm{E}(X)+3+10^2\mathrm{V}(X)\\&=10\times\frac{3}{2}+3+100\times\frac{9}{20}\\&=63\end{aligned}$$

답 ④

023

확률변수 X가 이항분포 $\mathrm{B}\left(n, \frac{1}{3}\right)$을 따르므로

$\mathrm{E}(X)=\frac{n}{3}$

이때 $\mathrm{V}(X)=\mathrm{E}(X^2)-\{\mathrm{E}(X)\}^2$이므로 $\mathrm{E}(X^2)=\mathrm{V}(X)+16$을 대입하면

$\mathrm{V}(X)=\mathrm{V}(X)+16-\{\mathrm{E}(X)\}^2$, $\{\mathrm{E}(X)\}^2=16$

$\left(\frac{n}{3}\right)^2=16$, $n^2=144$

$\therefore n=12$ ($\because n>0$)

답 ②

024

한 개의 구슬을 꺼낼 때, 노란 구슬이 나올 확률은 $\frac{a}{3+a}$이므로 확률변수 X는 이항분포 $\mathrm{B}\left(n, \frac{a}{3+a}\right)$를 따른다.

$\mathrm{E}(X)=n\times\frac{a}{3+a}=4$ …… ㉠

$\mathrm{V}(X)=n\times\frac{a}{3+a}\times\left(1-\frac{a}{3+a}\right)=2.4$ …… ㉡

㉠을 ㉡에 대입하면

$4\times\left(1-\frac{a}{3+a}\right)=2.4$, $1-\frac{a}{3+a}=0.6$

$\frac{a}{3+a}=\frac{2}{5}$, $5a=6+2a$ $\quad\therefore a=2$

$a=2$를 ㉠에 대입하면

$n\times\frac{2}{3+2}=4$ $\quad\therefore n=10$

$\therefore a+n=12$

답 12

025

ㄱ은 옳다.

$5\le Y\le 7$에서 $5\le 10-X\le 7$

$\therefore 3\le X\le 5$

$\therefore \mathrm{P}(5\le Y\le 7)=\mathrm{P}(3\le X\le 5)$

ㄴ도 옳다.

확률변수 X는 이항분포 $\mathrm{B}\left(10, \frac{1}{2}\right)$을 따르므로

$\mathrm{E}(X)=10\times\frac{1}{2}=5$

$Y=10-X$이므로

$\mathrm{E}(Y)=\mathrm{E}(10-X)=10-\mathrm{E}(X)=10-5=5$

$\therefore \mathrm{E}(Y)=\mathrm{E}(X)$

ㄷ은 옳지 않다.

$$\begin{aligned}\mathrm{V}(Y)&=\mathrm{V}(10-X)=\mathrm{V}(-X+10)\\&=(-1)^2\mathrm{V}(X)=\mathrm{V}(X)\end{aligned}$$

$\therefore \mathrm{V}(Y)=\mathrm{V}(X)$

따라서 옳은 것은 ㄱ, ㄴ이다.

답 ③

026

$\mathrm{P}(X=5)=3\mathrm{P}(X=4)$에서

${}_{10}\mathrm{C}_5 p^5(1-p)^5=3{}_{10}\mathrm{C}_4 p^4(1-p)^6$

$0<p<1$이므로

$252p=630(1-p)$, $882p=630$ $\quad\therefore p=\frac{5}{7}$

따라서 확률변수 X는 이항분포 $\mathrm{B}\left(10, \frac{5}{7}\right)$를 따르므로

$\sigma(X)=\sqrt{\mathrm{V}(X)}=\sqrt{10\times\frac{5}{7}\times\frac{2}{7}}=\frac{10}{7}$

답 $\frac{10}{7}$

027

확률변수 X는 이항분포 $\mathrm{B}(3, p)$를 따르므로 X가 가질 수 있는 값은 0, 1, 2, 3

$\mathrm{P}(X\geq 1)=\frac{19}{27}$이므로

$\mathrm{P}(X=1)+\mathrm{P}(X=2)+\mathrm{P}(X=3)=\frac{19}{27}$

$\therefore \mathrm{P}(X=0)=1-\frac{19}{27}=\frac{8}{27}$

이때 $\mathrm{P}(X=0)={}_3\mathrm{C}_0p^0(1-p)^3=(1-p)^3$이므로

$(1-p)^3=\frac{8}{27}$, $1-p=\frac{2}{3}$ $\quad\therefore p=\frac{1}{3}$

따라서 확률변수 Y는 이항분포 $\mathrm{B}\left(6,\ \frac{1}{3}\right)$을 따르므로

$\mathrm{P}(Y=6)={}_6\mathrm{C}_6\left(\frac{1}{3}\right)^6\left(\frac{2}{3}\right)^0=\frac{1}{3^6}$

답 ①

028

주어진 이차함수 $y=f(x)$의 그래프에서 $0<x<3$일 때 $f(x)>0$이므로 주사위의 눈의 수가 1 또는 2일 때 사건 A가 일어난다.
이때 한 개의 주사위를 15회 던지는 시행은 독립시행이고 1회의 시행에서 주사위의 눈의 수가 1 또는 2가 나올 확률은 $\frac{2}{6}=\frac{1}{3}$이므로

사건 A가 일어나는 횟수 X는 이항분포 $\mathrm{B}\left(15,\ \frac{1}{3}\right)$을 따른다.

$\therefore \mathrm{E}(X)=15\times\frac{1}{3}=5$

확률변수 X가 이항분포 $\mathrm{B}(n,\ p)$를 따를 때 평균은 $\mathrm{E}(X)=np$

답 ⑤

029

$\mathrm{P}(X=a)+\mathrm{P}(X=b)=\frac{1}{3}$에서

$\frac{a}{15}+\frac{b}{15}=\frac{1}{3}$

$\therefore a+b=5$

두 수 a, b의 순서쌍 (a, b)는

$(1, 4)$, $(2, 3)$, $(3, 2)$, $(4, 1)$

이므로 a^2+b^2의 값은 13 또는 17이다.

따라서 a^2+b^2의 최댓값은 17이다.

답 17

030

확률의 총합은 1이므로

$\frac{{}_4\mathrm{C}_1}{k}+\frac{{}_4\mathrm{C}_2}{k}+\frac{{}_4\mathrm{C}_3}{k}+\frac{{}_4\mathrm{C}_4}{k}=1$

$\frac{4}{k}+\frac{6}{k}+\frac{4}{k}+\frac{1}{k}=1$, $\frac{15}{k}=1$ $\quad\therefore k=15$

$\therefore \mathrm{P}(X\geq 3)=\mathrm{P}(X=3)+\mathrm{P}(X=4)$

$=\frac{{}_4\mathrm{C}_3}{15}+\frac{{}_4\mathrm{C}_4}{15}=\frac{4}{15}+\frac{1}{15}=\frac{1}{3}$

답 ②

031

확률변수 X가 가질 수 있는 값은 1, 2, 3, 6이고, 그 확률은 각각

$\mathrm{P}(X=1)=\frac{7-k}{16}$, $\mathrm{P}(X=2)=\frac{7-2k}{16}$,

$\mathrm{P}(X=3)=\frac{7-3k}{16}$, $\mathrm{P}(X=6)=\frac{7-6k}{16}$

확률의 총합은 1이므로

$\frac{7-k}{16}+\frac{7-2k}{16}+\frac{7-3k}{16}+\frac{7-6k}{16}=1$

$\frac{28-12k}{16}=1$, $28-12k=16$ $\quad\therefore k=1$

$X^2-2X-15<0$에서

$(X+3)(X-5)<0$ $\quad\therefore -3<X<5$

$\therefore \mathrm{P}(X^2-2X-15<0)$
$=\mathrm{P}(-3<X<5)$
$=\mathrm{P}(X=1)+\mathrm{P}(X=2)+\mathrm{P}(X=3)$
$=\frac{6}{16}+\frac{5}{16}+\frac{4}{16}=\frac{15}{16}$

답 ⑤

다른 풀이

$\mathrm{P}(X^2-2X-15<0)=\mathrm{P}(X=1)+\mathrm{P}(X=2)+\mathrm{P}(X=3)$
$=1-\mathrm{P}(X=6)$
$=1-\frac{1}{16}=\frac{15}{16}$

032

$\mathrm{P}(X=x)=\frac{a}{\sqrt{x+1}+\sqrt{x}}$
$=\frac{a(\sqrt{x+1}-\sqrt{x})}{(\sqrt{x+1}+\sqrt{x})(\sqrt{x+1}-\sqrt{x})}$
$=a(\sqrt{x+1}-\sqrt{x})$

확률의 총합은 1이므로

$a\{(\sqrt{2}-1)+(\sqrt{3}-\sqrt{2})+\cdots+(4-\sqrt{15})\}=1$

$3a=1$ $\quad\therefore a=\frac{1}{3}$

$\therefore b=\mathrm{P}(X=4)+\mathrm{P}(X=5)+\cdots+\mathrm{P}(X=8)$
$=\frac{1}{3}\{(\sqrt{5}-2)+(\sqrt{6}-\sqrt{5})+\cdots+(3-\sqrt{8})\}$
$=\frac{1}{3}$

$\therefore ab=\frac{1}{3}\times\frac{1}{3}=\frac{1}{9}$

답 ②

033

$\mathrm{P}(X=k)=\mathrm{P}(X\geq k)-\mathrm{P}(X\geq k+1)$
$=\frac{a}{k}-\frac{a}{k+1}$
$=a\left(\frac{1}{k}-\frac{1}{k+1}\right)$ (단, $k=1, 2, \cdots, 9$)

확률의 총합은 1이므로

$a\left\{\left(1-\frac{1}{2}\right)+\left(\frac{1}{2}-\frac{1}{3}\right)+\cdots+\left(\frac{1}{9}-\frac{1}{10}\right)\right\}+\frac{a}{10}=1$

$\frac{a}{10}$: $\mathrm{P}(X\geq 10)=\mathrm{P}(X=10)$

$\frac{9}{10}a+\frac{a}{10}=1$ $\quad\therefore a=1$

답 ③

034

접근

확률의 총합이 1이고, $P(X=1)=\frac{1}{8}$, $P(X=3)=\frac{3}{8}$, $ab\neq0$이므로 $0<a<1$, $0<b<1$임을 이용한다.

확률의 총합은 1이므로

$\frac{1}{8}+a+\frac{3}{8}+b=1 \qquad \therefore a+b=\frac{1}{2}$

$0<a<1$, $0<b<1$이므로 산술평균과 기하평균의 관계에 의하여

$2\sqrt{ab}\le\frac{1}{2}$ (단, 등호는 $a=b=\frac{1}{4}$일 때 성립한다.)

$\sqrt{ab}\le\frac{1}{4} \qquad \therefore ab\le\frac{1}{16}$

ab의 값은 $a=b=\frac{1}{4}$일 때 최대이므로

$P(3\le X\le4)=P(X=3)+P(X=4)$

$=\frac{3}{8}+\frac{1}{4}=\frac{5}{8}$

답 ②

참고

산술평균과 기하평균의 관계

$a>0$, $b>0$일 때 $\frac{a+b}{2}\ge\sqrt{ab}$

(단, 등호는 $a=b$일 때 성립한다.)

035

확률변수 X가 가질 수 있는 값은 0, 1, 2

$P(X=1)$은 짝수가 한 번 나올 확률이다. 한 개의 주사위를 한 번 던질 때, 짝수의 눈이 나올 확률은 $\frac{3}{6}=\frac{1}{2}$이므로

(i) 동전의 뒷면이 나오는 경우

짝수가 한 번 나올 확률은

$\frac{1}{2}\times\frac{1}{2}=\frac{1}{4}$

동전의 뒷면이 나올 확률

(ii) 동전의 앞면이 나오는 경우

짝수가 한 번 나올 확률은

동전의 앞면이 나올 확률

$\frac{1}{2}\times\left(\frac{1}{2}\times\frac{1}{2}+\frac{1}{2}\times\frac{1}{2}\right)=\frac{1}{4}$

짝수가 한 번, 홀수가 한 번 나온다.

(i), (ii)에서 $P(X=1)=\frac{1}{4}+\frac{1}{4}=\frac{1}{2}$

답 ④

036

$P(0\le X\le9)=P(0\le X\le x)+P(x<X\le9)=1$

$\therefore F(x)+G(x)=1$ ······ ㉠

ㄱ은 옳다.

㉠에 의하여 $F(5)+G(5)=1$

ㄴ은 옳지 않다.

$P(2\le X\le6)=P(0\le X\le6)-P(0\le X\le1)$

$=F(6)-F(1)$

ㄷ은 옳다.

$P(4\le X\le9)=P(0\le X\le9)-P(0\le X\le3)$

$=1-F(3)$

$=1-\{1-G(3)\}$ ($\because$ ㉠)

$=G(3)$

따라서 옳은 것은 ㄱ, ㄷ이다.

답 ④

037

구슬에 적혀 있는 수의 곱은 $1\times2=2$, $1\times3=3$, $2\times2=4$, $2\times3=6$, $3\times3=9$이므로 확률변수 X가 가질 수 있는 값은 2, 3, 4, 6, 9이고, 그 확률은 각각

$P(X=2)=\frac{{}_1C_1\times{}_2C_1}{{}_6C_2}=\frac{2}{15}$

$P(X=3)=\frac{{}_1C_1\times{}_3C_1}{{}_6C_2}=\frac{1}{5}$

$P(X=4)=\frac{{}_2C_2}{{}_6C_2}=\frac{1}{15}$

$P(X=6)=\frac{{}_2C_1\times{}_3C_1}{{}_6C_2}=\frac{2}{5}$

$P(X=9)=\frac{{}_3C_2}{{}_6C_2}=\frac{1}{5}$

따라서 확률변수 X의 확률분포를 표로 나타내면 다음과 같다.

X	2	3	4	6	9	합계
$P(X=x)$	$\frac{2}{15}$	$\frac{1}{5}$	$\frac{1}{15}$	$\frac{2}{5}$	$\frac{1}{5}$	1

$E(X)=2\times\frac{2}{15}+3\times\frac{1}{5}+4\times\frac{1}{15}+6\times\frac{2}{5}+9\times\frac{1}{5}$

$=\frac{16}{3}$

따라서 $p=3$, $q=16$이므로 $p+q=19$

답 19

038

확률변수 X가 가질 수 있는 값은 2, 3, 4, 5

동시에 꺼낸 2장의 카드에 적혀 있는 두 수를 a, b라고 하면 (a, b)에 대하여

(i) $X=2$인 경우

(1, 1)의 1가지

(ii) $X=3$인 경우

(1, 2), (1, 2)의 2가지

(iii) $X=4$인 경우

(1, 3), (1, 3)의 2가지

(iv) $X=5$인 경우

(2, 3)의 1가지

따라서

$P(X=2)=\frac{1}{{}_4C_2}=\frac{1}{6}$, $P(X=3)=\frac{2}{{}_4C_2}=\frac{1}{3}$,

$P(X=4)=\frac{2}{{}_4C_2}=\frac{1}{3}$, $P(X=5)=\frac{1}{{}_4C_2}=\frac{1}{6}$

이므로 확률변수 X의 확률분포를 표로 나타내면 다음과 같다.

X	2	3	4	5	합계
$P(X=x)$	$\frac{1}{6}$	$\frac{1}{3}$	$\frac{1}{3}$	$\frac{1}{6}$	1

$m=E(X)=2\times\frac{1}{6}+3\times\frac{1}{3}+4\times\frac{1}{3}+5\times\frac{1}{6}=\frac{7}{2}$

$\therefore P(|X-m|\le1)=P(-1\le X-m\le1)$

$=P(m-1\le X\le m+1)$

$=\mathrm{P}\left(\frac{5}{2}\le X\le\frac{9}{2}\right)$

$=\mathrm{P}(X=3)+\mathrm{P}(X=4)$

$=\frac{1}{3}+\frac{1}{3}=\frac{2}{3}$

답 ④

039

5개의 문자를 일렬로 나열하는 경우의 수는 $\frac{5!}{3!2!}=10$

X가 가질 수 있는 값은 0, 1, 2, 3

(i) $X=0$인 경우

a 두 개를 한 묶음으로 생각하고 4개의 문자를 일렬로 나열하는 경우와 같으므로 경우의 수는

$\frac{4!}{3!}=4$

(ii) $X=1$인 경우

(a, b, a)를 한 묶음으로 생각하고 3개의 문자를 일렬로 나열하는 경우와 같으므로 경우의 수는

$\frac{3!}{2!}=3$

(iii) $X=2$인 경우

(a, b, b, a)를 한 묶음으로 생각하고 2개의 문자를 일렬로 나열하는 경우와 같으므로 경우의 수는

$2!=2$

(iv) $X=3$인 경우

(a, b, b, b, a)의 1가지

따라서

$\mathrm{P}(X=0)=\frac{4}{10}=\frac{2}{5}$, $\mathrm{P}(X=1)=\frac{3}{10}$,

$\mathrm{P}(X=2)=\frac{2}{10}=\frac{1}{5}$, $\mathrm{P}(X=3)=\frac{1}{10}$

이므로 확률변수 X의 확률분포를 표로 나타내면 다음과 같다.

X	0	1	2	3	합계
$\mathrm{P}(X=x)$	$\frac{2}{5}$	$\frac{3}{10}$	$\frac{1}{5}$	$\frac{1}{10}$	1

$\therefore \mathrm{E}(X)=0\times\frac{2}{5}+1\times\frac{3}{10}+2\times\frac{1}{5}+3\times\frac{1}{10}=1$

답 1

040

확률의 총합은 1이므로

$\frac{1}{2}+a+b+\frac{1}{4}=1$

$\therefore a+b=\frac{1}{4}$ …… ㉠

$\mathrm{E}(X)=2\times\frac{1}{2}+4\times a+6\times b+8\times\frac{1}{4}$

$=4a+6b+3$ …… ㉡

㉠에서 $b=\frac{1}{4}-a$이므로 ㉡에 대입하면

$\mathrm{E}(X)=4a+6b+3$

$=4a+6\left(\frac{1}{4}-a\right)+3$

$=\frac{9}{2}-2a$

이때 $0\le a<1$이고 $b=\frac{1}{4}-a\ge0$이므로

$0\le a\le\frac{1}{4}$

따라서 $\mathrm{E}(X)=\frac{9}{2}-2a$는 $a=0$일 때 최댓값 $\frac{9}{2}$를 갖고, $a=\frac{1}{4}$일 때 최솟값 4를 갖는다.

즉, $M=\frac{9}{2}$, $m=4$이므로 $M+m=\frac{17}{2}$

답 ②

참고

$\mathrm{E}(X)=\frac{9}{2}-2a$는 a의 값이 최소일 때 최대이고, a의 값이 최대일 때 최소이다.

041

10점을 얻을 확률이 x이고, 5점을 얻을 확률이 $1-x$이므로 호진이가 획득한 점수의 평균 m은

$m=10x+5(1-x)=5x+5$

점수의 표준편차를 σ라고 하면

$\sigma^2=(10-m)^2x+(5-m)^2(1-x)$

$=(5-5x)^2x+(-5x)^2(1-x)$ ← $\mathrm{V}(X)=\mathrm{E}((X-m)^2)$

$=25x^3-50x^2+25x+25x^2-25x^3$

$=25(x-x^2)=-25\left(x-\frac{1}{2}\right)^2+\frac{25}{4}$

따라서 표준편차가 최대가 되게 하는 x의 값은 $\frac{1}{2}$이다.

답 ⑤

042

세 경기를 먼저 이기는 사람이 우승하고, 승률은 두 사람 모두 $\frac{1}{2}$이므로 우승자가 결정될 때까지 최소 3번의 경기를 치뤄야 한다. 즉, X가 가질 수 있는 값은 3, 4, 5

이때 우승자는 종석이와 나영이 중 한 명이므로

(i) 세 번째 경기에서 우승자가 결정되는 경우

승승승

$\mathrm{P}(X=3)=2\times\left(\frac{1}{2}\right)^3=\frac{1}{4}$

(ii) 네 번째 경기에서 우승자가 결정되는 경우

패승승승
승패승승
승승패승

$\mathrm{P}(X=4)=2\times{}_3\mathrm{C}_1\left(\frac{1}{2}\right)^1\left(\frac{1}{2}\right)^2\times\frac{1}{2}$

$=\frac{3}{8}$

(iii) 다섯 번째 경기에서 우승자가 결정되는 경우

패패승승승
패승패승승
패승승패승
승패패승승
승패승패승
승승패패승

$\mathrm{P}(X=5)=2\times{}_4\mathrm{C}_2\left(\frac{1}{2}\right)^2\left(\frac{1}{2}\right)^2\times\frac{1}{2}$

$=\frac{3}{8}$

따라서 확률변수 X의 확률분포를 표로 나타내면 다음과 같다.

X	3	4	5	합계
$\mathrm{P}(X=x)$	$\frac{1}{4}$	$\frac{3}{8}$	$\frac{3}{8}$	1

$\mathrm{E}(X)=3\times\frac{1}{4}+4\times\frac{3}{8}+5\times\frac{3}{8}=\frac{33}{8}$

따라서 $p=8$, $q=33$이므로 $q-p=25$

답 25

043

접근

불량 마스크의 개수를 확률변수 X라 하고, 한 상자를 판매할 때의 판매액의 기댓값을 이용하여 전체 판매액의 기댓값을 구한다.

한 상자에서 임의로 3장의 마스크를 동시에 꺼낼 때, 나오는 불량 마스크의 개수를 확률변수 X라고 하면

$P(X=0)=\frac{{}_{38}C_3}{{}_{40}C_3}=\frac{111}{130}$

이므로 한 상자에서 불량 마스크가 1장 이상 나올 확률은

$P(X\geq 1)=1-P(X=0)=1-\frac{111}{130}=\frac{19}{130}$

따라서 한 상자를 판매할 때 판매액의 기댓값은

$5000\times\frac{111}{130}+6000\times\frac{19}{130}$(원)

이므로 전체 판매액의 기댓값은

$390\times\left(5000\times\frac{111}{130}+6000\times\frac{19}{130}\right)=2007000$(원)

답 ④

044

단어 STATISTICS에서 S가 3개, T가 3개, I가 2개, A가 1개, C가 1개이므로 확률변수 X가 가질 수 있는 값은 1, 2, 3이고, 그 확률은 각각

$P(X=1)=\frac{2}{10}=\frac{1}{5}$, $P(X=2)=\frac{2}{10}=\frac{1}{5}$, $P(X=3)=\frac{6}{10}=\frac{3}{5}$

따라서 확률변수 X의 확률분포를 표로 나타내면 다음과 같다.

X	1	2	3	합계
$P(X=x)$	$\frac{1}{5}$	$\frac{1}{5}$	$\frac{3}{5}$	1

$E(X)=1\times\frac{1}{5}+2\times\frac{1}{5}+3\times\frac{3}{5}=\frac{12}{5}$

$E(X^2)=1^2\times\frac{1}{5}+2^2\times\frac{1}{5}+3^2\times\frac{3}{5}=\frac{32}{5}$

$V(X)=E(X^2)-\{E(X)\}^2=\frac{32}{5}-\left(\frac{12}{5}\right)^2=\frac{16}{25}$

$\therefore \sigma(X)=\sqrt{V(X)}=\sqrt{\frac{16}{25}}=\frac{4}{5}$

답 ③

045

확률변수 X가 가질 수 있는 값은 1000, 6000, 13000

한 개의 주사위를 한 번 던질 때, 3의 배수의 눈이 나올 확률은 $\frac{2}{6}=\frac{1}{3}$이다.

(i) $X=1000$인 경우

왼쪽 아래로 3번 이동해야 하므로

$P(X=1000)={}_3C_3\left(\frac{1}{3}\right)^3\left(\frac{2}{3}\right)^0=\frac{1}{27}$

(ii) $X=6000$인 경우

왼쪽 아래로 2번, 오른쪽 아래로 1번 이동하거나 왼쪽 아래로 1번, 오른쪽 아래로 2번 이동해야 하므로

$P(X=6000)={}_3C_2\left(\frac{1}{3}\right)^2\left(\frac{2}{3}\right)^1+{}_3C_1\left(\frac{1}{3}\right)^1\left(\frac{2}{3}\right)^2=\frac{18}{27}$

(iii) $X=13000$인 경우

오른쪽 아래로 3번 이동해야 하므로

$P(X=13000)={}_3C_0\left(\frac{1}{3}\right)^0\left(\frac{2}{3}\right)^3=\frac{8}{27}$

따라서 확률변수 X의 확률분포를 표로 나타내면 다음과 같다.

X	1000	6000	13000	합계
$P(X=x)$	$\frac{1}{27}$	$\frac{18}{27}$	$\frac{8}{27}$	1

$E(X)=1000\times\frac{1}{27}+6000\times\frac{18}{27}+13000\times\frac{8}{27}$

$=\frac{71000}{3^2}$

$\therefore k=71000$

답 ③

046

한 개의 주사위를 한 번 던질 때, 짝수의 눈이 나올 확률은 $\frac{3}{6}=\frac{1}{2}$이고, 홀수의 눈이 나올 확률은 $\frac{3}{6}=\frac{1}{2}$이다. 한 개의 주사위를 6번 던질 때, 짝수의 눈이 a번, 홀수의 눈이 b번 나왔다고 하면 다음과 같은 표를 얻는다.

a	0	6	1	5	2	4	3
b	6	0	5	1	4	2	3
$X=(a-b)^2$	6^2		4^2		2^2		0

X가 가질 수 있는 값은 0, 2^2, 4^2, 6^2이고, 그 확률은 각각

$P(X=0)={}_6C_3\left(\frac{1}{2}\right)^3\left(\frac{1}{2}\right)^3=\frac{5}{16}$

$P(X=2^2)=2\times{}_6C_2\left(\frac{1}{2}\right)^2\left(\frac{1}{2}\right)^4=\frac{15}{32}$

$P(X=4^2)=2\times{}_6C_1\left(\frac{1}{2}\right)^1\left(\frac{1}{2}\right)^5=\frac{3}{16}$

$P(X=6^2)=2\times{}_6C_0\left(\frac{1}{2}\right)^6=\frac{1}{32}$

따라서 확률변수 X의 확률분포를 표로 나타내면 다음과 같다.

X	0	2^2	4^2	6^2	합계
$P(X=x)$	$\frac{5}{16}$	$\frac{15}{32}$	$\frac{3}{16}$	$\frac{1}{32}$	1

$\therefore E(X)=0\times\frac{5}{16}+2^2\times\frac{15}{32}+4^2\times\frac{3}{16}+6^2\times\frac{1}{32}=6$

답 ③

047

한 번 사격하여 받을 수 있는 점수를 확률변수 X라 하고 가장 중앙에 있는 원을 맞혔을 때의 점수를 a점이라고 하자.

가장 중앙에 있는 원의 반지름의 길이를 r라고 하면 중앙에 있는 표적부터 영역의 넓이를 차례대로 구하면 다음과 같다.

πr^2, $4\pi r^2-\pi r^2=3\pi r^2$, $9\pi r^2-4\pi r^2=5\pi r^2$,

$16\pi r^2-9\pi r^2=7\pi r^2$, $25\pi r^2-16\pi r^2=9\pi r^2$

이때 가장 큰 원의 넓이가 $25\pi r^2$이므로 확률변수 X의 확률분포를 표로 나타내면 다음과 같다.

X	1	5	10	15	a	합계
$\mathrm{P}(X=x)$	$\frac{9}{25}$	$\frac{7}{25}$	$\frac{1}{5}$	$\frac{3}{25}$	$\frac{1}{25}$	1

$$\mathrm{E}(X)=1\times\frac{9}{25}+5\times\frac{7}{25}+10\times\frac{1}{5}+15\times\frac{3}{25}+a\times\frac{1}{25}$$
$$=\frac{139+a}{25}$$

즉, $\frac{139+a}{25}=6.4$이므로 $139+a=160$ $\quad\therefore a=21$(점)

따라서 가장 중앙에 있는 원을 맞혔을 때의 점수는 21점으로 정해야 된다.

답 21점

048

$$\mathrm{E}(X)=0\times\frac{2}{5}+10\times\frac{1}{5}+20\times\frac{3}{10}+30\times\frac{1}{10}=11$$

$$\mathrm{E}(X^2)=0^2\times\frac{2}{5}+10^2\times\frac{1}{5}+20^2\times\frac{3}{10}+30^2\times\frac{1}{10}=230$$

$$\therefore \mathrm{E}(2X^2-3X+1)=2\mathrm{E}(X^2)-3\mathrm{E}(X)+1$$
$$=2\times230-3\times11+1$$
$$=428$$

답 ⑤

049

확률의 총합은 1이므로

$$\frac{-a+2}{10}+\frac{2}{10}+\frac{a+2}{10}+\frac{2a+2}{10}=1$$

$\frac{2a+8}{10}=1$, $2a+8=10$ $\quad\therefore a=1$

따라서 확률변수 X의 확률분포를 표로 나타내면 다음과 같다.

X	-1	0	1	2	합계
$\mathrm{P}(X=x)$	$\frac{1}{10}$	$\frac{1}{5}$	$\frac{3}{10}$	$\frac{2}{5}$	1

$$\mathrm{E}(X)=(-1)\times\frac{1}{10}+0\times\frac{1}{5}+1\times\frac{3}{10}+2\times\frac{2}{5}=1$$

$$\mathrm{E}(X^2)=(-1)^2\times\frac{1}{10}+0^2\times\frac{1}{5}+1^2\times\frac{3}{10}+2^2\times\frac{2}{5}=2$$

$$\mathrm{V}(X)=\mathrm{E}(X^2)-\{\mathrm{E}(X)\}^2=2-1^2=1$$

$$\therefore \mathrm{V}(3X+2)=3^2\mathrm{V}(X)=9\times1=9$$

답 ①

050

세 개의 주사위를 던져서 나온 세 눈의 수를 l, m, n이라고 하면 (l, m, n)에 대하여

(i) 두 수의 차의 최댓값이 1인 경우

$(1, 1, 2)$, $(1, 2, 2)$, $(2, 2, 3)$, $(2, 3, 3)$, $(3, 3, 4)$, $(3, 4, 4)$, $(4, 4, 5)$, $(4, 5, 5)$, $(5, 5, 6)$, $(5, 6, 6)$의 10가지

이때 각 경우마다 나올 수 있는 경우의 수는 $\frac{3!}{2!}=3$이므로

경우의 수는 $3\times10=30$

따라서 두 수의 차의 최댓값이 1인 경우의 확률은

$$a=\frac{30}{6\times6\times6}=\frac{5}{36}$$

(ii) 두 수의 차의 최댓값이 3인 경우

$(1, 4, \square)$ 꼴일 때, $\square$에 올 수 있는 수는 $1, 2, 3, 4$

$(2, 5, \square)$ 꼴일 때, $\square$에 올 수 있는 수는 $2, 3, 4, 5$

$(3, 6, \square)$ 꼴일 때, $\square$에 올 수 있는 수는 $3, 4, 5, 6$

$(1, 4, \square)$ 꼴에서

$\square$에 1 또는 4가 들어가는 경우는 각각 $\frac{3!}{2!}=3$(가지)이고

$\square$에 2 또는 3이 들어가는 경우는 각각 $3!=6$(가지)이므로 경우의 수는 $2\times(3+6)=18$

$(2, 5, \square)$, $(3, 6, \square)$ 꼴인 경우도 마찬가지이므로 경우의 수는 $3\times18=54$

따라서 두 수의 차의 최댓값이 3인 경우의 확률은

$$b=\frac{54}{6\times6\times6}=\frac{1}{4}$$

$$\mathrm{E}(X)=0\times\frac{1}{36}+1\times\frac{5}{36}+2\times\frac{2}{9}+3\times\frac{1}{4}+4\times\frac{2}{9}+5\times\frac{5}{36}$$
$$=\frac{35}{12}$$

$$\therefore \mathrm{E}(Y)=\mathrm{E}(12X+5)=12\mathrm{E}(X)+5=12\times\frac{35}{12}+5=40$$

답 ①

051

두 개의 주사위를 던져서 나온 두 눈의 수를 a, b라고 하면 (a, b)에 대하여

(i) $m\le5$, 즉 $m=2, 3, 4, 5$일 때 $\quad X=\frac{m}{4}$

$m=2$인 경우, $(1, 1)$의 1가지이고 $X=\frac{2}{4}=\frac{1}{2}$이므로

$$\mathrm{P}\left(X=\frac{1}{2}\right)=\frac{1}{36}$$

$m=3$인 경우, $(1, 2)$, $(2, 1)$의 2가지이고 $X=\frac{3}{4}$이므로

$$\mathrm{P}\left(X=\frac{3}{4}\right)=\frac{2}{36}=\frac{1}{18}$$

$m=4$인 경우, $(1, 3)$, $(2, 2)$, $(3, 1)$의 3가지이고

$X=\frac{4}{4}=1$이므로 $\quad\mathrm{P}(X=1)=\frac{3}{36}=\frac{1}{12}$

$m=5$인 경우, $(1, 4)$, $(2, 3)$, $(3, 2)$, $(4, 1)$의 4가지이고

$X=\frac{5}{4}$이므로 $\quad\mathrm{P}\left(X=\frac{5}{4}\right)=\frac{4}{36}=\frac{1}{9}$

(ii) $m>5$, 즉 $m=6, 7, 8, \cdots, 12$일 때 $\quad X=\frac{1}{4}$

$$\mathrm{P}\left(X=\frac{1}{4}\right)=1-\left(\frac{1}{36}+\frac{1}{18}+\frac{1}{12}+\frac{1}{9}\right)=\frac{13}{18}$$

따라서 확률변수 X의 확률분포를 표로 나타내면 다음과 같다.

X	$\frac{1}{4}$	$\frac{1}{2}$	$\frac{3}{4}$	1	$\frac{5}{4}$	합계
$\mathrm{P}(X=x)$	$\frac{13}{18}$	$\frac{1}{36}$	$\frac{1}{18}$	$\frac{1}{12}$	$\frac{1}{9}$	1

$$\mathrm{E}(X)=\frac{1}{4}\times\frac{13}{18}+\frac{1}{2}\times\frac{1}{36}+\frac{3}{4}\times\frac{1}{18}+1\times\frac{1}{12}+\frac{5}{4}\times\frac{1}{9}=\frac{11}{24}$$

$$\therefore \mathrm{E}(6X+1)=6\mathrm{E}(X)+1=6\times\frac{11}{24}+1=\frac{15}{4}$$

답 $\frac{15}{4}$

052

확률변수 X가 각각의 값을 취할 확률은 모두 $\frac{1}{6}$이므로

$$E(X)=1\times\frac{1}{6}+2\times\frac{1}{6}+3\times\frac{1}{6}+4\times\frac{1}{6}+5\times\frac{1}{6}+6\times\frac{1}{6}$$
$$=\frac{7}{2}$$
$$E(X^2)=1^2\times\frac{1}{6}+2^2\times\frac{1}{6}+3^2\times\frac{1}{6}+4^2\times\frac{1}{6}+5^2\times\frac{1}{6}+6^2\times\frac{1}{6}$$
$$=\frac{91}{6}$$
$$\therefore\ V(X)=E(X^2)-\{E(X)\}^2=\frac{91}{6}-\left(\frac{7}{2}\right)^2=\frac{35}{12}$$

확률변수 Y가 각각의 값을 취할 확률은 모두 $\frac{1}{6}$이고

$Y=3X+2$이므로

$$V(Y)=V(3X+2)=3^2V(X)=9\times\frac{35}{12}=\frac{105}{4}$$
$$\therefore\ V(2X)+V(2Y)=2^2V(X)+2^2V(Y)$$
$$=4\times\frac{35}{12}+4\times\frac{105}{4}=\frac{350}{3}$$

답 ⑤

참고

확률변수 Y가 취하는 값이 크므로 $V(Y)$의 값을 직접 구하는 것보다 X, Y 사이의 관계를 이용하여 구한다.

053

접근

확률의 총합이 1임을 이용하여 상수 a의 값을 구하고, 서로 다른 두 점을 지나는 직선의 방정식을 구하여 두 확률변수 X, Y 사이의 관계를 구한다.

확률의 총합은 1이므로

$a+2a+3a+4a=1$

$10a=1\qquad\therefore\ a=\frac{1}{10}$

따라서 확률변수 X의 확률분포를 표로 나타내면 다음과 같다.

X	0	1	2	3	합계
$P(X=x)$	$\frac{1}{10}$	$\frac{1}{5}$	$\frac{3}{10}$	$\frac{2}{5}$	1

$$E(X)=0\times\frac{1}{10}+1\times\frac{1}{5}+2\times\frac{3}{10}+3\times\frac{2}{5}=2$$

한편 주어진 직선은 두 점 $(4, 0)$, $(0, 3)$을 지나므로

직선의 방정식은

x절편이 a이고, y절편이 b인 직선의 방정식은 $\frac{x}{a}+\frac{y}{b}=1$ (단, $ab\neq0$)

$$\frac{x}{4}+\frac{y}{3}=1\qquad\therefore\ y=-\frac{3}{4}x+3$$

점 (X, Y)가 이 직선 위의 점이므로

$$Y=-\frac{3}{4}X+3$$
$$\therefore\ E(Y)=E\left(-\frac{3}{4}X+3\right)=-\frac{3}{4}E(X)+3$$
$$=-\frac{3}{4}\times2+3=\frac{3}{2}$$

답 ②

054

확률변수 X가 가질 수 있는 값은 1, 2, 3

(i) $X=1$인 경우

맨앞에 남학생 3명 중에서 1명을 세우고, 그 뒤에 나머지 4명을 세우면 되므로

$$P(X=1)=\frac{{}_3P_1\times4!}{5!}=\frac{3}{5}$$

(ii) $X=2$인 경우

맨 앞에 여학생 2명 중에서 1명을, 그 뒤에 남학생 3명 중에서 1명을 세우고 나머지 3명을 세우면 되므로

$$P(X=2)=\frac{{}_2P_1\times{}_3P_1\times3!}{5!}=\frac{3}{10}$$

(iii) $X=3$인 경우

여학생 2명을 앞에 세우고, 그 뒤에 남학생 3명을 세우면 되므로

$$P(X=3)=\frac{2!\times3!}{5!}=\frac{1}{10}$$

따라서 확률변수 X의 확률분포를 표로 나타내면 다음과 같다.

X	1	2	3	합계
$P(X=x)$	$\frac{3}{5}$	$\frac{3}{10}$	$\frac{1}{10}$	1

$$E(X)=1\times\frac{3}{5}+2\times\frac{3}{10}+3\times\frac{1}{10}=\frac{3}{2}$$
$$E(X^2)=1^2\times\frac{3}{5}+2^2\times\frac{3}{10}+3^2\times\frac{1}{10}=\frac{27}{10}$$
$$V(X)=E(X^2)-\{E(X)\}^2=\frac{27}{10}-\left(\frac{3}{2}\right)^2=\frac{9}{20}$$
$$\therefore\ E(Y)+V(Y)=E(2X-3)+V(2X-3)$$
$$=2E(X)-3+2^2V(X)$$
$$=2\times\frac{3}{2}-3+4\times\frac{9}{20}=\frac{9}{5}$$

답 $\frac{9}{5}$

055

확률변수 X가 가질 수 있는 값은 0, 1, 2이고, $P(X=2)=\frac{1}{60}$에서 검은 구슬이 2개이려면 동전 2개를 던졌을 때 모두 앞면이 나오고 주머니에서 꺼낸 2개의 구슬이 모두 검은 구슬이어야 한다.

10개의 구슬 중에서 검은 구슬의 개수를 x라고 하면 흰 구슬의 개수는 $(10-x)$이므로

$${}_2C_2\left(\frac{1}{2}\right)^2\times\frac{x}{10}\times\frac{x-1}{9}=\frac{1}{60},\ \frac{x(x-1)}{90}=\frac{1}{15}$$

$x^2-x-6=0$, $(x+2)(x-3)=0$

$\therefore\ x=3$ ($\because\ x\geq0$)

따라서 주머니 속에는 흰 구슬이 7개, 검은 구슬이 3개 들어 있다.

(i) 동전 2개를 던져 앞면이 1개 나오고 주머니에서 꺼낸 1개의 구슬이 검은 구슬일 확률은

$${}_2C_1\left(\frac{1}{2}\right)^1\left(\frac{1}{2}\right)^1\times\frac{3}{10}=\frac{3}{20}$$

(ii) 동전 2개를 던져 모두 앞면이 나오고 주머니에서 꺼낸 2개의 구슬 중 1개만 검은 구슬일 확률은

$${}_2C_2\left(\frac{1}{2}\right)^2\times\left(\frac{3}{10}\times\frac{7}{9}+\frac{7}{10}\times\frac{3}{9}\right)=\frac{7}{60}$$

(i), (ii)에서 $P(X=1)=\frac{3}{20}+\frac{7}{60}=\frac{4}{15}$

$\therefore P(X=0)=1-\{P(X=1)+P(X=2)\}$

$=1-\left(\frac{4}{15}+\frac{1}{60}\right)=\frac{43}{60}$

따라서 확률변수 X의 확률분포를 표로 나타내면 다음과 같다.

X	0	1	2	합계
$P(X=x)$	$\frac{43}{60}$	$\frac{4}{15}$	$\frac{1}{60}$	1

$E(X)=0\times\frac{43}{60}+1\times\frac{4}{15}+2\times\frac{1}{60}=\frac{3}{10}$

$E(X^2)=0^2\times\frac{43}{60}+1^2\times\frac{4}{15}+2^2\times\frac{1}{60}=\frac{1}{3}$

$V(X)=E(X^2)-\{E(X)\}^2=\frac{1}{3}-\left(\frac{3}{10}\right)^2=\frac{73}{300}$

$\therefore V(10X)=10^2V(X)=100\times\frac{73}{300}=\frac{73}{3}$

답 ④

056

확률변수 X가 이항분포 $B(n, p)$를 따르므로

$np=1$ ······ ㉠

$np(1-p)=\frac{9}{10}$ ······ ㉡

㉠을 ㉡에 대입하면 $1-p=\frac{9}{10}$ $\therefore p=\frac{1}{10}$

$p=\frac{1}{10}$을 ㉠에 대입하면 $n=10$

$\therefore P(X<2)=P(X=0)+P(X=1)$

$={}_{10}C_0\left(\frac{1}{10}\right)^0\left(\frac{9}{10}\right)^{10}+{}_{10}C_1\left(\frac{1}{10}\right)^1\left(\frac{9}{10}\right)^9$

$=\left(\frac{9}{10}\right)^{10}+\left(\frac{9}{10}\right)^9$

$=\left(\frac{9}{10}\right)^9\left(\frac{9}{10}+1\right)=\frac{19}{10}\left(\frac{9}{10}\right)^9$

답 ①

057

ㄱ은 옳다.

$Y=2X-3$이므로

$P(Y=1)=P(X=2)={}_9C_2\left(\frac{1}{3}\right)^2\left(\frac{2}{3}\right)^7={}_9C_2\times\frac{2^7}{3^9}$

ㄴ도 옳다.

$E(X)=9\times\frac{1}{3}=3$이므로

$E(Y)=E(2X-3)=2E(X)-3=2\times3-3=3$

$E(X+Y)=E(3X-3)=3E(X)-3=3\times3-3=6$

$E(X)+E(Y)=3+3=6$

$\therefore E(X+Y)=E(X)+E(Y)$

ㄷ은 옳지 않다.

$V\left(2X-\frac{1}{2}Y\right)=V\left(2X-X+\frac{3}{2}\right)=V\left(X+\frac{3}{2}\right)=V(X)$

$V(2X)-V\left(X-\frac{3}{2}\right)=2^2V(X)-V(X)=3V(X)$

$\therefore V\left(2X-\frac{1}{2}Y\right)\neq V(2X)-V\left(X-\frac{3}{2}\right)$

따라서 옳은 것은 ㄱ, ㄴ이다.

답 ③

058

확률변수 X는 이항분포 $B\left(25, \frac{2}{5}\right)$를 따르므로

$E(X)=25\times\frac{2}{5}=10$, $V(X)=25\times\frac{2}{5}\times\frac{3}{5}=6$

$V(X)=E(X^2)-\{E(X)\}^2$에서

$E(X^2)=V(X)+\{E(X)\}^2=6+10^2=106$

$\therefore f(a)=E((X-a)^2)$

$=E(X^2-2aX+a^2)$

$=E(X^2)-2aE(X)+a^2$

$=a^2-20a+106$

$=(a-10)^2+6$

따라서 $f(a)$는 $a=10$일 때 최솟값 6을 갖는다.

답 6

059

A 부품이 합격품일 확률은 $\frac{9}{10}$, B 부품이 합격품일 확률은 $\frac{14}{15}$이므로 두 부품이 모두 합격품일 확률은

$\frac{9}{10}\times\frac{14}{15}=\frac{21}{25}$

따라서 확률변수 X는 이항분포 $B\left(100, \frac{21}{25}\right)$을 따르므로

$V(X)=100\times\frac{21}{25}\times\frac{4}{25}=\frac{336}{25}$

$\therefore \sigma(X)=\sqrt{V(X)}=\sqrt{\frac{336}{25}}=\frac{4\sqrt{21}}{5}$

답 ③

060

이차방정식 $x^2-(a+2)x+4=0$이 서로 다른 두 실근을 가지려면 이 이차방정식의 판별식을 D라고 할 때

$D=(a+2)^2-16>0$

$a^2+4a-12>0$, $(a+6)(a-2)>0$

$\therefore a>2$ ($\because a>0$)

즉, a는 3, 4, 5, 6이므로 사건 A가 일어날 확률은 $\frac{4}{6}=\frac{2}{3}$

따라서 확률변수 X는 이항분포 $B\left(180, \frac{2}{3}\right)$를 따르므로

$V(X)=180\times\frac{2}{3}\times\frac{1}{3}=40$

답 ⑤

061

확률변수 X가 이항분포 $B\left(16, \frac{1}{2}\right)$을 따르면

$E(X)=16\times\frac{1}{2}=8$, $V(X)=16\times\frac{1}{2}\times\frac{1}{2}=4$

$\therefore f(1)+2^2f(2)+3^2f(3)+\cdots+16^2f(16)$

$=E(X^2)$

$=V(X)+\{E(X)\}^2$ ($\because V(X)=E(X^2)-\{E(X)\}^2$)

$=4+8^2=68$

답 68

062

$\mathrm{V}(X)=\mathrm{E}(X^2)-\{\mathrm{E}(X)\}^2=40-6^2=4$

확률변수 X가 이항분포 $\mathrm{B}(n, p)$를 따르므로

$np=6,\ np(1-p)=4$

위의 두 식을 연립하여 풀면 $n=18,\ p=\frac{1}{3}$

$$\therefore \mathrm{P}(X=1)+\mathrm{P}(X=2)={}_{18}\mathrm{C}_1\left(\frac{1}{3}\right)^1\left(\frac{2}{3}\right)^{17}+{}_{18}\mathrm{C}_2\left(\frac{1}{3}\right)^2\left(\frac{2}{3}\right)^{16}$$
$$=\frac{1}{3}\left(\frac{2}{3}\right)^{16}\left(18\times\frac{2}{3}+153\times\frac{1}{3}\right)$$
$$=\frac{1}{3}\left(\frac{2}{3}\right)^{16}\times 63=21\times\left(\frac{2}{3}\right)^{16}$$

$\therefore k=21$

답 ①

063

주사위를 100번 던져서 짝수의 눈이 나오는 횟수를 확률변수 X라고 하면 홀수의 눈이 나오는 횟수는 $100-X$이다.

확률변수 X는 이항분포 $\mathrm{B}\left(100, \frac{1}{2}\right)$을 따르므로

$\mathrm{E}(X)=100\times\frac{1}{2}=50$

따라서 점 P의 좌표를 Y라고 하면

$Y=2X-(100-X)=3X-100$

이므로

$$\mathrm{E}(Y)=\mathrm{E}(3X-100)=3\mathrm{E}(X)-100$$
$$=3\times 50-100=50$$

답 50

064

주사위를 던지는 시행은 독립시행이고, 주사위를 한 번 던질 때 4의 눈이 나올 확률은 $\frac{1}{6}$이므로 확률변수 X는 이항분포 $\mathrm{B}\left(10, \frac{1}{6}\right)$을 따른다.

$\therefore \mathrm{E}(4^X)$

$$=4^0\,{}_{10}\mathrm{C}_0\left(\frac{1}{6}\right)^0\left(\frac{5}{6}\right)^{10}+4^1\,{}_{10}\mathrm{C}_1\left(\frac{1}{6}\right)^1\left(\frac{5}{6}\right)^9+4^2\,{}_{10}\mathrm{C}_2\left(\frac{1}{6}\right)^2\left(\frac{5}{6}\right)^8+\cdots+4^{10}\,{}_{10}\mathrm{C}_{10}\left(\frac{1}{6}\right)^{10}\left(\frac{5}{6}\right)^0$$
$$={}_{10}\mathrm{C}_0\left(\frac{4}{6}\right)^0\left(\frac{5}{6}\right)^{10}+{}_{10}\mathrm{C}_1\left(\frac{4}{6}\right)^1\left(\frac{5}{6}\right)^9+{}_{10}\mathrm{C}_2\left(\frac{4}{6}\right)^2\left(\frac{5}{6}\right)^8+\cdots+{}_{10}\mathrm{C}_{10}\left(\frac{4}{6}\right)^{10}\left(\frac{5}{6}\right)^0$$
$$=\left(\frac{4}{6}+\frac{5}{6}\right)^{10}=\left(\frac{3}{2}\right)^{10}$$

따라서 구하는 기댓값은 $\left(\frac{3}{2}\right)^{10}$원이다.

답 ④

065

접근

확률변수 X가 이항분포 $\mathrm{B}\left(18, \frac{1}{3}\right)$을 따르므로 X의 확률질량함수는 $\mathrm{P}(X=x)={}_{18}\mathrm{C}_x\left(\frac{1}{3}\right)^x\left(\frac{2}{3}\right)^{18-x}$임을 이용한다.

$A=\{1, 2, 3, \cdots, 18\},\ B=\{0, 1\}$이므로

$A\cap B=\{1\}$

확률변수 X가 이항분포 $\mathrm{B}\left(18, \frac{1}{3}\right)$을 따르므로

$$\mathrm{P}(B)=\mathrm{P}(X=0)+\mathrm{P}(X=1)$$
$$={}_{18}\mathrm{C}_0\left(\frac{1}{3}\right)^0\left(\frac{2}{3}\right)^{18}+{}_{18}\mathrm{C}_1\left(\frac{1}{3}\right)^1\left(\frac{2}{3}\right)^{17}$$
$$=10\times\left(\frac{2}{3}\right)^{18}$$

$$\therefore \mathrm{P}(A|B)=\frac{\mathrm{P}(A\cap B)}{\mathrm{P}(B)}=\frac{\mathrm{P}(X=1)}{\mathrm{P}(B)}$$
$$=\frac{6\times\left(\frac{2}{3}\right)^{17}}{10\times\left(\frac{2}{3}\right)^{18}}=\frac{9}{10}$$

답 ⑤

066

확률변수 X가 갖는 값이 $1, 3, 5, 7, \cdots, 29, 31, 33$이므로 확률변수 Y를 $X=2Y+1$, 즉 $Y=\frac{X-1}{2}$로 놓으면 Y는 이항분포 $\mathrm{B}\left(16, \frac{1}{4}\right)$을 따른다.

1부터 33까지의 홀수는 17개

Y가 갖는 값은 $0, 1, 2, 3, \cdots, 14, 15, 16$

$\mathrm{E}(Y)=16\times\frac{1}{4}=4,\ \mathrm{V}(Y)=16\times\frac{1}{4}\times\frac{3}{4}=3$이므로

$\mathrm{E}(X)=\mathrm{E}(2Y+1)=2\mathrm{E}(Y)+1=2\times 4+1=9$

$\mathrm{V}(X)=\mathrm{V}(2Y+1)=2^2\mathrm{V}(Y)=4\times 3=12$

따라서

$\mathrm{E}(2X+1)=2\mathrm{E}(X)+1=2\times 9+1=19$

$\mathrm{V}(3X+2)=3^2\mathrm{V}(X)=9\times 12=108$

이므로

$\mathrm{E}(2X+1)+\mathrm{V}(3X+2)=19+108=127$

답 127

06 정규분포

067

ㄱ. 축구 경기의 점수는 음이 아닌 정수의 값을 가지므로 이산확률변수이다.

ㄴ. 건전지의 수명 시간은 양의 실수의 값을 가지므로 연속확률변수이다.

ㄷ. 배차 간격이 7분인 버스를 기다리는 시간 x는 $0\le x\le 7$인 실수의 값을 가지므로 연속확률변수이다.

ㄹ. 두 개의 주사위를 던질 때 나오는 눈의 수의 합은 $2, 3, 4, \cdots, 12$이므로 이산확률변수이다.

ㅁ. 한 개의 동전을 10번 던질 때 앞면이 나오는 횟수는 $0, 1, 2, \cdots, 10$이므로 이산확률변수이다.

따라서 연속확률변수인 것은 ㄴ, ㄷ의 2개이다.

답 2

068

$0 \le x \le 4$에서 함수 $y=f(x)$의 그래프는 오른쪽 그림과 같다.

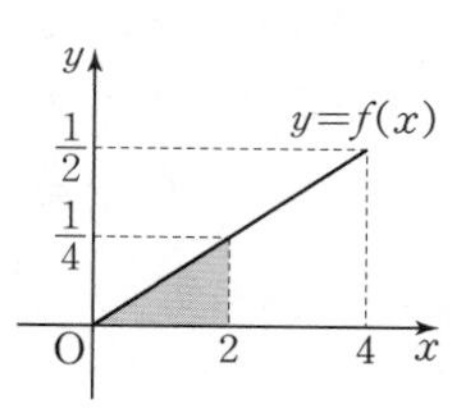

$\mathrm{P}(0<X\le 2)$는 $f(x)=\frac{1}{8}x$의 그래프와 x축 및 직선 $x=2$로 둘러싸인 부분의 넓이와 같으므로

$\mathrm{P}(0<X\le 2)=\frac{1}{2}\times 2\times \frac{1}{4}=\frac{1}{4}$

따라서 $p=4$, $q=1$이므로 $pq=4$

답 ②

069

$0\le x\le 1$에서 함수 $y=f(x)$의 그래프는 오른쪽 그림과 같다.

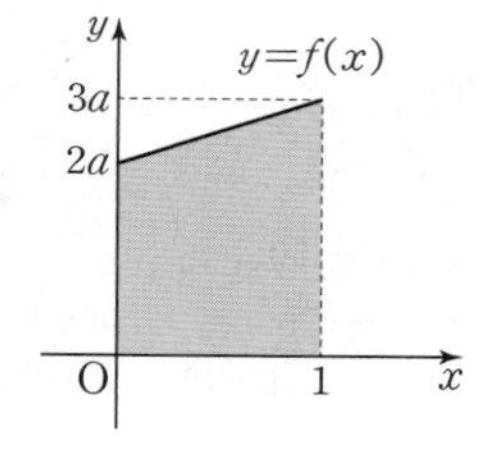

$y=f(x)$의 그래프와 x축 및 두 직선 $x=0$, $x=1$로 둘러싸인 부분의 넓이가 1이므로

$\frac{1}{2}\times(2a+3a)\times 1=1$

$\frac{5}{2}a=1 \qquad \therefore a=\frac{2}{5}$

답 ④

070

ㄱ, ㄴ은 옳다.

$f(x)=ax+b(0\le x\le 1)$가 확률밀도함수가 되려면

$f(0)=b\ge 0$, $f(1)=a+b\ge 0$

ㄷ은 옳지 않다.

직선 $y=f(x)$와 x축, y축 및 직선 $x=1$로 둘러싸인 부분의 넓이가 1이므로 $\frac{1}{2}\{b+(a+b)\}\times 1=1 \qquad \therefore a+2b=2$

따라서 옳은 것은 ㄱ, ㄴ이다.

답 ③

071

$0\le x\le 2$에서 함수 $y=f(x)$의 그래프는 오른쪽 그림과 같다. $\mathrm{P}(x>a)$는 함수 $y=f(x)$의 그래프와 x축 및 직선 $x=a$로 둘러싸인 부분의 넓이와 같으므로

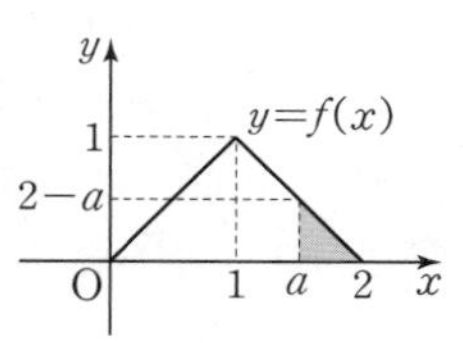

$\mathrm{P}(X>a)=\frac{1}{2}(2-a)(2-a)$

$=\frac{1}{2}(2-a)^2$

$=\frac{1}{8}$

$(2-a)^2=\frac{1}{4}$, $2-a=\pm\frac{1}{2} \qquad \therefore a=\frac{3}{2}$ 또는 $a=\frac{5}{2}$

이때 $a<2$이므로 $a=\frac{3}{2}$

답 $\frac{3}{2}$

참고

$\mathrm{P}(0\le X\le 1)=\frac{1}{2}\times 1\times 1=\frac{1}{2}$

$\mathrm{P}(0\le X\le a)=1-\mathrm{P}(X>a)=1-\frac{1}{8}=\frac{7}{8}$

이므로 $a\ge 1$

072

$12x^2-7x+1=0$에서 $(3x-1)(4x-1)=0$

$\therefore x=\frac{1}{3}$ 또는 $x=\frac{1}{4}$

이때 $\mathrm{P}(X\le 0)\le \mathrm{P}(X\le 1)$이므로

$\mathrm{P}(X\le 0)=\frac{1}{4}$, $\mathrm{P}(X\le 1)=\frac{1}{3}$

$\therefore \mathrm{P}(0<X\le 1)=\mathrm{P}(X\le 1)-\mathrm{P}(X\le 0)$

$=\frac{1}{3}-\frac{1}{4}=\frac{1}{12}$

답 ①

073

$\mathrm{P}\left(a\le X\le a+\frac{1}{2}\right)$은 주어진 확률밀도함수의 그래프와 x축 및 두 직선 $x=a$, $x=a+\frac{1}{2}$로 둘러싸인 부분의 넓이와 같다.

이때 $\mathrm{P}\left(a\le X\le a+\frac{1}{2}\right)$의 값이 최대가 되려면 오른쪽 그림과 같이 두 점 $(a, 0)$, $\left(a+\frac{1}{2}, 0\right)$이 직선 $x=1$에 대하여 대칭이 되어야 하므로

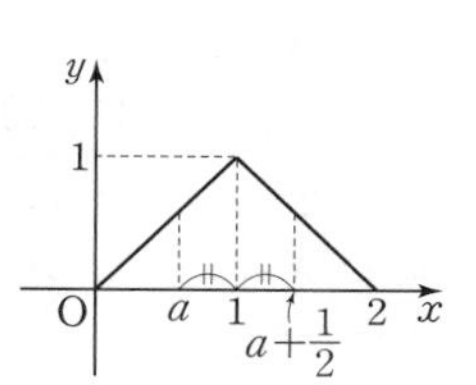

$\frac{a+a+\frac{1}{2}}{2}=1$, $2a+\frac{1}{2}=2 \qquad \therefore a=\frac{3}{4}$

답 ④

074

④ m의 값이 일정할 때, σ의 값이 클수록 가운데 부분의 높이가 낮아지면서 그래프의 모양은 양쪽으로 퍼지고 σ의 값이 작을수록 가운데 부분의 높이가 높아지면서 그래프의 모양은 뾰족하게 된다.

답 ④

075

$\mathrm{P}(X\le m+\sigma)=0.7882$에서

$\mathrm{P}(X\le m)+\mathrm{P}(m\le X\le m+\sigma)=0.5+\mathrm{P}(m\le X\le m+\sigma)$

$=0.7882$

$\therefore \mathrm{P}(m\le X\le m+\sigma)=0.2882$

$\therefore \mathrm{P}(m-\sigma\le X\le m+\sigma)$

$=\mathrm{P}(m-\sigma\le X\le m)+\mathrm{P}(m\le X\le m+\sigma)$

$=2\mathrm{P}(m\le X\le m+\sigma)$

$=2\times 0.2882=0.5764$

답 0.5764

076

ㄱ은 옳지 않다.

분산이 클수록 높이는 낮아지고 폭이 넓어지므로 X의 분산이 Y의 분산보다 크다.

$\therefore \mathrm{V}(X)>\mathrm{V}(Y)$

ㄴ은 옳다.

평균이 클수록 대칭축이 오른쪽에 있으므로 Y의 평균이 X의 평균보다 크다.

$\therefore \mathrm{E}(X)<\mathrm{E}(Y)$

ㄷ도 옳다.

$f(\mathrm{E}(X))$, $g(\mathrm{E}(Y))$는 각각 $x=\mathrm{E}(X)$, $x=\mathrm{E}(Y)$일 때의 y의 값이므로 그래프의 꼭짓점의 y좌표와 같다.

$\therefore f(\mathrm{E}(X))<g(\mathrm{E}(Y))$

따라서 옳은 것은 ㄴ, ㄷ이다.

답 ⑤

077

두 확률변수 X, Y의 확률밀도함수를 각각 $f(x)$, $g(x)$라고 하면 두 곡선 $y=f(x)$, $y=g(x)$는 모두 직선 $x=10$에 대하여 대칭이고, $a<b$이므로 함수 $y=g(x)$의 그래프는 함수 $y=f(x)$의 그래프보다 높이는 낮아지고 폭이 넓다.

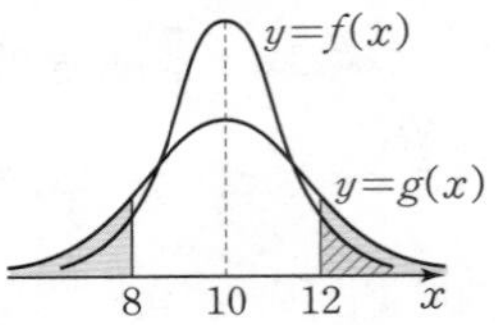

따라서 오른쪽 그림에서

$\mathrm{P}(X\geq 12)<\mathrm{P}(Y\geq 12)$

$\therefore p<q$

또, $\mathrm{P}(X\geq 12)=\mathrm{P}(X\leq 8)$이므로 $p=r$

$\therefore p=r<q$

답 ④

078

$\sigma(2X)=10$이므로 $2\sigma(X)=10$ $\quad\therefore \sigma=\sigma(X)=5$

$\mathrm{P}(X\leq 60)=\mathrm{P}(X\geq 110)$이고 확률변수 X를 따르는 정규분포곡선은 직선 $x=m$에 대하여 대칭이므로 60, 110의 평균이 확률변수 X의 평균이다.

$\therefore m=\dfrac{60+110}{2}=85$

$\therefore m+\sigma=90$

답 ③

풍쌤 비법

정규분포곡선 $y=f(x)$의 성질

(1) 직선 $x=m$에 대하여 대칭인 종 모양의 곡선이다.

➡ $f(m+x)=f(m-x)$

(2) $\mathrm{P}(X\leq a)=\mathrm{P}(X\geq b)$이면 a, b의 평균이 m이다.

➡ $m=\dfrac{a+b}{2}$

079

$\mathrm{E}\left(\dfrac{1}{3}X+1\right)=51$에서 $\dfrac{1}{3}\mathrm{E}(X)+1=51$, $\dfrac{1}{3}\mathrm{E}(X)=50$

$\therefore m=\mathrm{E}(X)=150$

$\mathrm{P}(X<a-1)=\mathrm{P}(X>b)$이고 정규분포곡선은 직선 $x=m$에 대하여 대칭이므로 $a-1$, b의 평균이 확률변수 X의 평균이다.

즉, $\dfrac{(a-1)+b}{2}=150$이므로

$a-1+b=300$ $\quad\therefore a+b=301$

답 301

080

정규분포곡선은 직선 $x=m$에 대하여 대칭이고 $\mathrm{P}(X\leq 20)=\mathrm{P}(X\geq 44)$이므로 20, 44의 평균이 확률변수 X의 평균이다.

$\therefore m=\dfrac{20+44}{2}=32$

$\mathrm{P}(a\leq X\leq a+10)$의 값이 최대일 때는 a와 $a+10$의 평균이 32일 때이므로

$\dfrac{a+a+10}{2}=32$

$2a+10=64$, $2a=54$ $\quad\therefore a=27$

답 ②

081

①은 옳다.

$$\begin{aligned}\mathrm{P}(30\leq X\leq 40)&=\mathrm{P}\left(\frac{30-30}{5}\leq Z\leq\frac{40-30}{5}\right)\\&=\mathrm{P}(0\leq Z\leq 2)\\&=0.4772\end{aligned}$$

②도 옳다.

$$\begin{aligned}\mathrm{P}(20\leq X\leq 30)&=\mathrm{P}\left(\frac{20-30}{5}\leq Z\leq\frac{30-30}{5}\right)\\&=\mathrm{P}(-2\leq Z\leq 0)\\&=\mathrm{P}(0\leq Z\leq 2)\\&=0.4772\end{aligned}$$

③은 옳지 않다.

$$\begin{aligned}\mathrm{P}(X\leq 40)&=\mathrm{P}\left(Z\leq\frac{40-30}{5}\right)\\&=\mathrm{P}(Z\leq 2)\\&=\mathrm{P}(Z\leq 0)+\mathrm{P}(0\leq Z\leq 2)\\&=0.5+0.4772=0.9772\end{aligned}$$

④는 옳다.

$$\begin{aligned}\mathrm{P}(X\leq 20)&=\mathrm{P}\left(Z\leq\frac{20-30}{5}\right)\\&=\mathrm{P}(Z\leq -2)\\&=\mathrm{P}(Z\leq 0)-\mathrm{P}(-2\leq Z\leq 0)\\&=\mathrm{P}(Z\geq 0)-\mathrm{P}(0\leq Z\leq 2)\\&=0.5-0.4772=0.0228\end{aligned}$$

⑤도 옳다.

$$\begin{aligned}\mathrm{P}(X\geq 20)&=1-\mathrm{P}(X\leq 20)\\&=1-0.0228=0.9772\end{aligned}$$

답 ③

082

$V\left(\frac{1}{5}X\right)=\left(\frac{1}{5}\right)^2V(X)=4$에서 $V(X)=100$

즉, $\sigma^2=100$이므로 $\sigma=10$ ($\because \sigma>0$)

한편 X가 정규분포를 따르고 $P(10<X<17)=P(13<X<20)$ 이므로

$$P\left(\frac{10-m}{10}<Z<\frac{17-m}{10}\right)=P\left(\frac{13-m}{10}<Z<\frac{20-m}{10}\right)$$

이때 표준정규분포곡선이 오른쪽 그림과 같으므로

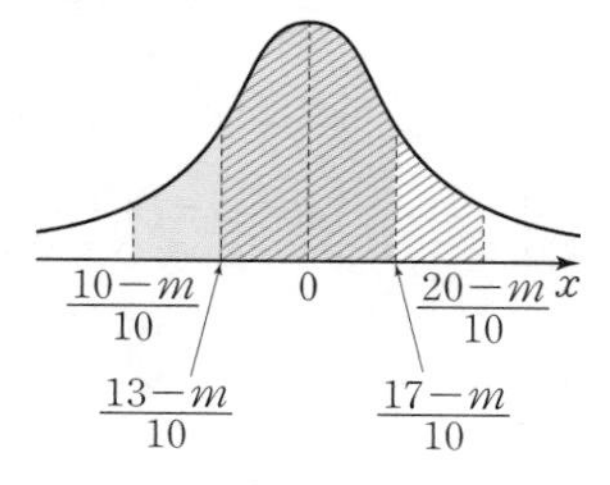

$\frac{13-m}{10}+\frac{17-m}{10}=0$

$30-2m=0$ $\therefore m=15$

$\therefore m+\sigma=25$

답 ④

다른 풀이

$\frac{10-m}{10}+\frac{20-m}{10}=0$이므로 $30-2m=0$ $\therefore m=15$

083

접근

두 확률변수 X, Y를 각각 표준화한 후, 주어진 등식을 이용하여 k의 값을 구한다.

확률변수 X는 정규분포 $N(80,\ 10^2)$을 따르므로

$Z_X=\frac{X-80}{10}$으로 놓으면 확률변수 Z_X는 표준정규분포 $N(0,\ 1)$을 따른다.

$\therefore P(80\le X\le k)=P\left(0\le Z_X\le\frac{k-80}{10}\right)$ …… ㉠

또, 확률변수 Y는 정규분포 $N(50,\ 6^2)$을 따르므로 $Z_Y=\frac{Y-50}{6}$으로 놓으면 확률변수 Z_Y는 표준정규분포 $N(0,\ 1)$을 따른다.

$\therefore P(38\le Y\le 50)=P(-2\le Z_Y\le 0)$

$=P(0\le Z_Y\le 2)$ …… ㉡

$P(80\le X\le k)=P(38\le Y\le 50)$이므로 ㉠, ㉡에서

$\frac{k-80}{10}=2$, $k-80=20$ $\therefore k=100$

답 100

084

파프리카 한 개의 무게를 확률변수 X라고 하면 X는 정규분포 $N(180,\ 20^2)$을 따른다. 이때 $Z=\frac{X-180}{20}$으로 놓으면 확률변수 Z는 표준정규분포 $N(0,\ 1)$을 따르므로 구하는 확률은

$P(190\le X\le 210)=P\left(\frac{190-180}{20}\le Z\le\frac{210-180}{20}\right)$

$=P(0.5\le Z\le 1.5)$

$=P(0\le Z\le 1.5)-P(0\le Z\le 0.5)$

$=0.4332-0.1915=0.2417$

답 ⑤

085

사탕과 초콜릿의 무게를 각각 확률변수 X, Y라고 하면 X는 정규분포 $N(150,\ 4^2)$을 따르고, Y는 정규분포 $N(250,\ 5^2)$을 따른다.

이때 $Z_X=\frac{X-150}{4}$으로 놓으면 확률변수 Z_X는 표준정규분포 $N(0,\ 1)$을 따르므로 사탕 한 개의 무게가 162 g 이하일 확률은

$P(X\le 162)=P\left(Z_X\le\frac{162-150}{4}\right)$

$=P(Z_X\le 3)=P(Z_X\ge -3)$ …… ㉠

또, $Z_Y=\frac{Y-250}{5}$으로 놓으면 확률변수 Z_Y는 표준정규분포 $N(0,\ 1)$을 따르므로 초콜릿 한 개의 무게가 k g 이상일 확률은

$P(Y\ge k)=P\left(Z_Y\ge\frac{k-250}{5}\right)$ …… ㉡

$P(X\le 162)=P(Y\ge k)$이므로 ㉠, ㉡에서

$\frac{k-250}{5}=-3$, $k-250=-15$

$\therefore k=235$

답 ①

086

$Z=\frac{X-m}{\frac{m}{2}}$으로 놓으면 확률변수 Z는 표준정규분포 $N(0,\ 1)$을 따르므로

$P\left(X\le\frac{9}{2}\right)=P\left(Z\le\frac{\frac{9}{2}-m}{\frac{m}{2}}\right)=P\left(Z\le\frac{9-2m}{m}\right)$

$=0.9772$

이때

$0.9772=0.5+0.4772=P(X\le 0)+P(0\le X\le 2)$

$=P(X\le 2)$

이므로 $\frac{9-2m}{m}=2$

$9-2m=2m$, $4m=9$ $\therefore m=\frac{9}{4}$

답 $\frac{9}{4}$

087

시험 응시자의 점수를 확률변수 X라고 하면 X는 정규분포 $N(63,\ 10^2)$을 따른다. 이때 $Z=\frac{X-63}{10}$으로 놓으면 확률변수 Z는 표준정규분포 $N(0,\ 1)$을 따르므로

$P(X\ge 70)=P\left(Z\ge\frac{70-63}{10}\right)=P(Z\ge 0.7)$

$=0.5-P(0\le Z\le 0.7)$

$=0.5-0.2580=0.2420$

따라서 합격자의 수는

$2000\times 0.2420=484$

답 ④

088

확률변수 X가 이항분포 $B\left(180, \frac{5}{6}\right)$를 따르므로

$E(X)=180\times\frac{5}{6}=150$, $V(X)=180\times\frac{5}{6}\times\frac{1}{6}=25$

이때 $np=180\times\frac{5}{6}=150\geq5$, $nq=180\times\frac{1}{6}=30\geq5$이므로

X는 근사적으로 정규분포 $N(150, 5^2)$을 따른다.

한편 $Z=\frac{X-150}{5}$으로 놓으면 확률변수 Z는 표준정규분포

$N(0, 1)$을 따르므로

$$\begin{aligned}P(X\geq155)&=P\left(Z\geq\frac{155-150}{5}\right)=P(Z\geq1)\\&=P(Z\geq0)-P(0\leq Z\leq1)\\&=0.5-0.3413=0.1587\end{aligned}$$

답 0.1587

089

불량품의 개수를 확률변수 X라고 하면 X는 이항분포

$B(100, 0.1)$을 따르므로

$E(X)=100\times0.1=10$

$V(X)=100\times0.1\times0.9=9$

이때 $np=100\times0.1=10\geq5$, $nq=100\times0.9=90\geq5$이므로 X는 근사적으로 정규분포 $N(10, 3^2)$을 따른다.

한편 $Z=\frac{X-10}{3}$으로 놓으면 확률변수 Z는 표준정규분포

$N(0, 1)$을 따르므로 구하는 확률은

$$\begin{aligned}P(X\leq4)&=P\left(Z\leq\frac{4-10}{3}\right)\\&=P(Z\leq-2)=P(Z\geq2)\\&=P(Z\geq0)-P(0\leq Z\leq2)\\&=0.5-P(0\leq Z\leq2)\\&=0.5-0.4772=0.0228\end{aligned}$$

답 ②

090

확률변수 X는 이항분포 $B\left(720, \frac{1}{6}\right)$을 따르므로

$E(X)=720\times\frac{1}{6}=120$, $V(X)=720\times\frac{1}{6}\times\frac{5}{6}=100$

이때 $np=720\times\frac{1}{6}=120\geq5$, $nq=720\times\frac{5}{6}=600\geq5$이므로

X는 근사적으로 정규분포 $N(120, 10^2)$을 따른다.

한편 $Z=\frac{X-120}{10}$으로 놓으면 확률변수 Z는 표준정규분포

$N(0, 1)$을 따르므로

$$\begin{aligned}P(110\leq X\leq140)&=P\left(\frac{110-120}{10}\leq Z\leq\frac{140-120}{10}\right)\\&=P(-1\leq Z\leq2)\\&=P(-1\leq Z\leq0)+P(0\leq Z\leq2)\\&=P(0\leq Z\leq1)+P(0\leq Z\leq2)\\&=0.3413+0.4772=0.8185\end{aligned}$$

답 ②

091

확률변수 X가 이항분포 $B\left(100, \frac{1}{5}\right)$을 따르므로

$E(X)=100\times\frac{1}{5}=20$, $V(X)=100\times\frac{1}{5}\times\frac{4}{5}=16$

이때 $np=100\times\frac{1}{5}=20\geq5$, $nq=100\times\frac{4}{5}=80\geq5$이므로

X는 근사적으로 정규분포 $N(20, 4^2)$을 따른다.

한편 $Z=\frac{X-20}{4}$으로 놓으면 확률변수 Z는 표준정규분포

$N(0, 1)$을 따르므로

$$\begin{aligned}P\left(\left|\frac{X}{40}-\frac{1}{2}\right|<\frac{1}{5}\right)&=P\left(-\frac{1}{5}<\frac{X}{40}-\frac{1}{2}<\frac{1}{5}\right)\\&=P\left(\frac{3}{10}<\frac{X}{40}<\frac{7}{10}\right)\\&=P(12<X<28)\\&=P\left(\frac{12-20}{4}<Z<\frac{28-20}{4}\right)\\&=P(-2<Z<2)\\&=P(-2<Z<0)+P(0<Z<2)\\&=P(0<Z<2)+P(0<Z<2)\\&=2P(0<Z<2)\\&=2\times0.4772=0.9544\end{aligned}$$

답 ④

092

접근

선분 A_iA_j가 정오각형의 변이 되는 횟수를 확률변수 X라고 하면 X는 이항분포 $B\left(400, \frac{5}{{}_5C_2}\right)$를 따름을 이용한다.

정오각형 $A_1A_2A_3A_4A_5$의 꼭짓점 중에서 서로 다른 두 점을 택하는 경우의 수는 ${}_5C_2=10$

정오각형 $A_1A_2A_3A_4A_5$의 변의 개수가 5이므로 선분 A_iA_j가 정오각형의 변이 될 확률은 $\frac{5}{10}=\frac{1}{2}$

선분 A_iA_j가 정오각형의 변이 되는 횟수를 확률변수 X라고 하면

X는 이항분포 $B\left(400, \frac{1}{2}\right)$을 따르므로

$E(X)=400\times\frac{1}{2}=200$, $V(X)=400\times\frac{1}{2}\times\frac{1}{2}=100$

이때 $np=400\times\frac{1}{2}=200\geq5$, $nq=400\times\frac{1}{2}=200\geq5$이므로 X는 근사적으로 정규분포 $N(200, 10^2)$을 따른다.

한편 $Z=\frac{X-200}{10}$으로 놓으면 확률변수 Z는 표준정규분포

$N(0, 1)$을 따르므로 구하는 확률은

$$\begin{aligned}P(X\geq210)&=P\left(Z\geq\frac{210-200}{10}\right)\\&=P(Z\geq1)\\&=P(Z\geq0)-P(0\leq Z\leq1)\\&=0.5-P(0\leq Z\leq1)\\&=0.5-0.3413=0.1587\end{aligned}$$

답 ③

093

사건 E가 일어나려면 두 상자 A, B에서 꺼낸 카드에 적혀 있는 숫자가 모두 홀수이어야 하므로

$\mathrm{P}(E)=\frac{1}{2}\times\frac{1}{2}=\frac{1}{4}$

사건 E가 일어나는 횟수를 확률변수 X라고 하면 X는 이항분포 $\mathrm{B}\left(1200,\ \frac{1}{4}\right)$을 따르므로

$\mathrm{E}(X)=1200\times\frac{1}{4}=300$

$\mathrm{V}(X)=1200\times\frac{1}{4}\times\frac{3}{4}=225$

이때 $np=1200\times\frac{1}{4}=300\geq5$, $nq=1200\times\frac{3}{4}=900\geq5$이므로 X는 근사적으로 정규분포 $\mathrm{N}(300,\ 15^2)$을 따른다.

한편 $Z=\frac{X-300}{15}$으로 놓으면 확률변수 Z는 표준정규분포 $\mathrm{N}(0,\ 1)$을 따르므로 구하는 확률은

$$\begin{aligned}\mathrm{P}(X\leq270)&=\mathrm{P}\left(Z\leq\frac{270-300}{15}\right)\\&=\mathrm{P}(Z\leq-2)=\mathrm{P}(Z\geq2)\\&=\mathrm{P}(Z\geq0)-\mathrm{P}(0\leq Z\leq2)\\&=0.5-\mathrm{P}(0\leq Z\leq2)\\&=0.5-0.477=0.023\end{aligned}$$

답 ①

094

다시 식당을 방문하는 손님의 수를 확률변수 X라고 하면 X는 이항분포 $\mathrm{B}(300,\ 0.75)$를 따르므로

$\mathrm{E}(X)=300\times0.75=225$

$\mathrm{V}(X)=300\times0.75\times0.25=56.25$

이때 $np=300\times0.75=225\geq5$, $nq=300\times0.25=75\geq5$이므로 X는 근사적으로 정규분포 $\mathrm{N}(225,\ 7.5^2)$을 따른다.

한편 $Z=\frac{X-225}{7.5}$로 놓으면 확률변수 Z는 표준정규분포 $\mathrm{N}(0,\ 1)$을 따른다.

다시 이 식당을 방문하는 손님이 n명 이상일 확률이 0.023이므로

$$\begin{aligned}\mathrm{P}(X\geq n)&=\mathrm{P}\left(Z\geq\frac{n-225}{7.5}\right)\\&=\mathrm{P}(Z\geq0)-\mathrm{P}\left(0\leq Z\leq\frac{n-225}{7.5}\right)\\&=0.5-\mathrm{P}\left(0\leq Z\leq\frac{n-225}{7.5}\right)=0.023\end{aligned}$$

$\therefore\ \mathrm{P}\left(0\leq Z\leq\frac{n-225}{7.5}\right)=0.5-0.023=0.477$

이때 $\mathrm{P}(0\leq Z\leq2)=0.477$이므로 $\frac{n-225}{7.5}=2$ $\quad\therefore\ n=240$

답 240

095

$f(x)$, $g(x)$가 확률밀도함수이므로 $f(x)\geq0$, $g(x)\geq0$이고, 함수 $y=f(x)$의 그래프와 x축 및 두 직선 $x=0$, $x=1$로 둘러싸인 부분의 넓이는 1이고, 함수 $y=g(x)$의 그래프와 x축 및 두 직선 $x=0$, $x=1$로 둘러싸인 부분의 넓이도 1이다.

ㄱ은 확률밀도함수가 될 수 없다.

$f(x)+g(x)\geq0$이지만 함수 $y=f(x)+g(x)$의 그래프와 x축 및 두 직선 $x=0$, $x=1$로 둘러싸인 부분의 넓이는 2가 된다.

ㄴ은 확률밀도함수가 될 수 있다.

$\frac{1}{3}\{f(x)+2g(x)\}\geq0$이고, 함수 $y=\frac{1}{3}f(x)$의 그래프와 x축 및 두 직선 $x=0$, $x=1$로 둘러싸인 부분의 넓이는 $\frac{1}{3}$, 함수 $y=\frac{2}{3}g(x)$의 그래프와 x축 및 두 직선 $x=0$, $x=1$로 둘러싸인 부분의 넓이는 $\frac{2}{3}$이므로 함수 $y=\frac{1}{3}\{f(x)+2g(x)\}$의 그래프와 x축 및 두 직선 $x=0$, $x=1$로 둘러싸인 부분의 넓이는 $\frac{1}{3}+\frac{2}{3}=1$이다.

ㄷ은 확률밀도함수가 될 수 없다.

(반례) $0\leq x\leq1$에서 $f(x)=2x$, $g(x)=-2x+2$일 때, $f(x)$, $g(x)$는 확률밀도함수이지만

$$\begin{aligned}f(x)g(x)&=2x(-2x+2)\\&=-4x(x-1)\end{aligned}$$

에서 함수 $y=f(x)g(x)$의 그래프는 오른쪽 그림과 같으므로 함수 $y=f(x)g(x)$의 그래프와 x축으로 둘러싸인 부분의 넓이는 1보다 작다.

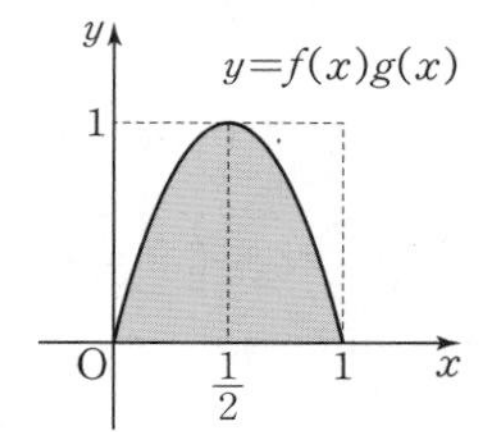

따라서 확률밀도함수가 될 수 있는 것은 ㄴ이다.

답 ②

096

$\mathrm{P}(x\leq X\leq2)=a(2-x)$ $\quad\cdots\cdots$ ㉠

$\mathrm{P}(0\leq X\leq2)=1$이므로 ㉠에 $x=0$을 대입하면

$\mathrm{P}(0\leq X\leq2)=2a=1$ $\quad\therefore\ a=\frac{1}{2}$

$a=\frac{1}{2}$을 ㉠에 대입하면

$\mathrm{P}(x\leq X\leq2)=\frac{1}{2}(2-x)$

$$\begin{aligned}\therefore\ \mathrm{P}(0\leq X<a)&=\mathrm{P}\left(0\leq X<\frac{1}{2}\right)\\&=\mathrm{P}(0\leq X\leq2)-\mathrm{P}\left(\frac{1}{2}\leq X\leq2\right)\\&=1-\frac{1}{2}\left(2-\frac{1}{2}\right)\\&=1-\frac{3}{4}=\frac{1}{4}\end{aligned}$$

답 ①

097

버스를 기다리는 시간을 확률변수 X라고 하면 버스는 15분 간격으로 지나가므로 연속확률변수 X가 가지는 값의 범위는

$0\leq X\leq15$

X가 $0\leq X\leq15$에서 어느 값을 갖더라도 같을 정도로 기대되므로 X의 확률밀도함수를 $f(x)$라고 하면

$f(x)=\frac{1}{15}$ (단, $0\leq x\leq15$)

$\therefore\ \mathrm{P}(5\leq X\leq15)=\frac{1}{15}(15-5)=\frac{2}{3}$

답 ④

098

> 접근
> 확률의 총합이 1임을 이용하며 $P(a\le X\le b)$의 값을 구한다.

$2P(a\le X\le b)=P(0\le X\le a)+P(b\le X\le 1)$ ...... ㉠

$P(0\le X\le 1)=1$이므로

$P(0\le X\le a)+P(b\le X\le 1)=1-P(a\le X\le b)$ ...... ㉡

㉡을 ㉠에 대입하면

$2P(a\le X\le b)=1-P(a\le X\le b)$

$3P(a\le X\le b)=1$

$\therefore P(a\le X\le b)=\frac{1}{3}$

한편 연속확률변수 X의 확률밀도함수를 $f(x)$라고 하면

$f(x)=2x$이므로

$P(a\le X\le b)=\frac{1}{2}(2a+2b)(b-a)=\frac{1}{3}$

$\therefore (a+b)(b-a)=\frac{1}{3}$

이때 $b-a=\frac{1}{3}$이므로 $\frac{1}{3}(a+b)=\frac{1}{3}$

$\therefore a+b=1$

답 1

099

확률밀도함수 $y=f(x)$의 그래프는 다음 그림과 같다.

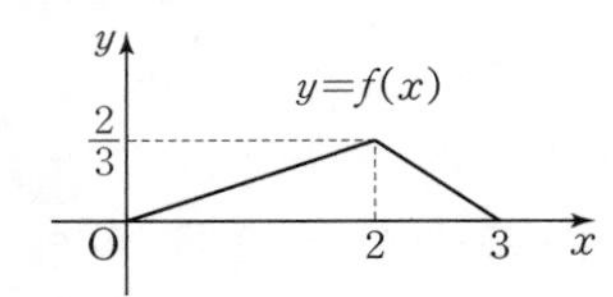

$P(2\le X\le 3)$의 값은 확률밀도함수의 그래프와 x축 및 두 직선 $x=2$, $x=3$으로 둘러싸인 부분의 넓이와 같으므로

$P(2\le X\le 3)=\frac{1}{2}\times 1\times\frac{2}{3}=\frac{1}{3}$ ...... ㉠

$0<a<2$인 a에 대하여 $f(a)=\frac{1}{3}a$이므로

$P(a\le X\le 2)=P(0\le X\le 2)-P(0\le X\le a)$

$=\frac{1}{2}\times 2\times\frac{2}{3}-\frac{1}{2}\times a\times\frac{a}{3}$

$=\frac{2}{3}-\frac{a^2}{6}$ ...... ㉡

$P(a\le X\le 2)=P(2\le X\le 3)$이므로 ㉠, ㉡을 대입하면

$\frac{2}{3}-\frac{a^2}{6}=\frac{1}{3}$에서 $\frac{a^2}{6}=\frac{1}{3}$

$a^2=2$ $\therefore a=\sqrt{2}$ ($\because 0<a<2$)

답 ④

100

$0\le x\le 4$에서 확률밀도함수의 그래프와 x축 및 두 직선 $x=0$, $x=4$로 둘러싸인 부분의 넓이는 1이므로

$\frac{1}{2}\times 1\times a+\frac{1}{2}\times 3\times 3a=1$

$5a=1$ $\therefore a=\frac{1}{5}$

따라서 $0\le x\le 4$에서 확률밀도함수의 그래프는 오른쪽 그림과 같다.

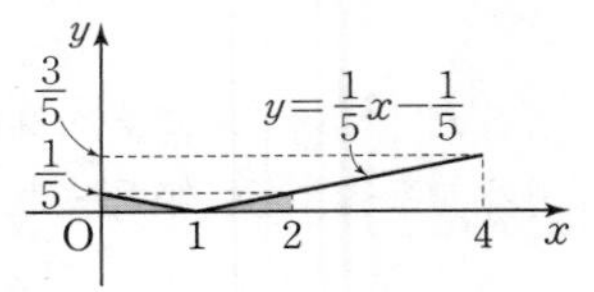

$P(0\le X\le 2)$의 값은 확률밀도함수의 그래프와 x축 및 두 직선 $x=0$, $x=2$로 둘러싸인 부분의 넓이와 같다.

$1\le x\le 4$에서의 확률밀도함수의 식은 두 점 $(1, 0)$, $\left(4, \frac{3}{5}\right)$을 지나는 직선의 방정식과 같으므로

$y=\frac{\frac{3}{5}}{4-1}(x-1)$ $\therefore y=\frac{1}{5}x-\frac{1}{5}$

따라서

$P(0\le X\le 2)=\frac{1}{2}\times 1\times\frac{1}{5}+\frac{1}{2}\times 1\times\frac{1}{5}=\frac{1}{5}$

이므로

$100P(0\le X\le 2)=100\times\frac{1}{5}=20$

답 20

101

$P(0\le X\le a)=\frac{1}{2}\times\left(\frac{1}{3}+\frac{1}{5}\right)\times a=\frac{4}{15}a$이므로

$\frac{4}{15}a=\frac{4}{7}$ $\therefore a=\frac{15}{7}$

$P(a\le X\le b)=1-P(0\le X\le a)=1-\frac{4}{7}=\frac{3}{7}$

주어진 그래프에서 $P(a\le X\le b)=(b-a)\times\frac{1}{5}=\frac{b-a}{5}$이므로

$\frac{b-a}{5}=\frac{3}{7}$, $b-a=\frac{15}{7}$ $\therefore b=\frac{15}{7}+\frac{15}{7}=\frac{30}{7}$

$\therefore \frac{b}{a}=\frac{\frac{30}{7}}{\frac{15}{7}}=2$

답 ③

102

$0\le x\le 2$에서 확률밀도함수 $y=f(x)$의 그래프는 오른쪽 그림과 같다.

$P(A)=P(0\le X\le 1)$이라고 하면

$P(A)=\frac{1}{2}\times 1\times\frac{1}{2}=\frac{1}{4}$

5회의 독립시행에서 3회 이상 일어날 확률은 3회 또는 4회 또는 5회 일어날 경우이므로 구하는 확률은

${}_5C_3\left(\frac{1}{4}\right)^3\left(\frac{3}{4}\right)^2+{}_5C_4\left(\frac{1}{4}\right)^4\left(\frac{3}{4}\right)^1+{}_5C_5\left(\frac{1}{4}\right)^5=\frac{106}{4^5}=\frac{53}{2^9}$

따라서 $m=53$, $n=9$이므로 $m-n=44$

답 ③

103

확률의 총합은 1이므로

$\frac{1}{2}\times 150\times a=1$ $\therefore a=\frac{1}{75}$

세탁기 한 대를 50개월 미만 사용할 확률은

$P(0\le X<50)=\frac{1}{2}\times 50\times\frac{1}{75}=\frac{1}{3}$

따라서 세탁기 2대 중 적어도 한 대는 50개월 이상 사용할 확률은

$1-\frac{1}{3}\times\frac{1}{3}=\frac{8}{9}$

└ 1 − (세탁기 2대 모두 50개월 미만 사용할 확률)

답 ⑤

104

▶ 접근

직선과 원이 만나려면

(원의 중심과 직선 사이의 거리) ≤ (원의 반지름의 길이)

이어야 함을 이용하여 X의 값의 범위를 구한다.

확률의 총합은 1이므로

$\frac{1}{2}\times1\times a=1 \quad \therefore a=2$

$\therefore f(x)=\begin{cases} 6x & \left(0\le x\le\frac{1}{3}\right) \\ -3(x-1) & \left(\frac{1}{3}\le x\le1\right) \end{cases}$

원과 직선이 만나려면 원의 중심 (0, 0)과 직선 $3x+3y+3X-1=0$ 사이의 거리가 원의 반지름의 길이인 $\frac{1}{\sqrt{18}}$ 보다 작거나 같아야 하므로

$\frac{|3X-1|}{\sqrt{3^2+3^2}}\le\frac{1}{\sqrt{18}}$

$|3X-1|\le1,\ -1\le3X-1\le1$

$\therefore 0\le X\le\frac{2}{3}$

따라서 구하는 확률은

$\mathrm{P}\left(0\le X\le\frac{2}{3}\right)$

$=\mathrm{P}(0\le X\le1)-\mathrm{P}\left(\frac{2}{3}\le X\le1\right)$

$=1-\frac{1}{2}\times\frac{1}{3}\times1=\frac{5}{6}$

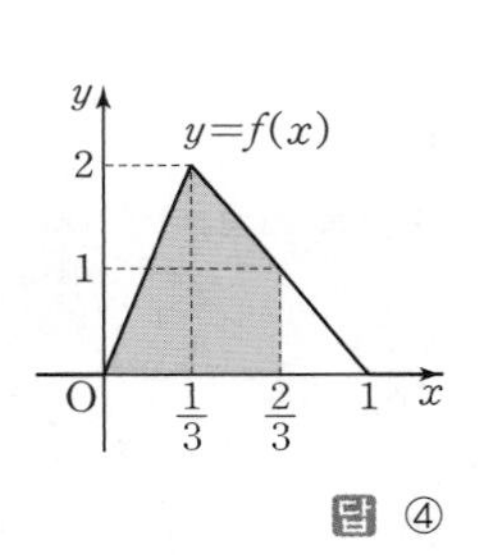

답 ④

참고

원과 직선의 위치 관계

원의 중심과 직선 사이의 거리를 d, 원의 반지름의 길이를 r라고 할 때

(1) $d<r \Longleftrightarrow$ 두 점에서 만난다.

(2) $d=r \Longleftrightarrow$ 접한다. (한 점에서 만난다.)

(3) $d>r \Longleftrightarrow$ 만나지 않는다.

105

$f(1-x)=f(1+x)$이므로 확률밀도함수 $y=f(x)$의 그래프는 직선 $x=1$에 대하여 대칭이다.

ㄱ은 옳다.

$$\begin{aligned} p_1-p_2&=\mathrm{P}(1-a\le X\le1+b)-\mathrm{P}(1+a\le X\le1+b) \\ &=\mathrm{P}(1-a\le X\le1+a) \\ &=\mathrm{P}(1-a\le X\le1)+\mathrm{P}(1\le X\le1+a) \\ &=\mathrm{P}(1\le X\le1+a)+\mathrm{P}(1\le X\le1+a) \\ &=2\mathrm{P}(1\le X\le1+a) \end{aligned}$$

$\therefore \mathrm{P}(1\le X\le1+a)=\frac{p_1-p_2}{2}$

ㄴ은 옳지 않다.

$$\begin{aligned} \mathrm{P}(X\le1-a)&=\mathrm{P}(X\le1)-\mathrm{P}(1-a\le X\le1) \\ &=\frac{1}{2}-\mathrm{P}(1-a\le X\le1) \\ &=\frac{1}{2}-\mathrm{P}(1\le X\le1+a) \\ &=\frac{1}{2}-\frac{p_1-p_2}{2}=\frac{1-p_1+p_2}{2} \end{aligned}$$

ㄷ은 옳다.

$$\begin{aligned} \mathrm{P}(1-b\le X\le1+b)&=\mathrm{P}(1-b\le X\le1)+\mathrm{P}(1\le X\le1+b) \\ &=\mathrm{P}(1\le X\le1+b)+\mathrm{P}(1\le X\le1+b) \\ &=2\mathrm{P}(1\le X\le1+b) \\ &=2\{\mathrm{P}(1\le X\le1+a) \\ &\qquad+\mathrm{P}(1+a\le X\le1+b)\} \\ &=2\left(\frac{p_1-p_2}{2}+p_2\right)=p_1+p_2 \end{aligned}$$

따라서 옳은 것은 ㄱ, ㄷ이다.

답 ④

참고

함수 $f(x)$에 대하여 $f(\square)=f(\triangle)$이고 $\square+\triangle=2m$(일정)이면 함수 $y=f(x)$의 그래프는 직선 $x=m$에 대하여 대칭이다.

따라서 그래프가 직선 $x=m$에 대하여 대칭인 함수 $f(x)$는 다음과 같이 나타낼 수 있다.

$f(m-x)=f(m+x),\ f(x)=f(2m-x)$

106

ㄱ은 옳지 않다.

A, C 고등학교 학생들의 성적의 평균은 각각 60점, 66점이므로 A, C 두 고등학교 학생들의 성적의 평균은 같지 않다.

ㄴ도 옳지 않다.

곡선 C는 곡선 B보다 높이가 낮아지면서 양쪽으로 퍼지므로 C 고등학교의 표준편차가 B 고등학교의 표준편차보다 크다. 즉, C 고등학교 학생들보다 B 고등학교 학생들의 성적이 더 고른 편이다.

ㄷ은 옳다.

A, B 두 고등학교 학생들의 성적의 평균은 같고 A 고등학교 학생들의 성적의 표준편차가 B 고등학교 학생들의 성적의 표준편차보다 크므로 성적이 우수한 학생들이 B 고등학교보다 A 고등학교에 더 많이 있다고 할 수 있다.

따라서 옳은 것은 ㄷ이다.

답 ②

107

확률변수 X가 정규분포 $\mathrm{N}(m,\sigma^2)$을 따르므로

$\mathrm{P}(X\le80)=0.5$에서 $\quad m=80$ …… ㉠

$\mathrm{P}\left(X\ge\frac{11}{10}m\right)=0.1587$이므로

$$\begin{aligned} \mathrm{P}\left(m\le X\le\frac{11}{10}m\right)&=\mathrm{P}(X\ge m)-\mathrm{P}\left(X\ge\frac{11}{10}m\right) \\ &=0.5-0.1587=0.3413 \end{aligned}$$

이때 $\mathrm{P}(m\le X\le m+1.0\sigma)=0.3413$이므로

$\frac{11}{10}m=m+1.0\sigma$ …… ㉡

㉠을 ㉡에 대입하면

$\frac{11}{10}\times 80=80+\sigma$　　$\therefore \sigma=8$

$\therefore P(X\geq 96)=P(X\geq 80)-P(80\leq X\leq 96)$
$=0.5-P(80\leq X\leq 80+2.0\times 8)$
$=0.5-P(m\leq X\leq m+2.0\sigma)$
$=0.5-0.4772=0.0228$

답 ①

108

$f(50-x)=f(50+x)$이므로 함수 $y=f(x)$의 그래프는 직선 $x=50$에 대하여 대칭이다.

확률변수 X의 평균은 $m=50$이고, 표준편차가 $\sigma=10$이므로

$P(30\leq X\leq 40)=P(50-2\times 10\leq X\leq 50-1\times 10)$
$=P(m-2\sigma\leq X\leq m-\sigma)$
$=\frac{1}{2}(0.954-0.683)$
$=\frac{1}{2}\times 0.271=0.1355$

답 ①

109

확률변수 X는 정규분포 $N(20, 4^2)$을 따르므로 확률밀도함수의 그래프는 직선 $x=20$에 대하여 대칭이다.

ㄱ은 옳다.

$f(8)=P(4\leq X\leq 12)$
$=P(20-4\times 4\leq X\leq 20-2\times 4)$
$=P(m-4\sigma\leq X\leq m-2\sigma)$
$=P(m+2\sigma\leq X\leq m+4\sigma)$
$=P(20+2\times 4\leq X\leq 20+4\times 4)$
$=P(28\leq X\leq 36)$
$=f(32)$

ㄴ도 옳다.

$f(k)=P(k-4\leq X\leq k+4)$가 최댓값을 가지려면 $k-4$, $k+4$의 평균이 20이어야 하므로

$\frac{(k-4)+(k+4)}{2}=20$　　$\therefore k=20$

따라서 함수 $f(k)$는 $k=20$일 때 최댓값을 갖는다.

ㄷ은 옳지 않다.

$f(k)=f(20-k)$의 양변에 k 대신 $10+k$를 대입하면

$f(10+k)=f(10-k)$

즉, 위의 식을 만족시키는 함수 $y=f(k)$의 그래프는 직선 $k=10$에 대하여 대칭이다.

따라서 옳은 것은 ㄱ, ㄴ이다.

답 ③

110

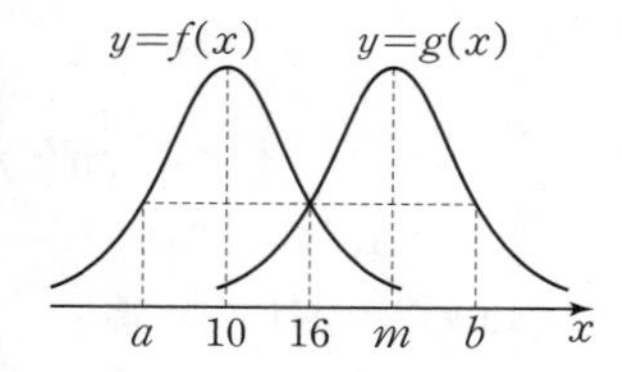

조건 (다)에서 $P(a\leq X\leq 16)=0.84>0.5$이므로　$a<10$

조건 (나)에서 $f(a)=f(16)$이므로

$\frac{a+16}{2}=10$　　$\therefore a=4$

두 확률변수 X, Y의 표준편차가 같고, $m\neq 10$이므로 함수 $y=f(x)$의 그래프를 x축의 방향으로 평행이동하면 함수 $y=g(x)$의 그래프와 겹쳐질 수 있다.

함수 $y=f(x)$의 그래프는 직선 $x=10$에 대하여 대칭이고, 함수 $y=g(x)$의 그래프는 직선 $x=m$에 대하여 대칭이므로

조건 (나)의 $f(16)=g(16)$에서

$\frac{10+m}{2}=16$　　$\therefore m=22$

조건 (다)에서

$P(a\leq X\leq 16)=P(4\leq X\leq 16)$
$=P(4\leq X\leq 10)+P(10\leq X\leq 16)$
$=P(10\leq X\leq 16)+P(10\leq X\leq 16)$
$=2P(10\leq X\leq 16)$
$=0.84$

이므로　$P(10\leq X\leq 16)=0.42$

$\therefore P(X\geq 16)=P(X\geq 10)-P(10\leq X\leq 16)$
$=0.5-0.42=0.08$

이때 $P(Y\geq b)=0.08$이므로

$\frac{16+b}{2}=22$　　$\therefore b=28$

$\therefore a+b=32$

답 32

111

각 과목 성적을 표준화하면 $\frac{(성적)-(평균)}{(표준편차)}$

국어: $\frac{80-74}{6}=1$, 수학: $\frac{62-56}{4}=1.5$

영어: $\frac{76-64}{10}=1.2$, 한국사: $\frac{70-65}{2}=2.5$

따라서 한국사가 가장 우수하고, 국어가 가장 저조하다.

답 ⑤

112

$Z=X-m$으로 놓으면 확률변수 Z는 표준정규분포 $N(0, 1)$을 따르므로

$f(m)=P(X\leq 0)=P(Z\leq -m)=P(Z\geq m)$

$\therefore f(0)=P(Z\geq 0)=0.5$

m의 값이 크면 $f(m)$의 값은 감소하므로 $y=f(m)$의 그래프는 점 $\left(0, \frac{1}{2}\right)$을 지나고 m의 값이 커질수록 y의 값이 점점 작아지는 곡선이다.

따라서 그래프의 개형으로 옳은 것은 ③이다.

답 ③

113

$Z=\frac{X-30}{5}$으로 놓으면 확률변수 Z는 표준정규분포 $N(0, 1)$을 따르므로

$$\mathrm{P}(X \geq 34)=\mathrm{P}\left(Z \geq \frac{34-30}{5}\right)=\mathrm{P}(Z \geq 0.8)$$
$$=\mathrm{P}(Z \geq 0)-\mathrm{P}(0 \leq Z \leq 0.8)$$
$$=0.5-\mathrm{P}(0 \leq Z \leq 0.8)=0.2119$$
$$\therefore \mathrm{P}(0 \leq Z \leq 0.8)=0.2881$$
$$\therefore \mathrm{P}(26 \leq X \leq 34)=\mathrm{P}\left(\frac{26-30}{5} \leq Z \leq \frac{34-30}{5}\right)$$
$$=\mathrm{P}(-0.8 \leq Z \leq 0.8)$$
$$=\mathrm{P}(-0.8 \leq Z \leq 0)+\mathrm{P}(0 \leq Z \leq 0.8)$$
$$=\mathrm{P}(0 \leq Z \leq 0.8)+\mathrm{P}(0 \leq Z \leq 0.8)$$
$$=2\mathrm{P}(0 \leq Z \leq 0.8)$$
$$=2 \times 0.2881=0.5762$$

답 ③

114

$Z=\frac{X-m}{2}$으로 놓으면 확률변수 Z는 표준정규분포 $\mathrm{N}(0,\ 1)$을 따르므로

$$f(m)=1-\mathrm{P}(X \geq 3m)$$
$$=1-\mathrm{P}\left(Z \geq \frac{3m-m}{2}\right)$$
$$=1-\mathrm{P}(Z \geq m)$$
$$=\mathrm{P}(Z \leq m)$$
$$\therefore f(1)-f(-1)=\mathrm{P}(Z \leq 1)-\mathrm{P}(Z \leq -1)$$
$$=\mathrm{P}(-1 \leq Z \leq 1)$$
$$=\mathrm{P}(-1 \leq Z \leq 0)+\mathrm{P}(0 \leq Z \leq 1)$$
$$=\mathrm{P}(0 \leq Z \leq 1)+\mathrm{P}(0 \leq Z \leq 1)$$
$$=2\mathrm{P}(0 \leq Z \leq 1)$$
$$=2 \times 0.3413=0.6826$$

답 0.6826

115

지원자의 점수를 확률변수 X라고 하면 X는 정규분포 $\mathrm{N}(360,\ 20^2)$을 따르고, 1250명의 지원자 중에서 합격자 250명 안에 들기 위해서는 $\frac{250}{1250} \times 100=20$이므로 상위 20 % 안에 들어야 한다.

합격자의 최저 점수를 t점이라고 하면 $\mathrm{P}(X \geq t)=0.2$

$Z=\frac{X-360}{20}$으로 놓으면 확률변수 Z는 표준정규분포 $\mathrm{N}(0,\ 1)$을 따르므로

$$\mathrm{P}(X \geq t)=\mathrm{P}\left(Z \geq \frac{t-360}{20}\right)=0.2$$
$$\therefore \mathrm{P}\left(0 \leq Z \leq \frac{t-360}{20}\right)=\mathrm{P}(Z \geq 0)-\mathrm{P}\left(Z \geq \frac{t-360}{20}\right)$$
$$=0.5-0.2=0.3$$

이때 $\mathrm{P}(0 \leq Z \leq 0.84)=0.3$이므로

$\frac{t-360}{20}=0.84,\ t-360=16.8 \qquad \therefore t=376.8$

따라서 합격자의 최저 점수는 376.8점이다.

답 ②

116

확률변수 X는 정규분포 $\mathrm{N}(m,\ \sigma^2)$을 따르므로 X의 확률밀도함수를 $f(x)$라고 하면 $f(x)$의 그래프는 직선 $x=m$에 대하여 대칭이다.

$m \geq 80$일 때,

$$\mathrm{P}(X \geq 80)+\mathrm{P}(40 \leq X \leq m)>\frac{1}{2}$$

이므로 조건을 만족시키지 않는다.

$m<80$일 때,

주어진 조건을 만족시키려면 오른쪽 그림과 같이

$$\mathrm{P}(40 \leq X \leq m)=\mathrm{P}(m \leq X \leq 80)$$

이어야 한다.

즉, $f(40)=f(80)$이어야 하므로

$$m=\frac{40+80}{2}=60 \quad \cdots\cdots ㉠$$

$\mathrm{V}\left(\frac{1}{4}X+5\right)=\left(\frac{1}{4}\right)^2\mathrm{V}(X)=4$이므로

$$\mathrm{V}(X)=64$$
$$\therefore \sigma=\sqrt{\mathrm{V}(X)}=8 \quad \cdots\cdots ㉡$$

㉠, ㉡에서 확률변수 X는 정규분포 $\mathrm{N}(60,\ 8^2)$을 따른다.

이때 $Z=\frac{X-60}{8}$으로 놓으면 확률변수 Z는 표준정규분포 $\mathrm{N}(0,\ 1)$을 따르므로

$$\mathrm{P}(44 \leq X \leq 47.2)=\mathrm{P}\left(\frac{44-60}{8} \leq Z \leq \frac{47.2-60}{8}\right)$$
$$=\mathrm{P}(-2 \leq Z \leq -1.6)$$
$$=\mathrm{P}(1.6 \leq Z \leq 2)$$
$$=\mathrm{P}(0 \leq Z \leq 2)-\mathrm{P}(0 \leq Z \leq 1.6)$$
$$=0.4772-0.4452$$
$$=0.032$$

답 0.032

117

이차방정식 $x^2-Xx+1=0$이 두 실근을 가지므로 이 이차방정식의 판별식을 D라고 하면

$$D=(-X)^2-4 \geq 0$$
$$X^2-4 \geq 0,\ (X+2)(X-2) \geq 0$$
$$\therefore X \leq -2 \text{ 또는 } X \geq 2 \quad \cdots\cdots ㉠$$

또, 두 근의 합이 양수이므로 이차방정식의 근과 계수의 관계에 의하여

$$X>0 \quad \cdots\cdots ㉡$$

㉠, ㉡에서 $X \geq 2$

$Z=\frac{X}{2}$로 놓으면 확률변수 Z는 표준정규분포 $\mathrm{N}(0,\ 1)$을 따르므로 구하는 확률은

$$\mathrm{P}(X \geq 2)=\mathrm{P}\left(Z \geq \frac{2}{2}\right)=\mathrm{P}(Z \geq 1)$$
$$=\mathrm{P}(Z \geq 0)-\mathrm{P}(0 \leq Z \leq 1)$$
$$=0.5-\mathrm{P}(0 \leq Z \leq 1)$$
$$=0.5-0.3413=0.1587$$

답 ③

118

접근

두 함수 $y=f(t)$, $y=g(t)$의 그래프가 서로 만나지 않으면 방정식 $f(t)=g(t)$의 실근이 존재하지 않음을 이용한다.

두 함수 $f(t)=t^2+2Xt+X-2$, $g(t)=4Xt-4$의 그래프가 서로 만나지 않으려면 방정식 $f(t)=g(t)$가 실근을 갖지 않아야 한다.

$f(t)=g(t)$에서

$t^2+2Xt+X-2=4Xt-4$

$\therefore t^2-2Xt+X+2=0$

이 이차방정식의 판별식을 D라고 하면

$\frac{D}{4}=(-X)^2-(X+2)<0$

$X^2-X-2<0$, $(X+1)(X-2)<0$

$\therefore -1<X<2$

확률변수 X가 정규분포 $\mathrm{N}(1,\ 2^2)$을 따르므로 $Z=\frac{X-1}{2}$로 놓으면 확률변수 Z는 표준정규분포 $\mathrm{N}(0,\ 1)$을 따른다.

따라서 구하는 확률은

$$\begin{aligned}\mathrm{P}(-1<X<2)&=\mathrm{P}\left(\frac{-1-1}{2}<Z<\frac{2-1}{2}\right)\\&=\mathrm{P}(-1<Z<0.5)\\&=\mathrm{P}(-1\le Z\le 0)+\mathrm{P}(0<Z<0.5)\\&=\mathrm{P}(0\le Z\le 1)+\mathrm{P}(0\le Z\le 0.5)\\&=0.3413+0.1915=0.5328\end{aligned}$$

답 ⑤

참고

이차함수 $y=f(x)$의 그래프와 직선 $y=g(x)$의 위치 관계

이차방정식 $f(x)=g(x)$의 판별식을 D라고 하면

(1) $D>0 \Longleftrightarrow$ 서로 다른 두 점에서 만난다.

(2) $D=0 \Longleftrightarrow$ 한 점에서 만난다. (접한다.)

(3) $D<0 \Longleftrightarrow$ 만나지 않는다.

119

함수 $f(t)$는 $t=4$에서 최댓값 $f(4)=\mathrm{P}(4\le X\le 6)$을 가지므로

$m=\frac{4+6}{2}=5$

$Z=\frac{X-5}{\sigma}$로 놓으면 확률변수 Z는 표준정규분포 $\mathrm{N}(0,\ 1)$을 따르므로

$$\begin{aligned}f(m)=f(5)&=\mathrm{P}(5\le X\le 7)\\&=\mathrm{P}\left(\frac{5-5}{\sigma}\le Z\le\frac{7-5}{\sigma}\right)=\mathrm{P}\left(0\le Z\le\frac{2}{\sigma}\right)\\&=0.3413\end{aligned}$$

이때 $\mathrm{P}(0\le Z\le 1)=0.3413$이므로 $\frac{2}{\sigma}=1$ $\quad\therefore \sigma=2$

$$\begin{aligned}\therefore f(7)=\mathrm{P}(7\le X\le 9)&=\mathrm{P}\left(\frac{7-5}{2}\le Z\le\frac{9-5}{2}\right)\\&=\mathrm{P}(1\le Z\le 2)=\mathrm{P}(0\le Z\le 2)-\mathrm{P}(0\le Z\le 1)\\&=0.4772-0.3413=0.1359\end{aligned}$$

답 ①

120

두 확률변수 X, Y가 각각 정규분포 $\mathrm{N}(10,\ 10^2)$, $\mathrm{N}(20,\ 5^2)$을 따르므로

$Z_X=\frac{X-10}{10}$, $Z_Y=\frac{Y-20}{5}$

으로 놓으면 확률변수 Z_X, Z_Y는 모두 표준정규분포 $\mathrm{N}(0,\ 1)$을 따른다.

오른쪽 그림에서 색칠한 부분의 넓이를 S라고 하면

$S_1=\mathrm{P}(10\le X\le 20)-S$

$S_2=\mathrm{P}(10\le Y\le 20)-S$

$\quad=\mathrm{P}(20\le Y\le 30)-S$

$$\begin{aligned}\therefore S_2-S_1&=\mathrm{P}(20\le Y\le 30)-\mathrm{P}(10\le X\le 20)\\&=\mathrm{P}\left(\frac{20-20}{5}\le Z_Y\le\frac{30-20}{5}\right)-\mathrm{P}\left(\frac{10-10}{10}\le Z_X\le\frac{20-10}{10}\right)\\&=\mathrm{P}(0\le Z_Y\le 2)-\mathrm{P}(0\le Z_X\le 1)\\&=0.4772-0.3413=0.1359\end{aligned}$$

답 ②

121

A 농장에서 재배한 버섯 한 송이의 길이를 확률변수 X라 하고, B 농장에서 재배한 버섯 한 송이의 길이를 확률변수 Y라고 하자.

확률변수 X는 정규분포 $\mathrm{N}(m,\ 5^2)$을 따르므로 $Z_X=\frac{X-m}{5}$으로 놓으면 확률변수 Z_X는 표준정규분포 $\mathrm{N}(0,\ 1)$을 따른다.

$\mathrm{P}(X\ge 80)=0.0548$에서 $\mathrm{P}\left(Z_X\ge\frac{80-m}{5}\right)=0.0548$

$$\begin{aligned}\therefore \mathrm{P}\left(0\le Z_X\le\frac{80-m}{5}\right)&=\mathrm{P}(Z_X\ge 0)-\mathrm{P}\left(Z_X\ge\frac{80-m}{5}\right)\\&=0.5-0.0548=0.4452\end{aligned}$$

이때 $\mathrm{P}(0\le Z\le 1.6)=0.4452$이므로

$\frac{80-m}{5}=1.6$ $\quad\therefore m=72$

확률변수 Y는 정규분포 $\mathrm{N}(84,\ 4^2)$을 따르므로 $Z_Y=\frac{Y-84}{4}$로 놓으면 확률변수 Z_Y는 표준정규분포 $\mathrm{N}(0,\ 1)$을 따른다.

└ $72+12=84$

따라서 구하는 확률은

$$\begin{aligned}\mathrm{P}(Y\ge 80)&=\mathrm{P}\left(Z_Y\ge\frac{80-84}{4}\right)=\mathrm{P}(Z_Y\ge -1)\\&=\mathrm{P}(-1\le Z_Y\le 0)+\mathrm{P}(Z_Y\ge 0)\\&=\mathrm{P}(Z_Y\ge 0)+\mathrm{P}(0\le Z_Y\le 1)\\&=0.5+0.3413=0.8413\end{aligned}$$

답 0.8413

122

서로 다른 두 개의 주사위를 동시에 던질 때, 홀수의 눈이 적어도 한 번 이상 나오는 확률은

1−(짝수의 눈만 나올 확률) ┘

$1-\frac{1}{2}\times\frac{1}{2}=\frac{3}{4}$

확률변수 X는 이항분포 $B\left(192, \frac{3}{4}\right)$을 따르므로

$E(X)=192\times\frac{3}{4}=144$, $V(X)=192\times\frac{3}{4}\times\frac{1}{4}=36$

이때 $np=192\times\frac{3}{4}=144\geq 5$, $nq=192\times\frac{1}{4}=48\geq 5$이므로 X는 근사적으로 정규분포 $N(144, 6^2)$을 따른다.

한편 $Z=\frac{X-144}{6}$로 놓으면 확률변수 Z는 표준정규분포 $N(0, 1)$을 따르므로

$$\begin{aligned}P(X\leq 153)&=P\left(Z\leq\frac{153-144}{6}\right)=P(Z\leq 1.5)\\&=P(Z\leq 0)+P(0\leq Z\leq 1.5)\\&=0.5+P(0\leq Z\leq 1.5)\\&=0.5+0.4332=0.9332\end{aligned}$$

답 0.9332

123

100원짜리 동전 100개를 동시에 던질 때 나오는 앞면의 개수를 확률변수 X라고 하면 X는 이항분포 $B\left(100, \frac{1}{2}\right)$을 따르므로

$E(X)=100\times\frac{1}{2}=50$

$V(X)=100\times\frac{1}{2}\times\frac{1}{2}=25$

이때 $np=100\times\frac{1}{2}=50\geq 5$, $nq=100\times\frac{1}{2}=50\geq 5$이므로 X는 근사적으로 정규분포 $N(50, 5^2)$을 따른다.

한편 $Z=\frac{X-50}{5}$으로 놓으면 확률변수 Z는 표준정규분포 $N(0, 1)$을 따르므로

$$\begin{aligned}P(X\geq 60)&=P\left(Z\geq\frac{60-50}{5}\right)\\&=P(Z\geq 2)=P(Z\geq 0)-P(0\leq Z\leq 2)\\&=0.5-P(0\leq Z\leq 2)\\&=0.5-0.48=0.02\end{aligned}$$

게임을 하여 받을 수 있는 금액을 확률변수 Y라 하고, Y의 확률분포를 표로 나타내면 다음과 같다.

Y	10000	-1000	합계
$P(Y=y)$	0.02	0.98	1

$$\begin{aligned}E(Y)&=10000\times 0.02+(-1000)\times 0.98\\&=200-980=-780\end{aligned}$$

따라서 한 번의 시행에서 얻을 수 있는 기대 금액은 -780원이다.

답 ②

124

한 개의 동전을 36회 던져서 뒷면이 나오는 횟수를 확률변수 X라고 하면 X는 이항분포 $B\left(36, \frac{1}{2}\right)$을 따르므로

$E(X)=36\times\frac{1}{2}=18$, $V(X)=36\times\frac{1}{2}\times\frac{1}{2}=9$

이때 $np=36\times\frac{1}{2}=18\geq 5$, $nq=36\times\frac{1}{2}=18\geq 5$이므로

X는 근사적으로 정규분포 $N(18, 3^2)$을 따른다.

한편 $Z_X=\frac{X-18}{3}$로 놓으면 확률변수 Z_X는 표준정규분포 $N(0, 1)$을 따르므로

$P(X\geq 24)=P\left(Z_X\geq\frac{24-18}{3}\right)=P(Z_X\geq 2)$ …… ㉠

한 개의 주사위를 1800회 던져서 3 이하의 소수의 눈이 나오는 횟수를 확률변수 Y라고 하면 Y는 이항분포 $B\left(1800, \frac{1}{3}\right)$을 따르므로

$E(Y)=1800\times\frac{1}{3}=600$, $V(Y)=1800\times\frac{1}{3}\times\frac{2}{3}=400$

이때 $np=1800\times\frac{1}{3}=600\geq 5$, $nq=1800\times\frac{2}{3}=1200\geq 5$이므로

Y는 근사적으로 정규분포 $N(600, 20^2)$을 따른다.

한편 $Z_Y=\frac{Y-600}{20}$으로 놓으면 확률변수 Z_Y는 표준정규분포 $N(0, 1)$을 따르므로

$P(Y\geq n)=P\left(Z_Y\geq\frac{n-600}{20}\right)$ …… ㉡

㉠, ㉡에서 두 확률이 서로 같으므로

$\frac{n-600}{20}=2$ $\quad\therefore n=640$

답 ②

125

확률변수 X가 이항분포 $B(720, p)$를 따르므로

$V(X)=720p(1-p)$ …… ㉠

$V(2X-9)=2^2V(X)=400$이므로

$4V(X)=400$ $\quad\therefore V(X)=100$ …… ㉡

㉠, ㉡에서

$720p(1-p)=100$

$36p^2-36p+5=0$, $(6p-1)(6p-5)=0$

$\therefore p=\frac{1}{6}\left(\because 0<p<\frac{1}{2}\right)$

즉, 확률변수 X가 이항분포 $B\left(720, \frac{1}{6}\right)$을 따르므로

$E(X)=720\times\frac{1}{6}=120$

이때 $np=720\times\frac{1}{6}=120\geq 5$, $nq=720\times\frac{5}{6}=600\geq 5$이므로

X는 근사적으로 정규분포 $N(120, 10^2)$을 따른다.

한편 $Z=\frac{X-120}{10}$으로 놓으면 확률변수 Z는 표준정규분포 $N(0, 1)$을 따르므로

$$\begin{aligned}P(X\leq 110)&=P\left(Z\leq\frac{110-120}{10}\right)=P(Z\leq -1)\\&=P(Z\leq 0)-P(-1\leq Z\leq 0)\\&=P(Z\geq 0)-P(0\leq Z\leq 1)\\&=0.5-P(0\leq Z\leq 1)\\&=0.5-0.3413=0.1587\end{aligned}$$

답 ④

126

확률변수 X는 이항분포 $B(n, 0.8)$을 따르므로

$E(X)=n\times 0.8=\frac{4}{5}n$, $V(X)=n\times 0.8\times 0.2=\frac{4}{25}n$

이때 X는 근사적으로 정규분포 $N\left(\frac{4}{5}n, \left(\frac{2}{5}\sqrt{n}\right)^2\right)$을 따른다.

한편 $Z=\frac{X-\frac{4}{5}n}{\frac{2}{5}\sqrt{n}}$으로 놓으면 확률변수 Z는 표준정규분포 $N(0, 1)$을 따르므로

$P(X\ge18)=P\left(Z\ge\frac{18-\frac{4}{5}n}{\frac{2}{5}\sqrt{n}}\right)=P\left(Z\ge\frac{-2n+45}{\sqrt{n}}\right)$

$=P(Z\ge0)+P\left(0\le Z\le\frac{2n-45}{\sqrt{n}}\right)$

$=0.5+P\left(0\le Z\le\frac{2n-45}{\sqrt{n}}\right)=0.84$

$\therefore P\left(0\le Z\le\frac{2n-45}{\sqrt{n}}\right)=0.84-0.5=0.34$

$P(0\le Z\le1)=0.34$이므로

$\frac{2n-45}{\sqrt{n}}=1$, $2n-\sqrt{n}-45=0$

$(2\sqrt{n}+9)(\sqrt{n}-5)=0$

$\sqrt{n}=5$ $\quad\therefore n=25$ ($\because$ n은 자연수)

따라서 X는 정규분포 $N(20, 2^2)$을 따르므로

└ $n=25$를 $N\left(\frac{4}{5}n, \left(\frac{2}{5}\sqrt{n}\right)^2\right)$에 대입

$P(X\ge24)=P\left(Z\ge\frac{24-20}{2}\right)=P(Z\ge2)$

$=P(Z\ge0)-P(0\le Z\le2)$

$=0.5-P(0\le Z\le2)$

$=0.5-0.48=0.02$

답 ②

127

라면 한 개의 무게를 확률변수 X라고 하면 X는 정규분포 $N(130, 5^2)$을 따른다.

한편 $Z_X=\frac{X-130}{5}$으로 놓으면 확률변수 Z_X는 표준정규분포 $N(0, 1)$을 따르므로 불량품일 확률은

$P(X\le120)=P\left(Z_X\le\frac{120-130}{5}\right)$

$=P(Z_X\le-2)$

$=P(Z_X\le0)-P(-2\le Z_X\le0)$

$=P(Z_X\ge0)-P(0\le Z_X\le2)$

$=0.5-P(0\le Z_X\le2)$

$=0.5-0.48=0.02$

2500개 중 불량품의 개수를 확률변수 Y라고 하면 Y는 이항분포 $B(2500, 0.02)$를 따르므로

$E(Y)=2500\times0.02=50$

$V(Y)=2500\times0.02\times0.98=49$

이때 $np=2500\times0.02=50\ge5$, $nq=2500\times0.98=2450\ge5$이므로 Y는 근사적으로 정규분포 $N(50, 7^2)$을 따른다.

한편 $Z_Y=\frac{Y-50}{7}$으로 놓으면 확률변수 Z_Y는 표준정규분포 $N(0, 1)$을 따르므로

$P(Y\ge n)=P\left(Z_Y\ge\frac{n-50}{7}\right)$

$=P(Z_Y\ge0)-P\left(0\le Z_Y\le\frac{n-50}{7}\right)$

$=0.5-P\left(0\le Z_Y\le\frac{n-50}{7}\right)$

$=\frac{1}{50}=0.02$

$\therefore P\left(0\le Z_Y\le\frac{n-50}{7}\right)=0.5-0.02=0.48$

이때 $P(0\le Z\le2.0)=0.48$이므로

$\frac{n-50}{7}=2$, $n-50=14$

$\therefore n=64$

답 ④

128

${}_{48}C_x\left(\frac{1}{4}\right)^x\left(\frac{3}{4}\right)^{48-x}$은 한 번의 시행에서 일어날 확률이 $\frac{1}{4}$인 어떤 사건이 48번의 독립시행에서 x번 일어날 확률이다.

따라서 이 사건이 일어나는 횟수를 확률변수 X라고 하면 X는 이항분포 $B\left(48, \frac{1}{4}\right)$을 따르므로

$E(X)=48\times\frac{1}{4}=12$, $V(X)=48\times\frac{1}{4}\times\frac{3}{4}=9$

이때 $np=48\times\frac{1}{4}=12\ge5$, $nq=48\times\frac{3}{4}=36\ge5$이므로 X는 근사적으로 정규분포 $N(12, 3^2)$을 따른다.

한편 $Z=\frac{X-12}{3}$로 놓으면 확률변수 Z는 표준정규분포 $N(0, 1)$을 따르므로

(주어진 식)

$=P(X=6)+P(X=7)+P(X=8)+\cdots+P(X=21)$

$=P(6\le X\le21)$

$=P\left(\frac{6-12}{3}\le Z\le\frac{21-12}{3}\right)$

$=P(-2\le Z\le3)$

$=P(-2\le Z\le0)+P(0\le Z\le3)$

$=P(0\le Z\le2)+P(0\le Z\le3)$

$=0.4772+0.4987$

$=0.9759$

답 0.9759

129

확률변수 X는 이항분포 $B\left(100, \frac{1}{5}\right)$을 따르므로

$E(X)=100\times\frac{1}{5}=20$, $V(X)=100\times\frac{1}{5}\times\frac{4}{5}=16$

이때 $np=100\times\frac{1}{5}=20\ge5$, $nq=100\times\frac{4}{5}=80\ge5$이므로 X는 근사적으로 정규분포 $N(20, 4^2)$을 따른다.

한편 $Z_X=\frac{X-20}{4}$으로 놓으면 확률변수 Z는 표준정규분포 $N(0, 1)$을 따른다.

같은 방법으로 확률변수 Y, W는 각각 이항분포

$B\left(225,\ \frac{1}{5}\right)$, $B\left(400,\ \frac{1}{5}\right)$을 따르므로

$E(Y)=225\times\frac{1}{5}=45,\ V(Y)=225\times\frac{1}{5}\times\frac{4}{5}=36$

$E(W)=400\times\frac{1}{5}=80,\ V(W)=400\times\frac{1}{5}\times\frac{4}{5}=64$

이때 X와 같은 방법으로 Y, W도 각각 근사적으로 정규분포 $N(45,\ 6^2)$, $N(80,\ 8^2)$을 따른다.

즉, $Z_Y=\frac{Y-45}{6}$, $Z_W=\frac{W-80}{8}$으로 놓으면 확률변수 Z_Y, Z_W는 모두 표준정규분포 $N(0,\ 1)$을 따른다.

$$P\left(\left|\frac{X}{100}-\frac{1}{5}\right|<\frac{1}{10}\right)=P\left(\left|\frac{X-20}{100}\right|<\frac{1}{10}\right)=P\left(\left|\frac{X-20}{4}\right|<2.5\right)=P(|Z_X|<2.5)$$

$$P\left(\left|\frac{W}{400}-\frac{1}{5}\right|<\frac{1}{10}\right)=P\left(\left|\frac{W-80}{400}\right|<\frac{1}{10}\right)=P\left(\left|\frac{W-80}{8}\right|<5\right)=P(|Z_W|<5)$$

$$P\left(\left|\frac{Y}{225}-\frac{1}{5}\right|<\frac{1}{25}\right)=P\left(\left|\frac{Y-45}{225}\right|<\frac{1}{25}\right)=P\left(\left|\frac{Y-45}{6}\right|<1.5\right)=P(|Z_Y|<1.5)$$

$$P\left(\left|\frac{W}{400}-\frac{1}{5}\right|<\frac{1}{25}\right)=P\left(\left|\frac{W-80}{400}\right|<\frac{1}{25}\right)=P\left(\left|\frac{W-80}{8}\right|<2\right)=P(|Z_W|<2)$$

ㄱ은 옳다.

$P(|Z_X|<2.5)<P(|Z_W|<5)$이므로

$P\left(\left|\frac{X}{100}-\frac{1}{5}\right|<\frac{1}{10}\right)<P\left(\left|\frac{W}{400}-\frac{1}{5}\right|<\frac{1}{10}\right)$

ㄴ은 옳지 않다.

$P(|Z_X|<2.5)>P(|Z_Y|<1.5)$이므로

$P\left(\left|\frac{X}{100}-\frac{1}{5}\right|<\frac{1}{10}\right)>P\left(\left|\frac{Y}{225}-\frac{1}{5}\right|<\frac{1}{25}\right)$

ㄷ은 옳다.

$P(|Z_Y|<1.5)<P(|Z_W|<2)$이므로

$P\left(\left|\frac{Y}{225}-\frac{1}{5}\right|<\frac{1}{25}\right)<P\left(\left|\frac{W}{400}-\frac{1}{5}\right|<\frac{1}{25}\right)$

따라서 옳은 것은 ㄱ, ㄷ이다.

답 ③

07 통계적 추정

130

$\overline{X}$의 평균은 모평균과 같고, $\overline{X}$의 분산은 모분산의 $\frac{1}{n}$배와 같다.

모평균이 50, 모분산이 $2^2=4$, 표본의 크기가 100이므로 표본평균 $\overline{X}$에 대하여 $E(\overline{X})=50,\ V(\overline{X})=\frac{4}{100}=\frac{1}{25}$

$\therefore E(\overline{X})\times V(\overline{X})=50\times\frac{1}{25}=2$

답 ①

131

모평균이 20, 모분산이 $4^2=16$, 표본의 크기가 16이므로 표본평균 $\overline{X}$에 대하여 $E(\overline{X})=20,\ V(\overline{X})=\frac{16}{16}=1$

$V(\overline{X})=E(\overline{X}^2)-\{E(\overline{X})\}^2$에서

$E(\overline{X}^2)=V(\overline{X})+\{E(\overline{X})\}^2=1+20^2=401$

답 ②

132

모평균을 m이라고 하면 $m=E(\overline{X})=\frac{13}{8}$

주어진 확률분포표에서 $m=1\times a+2\times b+3\times\frac{1}{4}$이므로

$a+2b+\frac{3}{4}=\frac{13}{8}\qquad\therefore a+2b=\frac{13}{8}-\frac{3}{4}=\frac{7}{8}$

답 $\frac{7}{8}$

133

카드에 적혀 있는 수를 확률변수 X라고 할 때, X의 확률분포를 표로 나타내면 다음과 같다.

X	1	2	3	합계
$P(X=x)$	$\frac{1}{2}$	$\frac{1}{3}$	$\frac{1}{6}$	1

$E(X)=1\times\frac{1}{2}+2\times\frac{1}{3}+3\times\frac{1}{6}=\frac{5}{3}$

$E(X^2)=1^2\times\frac{1}{2}+2^2\times\frac{1}{3}+3^2\times\frac{1}{6}=\frac{10}{3}$

$V(X)=E(X^2)-\{E(X)\}^2=\frac{10}{3}-\left(\frac{5}{3}\right)^2=\frac{5}{9}$

$\therefore \sigma(X)=\sqrt{\frac{5}{9}}=\frac{\sqrt{5}}{3}$

따라서 표본의 크기가 5이므로 $\overline{X}$의 표준편차는

$\sigma(\overline{X})=\frac{\frac{\sqrt{5}}{3}}{\sqrt{5}}=\frac{1}{3}$

답 ④

134

모집단이 정규분포 $N(70,\ 10^2)$을 따르므로

표본평균 $\overline{X}$는 정규분포 $N\left(70,\ \frac{10^2}{25}\right)$, 즉 $N(70,\ 2^2)$을 따르고,

표본평균 $\overline{Y}$는 정규분포 $N\left(70,\ \frac{10^2}{100}\right)$, 즉 $N(70,\ 1^2)$을 따른다.

ㄱ은 옳다.

$E(\overline{X})=E(\overline{Y})=70$

ㄴ도 옳다.

$V(\overline{X})=2^2$, $V(\overline{Y})=1^2$이므로 $V(\overline{X})>V(\overline{Y})$

ㄷ도 옳다.

$Z_1=\frac{\overline{X}-70}{2}$, $Z_2=\overline{Y}-70$으로 놓으면 확률변수 Z_1, Z_2는 모두 표준정규분포 $N(0,\ 1)$을 따르므로

$P(\overline{X}\le a)=P(\overline{Y}\le b)$에서

$\mathrm{P}\left(Z_1 \le \frac{a-70}{2}\right)=\mathrm{P}(Z_2 \le b-70)$

$\frac{a-70}{2}=b-70,\ a-70=2b-140$

$\therefore 2b-a=70$

따라서 옳은 것은 ㄱ, ㄴ, ㄷ이다.

답 ⑤

135

모집단이 정규분포 $\mathrm{N}\left(m,\ \frac{m^2}{16}\right)$을 따르고 표본의 크기가 100이므로 표본평균 $\overline{X}$는 정규분포 $\mathrm{N}\left(m,\ \frac{\frac{m^2}{16}}{100}\right)$, 즉 $\left(m,\ \left(\frac{m}{40}\right)^2\right)$을 따른다.

이때 $Z=\frac{\overline{X}-m}{\frac{m}{40}}$으로 놓으면 확률변수 Z는 표준정규분포 $\mathrm{N}(0,\ 1)$을 따르므로

$\mathrm{P}(m \le \overline{X} \le 82)=\mathrm{P}\left(0 \le Z \le \frac{82-m}{\frac{m}{40}}\right)$

$\mathrm{P}(m \le \overline{X} \le 82)=\mathrm{P}(0 \le Z \le 1)$이므로

$\frac{82-m}{\frac{m}{40}}=1,\ 82-m=\frac{m}{40}$

$3280-40m=m \qquad \therefore m=80$

답 80

136

모집단이 정규분포 $\mathrm{N}(60,\ \sigma^2)$을 따르므로 표본평균 $\overline{X_1}$은 정규분포 $\mathrm{N}\left(60,\ \frac{\sigma^2}{25}\right)$, 즉 $\mathrm{N}\left(60,\ \left(\frac{\sigma}{5}\right)^2\right)$을 따른다. 이때

$Z_1=\frac{\overline{X_1}-60}{\frac{\sigma}{5}}$으로 놓으면 확률변수 Z_1은 표준정규분포 $\mathrm{N}(0,\ 1)$을 따르므로

$\mathrm{P}(60 \le \overline{X_1} \le 61)=\mathrm{P}\left(\frac{60-60}{\frac{\sigma}{5}} \le Z_1 \le \frac{61-60}{\frac{\sigma}{5}}\right)$

$=\mathrm{P}\left(0 \le Z_1 \le \frac{5}{\sigma}\right)$ …… ㉠

한편 표본평균 $\overline{X_2}$는 정규분포 $\mathrm{N}\left(60,\ \frac{\sigma^2}{n}\right)$, 즉 $\mathrm{N}\left(60,\ \left(\frac{\sigma}{\sqrt{n}}\right)^2\right)$을 따른다. 이때 $Z_2=\frac{\overline{X_2}-60}{\frac{\sigma}{\sqrt{n}}}$으로 놓으면 확률변수 Z_2는 표준정규분포 $\mathrm{N}(0,\ 1)$을 따르므로

$\mathrm{P}(60 \le \overline{X_2} \le 60.5)=\mathrm{P}\left(\frac{60-60}{\frac{\sigma}{\sqrt{n}}} \le Z_2 \le \frac{60.5-60}{\frac{\sigma}{\sqrt{n}}}\right)$

$=\mathrm{P}\left(0 \le Z_2 \le \frac{0.5\sqrt{n}}{\sigma}\right)$ …… ㉡

$\mathrm{P}(60 \le \overline{X_1} \le 61)=\mathrm{P}(60 \le \overline{X_2} \le 60.5)$이므로 ㉠, ㉡에서

$\frac{5}{\sigma}=\frac{0.5\sqrt{n}}{\sigma},\ 0.5\sqrt{n}=5,\ \sqrt{n}=10$

$\therefore n=100$

답 100

137

모집단이 정규분포 $\mathrm{N}(200,\ 12^2)$을 따르고 표본의 크기가 36이므로 표본평균 $\overline{X}$는 정규분포 $\mathrm{N}\left(200,\ \frac{12^2}{36}\right)$, 즉 $\mathrm{N}(200,\ 2^2)$을 따른다.

이때 $Z=\frac{\overline{X}-200}{2}$으로 놓으면 확률변수 Z는 표준정규분포 $\mathrm{N}(0,\ 1)$을 따른다.

$\mathrm{P}(197 \le \overline{X} \le k)=0.7745$에서

$\mathrm{P}(197 \le \overline{X} \le k)=\mathrm{P}\left(\frac{197-200}{2} \le Z \le \frac{k-200}{2}\right)$

$=\mathrm{P}\left(-1.5 \le Z \le \frac{k-200}{2}\right)$

$=\mathrm{P}(0 \le Z \le 1.5)+\mathrm{P}\left(0 \le Z \le \frac{k-200}{2}\right)$

$=0.7745$

이때 $\mathrm{P}(0 \le Z \le 1.5)=0.4332$이므로

$0.4332+\mathrm{P}\left(0 \le Z \le \frac{k-200}{2}\right)=0.7745$

$\therefore \mathrm{P}\left(0 \le Z \le \frac{k-200}{2}\right)=0.3413$

$\mathrm{P}(0 \le Z \le 1)=0.3413$이므로

$\frac{k-200}{2}=1,\ k-200=2 \qquad \therefore k=202$

답 202

풍쌤 비법

표본평균 $\overline{X}$에 대하여 $\mathrm{P}(a \le \overline{X} \le b)$의 값은 다음과 같은 순서로 구한다.

(i) 정규분포 $\mathrm{N}(m,\ \sigma^2)$을 따르는 모집단에서 크기가 n인 표본을 임의추출할 때, 표본평균 $\overline{X}$가 따르는 정규분포 $\mathrm{N}\left(m,\ \frac{\sigma^2}{n}\right)$을 구한다.

(ii) 표본평균 $\overline{X}$를 $Z=\frac{\overline{X}-m}{\sigma}$을 이용하여 표준정규분포 $\mathrm{N}(0,\ 1)$로 바꾼다.

(iii) 표준정규분포표를 이용하여 $\mathrm{P}(a \le \overline{X} \le b)$의 값을 구한다.

138

모집단이 정규분포 $\mathrm{N}(m,\ 10^2)$을 따르고 표본의 크기가 25이므로 표본평균 $\overline{X}$는 정규분포 $\mathrm{N}\left(m,\ \frac{10^2}{25}\right)$, 즉 $\mathrm{N}(m,\ 2^2)$을 따른다.

이때 $Z=\frac{\overline{X}-m}{2}$으로 놓으면 확률변수 Z는 표준정규분포 $\mathrm{N}(0,\ 1)$을 따른다.

$\mathrm{P}(\overline{X} \ge 2000)=0.9772$에서

$$\begin{aligned}P(\overline{X}\ge 2000)&=P\left(Z\ge \frac{2000-m}{2}\right)\\&=P\left(\frac{2000-m}{2}\le Z\le 0\right)+P(Z\ge 0)\\&=P\left(\frac{2000-m}{2}\le Z\le 0\right)+0.5\\&=0.9772\end{aligned}$$

$\therefore P\left(0\le Z\le \frac{m-2000}{2}\right)=0.4772$

이때 $P(0\le Z\le 2)=0.4772$이므로

$\frac{m-2000}{2}=2$, $m-2000=4$ $\quad\therefore m=2004$

답 ②

139

모집단이 정규분포 $N(200,\ (1.8)^2)$을 따르고 표본의 크기가 9이므로 표본평균을 $\overline{X}$라고 하면 $\overline{X}$는 정규분포 $N\left(200,\ \frac{1.8^2}{9}\right)$, 즉 $N(200,\ (0.6)^2)$을 따른다.

이때 $Z=\frac{\overline{X}-200}{0.6}$으로 놓으면 확률변수 Z는 표준정규분포 $N(0,\ 1)$을 따르므로 구하는 확률은

$$\begin{aligned}P(\overline{X}\ge 198.5)&=P\left(Z\ge \frac{198.5-200}{0.6}\right)\\&=P(Z\ge -2.5)\\&=P(Z\ge 0)+P(-2.5\le Z\le 0)\\&=0.5+P(0\le Z\le 2.5)\\&=0.5+0.4938=0.9938\end{aligned}$$

답 ⑤

140

모집단이 정규분포 $N(14,\ 3.2^2)$을 따르고 표본의 크기가 256이므로 표본평균을 $\overline{X}$라고 하면 $\overline{X}$는 정규분포 $N\left(14,\ \frac{3.2^2}{256}\right)$, 즉 $N(14,\ 0.2^2)$을 따른다.

이때 $Z=\frac{\overline{X}-14}{0.2}$로 놓으면 확률변수 Z는 표준정규분포 $N(0,\ 1)$을 따르므로 구하는 확률은

$$\begin{aligned}P(13.7\le \overline{X}\le 14.2)&=P\left(\frac{13.7-14}{0.2}\le Z\le \frac{14.2-14}{0.2}\right)\\&=P(-1.5\le Z\le 1)\\&=P(0\le Z\le 1.5)+P(0\le Z\le 1)\\&=0.4332+0.3413=0.7745\end{aligned}$$

답 ②

141

$\overline{x}=53.51$, $\sigma=5$, $n=100$이므로

$53.51-1.96\times\frac{5}{\sqrt{100}}\le m\le 53.51+1.96\times\frac{5}{\sqrt{100}}$

$\therefore 52.53\le m\le 54.49$

답 $52.53\le m\le 54.49$

142

$\overline{x}=67$, $\sigma=4$, $n=100$이므로 신뢰구간의 길이는

$2\times 2.58\times\frac{4}{\sqrt{100}}=2.064$

답 2.064

143

$\overline{x}=20$, $\sigma=S=5$이므로 모평균 m에 대한 신뢰도 95 %의 신뢰구간은

$20-1.96\times\frac{5}{\sqrt{n}}\le m\le 20+1.96\times\frac{5}{\sqrt{n}}$

이때 $19.02\le m\le a$이므로

$20-1.96\times\frac{5}{\sqrt{n}}=19.02$, $20+1.96\times\frac{5}{\sqrt{n}}=a$

위의 두 식을 연립하여 풀면 $n=100$, $a=20.98$

$\therefore n+a=120.98$

답 ④

144

크기가 36인 표본을 임의추출하여 구한 표본평균의 값을 $\overline{x}$라고 하면 모평균 m에 대한 신뢰도 99 %의 신뢰구간은

$\overline{x}-2.58\times\frac{\sigma}{\sqrt{36}}\le m\le \overline{x}+2.58\times\frac{\sigma}{\sqrt{36}}$

$\therefore \overline{x}-0.43\sigma=22.71$, $\overline{x}+0.43\sigma=25.29$

위의 두 식을 연립하여 풀면

$\overline{x}=24$, $\sigma=3$

답 3

다른 풀이

신뢰구간의 길이는

$2\times 2.58\times\frac{\sigma}{\sqrt{36}}=25.29-22.71=2.58$

$0.86\sigma=2.58$ $\quad\therefore \sigma=3$

145

모표준편차가 6분이고, 모평균에 대한 신뢰도 95 %의 신뢰구간의 길이가 2분 이하이어야 하므로 표본의 크기를 n이라고 하면

$2\times 1.96\times\frac{6}{\sqrt{n}}\le 2$

$\sqrt{n}\ge 11.76$ $\quad\therefore n\ge 138.2976$

따라서 조사하여야 할 표본의 크기의 최솟값은 139이다.

답 ⑤

146

모표준편차가 5, 크기가 25인 표본을 임의추출하여 구한 표본평균의 값이 $\overline{x_1}$이므로 모평균 m에 대한 신뢰도 95 %의 신뢰구간은

$\overline{x_1}-1.96\times\frac{5}{\sqrt{25}}\le m\le \overline{x_1}+1.96\times\frac{5}{\sqrt{25}}$

$\overline{x_1}-1.96\le m\le \overline{x_1}+1.96$

$80-a\le m\le 80+a$이므로

$\overline{x_1}-1.96=80-a$, $\overline{x_1}+1.96=80+a$

$\therefore \overline{x_1}=80,\ a=1.96$

크기가 n인 표본을 임의추출하여 구한 표본평균의 값이 $\overline{x_2}$이므로 모평균 m에 대한 신뢰도 95 %의 신뢰구간은

$\overline{x_2}-1.96\times\frac{5}{\sqrt{n}}\le m\le\overline{x_2}+1.96\times\frac{5}{\sqrt{n}}$

$\frac{15}{16}\overline{x_1}-\frac{5}{7}a\le m\le\frac{15}{16}\overline{x_1}+\frac{5}{7}a$이므로

$\overline{x_2}-1.96\times\frac{5}{\sqrt{n}}=\frac{15}{16}\overline{x_1}-\frac{5}{7}a,\ \overline{x_2}+1.96\times\frac{5}{\sqrt{n}}=\frac{15}{16}\overline{x_1}+\frac{5}{7}a$

$\therefore \overline{x_2}=\frac{15}{16}\overline{x_1}=\frac{15}{16}\times 80=75$

또, $1.96\times\frac{5}{\sqrt{n}}=\frac{5}{7}a=\frac{5}{7}\times 1.96=1.4$이므로

$n=49$

$\therefore n+\overline{x_2}=49+75=124$

답 ②

147

모표준편차가 16, 표본의 크기가 n이므로

$\sigma(\overline{X})=\frac{16}{\sqrt{n}}$

표본평균 $\overline{X}$의 표준편차가 4 이하가 되어야 하므로

$\frac{16}{\sqrt{n}}\le 4,\ \sqrt{n}\ge 4 \qquad \therefore n\ge 16$

따라서 n의 최솟값은 16이다.

답 16

148

확률변수 X는 이항분포 $B\left(50,\ \frac{1}{5}\right)$을 따르므로

$E(X)=50\times\frac{1}{5}=10,\ V(X)=50\times\frac{1}{5}\times\frac{4}{5}=8$

이때 표본의 크기가 8이므로

$E(\overline{X})=10,\ V(\overline{X})=\frac{8}{8}=1$

$\therefore E(\overline{X})+V(\overline{X})=10+1=11$

답 ④

149

모분산이 $4^2=16$, 표본의 크기가 n이고 표본평균 $\overline{X}$의 분산이 4이므로

$V(\overline{X})=\frac{V(X)}{n}=\frac{16}{n}=4 \qquad \therefore n=4$

또, 모평균이 6이고

$V(\overline{X})=E(\overline{X}^2)-\{E(\overline{X})\}^2$이므로

$4=E(\overline{X}^2)-6^2$ └ $E(\overline{X})=E(X)=6$

$\therefore E(\overline{X}^2)=6^2+4=40$

$\therefore E(\overline{X}^2+n)=E(\overline{X}^2+4)=E(\overline{X}^2)+4$

$=40+4=44$

답 44

150

주어진 표에서

$E(X)=1\times\frac{1}{6}+2\times\frac{1}{3}+3\times\frac{1}{2}=\frac{7}{3}$

$E(X^2)=1^2\times\frac{1}{6}+2^2\times\frac{1}{3}+3^2\times\frac{1}{2}=6$

$\sigma^2=V(X)=E(X^2)-\{E(X)\}^2=6-\left(\frac{7}{3}\right)^2=$ (가) $\frac{5}{9}$

모집단에서 크기가 10인 표본을 임의추출하여 구한 표본평균을 $\overline{X}$라고 하면

$E(\overline{X})=\frac{7}{3},\ V(\overline{X})=\frac{V(X)}{10}=\frac{\frac{5}{9}}{10}=$ (나) $\frac{1}{18}$

$Y=10\overline{X}$이므로

$E(Y)=E(10\overline{X})=10E(\overline{X})=10\times\frac{7}{3}=\frac{70}{3}$

$V(Y)=V(10\overline{X})=10^2V(\overline{X})=\frac{100}{18}=$ (다) $\frac{50}{9}$

따라서 $p=\frac{5}{9},\ q=\frac{1}{18},\ r=\frac{50}{9}$이므로

$p+q+r=\frac{5}{9}+\frac{1}{18}+\frac{50}{9}=\frac{37}{6}$

답 ④

151

모집단이 정규분포 $N(m,\ \sigma^2)$을 따르므로 표본평균 $\overline{X_1},\ \overline{X_2}$는 각각 정규분포 $N\left(m,\ \frac{\sigma^2}{n_1}\right),\ N\left(m,\ \frac{\sigma^2}{n_2}\right)$을 따른다.

즉, 표본의 크기에 관계없이 평균은 같고, $n_1<n_2$에서 $\frac{\sigma^2}{n_1}>\frac{\sigma^2}{n_2}$이므로 표본의 크기가 n_1일 때의 표준편차가 더 크다.

따라서 $f(x)$의 그래프와 $g(x)$의 그래프는 대칭축이 직선 $x=m$으로 일치하고, $f(x)$의 그래프의 높이가 더 낮고 폭이 넓으므로 $f(x)$의 그래프의 모양은 ㉢, $g(x)$의 그래프의 모양은 ㉡이다.

답 ⑤

152

모집단이 정규분포 $N(25,\ 4^2)$을 따르고 표본의 크기가 4이므로 표본평균 $\overline{X}$는 정규분포 $N\left(25,\ \frac{4^2}{4}\right)$, 즉 $N(25,\ 2^2)$을 따른다.

$\therefore P(23\le\overline{X}\le 29)$

$=P(25-2\le\overline{X}\le 25+4)$

$=P(m-\sigma\le\overline{X}\le m+2\sigma)$

$=P(m-\sigma\le\overline{X}\le m)+P(m\le\overline{X}\le m+2\sigma)$

$=\frac{1}{2}\times(0.6826+0.9544)$

$=0.8185$

답 ②

153

확률변수 X는 정규분포 $N(60,\ \sigma^2)$을 따르므로 $Z_X=\frac{X-60}{\sigma}$으로 놓으면 확률변수 Z_X는 표준정규분포 $N(0,\ 1)$을 따른다.

$$P(50\le X\le 70)=P\left(\frac{50-60}{\sigma}\le Z_X\le \frac{70-60}{\sigma}\right)$$
$$=P\left(-\frac{10}{\sigma}\le Z_X\le \frac{10}{\sigma}\right)$$
$$=2P\left(0\le Z_X\le \frac{10}{\sigma}\right)=0.6826$$

이므로 $P\left(0\le Z_X\le \frac{10}{\sigma}\right)=0.3413$

$P(0\le Z_X\le 1)=0.3413$이므로

$\frac{10}{\sigma}=1 \qquad \therefore \sigma=10$

표본의 크기가 4이므로 표본평균 $\overline{X}$는 정규분포

$N\left(60, \left(\frac{10}{\sqrt{4}}\right)^2\right)$, 즉 $N(60, 5^2)$을 따른다.

이때 $Z_{\overline{X}}=\frac{\overline{X}-60}{5}$으로 놓으면 확률변수 $Z_{\overline{X}}$는 표준정규분포

$N(0, 1)$을 따르므로

$$P(50\le \overline{X}\le 70)=P\left(\frac{50-60}{5}\le Z_{\overline{X}}\le \frac{70-60}{5}\right)$$
$$=P(-2\le Z_{\overline{X}}\le 2)=2P(0\le Z_{\overline{X}}\le 2)$$
$$=2\times 0.4772=0.9544$$

답 ⑤

154

$f(x)=f(60-x)$가 성립하므로 확률밀도함수 $y=f(x)$의 그래프는 직선 $x=30$에 대하여 대칭이다.

$\therefore m=30$

확률변수 X는 정규분포 $N(30, 2^2)$을 따르고 표본의 크기가 n이므로 표본평균 $\overline{X}$는 정규분포 $N\left(30, \left(\frac{2}{\sqrt{n}}\right)^2\right)$을 따른다.

이때 $Z_X=\frac{X-30}{2}$, $Z_{\overline{X}}=\frac{\overline{X}-30}{\frac{2}{\sqrt{n}}}$으로 놓으면 확률변수 Z_X, $Z_{\overline{X}}$는 모두 표준정규분포 $N(0, 1)$을 따르므로

$P(X\le 26)=P(\overline{X}\ge 32)$에서

$$P\left(Z_X\le \frac{26-30}{2}\right)=P\left(Z_{\overline{X}}\ge \frac{32-30}{\frac{2}{\sqrt{n}}}\right)$$

$P(Z_X\le -2)=P(Z_{\overline{X}}\ge \sqrt{n})$

$\therefore P(Z_X\ge 2)=P(Z_{\overline{X}}\ge \sqrt{n})$

즉, $2=\sqrt{n}$이므로 $n=4$

$$\therefore P(28\le \overline{X}\le 31)=P\left(\frac{28-30}{1}\le Z_{\overline{X}}\le \frac{31-30}{1}\right)$$
$$=P(-2\le Z_{\overline{X}}\le 1)$$
$$=P(0\le Z_{\overline{X}}\le 1)+P(0\le Z_{\overline{X}}\le 2)$$
$$=0.3413+0.4772=0.8185$$

답 0.8185

155

월 교통비를 확률변수 X라고 하면 확률변수 X는 정규분포 $N(8, 1.2^2)$을 따르고 표본의 크기는 n이므로 표본평균 $\overline{X}$는 정규분포 $N\left(8, \left(\frac{1.2}{\sqrt{n}}\right)^2\right)$을 따른다.

이때 $Z=\frac{\overline{X}-8}{\frac{1.2}{\sqrt{n}}}$로 놓으면 확률변수 Z는 표준정규분포 $N(0, 1)$을 따르므로

$$P(7.76\le \overline{X}\le 8.24)=P\left(\frac{7.76-8}{\frac{1.2}{\sqrt{n}}}\le Z\le \frac{8.24-8}{\frac{1.2}{\sqrt{n}}}\right)$$
$$=P\left(-\frac{\sqrt{n}}{5}\le Z\le \frac{\sqrt{n}}{5}\right)$$
$$=2P\left(0\le Z\le \frac{\sqrt{n}}{5}\right)\ge 0.6826$$

$\therefore P\left(0\le Z\le \frac{\sqrt{n}}{5}\right)\ge 0.3413$ ...... ㉠

$P(0\le Z\le 1)=0.3413$이므로 ㉠에서

$\frac{\sqrt{n}}{5}\ge 1$, $\sqrt{n}\ge 5 \qquad \therefore n\ge 25$

따라서 n의 최솟값은 25이다.

답 25

156

확률변수 X는 정규분포 $N(m, 6^2)$을 따르므로

$Z_X=\frac{X-m}{6}$으로 놓으면 확률변수 Z_X는 표준정규분포 $N(0, 1)$을 따른다.

$$\therefore P(2m-a\le X\le a)=P\left(\frac{m-a}{6}\le Z_X\le \frac{a-m}{6}\right)$$
$$=P\left(-\frac{a-m}{6}\le Z_X\le \frac{a-m}{6}\right)$$
$$=2P\left(0\le Z_X\le \frac{a-m}{6}\right)$$
$$=0.9544$$

즉, $P\left(0\le Z_X\le \frac{a-m}{6}\right)=0.4772$이고 $P(0\le Z\le 2)=0.4772$이므로

$\frac{a-m}{6}=2 \qquad \therefore a=12+m$

한편 표본의 크기가 9이므로 표본평균 $\overline{X}$는 정규분포 $N\left(m, \frac{6^2}{9}\right)$, 즉 $N(m, 2^2)$을 따른다.

이때 $Z_{\overline{X}}=\frac{\overline{X}-m}{2}$으로 놓으면 확률변수 $Z_{\overline{X}}$는 표준정규분포 $N(0, 1)$을 따르므로

$$P(|\overline{X}-a+8|\le 1)=P(-1\le \overline{X}-a+8\le 1)$$
$$=P(a-9\le \overline{X}\le a-7)$$
$$=P(3+m\le \overline{X}\le 5+m)$$
$$=P\left(\frac{3+m-m}{2}\le Z_{\overline{X}}\le \frac{5+m-m}{2}\right)$$
$$=P(1.5\le Z_{\overline{X}}\le 2.5)$$
$$=P(0\le Z_{\overline{X}}\le 2.5)-P(0\le Z_{\overline{X}}\le 1.5)$$
$$=0.4938-0.4332=0.0606$$

답 ③

157

접근

정규분포의 표준화를 이용하여 $f(0)+f(0.9)$를 n에 대한 식으로 나타낸 후 부등식을 푼다.

모집단이 정규분포 $N(m,\ 2^2)$을 따르고 표본의 크기가 n이므로 표본평균 $\overline{X}$는 정규분포 $N\left(m,\ \left(\frac{2}{\sqrt{n}}\right)^2\right)$을 따른다.

이때 $Z=\frac{\overline{X}-m}{\frac{2}{\sqrt{n}}}$으로 놓으면 확률변수 Z는 표준정규분포 $N(0,\ 1)$을 따르므로

$$f(m)=P\left(\overline{X}\le 1.96\times\frac{2}{\sqrt{n}}\right)$$
$$=P\left(Z\le\frac{1.96\times\frac{2}{\sqrt{n}}-m}{\frac{2}{\sqrt{n}}}\right)$$
$$=P\left(Z\le 1.96-\frac{m\sqrt{n}}{2}\right)$$

$\therefore\ f(0)=P(Z\le 1.96)$
$=P(Z\le 0)+P(0\le Z\le 1.96)$
$=0.5+0.475=0.975$

$f(0.9)=P\left(Z\le 1.96-\frac{0.9\sqrt{n}}{2}\right)$
$=P(Z\le 1.96-0.45\sqrt{n})$

$f(0)+f(0.9)\le 1.025$에서
$0.975+P(Z\le 1.96-0.45\sqrt{n})\le 1.025$
$\therefore\ P(Z\le 1.96-0.45\sqrt{n})\le 1.025-0.975=0.05$
$P(0\le Z\le 1.64)=0.450$이므로
$P(Z\le -1.64)=P(Z\le 0)-P(-1.64\le Z\le 0)$
$=0.5-P(0\le Z\le 1.64)$
$=0.5-0.450=0.05$
따라서 $1.96-0.45\sqrt{n}\le -1.64$이므로
$\sqrt{n}\ge 8\qquad \therefore\ n\ge 64$
그러므로 n의 최솟값은 64이다.

답 ③

158

접근
확률변수 X와 표본평균 $\overline{X}$를 각각 표준화하여 a, b 사이의 관계식을 구한다.

확률변수 X가 정규분포 $N(20,\ 2^2)$을 따르고 표본의 크기가 4이므로 표본평균 $\overline{X}$는 정규분포 $N\left(20,\ \frac{2^2}{4}\right)$, 즉 $N(20,\ 1^2)$을 따른다.

이때 $Z_X=\frac{X-20}{2}$, $Z_{\overline{X}}=\overline{X}-20$으로 놓으면 확률변수 Z_X, $Z_{\overline{X}}$는 모두 표준정규분포 $N(0,\ 1)$을 따르므로
$P(X\ge a)=P(\overline{X}\ge b)$에서
$P\left(Z_X\ge\frac{a-20}{2}\right)=P(Z_{\overline{X}}\ge b-20)$

즉, $\frac{a-20}{2}=b-20$이므로 $\quad a-20=2b-40$
$\therefore\ a-2b+20=0$
$2\le a\le 8$이므로 점 $(a,\ b)$가 나타내는 도형은 두 점 $(2,\ 11)$, $(8,\ 14)$를 잇는 선분이다.
따라서 구하는 도형의 길이는
$\sqrt{(8-2)^2+(14-11)^2}=\sqrt{45}=3\sqrt{5}$

답 ③

참고
좌표평면 위의 두 점 $A(x_1,\ y_1)$, $B(x_2,\ y_2)$ 사이의 거리는
$\overline{AB}=\sqrt{(x_2-x_1)^2+(y_2-y_1)^2}$

159

물풀의 무게를 확률변수 X라고 하면 X는 정규분포 $N(70,\ 6^2)$을 따른다. 이때 $Z_X=\frac{X-70}{6}$으로 놓으면 확률변수 Z_X는 표준정규분포 $N(0,\ 1)$을 따르므로

$p_1=P(X\ge 76)=P\left(Z_X\ge\frac{76-70}{6}\right)$
$=P(Z_X\ge 1)=P(Z_X\ge 0)-P(0\le Z_X\le 1)$
$=0.5-0.3413=0.1587$

표본의 크기가 n인 표본평균을 $\overline{X}$라고 하면 $\overline{X}$는 정규분포 $N\left(70,\ \frac{6^2}{n}\right)$을 따른다. 이때 $Z_{\overline{X}}=\frac{\overline{X}-70}{\frac{6}{\sqrt{n}}}$으로 놓으면 확률변수 $Z_{\overline{X}}$는 표준정규분포 $N(0,\ 1)$을 따르므로

$p_2=P(\overline{X}\ge 76)=P\left(Z_{\overline{X}}\ge\frac{76-70}{\frac{6}{\sqrt{n}}}\right)=P(Z_{\overline{X}}\ge\sqrt{n})$

$p_1-p_2=0.1359$에서
$p_2=p_1-0.1359=0.1587-0.1359=0.0228$
즉, $P(Z_{\overline{X}}\ge\sqrt{n})=0.0228$이므로
$P(Z_{\overline{X}}\ge 0)-P(0\le Z_{\overline{X}}\le\sqrt{n})=0.5-P(0\le Z_{\overline{X}}\le\sqrt{n})$
$=0.0228$
$\therefore\ P(0\le Z_{\overline{X}}\le\sqrt{n})=0.4772$
$P(0\le Z\le 2)=0.4772$이므로 $\quad\sqrt{n}=2\qquad\therefore\ n=4$

답 ①

160

표본평균 $\overline{X}$의 값을 $\overline{x}$라고 할 때, 모평균 m에 대한 신뢰도 95 %의 신뢰구간은

$\overline{x}-1.96\times\frac{18}{\sqrt{n}}\le m\le\overline{x}+1.96\times\frac{18}{\sqrt{n}}$

$-1.96\times\frac{18}{\sqrt{n}}\le m-\overline{x}\le 1.96\times\frac{18}{\sqrt{n}}$

$\therefore\ |m-\overline{X}|\le 1.96\times\frac{18}{\sqrt{n}}$

이때 $|m-\overline{X}|\le 4$이려면 $\quad 1.96\times\frac{18}{\sqrt{n}}\le 4$, $\sqrt{n}\ge 8.82$

$\therefore\ n\ge 77.\times\times\times$
따라서 n의 최솟값은 78이다.

답 ②

161

$c^2=100n$에서 $n=\frac{c^2}{100}$이므로

$l=2\times 1.96\times\frac{0.5}{\sqrt{n}}=1.96\times\frac{1}{\sqrt{\frac{c^2}{100}}}=\frac{19.6}{c}$

이때 $c>0$이므로 c의 값이 커질수록 l의 값은 작아진다.
따라서 그래프로 알맞은 것은 ④이다.

답 ④

162

Z가 표준정규분포 $\mathrm{N}(0, 1)$을 따르는 확률변수일 때,

$\mathrm{P}(|Z| \le k) = \frac{\alpha}{100}$ (k는 상수)라고 하면 신뢰도 α %로 추정한 신뢰구간의 길이는 각각

$h_1 = 2 \times k \times \frac{1}{\sqrt{n}}$, $h_2 = 2 \times k \times \frac{1}{\sqrt{n+200}}$

$h_1 = 3h_2$이므로 $2k \times \frac{1}{\sqrt{n}} = 3 \times 2k \times \frac{1}{\sqrt{n+200}}$

$\therefore \sqrt{n+200} = 3\sqrt{n}$

양변을 제곱하면

$n+200 = 9n$, $8n = 200$

$\therefore n = 25$

답 25

163

ㄱ은 옳다.

표본의 크기를 n이라고 하면 $\mathrm{V}(\overline{X}) = \frac{\sigma^2}{n}$이므로 $\mathrm{V}(\overline{X})$는 표본의 크기에 반비례한다.

ㄴ도 옳다.

표본의 크기를 n이라 하고, 표본평균 $\overline{X}$의 값을 $\overline{x}$라고 하자.

모평균 m에 대한 신뢰도 95 %의 신뢰구간은

$\overline{x} - 1.96 \times \frac{\sigma}{\sqrt{n}} \le m \le \overline{x} + 1.96 \times \frac{\sigma}{\sqrt{n}}$

모평균 m에 대한 신뢰도 99 %의 신뢰구간은

$\overline{x} - 2.58 \times \frac{\sigma}{\sqrt{n}} \le m \le \overline{x} + 2.58 \times \frac{\sigma}{\sqrt{n}}$

따라서 신뢰도 99 %의 신뢰구간은 신뢰도 95 %의 신뢰구간을 포함한다.

ㄷ은 옳지 않다.

$\mathrm{P}(|Z| \le k) = \frac{\alpha}{100}$ (k는 상수)일 때, 모평균 m에 대한 신뢰도 α %의 신뢰구간의 길이는 $2 \times k \times \frac{\sigma}{\sqrt{n}}$이고 신뢰도가 일정하므로 k의 값은 일정하다.

따라서 $\sqrt{n}$, 즉 n의 값이 작을수록 $2 \times k \times \frac{\sigma}{\sqrt{n}}$의 값은 커지므로 표본의 크기가 작을수록 신뢰구간의 길이는 길어진다.

그러므로 옳은 것은 ㄱ, ㄴ이다.

답 ③

164

모표준편차를 σ라고 하면

수지가 추정한 신뢰구간의 길이 l_1은 $l_1 = 2 \times 1.96 \times \frac{\sigma}{\sqrt{n_1}}$

태오가 추정한 신뢰구간의 길이 l_2는 $l_2 = 2 \times 2.58 \times \frac{\sigma}{\sqrt{n_2}}$

수지와 태오가 추정한 신뢰구간의 길이가 서로 같으므로

$2 \times 1.96 \times \frac{\sigma}{\sqrt{n_1}} = 2 \times 2.58 \times \frac{\sigma}{\sqrt{n_2}}$

$\frac{196}{\sqrt{n_1}} = \frac{258}{\sqrt{n_2}}$ $\therefore \frac{n_2}{n_1} = \left(\frac{258}{196}\right)^2$

답 ③

165

접근

$f(n, \alpha)$를 식으로 나타낸 후 보기의 참, 거짓을 판별한다.

모평균 m에 대한 신뢰도 α %의 신뢰구간의 길이는

$f(n, \alpha) = 2 \times k \times \frac{\sigma}{\sqrt{n}}$ $\left(단,\ \mathrm{P}(|Z| \le k) = \frac{\alpha}{100}\right)$

ㄱ은 옳다.

$$\begin{aligned} f(4n, \alpha) &= 2 \times k \times \frac{\sigma}{\sqrt{4n}} \\ &= \frac{1}{2} \times 2k \times \frac{\sigma}{\sqrt{n}} \\ &= \frac{1}{2} f(n, \alpha) \end{aligned}$$

$\therefore f(n, \alpha) = 2f(4n, \alpha)$

ㄴ은 옳지 않다.

신뢰도가 일정할 때 표본의 크기가 커지면 신뢰구간의 길이는 짧아진다.

따라서 $n > 2$이면 $n^2 > 2n$이므로 $f(n^2, \alpha) < f(2n, \alpha)$

ㄷ은 옳다.

표본의 크기가 일정할 때 신뢰도가 높을수록 신뢰구간의 길이는 길어진다.

따라서 $\alpha < \beta$이면 $f(n, \alpha) < f(n, \beta)$

그러므로 옳은 것은 ㄱ, ㄷ이다.

답 ④

166

주민 16명을 임의추출하여 구한 표본평균이 75분이므로 모평균 m에 대한 신뢰도 95 %의 신뢰구간은

$75 - 1.96 \times \frac{\sigma}{\sqrt{16}} \le m \le 75 + 1.96 \times \frac{\sigma}{\sqrt{16}}$

이므로

$b = 75 + 1.96 \times \frac{\sigma}{\sqrt{16}} = 75 + 0.49 \times \sigma$

한편 주민 16명을 임의추출하여 구한 표본평균이 77분이므로 모평균 m에 대한 신뢰도 99 %의 신뢰구간은

$77 - 2.58 \times \frac{\sigma}{\sqrt{16}} \le m \le 77 + 2.58 \times \frac{\sigma}{\sqrt{16}}$

이므로

$d = 77 + 2.58 \times \frac{\sigma}{\sqrt{16}} = 77 + 0.645 \times \sigma$

$d - b = 3.86$이므로

$$\begin{aligned} d - b &= 77 + 0.645 \times \sigma - (75 + 0.49 \times \sigma) \\ &= 2 + 0.155\sigma = 3.86 \end{aligned}$$

$0.155\sigma = 1.86$

$\therefore \sigma = \frac{1.86}{0.155} = 12$

답 12

상위 1% 도전 문제

167

$\triangle$ABC가 주어진 정육각형과 몇 개의 변을 공유하는지를 기준으로 경우를 나누어 생각하면 다음과 같다.

(i) 정육각형과 변을 공유하지 않을 때

1, 3, 5 또는 2, 4, 6이 나오는 경우이고, 각 경우의 수는 3!이므로 $\triangle$ABC가 만들어지는 경우의 수는

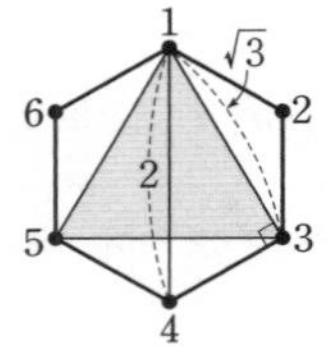

$2\times3!=12$

따라서 확률은 $\frac{12}{6^3}=\frac{1}{18}$

이때 $\triangle$ABC는 한 변의 길이가 $\sqrt{3}$인 정삼각형이므로

$X=\frac{\sqrt{3}}{4}\times(\sqrt{3})^2=\frac{3\sqrt{3}}{4}$

└ 한 변의 길이가 a인 정삼각형의 넓이는 $\frac{\sqrt{3}}{4}a^2$

(ii) 정육각형과 한 개의 변을 공유할 때

오른쪽 그림과 같이 정육각형의 변 중 한 개와 그 변의 양 끝 점과 이웃하지 않는 꼭짓점을 택하는 경우이다.

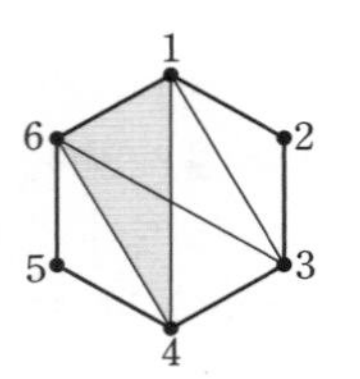

예를 들어, 1과 6을 양 끝 점으로 하는 변을 고른다면 오른쪽 그림의 1, 4, 6 또는 1, 3, 6과 같이 2개의 삼각형이 존재한다.

정육각형의 변은 모두 6개이고 각 변마다 $\triangle$ABC는 2개씩 그릴 수 있으므로 $\triangle$ABC가 만들어지는 경우의 수는

$2\times6\times3!=72$

따라서 확률은 $\frac{72}{6^3}=\frac{1}{3}$

이때 $\triangle$ABC는 직각을 낀 두 변의 길이가 각각 1, $\sqrt{3}$인 직각삼각형이므로

$X=\frac{1}{2}\times1\times\sqrt{3}=\frac{\sqrt{3}}{2}$

(iii) 정육각형과 2개의 변을 공유할 때

오른쪽 그림과 같이 이웃하는 두 변을 택하는 경우이다. 즉, 정육각형의 6개의 꼭짓점 각각에 대하여 그 꼭짓점 양 옆의 변이 선택되어야 하므로 $\triangle$ABC가 만들어지는 경우의 수는

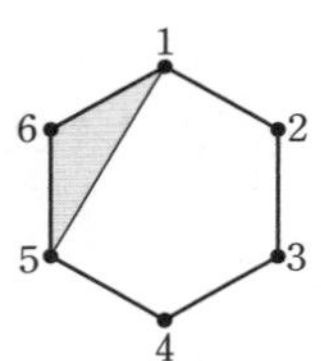

$6\times3!=36$

따라서 확률은 $\frac{36}{6^3}=\frac{1}{6}$

이때 $\triangle$ABC는 두 변의 길이가 각각 1, 1이고 그 끼인각의 크기가 120°인 삼각형이므로

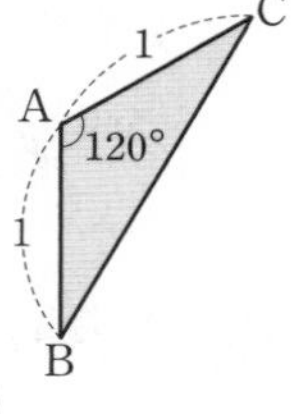

$X=\frac{1}{2}\times1\times1\times\frac{\sqrt{3}}{2}=\frac{\sqrt{3}}{4}$

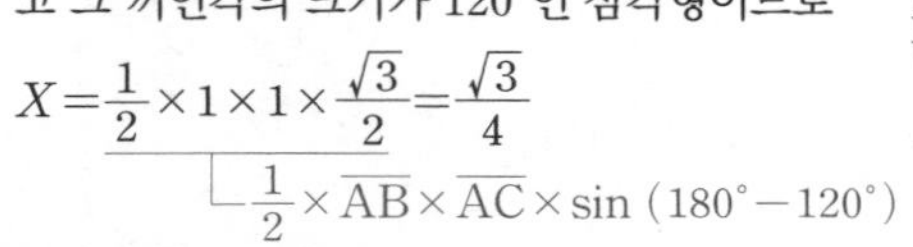

(iv) 삼각형이 만들어지지 않을 때

세 눈의 수가 같거나 두 눈의 수가 같은 경우이므로 $\triangle$ABC가 만들어지지 않는 경우의 수는

$6^3-(12+72+36)=96$

따라서 확률은 $\frac{96}{6^3}=\frac{4}{9}$이고 넓이 X는 $X=0$이다.

(i)~(iv)에서 확률변수 X의 확률분포를 표로 나타내면 다음과 같다.

X	0	$\frac{\sqrt{3}}{4}$	$\frac{\sqrt{3}}{2}$	$\frac{3\sqrt{3}}{4}$	합계
$P(X=x)$	$\frac{4}{9}$	$\frac{1}{6}$	$\frac{1}{3}$	$\frac{1}{18}$	1

$\therefore E(X)=0\times\frac{4}{9}+\frac{\sqrt{3}}{4}\times\frac{1}{6}+\frac{\sqrt{3}}{2}\times\frac{1}{3}+\frac{3\sqrt{3}}{4}\times\frac{1}{18}=\frac{\sqrt{3}}{4}$

답 ②

168

추가된 빨간색 구슬의 개수를 확률변수 X라고 하면 X가 가질 수 있는 값은 0, 1, 2이고, 그 각각의 확률은

$P(X=0)={}_2C_0\left(\frac{1}{2}\right)^0\left(\frac{1}{2}\right)^2=\frac{1}{4}$

$P(X=1)={}_2C_1\left(\frac{1}{2}\right)^1\left(\frac{1}{2}\right)^1=\frac{1}{2}$

$P(X=2)={}_2C_2\left(\frac{1}{2}\right)^2\left(\frac{1}{2}\right)^0=\frac{1}{4}$

따라서 확률변수 X의 확률분포를 표로 나타내면 다음과 같다.

X	0	1	2	합계
$P(X=x)$	$\frac{1}{4}$	$\frac{1}{2}$	$\frac{1}{4}$	1

7개의 구슬 중 임의로 택한 한 개의 구슬이 파란색인 사건을 A, 추가된 구슬이 모두 빨간색인 사건을 B라고 하자.

$P(X=0)$일 때, 빨간색 3개, 파란색 4개이므로 확률은

$\frac{1}{4}\times\frac{4}{7}=\frac{1}{7}$

$P(X=1)$일 때, 빨간색 4개, 파란색 3개이므로 확률은

$\frac{1}{2}\times\frac{3}{7}=\frac{3}{14}$

$P(X=2)$일 때, 빨간색 5개, 파란색 2개이므로 확률은

$\frac{1}{4}\times\frac{2}{7}=\frac{1}{14}$

$\therefore P(A)=\frac{1}{7}+\frac{3}{14}+\frac{1}{14}=\frac{3}{7}$

$P(A\cap B)=\frac{1}{4}\times\frac{2}{7}=\frac{1}{14}$

$\therefore P(B|A)=\frac{P(A\cap B)}{P(A)}=\frac{\frac{1}{14}}{\frac{3}{7}}=\frac{1}{6}$

답 ①

169

가위바위보를 한 번 할 때 A가 이기는 경우에 따른 확률은 다음과 같다.

A가 이기는 경우	A가 이기는 확률
A가 가위, B가 보	$\frac{1}{5}\times\frac{2}{5}=\frac{2}{25}$
A가 바위, B가 가위	$\frac{3}{5}\times\frac{2}{5}=\frac{6}{25}$
A가 보, B가 바위	$\frac{1}{5}\times\frac{1}{5}=\frac{1}{25}$

따라서 가위바위보를 한 번 할 때 A가 이기는 확률은

$\frac{2}{25}+\frac{6}{25}+\frac{1}{25}=\frac{9}{25}$

이 시행을 n회 반복할 때, A가 이기는 횟수를 확률변수 X라 하고, A가 얻는 점수의 합을 확률변수 Y라고 하자.

확률변수 X는 이항분포 $\left(n, \frac{9}{25}\right)$를 따르므로

$E(X)=n\times\frac{9}{25}=\frac{9}{25}n$

또, $Y=4X+(n-X)=3X+n$이므로

$E(Y)=E(3X+n)=3E(X)+n$

$\quad=3\times\frac{9}{25}n+n=\frac{52}{25}n$

A가 얻는 점수의 합의 기댓값이 1300점이므로

$\frac{52}{25}n=1300 \qquad \therefore n=625$

즉, 확률변수 X는 이항분포 $B\left(625, \frac{9}{25}\right)$를 따르므로

$E(X)=625\times\frac{9}{25}=225$

$V(X)=625\times\frac{9}{25}\times\frac{16}{25}=144$

이때 $np=625\times\frac{9}{25}=225\geq5$, $nq=625\times\frac{16}{25}=400\geq5$이므로 X는 근사적으로 정규분포 $N(225, 12^2)$을 따른다.

한편 $Z=\frac{X-225}{12}$로 놓으면 확률변수 Z는 표준정규분포 $N(0, 1)$을 따르므로 구하는 확률은

$$\begin{aligned}P(Y\geq1372)&=P(3X+625\geq1372)\\&=P(X\geq249)\\&=P\left(Z\geq\frac{249-225}{12}\right)\\&=P(Z\geq2)\\&=0.5-P(0\leq Z\leq2)\\&=0.5-0.4772\\&=0.0228\end{aligned}$$

답 ③

170

확률변수 X가 이항분포 $B\left(n^2, \frac{1}{5}\right)$을 따르므로

$E(X)=n^2\times\frac{1}{5}=\frac{n^2}{5}$

$V(X)=n^2\times\frac{1}{5}\times\frac{4}{5}=\frac{4n^2}{25}$

이때 $np=n^2\times\frac{1}{5}=\frac{n^2}{5}\geq5$, $nq=n^2\times\frac{4}{5}=\frac{4n^2}{5}\geq5$이면 X는 근사적으로 정규분포 $N\left(\frac{n^2}{5}, \left(\frac{2n}{5}\right)^2\right)$을 따른다.

한편 $Z=\dfrac{X-\frac{n^2}{5}}{\frac{2n}{5}}$으로 놓으면 확률변수 Z는 표준정규분포 $N(0, 1)$을 따르므로

$$\begin{aligned}P\left(\left|\frac{X}{n^2}-\frac{1}{5}\right|<\frac{1}{10}\right)&=P\left(-\frac{1}{10}<\frac{X}{n^2}-\frac{1}{5}<\frac{1}{10}\right)\\&=P\left(\frac{n^2}{10}<X<\frac{3n^2}{10}\right)\\&=P\left(\frac{\frac{n^2}{10}-\frac{n^2}{5}}{\frac{2n}{5}}<Z<\frac{\frac{3n^2}{10}-\frac{n^2}{5}}{\frac{2n}{5}}\right)\\&=P\left(-\frac{n}{4}<Z<\frac{n}{4}\right)\\&=P\left(|Z|<\frac{n}{4}\right)\end{aligned}$$

$\therefore f(n)=\frac{n}{4}$, $g(n)=P\left(|Z|<\frac{n}{4}\right)$

ㄱ은 옳다.

n이 한없이 커지면 $\frac{n}{4}$도 한없이 커지므로 $P\left(|Z|<\frac{n}{4}\right)$의 값은 확률의 총합인 1에 가까워진다.

따라서 $g(n)$의 값은 1에 가까워진다.

ㄴ도 옳다.

$n_1\leq n_2$이면 $P\left(|Z|<\frac{n_1}{4}\right)\leq P\left(|Z|<\frac{n_2}{4}\right)$이므로

$g(n_1)\leq g(n_2)$

ㄷ도 옳다.

$f(2n)=\frac{2n}{4}=2\times\frac{n}{4}=2f(n)$

따라서 옳은 것은 ㄱ, ㄴ, ㄷ이다.

답 ⑤

171

크기가 n인 표본을 임의추출하여 모평균 m을 추정할 때, 신뢰도 95 %의 신뢰구간의 길이는

$2\times1.96\times\frac{\sigma}{\sqrt{n}}=124.68-116.84=7.84$

$\therefore \sigma=2\sqrt{n}$ …… ㉠

크기가 n^2인 표본을 임의추출하여 모평균 m을 추정할 때, 신뢰도 95 %의 신뢰구간의 길이는

$2\times1.96\times\frac{\sigma}{\sqrt{n^2}}=122.24-120.28=1.96$

$2\times1.96\times\frac{\sigma}{n}=1.96 \qquad \therefore \sigma=\frac{n}{2}$ …… ㉡

㉠, ㉡에서 $2\sqrt{n}=\frac{n}{2}$, $n=4\sqrt{n}$

$\therefore n=16$

$n=16$을 ㉡에 대입하면

$\sigma=8$

따라서 크기가 100인 표본을 임의추출하여 구한 모평균 m에 대한 신뢰도 95 %의 신뢰구간의 길이는

$2\times1.96\times\frac{\sigma}{\sqrt{100}}=2\times1.96\times\frac{8}{10}=3.136$

답 ④

미니 모의고사 - 1회

01

$Y=\frac{1}{2}X+5$이므로 $\mathrm{E}(Y)=\mathrm{E}\left(\frac{1}{2}X+5\right)=\frac{1}{2}\mathrm{E}(X)+5=4$

$\therefore \mathrm{E}(X)=-2$

$\mathrm{V}(Y)=\mathrm{E}(Y^2)-\{\mathrm{E}(Y)\}^2=28-4^2=12$이므로

$\mathrm{V}(Y)=\mathrm{V}\left(\frac{1}{2}X+5\right)=\left(\frac{1}{2}\right)^2\mathrm{V}(X)=12$

$\therefore \mathrm{V}(X)=48$

$\therefore \mathrm{E}(X)+\mathrm{V}(X)=-2+48=46$

답 ①

02

$\mathrm{P}(X=0)=\frac{1}{16}$에서 ${}_4\mathrm{C}_0 p^0(1-p)^4=\frac{1}{16}$

$(1-p)^4=\frac{1}{16}$, $1-p=\frac{1}{2}$ ($\because 1-p>0$)

$\therefore p=\frac{1}{2}$

답 ④

03

함수 $y=f(x)$의 그래프와 x축 및 직선 $x=3$으로 둘러싸인 부분의 넓이가 1이므로

$\frac{1}{2}\times1\times2k+2\times2k=1$

$5k=1$ $\therefore k=\frac{1}{5}$

$0\le x\le1$에서 함수 $y=f(x)$의 그래프는 두 점 $(0, 0)$과 $\left(1, \frac{2}{5}\right)$를 지나는 직선이므로

$y=\frac{2}{5}x$

따라서 $f\left(\frac{1}{2}\right)=\frac{1}{5}$이고, $\mathrm{P}\left(\frac{1}{2}\le X\le\frac{3}{2}\right)$의 값은 함수 $y=f(x)$의 그래프와 x축 및 두 직선 $x=\frac{1}{2}$, $x=\frac{3}{2}$으로 둘러싸인 부분의 넓이와 같으므로

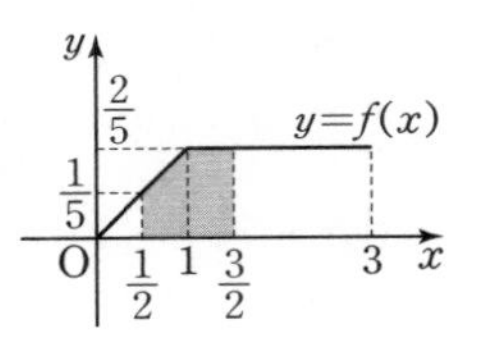

$\mathrm{P}\left(\frac{1}{2}\le X\le\frac{3}{2}\right)=\frac{1}{2}\times\left(\frac{1}{5}+\frac{2}{5}\right)\times\frac{1}{2}+\frac{1}{2}\times\frac{2}{5}$

$=\frac{3}{20}+\frac{1}{5}=\frac{7}{20}$

답 $\frac{7}{20}$

04

함수 $g(k)$의 최댓값은 $g(8)=\mathrm{P}(2\le X\le8)$이고, 정규분포곡선은 평균 m을 기준으로 좌우대칭이므로 m은 2와 8의 평균이다.

$\therefore m=\frac{2+8}{2}=5$

답 ④

05

$\overline{X}=1.5$인 경우는 1과 2 또는 2와 1을 추출하는 경우이므로

$a=\mathrm{P}(X=1)\times\mathrm{P}(X=2)+\mathrm{P}(X=2)\times\mathrm{P}(X=1)$

$=0.5\times0.3+0.3\times0.5$

$=0.3$

또, $\overline{X}=2$인 경우는 1과 3 또는 2와 2 또는 3과 1을 추출하는 경우이므로

$b=\mathrm{P}(X=1)\times\mathrm{P}(X=3)+\mathrm{P}(X=2)\times\mathrm{P}(X=2)+\mathrm{P}(X=3)\times\mathrm{P}(X=1)$

$=0.5\times0.2+0.3\times0.3+0.2\times0.5$

$=0.29$

$\therefore 1000ab=1000\times0.3\times0.29=87$

답 87

06

확률의 총합은 1이므로

$\mathrm{P}(X=2)+\mathrm{P}(X=3)+\mathrm{P}(X=4)+\cdots+\mathrm{P}(X=9)$

$=\frac{k}{2\times1}+\frac{k}{3\times2}+\frac{k}{4\times3}+\cdots+\frac{k}{9\times8}$

$=k\left(1-\frac{1}{2}\right)+k\left(\frac{1}{2}-\frac{1}{3}\right)+k\left(\frac{1}{3}-\frac{1}{4}\right)+\cdots+k\left(\frac{1}{8}-\frac{1}{9}\right)$

$=k\left(1-\frac{1}{9}\right)=\frac{8}{9}k=1$

$\therefore k=\frac{9}{8}$

답 ④

07

확률의 총합은 1이므로

$\frac{2}{15}+\frac{2}{15}+a+\frac{4}{15}+\frac{1}{15}=1$ $\therefore a=\frac{2}{5}$

$\mathrm{E}(X)=1\times\frac{2}{15}+2\times\frac{2}{15}+3\times\frac{2}{5}+4\times\frac{4}{15}+5\times\frac{1}{15}=3$

$\mathrm{E}(X^2)=1^2\times\frac{2}{15}+2^2\times\frac{2}{15}+3^2\times\frac{2}{5}+4^2\times\frac{4}{15}+5^2\times\frac{1}{15}=\frac{51}{5}$

$\therefore \mathrm{V}(X)=\mathrm{E}(X^2)-\{\mathrm{E}(X)\}^2$

$=\frac{51}{5}-3^2=\frac{6}{5}$

따라서 $\sigma(X)=\sqrt{\frac{6}{5}}=\frac{\sqrt{30}}{5}$이므로

$\sigma(5X+3)=5\sigma(X)=\sqrt{30}$

답 $\sqrt{30}$

08

확률변수 X가 정규분포 $\mathrm{N}(1, \sigma^2)$을 따르므로

$\mathrm{P}(1-2\sigma\le X\le1+2\sigma)=a$에서

$2\mathrm{P}(1\le X\le1+2\sigma)=a$

$\therefore \mathrm{P}(1\le X\le1+2\sigma)=\frac{a}{2}$ …… ㉠

$P(1+\sigma \le X \le 1+2\sigma)=b$에서
$P(1 \le X \le 1+2\sigma)-P(1 \le X \le 1+\sigma)=b$
㉠에 의하여 $P(1 \le X \le 1+\sigma)=\frac{a}{2}-b$
$\therefore P(1-\sigma \le X \le 1+\sigma)=2P(1 \le X \le 1+\sigma)$
$=2\left(\frac{a}{2}-b\right)=a-2b$

답 ②

09

$P(-2.5 \le Z \le 2.5)=2P(0 \le Z \le 2.5)=2\times 0.49=0.98$
이므로 모평균 m을 신뢰도 98 %로 추정한 신뢰구간의 길이 l은
$l=2\times 2.5\times \frac{\sigma}{\sqrt{n}}$
한편 $P(-1 \le Z \le 1)=2P(0 \le Z \le 1)=2\times 0.34=0.68$
이므로 모평균 m을 신뢰도 68 %로 추정한 신뢰구간의 길이는
$2\times 1\times \frac{\sigma}{\sqrt{n}}=\frac{2}{5}\times\left(2\times 2.5\times \frac{\sigma}{\sqrt{n}}\right)=\frac{2}{5}l$

답 ②

10

조종사의 비행 시간을 확률변수 X라고 하면 모집단이 정규분포 $N(1400,\ 100^2)$을 따르고, 표본의 크기가 n이므로 표본평균을 $\overline{X}$라고 하면 $\overline{X}$는 정규분포 $N\left(1400,\ \left(\frac{100}{\sqrt{n}}\right)^2\right)$을 따른다.
이때 $Z=\frac{\overline{X}-1400}{\frac{100}{\sqrt{n}}}$으로 놓으면 확률변수 Z는 표준정규분포 $N(0,\ 1)$을 따르므로

$$P\left(\overline{X} \ge 1350+\frac{165}{\sqrt{n}}\right)=P\left(Z \ge \frac{1350+\frac{165}{\sqrt{n}}-1400}{\frac{100}{\sqrt{n}}}\right)$$
$$=P\left(Z \ge \frac{\frac{165}{\sqrt{n}}-50}{\frac{100}{\sqrt{n}}}\right)$$
$$=P\left(Z \ge 1.65-\frac{\sqrt{n}}{2}\right)$$

즉, $P\left(Z \ge 1.65-\frac{\sqrt{n}}{2}\right) \ge 0.95$이므로
$0.5+P\left(0 \le Z \le \frac{\sqrt{n}}{2}-1.65\right) \ge 0.95$
$\therefore P\left(0 \le Z \le \frac{\sqrt{n}}{2}-1.65\right) \ge 0.45$
이때 $P(0 \le Z \le 1.65)=0.45$이므로
$\frac{\sqrt{n}}{2}-1.65 \ge 1.65$
$\frac{\sqrt{n}}{2} \ge 3.3,\ \sqrt{n} \ge 6.6$
$\therefore n \ge 43.56$
따라서 n의 최솟값은 44이다.

답 ⑤

미니 모의고사 - 2회

01

네 개의 동전을 동시에 던질 때, 앞면이 k개 나오면 뒷면은 $(4-k)$개가 나온다. 따라서 앞면이 k개 나올 확률은
$P(X=k)={}_4C_k\left(\frac{1}{2}\right)^k\left(\frac{1}{2}\right)^{4-k}=\frac{1}{16}\times {}_4C_k$
$\therefore n=4$

답 ①

02

$E(X)=0,\ \sigma(X)=1$이므로
$E(Y)=E(aX+b)=aE(X)+b=5$에서
$b=5$
$\sigma(Y)=\sigma(aX+b)=|a|\sigma(X)=|a|=10$에서
$a=10\ (\because a>0)$
$\therefore ab=10\times 5=50$

답 50

03

$y=f(x)$의 그래프와 x축, y축으로 둘러싸인 부분의 넓이가 1이므로
$1\times a+\frac{1}{2}\times 1\times a=1$
$\frac{3}{2}a=1 \qquad \therefore a=\frac{2}{3}$

답 ④

04

스팸메시지의 개수를 확률변수 X라고 하면 X는 이항분포 $B\left(72,\ \frac{1}{3}\right)$을 따르므로
$E(X)=72\times\frac{1}{3}=24$
$V(X)=72\times\frac{1}{3}\times\frac{2}{3}=16$
이때 $np=72\times\frac{1}{3}=24\ge 5,\ nq=72\times\frac{2}{3}=48\ge 5$이므로 확률변수 X는 근사적으로 정규분포 $N(24,\ 4^2)$을 따른다.
한편 $Z=\frac{X-24}{4}$로 놓으면 확률변수 Z는 표준정규분포 $N(0,\ 1)$을 따르므로 구하는 확률은
$P(X \ge 28)=P\left(Z \ge \frac{28-24}{4}\right)=P(Z \ge 1)$
$=0.5-P(0 \le Z \le 1)$
$=0.5-0.34=0.16$

답 ③

05

모집단이 정규분포 $N(100,\ 20^2)$을 따르고 표본의 크기가 n이므로 표본평균 $\overline{X}$는 정규분포 $N\left(100,\ \left(\frac{20}{\sqrt{n}}\right)^2\right)$을 따른다.

이때 $Z=\dfrac{\overline{X}-100}{\frac{20}{\sqrt{n}}}$으로 놓으면 확률변수 Z는 표준정규분포 $N(0, 1)$을 따르므로

$f(n)=P(100\le\overline{X}\le120)$

$=P\left(\dfrac{100-100}{\frac{20}{\sqrt{n}}}\le Z\le\dfrac{120-100}{\frac{20}{\sqrt{n}}}\right)$

$=P(0\le Z\le\sqrt{n})$

$\therefore f(4)-f(1)=P(0\le Z\le2)-P(0\le Z\le1)$

$=0.4772-0.3413=0.1359$

답 ③

06

받을 수 있는 금액을 확률변수 X라고 하자.

(i) 2000원을 받는 경우, 즉 $X=2000$인 경우

앞면이 4개 나올 확률은 ${}_4C_4\left(\frac{1}{2}\right)^4=\frac{1}{16}$

앞면이 하나도 나오지 않을 확률은 ${}_4C_0\left(\frac{1}{2}\right)^4=\frac{1}{16}$

$\therefore P(X=2000)=\frac{1}{16}+\frac{1}{16}=\frac{1}{8}$

(ii) 400원을 지불하는 경우, 즉 $X=-400$인 경우

앞면이 2개 나올 확률은

$P(X=-400)={}_4C_2\left(\frac{1}{2}\right)^2\left(\frac{1}{2}\right)^2=\frac{3}{8}$

(iii) 받거나 지불하는 금액이 없는 경우 즉, $X=0$인 경우

$P(X=0)=1-\left(\frac{1}{8}+\frac{3}{8}\right)=\frac{1}{2}$

(i), (ii), (iii)에서 확률변수 X의 확률분포는 다음 표와 같다.

X	-400	0	2000	합계
$P(X=x)$	$\frac{3}{8}$	$\frac{1}{2}$	$\frac{1}{8}$	1

$\therefore E(X)=(-400)\times\frac{3}{8}+0\times\frac{1}{2}+2000\times\frac{1}{8}=100$

따라서 받을 수 있는 금액의 기댓값은 100원이다.

답 ②

07

예약된 20개의 객실 중 1개 꼴로 사전 통보 없이 입실하지 않으므로 나머지 19개의 객실은 입실한다.

즉, 예약된 객실에 예약 당일 입실할 확률은 $\frac{19}{20}=0.95$이고 예약된 객실은 모두 72개이므로 크리스마스에 예약된 객실의 수를 확률변수 X라고 하면 X는 이항분포 $B(72, 0.95)$를 따른다.

$\therefore P(X=x)={}_{72}C_x\,0.95^x\times0.05^{72-x}\ (x=0, 1, 2, 3, \cdots, 72)$

크리스마스에 객실이 부족한 것은 $X\ge71$인 경우이므로 구하는 확률은

$P(X\ge71)=P(X=71)+P(X=72)$

$={}_{72}C_{71}0.95^{71}\times0.05^1+{}_{72}C_{72}\,0.95^{72}$

$=72\times0.0262\times0.05+0.0249$

$=0.11922$

답 ④

08

조건 (가)에 의하여 확률밀도함수 $y=f(x)$의 그래프가 y축에 대하여 대칭이고, $P(-2\le X\le2)=1$이므로

$P(-2\le X\le0)=P(0\le X\le2)=\frac{1}{2}$

$\therefore P\left(0\le X\le\frac{7}{5}\right)+P\left(\frac{7}{5}\le X\le2\right)=\frac{1}{2}$ …… ㉠

이때 조건 (나)에 의하여

$P\left(\frac{7}{5}\le X\le2\right)=\frac{1}{6}P\left(0\le X\le\frac{7}{5}\right)$ …… ㉡

㉡을 ㉠에 대입하면

$P\left(0\le X\le\frac{7}{5}\right)+\frac{1}{6}P\left(0\le X\le\frac{7}{5}\right)=\frac{1}{2}$

$\frac{7}{6}P\left(0\le X\le\frac{7}{5}\right)=\frac{1}{2}$ $\quad\therefore P\left(0\le X\le\frac{7}{5}\right)=\frac{3}{7}$

$\therefore P\left(-\frac{7}{5}\le X\le0\right)=P\left(0\le X\le\frac{7}{5}\right)=\frac{3}{7}$

답 ③

09

학생의 키를 확률변수 X라고 하면 X는 정규분포 $N(170, 5^2)$을 따른다.

200번째로 큰 학생의 키를 t cm라고 하면

$P(X\ge t)=\frac{200}{1000}=0.2$

이때 $Z=\frac{X-170}{5}$으로 놓으면 확률변수 Z는 표준정규분포 $N(0, 1)$을 따르므로

$P(X\ge t)=P\left(Z\ge\frac{t-170}{5}\right)=0.2$

$\therefore P\left(0\le Z\le\frac{t-170}{5}\right)=0.5-0.2=0.3$

$P(0\le Z\le0.84)=0.3$이므로

$\frac{t-170}{5}=0.84$

$t-170=4.2$ $\quad\therefore t=174.2$

따라서 키가 200번째로 큰 학생의 키는 174.2 cm이다.

답 ④

10

표본평균의 값을 $\overline{x}$라고 하면 모평균 m에 대한 신뢰도 95 %의 신뢰구간은

$\overline{x}-1.96\times\frac{\sigma}{\sqrt{n}}\le m\le\overline{x}+1.96\times\frac{\sigma}{\sqrt{n}}$

$100.4\le m\le139.6$이므로

$\overline{x}-1.96\times\frac{\sigma}{\sqrt{n}}=100.4$, $\overline{x}+1.96\times\frac{\sigma}{\sqrt{n}}=139.6$

위의 두 식을 연립하여 풀면

$\overline{x}=120$, $\frac{\sigma}{\sqrt{n}}=10$

모평균 m에 대한 신뢰도 99 %의 신뢰구간은

$120-2.58\times10\le m\le120+2.58\times10$

$\therefore 94.2\le m\le145.8$

따라서 신뢰도 99 %의 신뢰구간에 속하는 자연수는 95, 96, 97, …, 145의 51개이다.

답 51